제2판

아 동 복 지 론

- 이해와 실천 -

송 정 애

YANGSEOWON
양서원

제2판 머리말

12년 전 아프리카 해외봉사를 다녀온 후 아동과 아동복지에 대한 개인적인 관점의 변화가 있었습니다. 이러한 관점의 변화를 토대로 아동복지 교재를 출간하게 되었습니다. 그러나 아동복지 교재를 처음 출간할 즈음 나는 10년 후를 예측하지는 못했습니다.

아동복지 교재가 출간된 지 12년이 지난 후 아동복지 교재를 검토해보면서 제도적인 측면과 서비스적인 측면에 있어서 많은 변화가 있었음을 실감하게 되었습니다. 그러나 이와 같이 아동복지영역의 많은 변화가 있었음에도 불구하고 그 변화가 실감되지 못하는 것은 왜일까? 하는 생각도 들었습니다. 그것은 아동을 위한 제도와 서비스가 마련되었음에도 불구하고 여전히 우리 사회에서 아동문제는 해결해야 될 사회문제로 남아 있기 때문이었습니다. 아동을 위한 보호체계가 마련되었음에도 불구하고 복지사각지대에서 보호받아야 할 많은 아동들이 아직도 필요한 보호를 받지 못하고 있는 실정입니다.

이러한 생각을 하면서 아동복지 교재 원고를 검토하고 필요한 자료를 수정 보완하였습니다. 그래도 다행인 것은 지난 10여 년 동안 아동복지영역에서 보편적 서비스가 증가했다는 것과 아동문제에 대한 사회적 관심이 높아졌다는 것입니다. 앞으로 10년 후 아동복지영역에서의 긍정적 변화를 기대하면서 2판 개정된 아동복지 교재는 구성과 주요내용은 유지하면서 통계와 현황, 제도, 서비스 측면에서 달라진 내용을 중심으로 수정하였습니다. 모쪼록 본 교재를 통하여 학생들은 아동복지실천현장에서 필요로 하는 전문적이면서 일상적 기법 등을 습득함으로써 현장에서 필요로 하는 사회복지사의 자질과 역할을 함양할 수 있게 되기를 바랍니다. 특히 국내뿐만 아니라 국외 즉 국제아동복지분야에 관심을 가지고 사회복지사들이 보다 글로벌한 아동복지분야의 비전을 가질 수 있기를 바랍니다.

본 교재는 3부 12장으로 구성되어 있습니다.

제1부는 아동복지의 기초로 제1장 아동과 아동복지에 대한 이해, 제2장 아동복지의 조건과 서비스 유형, 제3장 아동복지실천을 위한 사회복지사의 역할과 자질로 구성되어 있습니다.

제2부는 아동복지 접근방법으로 제4장 아동복지의 정책적 접근방법, 제5장 아동복지실천과정과 전문적 접근방법으로 구성되어 있습니다.

제3부는 분야별 아동복지서비스로 제6장 빈곤가정아동보호서비스, 제7장 장애아동복지서비스, 제8장 요보호아동복지서비스, 제9장 학대아동보호서비스, 제10장 다문화가족아동복지서비스, 제11장 조손가정아동복지서비스, 제12장 국제아동복지서비스로 구성되어 있습니다.

본 교재는 아동복지현장에서 특히 아동을 대상으로 하는 서비스를 제공하기가 어렵다는 현장 실무자들의 의견을 반영하여 사례실습을 통하여 현장실무에 적용할 수 있도록 정리하였습니다. 또한 매장마다 기출문제를 통하여 내용을 정리해 볼 수 있도록 구성하였습니다.

본 교재는 아동복지분야뿐만 아니라 가족복지, 사회복지, 영유아보육, 교육, 청소년분야를 전공하신 분들과 사회복지행정공무원, 보육교사, 건강가정사, 자원봉사자들에게 활동지침서로도 도움이 될 것으로 기대됩니다.

2판 교재가 수정 보완되어 완성되기까지 감사해야 할 분들이 있습니다. 그동안 본 교재의 자료 제공과 현장실무에 대한 자문을 해주신 아동복지관련기관의 실무자들, 곁에서 묵묵히 자료 정리와 원고 작업을 도와준 이상기 선생님과 양서원 출판그룹의 박세원 대표님과 직원들께 감사드립니다.

2022년 1월

저자

머리말

유난히 무더운 날씨와 지루한 장마가 이어지고 있는 가운데 휴가도 가지 못하고 연구실에서 교재 원고에만 매달렸습니다. 지난 15년 동안 대학에서 아동복지과목을 강의하면서도 아동복지교재를 집필하고자 하는 계획은 가지고 있지 않았습니다. 아동·가족학과 청소년복지를 전공하고 그 분야를 강의하면서도 교재를 집필할 계획을 가지지 않았던 이유는 굳이 교재를 집필하지 않아도 강의하는 데 부족함이 없을 정도로 좋은 내용을 담고 있는 아동복지교재가 무진장 많았기 때문이었습니다. 그러나 사회복지 혹은 아동복지 실무현장에서 실무담당자를 만나면서, 혹은 실습 및 취업 등을 목적으로 현장을 방문할 때면 어김없이 요즘 사회복지사의 자질에 대한 이야기를 듣곤 합니다. 즉 요즘 사회복지사들은 배려심이 적고 힘든 일은 하지 않으려고 하며 불평불만이 많다는 것이었습니다.

기관장과 선임사회복지사들이 이야기하는 요즘 사회복지사들, 즉 이제 취업한 지 2년 이내인 신참 사회복지사들은 그들 나름대로 어려움을 토로하기도 하였습니다. 그들이 토로하는 어려움은 학교에서 배운 이론과 기법들은 현장에서 활용할 수 없다는 것이었습니다.

현장에서 필요한 것은 근무하는 그 순간부터 새롭게 배워나가야 하는데 현장에서 근무하면서 그것을 일일이 가르쳐주는 사람은 없고, 미숙한 업무능력에 대한 평가만 한다는 것입니다. 이러한 상황에서 현장실무에서 필요한 지식과 기법들은 본인이 스스로 알아서 배우든지 아니면 적성에 맞는 또 다른 일을 찾아 직장을 그만둘 수밖에 없다는 것입니다.

현장의 어려움을 이야기하는 그들 앞에서 민망함과 죄송한 마음을 감출 수가 없었습니다. 시설장과 선임사회복지사, 신임사회복지사 모두는 현장에서 필요한 지식과 기법을 사회복지사가 되기 직전 교육에서 충분히 배울 수 없었기 때문이라는 생각이 들기 때문이었습니다.

또, 사회복지사를 위한 직무교육 혹은 보수교육에 갔을 때 현장에서 가장 필요한 지식과 기법이 무엇인지 사회복지사들에게 질문하곤 합니다. 그 질문에 대부분의 사회복지사들은 전문적인 이론과 기법보다는 일상적인 현장실무를 중심으로 한 기법이 보다 더 필요하다고 답변했습니다. 다시 말하자면 시설장 및 선임사회복지사와의 관계, 클라이언트와의 관계, 아동 클라이언트 부모와 면담하는 기법, 힘들게 하는 클라이언트와의 관계형성기법, 혹은 갈등이나 스트레스 관리기법 등을 보다 필요로 한다는 것입니다. 비유하자면 우리가 일상적인 생활을 하는 데에는 거대한 어음과 수표보다는 시내버스를 이용하거나 수퍼마켓에서 일상용품을 살 수 있는 잔돈이 보다 더 필요한 것과 같은 의미일 수 있습니다.

최근 사회복지에 대한 사회적 관심과 서비스가 증가되면서 사회복지서비스에 대한 욕구와 기대도 높아졌습니다. 특히 그동안 선별적인 서비스 중심으로 제공되었던 아동복지분야가 무상보육, 아동급식 등 보편적 서비스로 전환되기 시작하면서 아동복지서비스 분야와 관련된 업무가 급증하였습니다. 이러한 현상과 관련하여 최근 사회복지행정공무원이 과다한 업무로 인하여 잇달아 자살하고 인근 소도시의 보육원에서는 사회복지사가 아동을 훈육할 목적으로 과도한 체벌을 한 것이 문제가 되어 구속되기도 하였습니다. 이러한 사건에 대하여 언론과 사회에서는 근본적인 원인을 찾기보다는 사회복지사의 자질에 대하여 비난하고 있을 뿐이었습니다.

이러한 현실을 경험하면서 아동복지교재를 집필하고 싶은 강한 열망을 갖게 되었습니다. 그동안 아동복지를 강의하고 실습하면서 틈틈이 모아온 자료와 다양한 아동복지실천현장을 방문하고 경험한 실증적 자료, 현장사회복지사 실무교육 등을 통하여 얻은 지식과 자료 등을 토대로 열망을 실현시키기 위한 계획을 수립하고, 2년 만에 완성시키게 되었습니다.

본 교재를 통하여 학생들은 아동복지실천현장에서 필요로 하는 전문적이면서 일상적 기법 등을 습득함으로써 현장에서 필요로 하는 사회복지사의 자질과 역할을 함양할 수 있게 될 것으로 기대합니다.

특히 최근 해외봉사 등 국제사회복지에 대한 관심이 높아지고 있음을 감안하여 국내뿐만 아니라 국외 즉 국제아동복지분야를 추가하여 사회복지사들이 보다 글로벌한 아동복지분야의 비전을 가질 수 있도록 하였습니다.

본 교재는 3부 12장으로 구성되어 있습니다.

제1부는 아동복지의 기초로 제1장 아동과 아동복지에 대한 이해, 제2장 아동복지의 조건과 서비스 유형, 제3장 아동복지실천을 위한 사회복지사의 역할과 자질로 구성되어 있습니다.

제2부는 아동복지 접근방법으로 제4장 아동복지의 정책적 접근방법, 제5장 아동복지 실

천과정 및 전문적 접근방법으로 구성되어 있습니다.

제3부에는 분야별 아동복지서비스로 제6장 빈곤가정아동보호서비스, 제7장 장애아동복지서비스, 제8장 요보호아동복지서비스, 제9장 학대아동보호서비스, 제10장 다문화가족아동복지서비스, 제11장 조손가정아동복지서비스, 제12장 국제아동복지서비스로 구성되어 있습니다.

본 교재는 아동복지현장에서 특히 아동을 대상으로 하는 서비스를 제공하기가 어렵다는 현장 실무자들의 의견을 반영하여 사례실습을 통하여 현장실무에 적용할 수 있도록 정리하였습니다. 또한 매장마다 기출문제를 통하여 내용을 정리해 볼 수 있도록 구성하였습니다.

본 교재는 아동복지분야뿐만 아니라 가족복지, 사회복지, 영유아보육, 교육, 청소년분야를 전공하신 분들과 사회복지행정공무원, 보육교사, 건강가정사, 자원봉사자들에게 활동지침서로도 도움이 될 것으로 기대됩니다.

본 교재가 완성되기까지 감사해야 할 분들이 있습니다. 그동안 본 교재의 자료 제공과 현장실무에 대한 자문을 해주신 아동복지관련기관의 실무자들, 짜증나는 무더운 날씨에도 곁에서 묵묵히 자료 정리와 원고 작업을 도와준 김혜림 선생님과 다영이, 양서원 출판그룹의 박철용 회장님과 직원들께 감사드립니다.

2010년 12월

저 자

CONTENTS

CONTENTS

PART 03

분야별 아동복지서비스

CONTENTS

아동복지론

PART 01

아동복지의 기초

CHAPTER

01 아동과 아동복지에 대한 이해

우리 사회는 급속한 산업화, 정보화, 가족의 구조 및 기능 변화로 인하여 다양한 사회적 문제에 직면하고 있으며, 이 가운데 아동의 생존과 건강한 성장발달에 영향을 미치는 여러 가지 사회적 위험과 문제에 처해 있다. 특히 가족형태와 구조 변화로 인하여 가족해체 및 가족 내 아동학대 등이 증가하고 있으며 사회 양극화 현상이 심화됨에 따라 전통적인 아동보호와 양육의 가족기능이 크게 약화되고 있다. 사회복지실천현장에서 만나게 되는 대부분의 아동들은 저소득계층이거나 가족기능의 약화로 인한 경제적인 측면뿐만 아니라 심리·정서적, 사회적인 측면의 복합적인 욕구 불충족으로 인하여 발달상의 문제를 지니게 된다.

1. 아동이란

사회복지가 발달하기 이전의 아동과 청소년의 구분은 일반적으로 범죄에 대한 예방 및 처벌을 위한 기준을 세우기 위한 법적 구분이 지배적이었다. 행위에 대한 심판과 처벌이 목적이었기 때문에 아동 및 청소년의 구분이 인간의 발달단계에 입각하지는 않았다.

근래에 들어 아동 및 청소년문제를 연구하는 입장은 과거 범죄에 대한 예방 및 처벌중심의 목적보다도 인간의 발달단계에 따라 구분하는 경향이 뚜렷해지고 있다. 생물학적인 관점에서 볼 때 아동은 유치원에 들어가는 4세부터 초등학교를 졸업하는 12세까지로 구분한다. 뉴만 부부는 아동의 2가지 특성을 제시하였다. 첫째, 자신에게 주어진 기대와 자기가 실제로 성취한 것에 대한 비교의 능력이 생성된다. 둘째, 타인들의 인정·사랑·지지 수준에 따라 자부심과 열등감이 형성되는 시기이다(Newman & Newman, 1987 : 257-258). 발달단계(stages of development)에 따른 아동기에 자기가 성공적이라고 느끼는 것, 자신이 사랑받고 있고 가치 있는 존재이며 동경의 대상이라고 느끼는 것은 자부심을 갖게 해 준다. 반면에 자기의 성취가 기대에 미치지 못한다고 느끼는 것, 무시당하거나 거부당하고 있다고 느끼는 것, 자신이 부적합하다고 느끼는 것 등은 자신을 가치 없는 존재로 인식하게 한다.

아동기의 자부심은 주요한 과제수행에 성공했느냐 또는 실패했느냐에 따라 변화하며, 자신이 중요하게 여기는 사람들의 반응이 긍정적이냐 또는 부정적이냐에 따라 높아지거나 낮아진다. 때문에 부모나 선생님과 같은 어른들은 어린이의 능력을 자주 인정해 주고, 어린이가 사랑받고 있다는 것을 확인시켜 주는 것이 매우 좋다.

청소년은 초등학교를 졸업하는 12세부터 22세까지로 구분한다(이인정·최해경 공저, 2003 : 75). 청소년기는 신체적 성숙이 완연해지고, 더불어 성적으로 성숙되며, 형식적 조작사고가 가능해져 상당 부분 논리적인 경향이 강해지는 특성이 있다.

그러나 가장 중요한 것은 에릭슨(Erikson, 1963)이 지적한 것과 같이 청소년기에 새로운 사회적 갈등과 요구가 대두되어 혼란과 당황을 경험하는 것이다. 그리고 그는 이러한 상황에서 청소년에게 부과되는 가장 중요한 과제가 자신의 정체감을 확립하는 것이라고 주장하였다. 청소년기에는 집단소속을 통해 자기의 정체감을 파악하고자 하는 경향이 강하여 한 집단에 속하면 그 집단의 구성원들은 사회적 활동과 공부 방식·이성교제·취미활동 등 삶의 다양한 측면에서 서로 영향을 미치게 된다. 이는 청소년기가 시작되는 12세 이상의 나이가 되면 집에서 떨어져 밖에서 많은 시간을 보내게 되며, 친구들과의 대화가 일상활동이 되기 때문이다. 이후 점차 청소년기 후기로 접어들면 개인적인 정체감을 형성하게 된다. 청소년이 자신의 정체감을 확고하게 세우기 위해서는 가족관계 속에서 자신의 독자성을 표현할 기회가 많이 마련되어야 한다. 특히 청소년들이 자신의 고유한 견해와 관념을 가지고자 하는 욕구를 부모가 받아 주고 이해해 준다고 느낄 때 자신의 정체감 형성에 많은 도움을 얻게 된다. 그러므로 독립성은 부모와 청소년 간의 상호 관심과 정서적 지지 안에서 성취될 수 있다. 부모가 청소년 자녀로 하여금 집안일의 결정에 같이 참여하도록 격려하고 부모가 세워 놓은 한계에 대해서 충분히 설명해 주는 상황이라면 청소년들은 자연스럽게 자신의 독립성을 경험하게 된다. 따라서 빈번한 대화와 함께 어느 정도의 통제를 합리적으로 하는 부모의 경우에 자주적인 자녀를 갖게 될 가능성이 높다. 반대로 가족 내에서 청소년에 대한 적절한 대우와 지지가 이루어지지 않았을 때 청소년은 '일탈자'나 '실패자'의 낙인을 받을 수 있다. 더욱이 부정적인 정체감 형성보다 더 문제가 되는 것은 '정체감 유실(identity foreclosure)'이라는 현상으로, 자신에 대한 어떤 견해도 확고하게 받아들이지 못하는 상태에 이르는 경우이다. 정체감 유실을 경험하는 사람은 가족을 비롯해서 자기에게 중요한 다른 사람들의 요구에 따라 자신의 정체감에 대해 미숙한 결정을 내리게 된다.

따라서 아동기와 청소년기는 생물학적 나이로 구분되고, 동시에 발달단계에 따른 특성에 대한 지지와 강화 속에 '사회화'와 '규범화'가 잘 된 정상인으로서의 삶을 살아가게 된다. 그러나 아동기와 청소년기에 따른 발달과정상 나타나는 특성에 따라 지지를 통한 강화를 이루지 못할 경우 사회문제의 원인이 된다.

아동에 대한 개념은 시대 혹은 사회·문화적인 관점에 따라 다양하게 정의되고 있다.

생물학적인 측면에서는 출생한 이후부터 신체적 성숙이 마무리되는 기간 동안의 연령에 해당된다고 보고 있으며 사회적 관점에서는 사회가 아동에게 부여하는 역할 및 기대와 관련하여 정의되기도 한다. 장인협과 오정수(2004)는 아동을 미성숙 혹은 성숙하는 과정에 있는 사람이라고 정의하면서 연령 구분은 법률마다 차이가 있다고 하였다. 법률에 규정되어 있는 아동의 연령은 〈표 1-1〉과 같다.

〈표 1-1〉 법률에 따른 아동 연령

국내 법률	아동과 유사개념	연령 범위
영유아보육법	영·유아	6세 미만의 취학 전 아동
유아교육법	유아	3세~취학 전 아동
아동복지법	아동	18세 미만의 자
아동수당법	아동	7세 미만인 자
청소년기본법	청소년	9세~25세 미만인 자
청소년보호법	청소년	19세 미만인 자
소년법	소년	19세 미만인 자
민법	미성년자	19세 미만인 자
형법	형사미성년자	14세 미만인 자
근로기준법	연소자	18세 미만인 자
도로교통법	영·유아, 어린이	영유아: 6세 미만인 자 어린이: 13세 미만인 자

출처: 국가법령정보센터(https://www.law.go.kr/)

아동복지법상으로는 출생에서 만 18세까지의 신체적·정서적·인지적·사회적으로 미성숙한 단계의 인간이라고 정의하고 있으며 이러한 측면에서 아동복지의 대상은 출생에서 만 18세까지 연령에 속하는 아동을 의미한다. 아동은 태어나서 성인이 되기까지 가족과 사회로부터 필요한 발달적 욕구를 충족시킴으로써 건강하게 성장·발달할 수 있는데, 이는 성장과정에서 직면하는 다양한 문제를 해결하고 아동 개개인이 보다 더 건강하게 성장·발달할 수 있는 가정과 사회가 필요하다는 것을 전제조건으로 한다. 즉, 아동복지는 아동의 건강한 성장발달에 필요한 환경을 조성하여 아동들이 행복하고 인간다운 삶을 살며 그들의 생활에서 잠재력을 최대한 발휘할 수 있도록 하는 것을 목적으로 하는 사회적 노력이라고 할 수 있다. 이와 같은 아동복지의 궁극적 목적을 이루기 위해서는 우선 아동에 대한 본질적 이해가 필요하다.

아동에 대한 관점은 시대와 사회 문화에 따라 그 사회 고유의 가치관을 반영하며, 아동에 대한 가치관 및 권리와 연결된다. 아동에 대한 다양한 관점은 〈표 1-2〉와 같다.

〈표 1-2〉 아동에 대한 다양한 관점

관점 구분	내용	
성인 축소판	• 성인이 지니는 특성은 이미 출생 당시부터 타고나는 것 • 아동은 크기가 작은 어른일 뿐이며 아동의 정신세계도 성인과 다르지 않을 것이라고 생각 • 아동성장과정을 통하여 환경과 끊임없이 상호작용하면서 심신양면이 통합되는 존재라는 사실을 인정하지 않는 관점	성인 축소판으로서 아동 존재 인정
장래 시민 (그리스 플라톤)	• 그리스의 플라톤은 국가조직 속에서 각 계급의 시민들은 자기의 타고난 본성에 어울리게 맡겨진 직분에 충실해야 한다고 주장 • 인간의 본성은 이미 신으로부터 부여받은 것이므로 시민을 국가에 봉사하기 위한 도구로 보며 인간개체의 존엄성을 불인정	아동의 존재 가치는 미래 국가사회 건설 수단으로만 인정
성악설 (중국 순자, 기독교)	• 인간본성은 악하기 때문에 본능대로 살면 악인이 되기 때문에 교육으로 제재하여야 한다는 관점 • 기독교에서는 인간은 육신은 악한데 영혼은 선하다는 영육이원론관점이며 아동육아방법으로 엄한 규율, 엄격한 도덕적 훈련, 부모에 대한 절대적 복종과 존경을 강요	아동의 발전 가능성 무시
백지설 (존 로크, 중국 고자)	• 존 로크는 인간오성론에서 출생 때의 인간의 마음은 백지와 같다고 함 • 인간이란 태어날 때 본능이라는 것도 갖지 않았을 뿐만 아니라 수동적으로 환경을 받아들일 뿐 능동적인 존재는 아니라는 생각 • 아동경험을 통한 상과 벌에 의하여 인간의 본성이 결정되기 때문에 스파르타식 교육이 요구된다고 봄	교육을 통한 아동발달 가능
반복설 (다윈, 헐)	• 다윈의 진화론을 근거로 헐은 어떤 종족에 속해 있는 개체의 발달과정은 그 종족의 발생학적 순서에 따른다는 반복설을 주장 • 인간발달의 유전적 측면을 중요시하였으며 개체발생은 그 종족 발생과정에 따른다고 함	

산업혁명 후 20세기에 들어서면서 종전의 종족보전을 위한 수단으로서의 아동에 대한 관점이 변화되어 아동을 독립적인 존재로 인정하고 아동의 욕구를 정당하게 수용해야 한다는 관점이 대두되었다. 엘렌 케이(Ellen Key)는 『아동의 세기』라는 책에서 모든 아동은 생명, 교육, 노동으로부터 자유, 적당한 주거, 건전한 여가활동, 필요한 경우 공적 생활에의 권리까지도 보장해 주어야 한다고 주장하였다. 이러한 관점은 아동존중사상으로까지 발전하게 되었으며 아동에 대한 자기발달의 자유를 존중해주고 사회일원으로서 가치를 인정하여 목적의식적인 지도의 대상으로 보게 되었다. 그 후 1909년 미국의 루즈벨트 대통령에 의한 아동과 청소년을 위한 백악관 회의가 10년마다 개최되고 있으며, 1924년 국제연맹의 "아동권리에 관한 제네바 선언", 1959년 "국제연합의 아동의 권리선언", 1971년 "정신박약아 권리선언", 1979년 UN의 "세계아동의 해 공포" 등 국제적인 아동존중 활동이 활발해지면서 아동의 권리 보장적 측면에서의 아동복지에 대한 관심이 높아지고 있다. 이와 같은 점을 토대로 아동의 발달적 측면과 권리적 측면을 토대로 아동복지의 의의를 살펴보고자 한다.

1) 발달적 측면의 아동

아동복지의 핵심 개념 중 하나는 아동의 욕구와 성장이다. 사회사업사전에 의하면 욕구는 생존이나 안녕, 충족을 위한 신체적·심리적·경제적·사회적 필요라고 정의하고 있으며 대부분의 아동문제는 아동이 성장발달하는 데 필요한 기본적 욕구와 사회적 욕구의 불충족에서 출발한다고 볼 수 있다.

따라서 아동의 발달적 욕구는 문제해결을 위한 필수 단서가 된다. 즉, 욕구는 어떠한 목적을 위하여 좋은 것, 필요한 것, 필수적인 것을 의미하지만, 이러한 것이 결여되었거나 결핍되었을 때 욕구결핍문제가 발생하고 그것이 아동문제 혹은 사회문제가 되는 것이다. 인간을 포함하여 모든 생물은 개체 유지와 종족 보존을 위하여 필요한 기본적 욕구를 가지고 있으며 욕구는 충족되어야 할, 즉 해결되어야 할 문제로 볼 수 있다.

즉, 인간은 생존하기 위하여 혹은 인간다운 삶을 살기 위하여 필요한 욕구를 스스로 충족시킬 수 없을 때 외부로부터 도움을 필요로 하지만, 아직 미성숙한 아동의 욕구충족은 전적으로 외부의 도움이 필요하다. 아동복지는 아동의 욕구 미충족상황이 어떻게 발생하였으며 그 욕구를 어느 수준에서, 누가, 어떤 방법으로 충족시킬 것인가에 대하여 관심을 두고 있다. 즉, 아동의 발달적 욕구충족을 위한 외부적 도움을 체계적으로 구조화한 것이 아동복지라고 할 수 있다. 즉, 아동복지를 이해하기 위하여 아동의 발달적 욕구에 대한 이해는 무엇보다 중요하다.

(1) 아동욕구유형

사회복지적 관점에서 중요하게 고려되고 있는 욕구는 인간욕구(human needs), 기본욕구(basic needs), 사회적 욕구(social needs) 등으로 구분하고 있다(남세진·조흥식, 1995 : 34).

욕구는 생존과 인간다운 삶을 영위하기 위한 인간욕구와 최소한의 누구에게나 공통적이면서 필수적인 기본욕구, 다양한 사회적 위험으로 인하여 개인의 기본욕구를 충족시키지 못하는 사회구성원의 수가 많을 때 이들이 처해 있는 사회적 위험으로부터 벗어나고자 하는 사회적 욕구 등으로 구분할 수 있다.

① 인간욕구(human needs)

매슬로우(Maslow, 1954)는 인간의 욕구를 생리적 욕구, 안전의 욕구, 사랑의 욕구, 존경의 욕구, 자아실현의 욕구로 구분하여 설명하였다. 다시 말해서 인간욕구는 가장 하위의 생리적인 욕구를 토대로 안전의 욕구, 사랑의 욕구, 존경의 욕구, 자아실현의 욕구가 위계적 구조를 가지고 있으며 다음과 같은 특성을 가지고 있다.

- 하위욕구일수록 생물적 생존에 필요한 욕구이며 그것이 부족하게 되면 채워야만 하는 이른바 부족 동기를 형성한다. 배가 고프면 배를 채워야 하고, 추우면 몸을 따듯하게 해야 한다. 그러나 욕구충족 수준이 적정해야 하며 너무 과도하면 도리어 불만족하게 된다.
- 상위욕구일수록, 특히 자아실현의 욕구는 무엇이 부족해서가 아니라 더 높은 것

을 찾으려는 성장 동기를 형성한다. 이를테면 아이들이 배가 부르면 쉬는 것이 아니라 오히려 재미있는 놀이에 열중한다. 의미추구, 성취추구는 그 실현이 최대일수록 좋다.

- 또한 하위욕구 만족으로 상위욕구의 실현을 대치할 수 없다. 배가 부르다고 해서 자유의 욕구가 없는 것은 아니다.
- 일반적으로 부족 동기는 위기상황, 한계상황에서 강하게 우선적으로 작용한다. 보통 인간은 굶어죽기 전의 상황에서는 먹을 것을 찾는 일 이외에는 눈에 보이는 것이 없어지고 도덕이나 자아실현 등도 없어진다.
- 위기상황이나 한계상황이 아닌 의식주로 생리적 욕구와 안전의 욕구에 만족한 일상생활에서는 성장 동기가 더 작용한다.

〈표 1-3〉 매슬로우(Maslow)의 인간욕구유형

욕구 유형	내 용	결핍 상태
생리적 욕구 (physiological need)	인간의 욕구 중 가장 기본적이고 강한 생물학적 생존욕구로 유기체의 생물학적 유지와 직접적으로 관련되어 있는 욕구	배고픔, 갈증, 수면, 성욕, 피로, 좌절, 긴장, 질병
안전의 욕구 (safety need)	생리적 욕구가 만족되면 개인은 안전욕구에 관심을 갖게 됨. 이러한 욕구가 생기게 되는 주된 원인은 누구나 확실하고 잘 정돈되고 조직화되고 예측할 수 있는 환경 내에서 생활하고 싶은 욕구	주거결핍, 불안, 갈구, 두려움, 강박감
소속과 사랑의 욕구 (need for belonging and love)	생리적 및 안전의 욕구가 충족되면 건전한 사랑의 관계에 대한 욕구가 나타나는데 개인이 한 집단 속에서 타인과의 애정적인 관계, 준거집단, 사회적 관계를 갈망하는 욕구	무가치한 느낌, 공허감, 고독, 고립, 불안전감
존경의 욕구 (self-esteem need)	사회적으로 사랑받고 남을 사랑하려는 욕구. 즉, 자기존중과 타인으로부터 존경을 받고자 하는 욕구	무능력한 감정, 열등감
자아실현의 욕구 (self-actualization need)	이상의 모든 욕구가 충족될 때 발생하며 자아실현은 자신이 원하는 유형의 사람이 되고자 하는 욕구	소외, 삶의 의미상실, 권태, 한정된 활동

출처 : 배기호 외(2013). 사회복지개론. 창지사.

② 기본욕구(basic needs)

기본욕구란 인간의 욕구 중에서 누구에게나 공통적이면서 필수적인 것들의 최저수준에 적용되는 욕구를 의미한다. 아동복지는 아동의 발달적 욕구에 대응하기 위한 사회적 제도라고 할 수 있다. 아동복지나 사회복지에서의 기본욕구는 아동의 욕구 중에서 아동 모두에게 공통적이면서 필수적인 것들의 최저수준을 충족시켜주는데 그 의미가 있다.

기본욕구는 공통적 기본욕구와 필수적 기본욕구로 구분되는데 공통적 기본욕구란 의·식·주, 직업, 교육, 건강, 화목한 가정, 쾌적한 환경 등을 포함하며, 필수적 기본욕구란 공통적 기본욕구가 충족되지 않을 경우 인간성 확보가 불가능해지며 이때 인간성 확보를 위하여 생존과 자율의 보장을 위해 필요한 기본욕구이다. 기본적 욕구충족을 위한 최저수준의 정도는 시대와 장소 그리고 문화와 국가에 따라서 차이가 있다. 그러나 사회, 경제, 문화수준이 높을수록 기본욕구는 다양해지고 그 수준도 높아진다. 기본욕구의 일반적 특성을 정리하면 다음과 같다.

- 기본욕구는 모든 아동에게 공통적으로 존재하는 욕구이다. 기본욕구는 인종, 종교, 성별, 교육수준, 사회경제적 지위에 관계없이 한 인간으로서 아동이 동일하게 지니는 욕구를 의미한다. 이러한 기본욕구의 특성은 무차별평등의 원리로 표현되는데 의식주를 포함하여 건강, 직업, 가족 등이 포함된다.
- 기본욕구는 모든 아동들의 성장발달에 필수적 욕구이다. 이러한 욕구가 확보되지 않으면 건강한 성장발달이 어렵다. 우리나라 헌법에서는 국민의 생존권보장을 설정하고 기본욕구 충족을 위한 국가의 책임을 규정하고 있다.
- 기본욕구는 모든 아동들에게 최소한의 수준으로 있어야 하는 욕구이다. 한 사회에서 필요로 하는 아동의 욕구가 기본욕구로 승인될 수 있어야 한다는 것이다. 아동의 욕구 미충족으로 인한 문제해결을 목적으로 하는 사회서비스의 양과 질에서 일정한 수준이 정해져야 하고 아동들에게 일정 수준 이하의 생활을 하게 해서는 안 된다는 규범적 선언이 있어야 한다.

• 오늘날 생존, 생식과 관련된 문제와 기본적 욕구는 모든 사회의 모든 사람에게 해당된다. 더욱이 대부분의 경제활동은 이러한 기본욕구를 충족하는 데 충당되고 있다. 사치품이라고 일컫는 모피코트를 생산하는 것도 인간의 기본욕구에 기인하는 것이다. 왜냐하면 그것을 입은 사람의 욕구를 충족시켜주기 때문이다(박병화 역, 2011). 생존지표구성에 포함된 1차적 욕구의 14개 영역은 체온조절, 폐기물 제거, 영양, 식수, 이동가능, 수면, 호흡, 신체안전, 신체건강, 정신건강, 소통, 사회관계, 생식, 자녀양육 등이다.

③ 사회적 욕구(social needs)

사회적 욕구란 사회적 위험으로 인하여 발달적 욕구가 충족되지 못하는 아동이 발생했을 경우, 아동이 직면하는 사회적 위험을 사회가 공동의 노력을 통하여 해결하려는 그리고 해결할 수 있는 욕구를 말한다. 따라서 사회적 욕구는 사회적 위험과 매우 관련이 높은 욕구라고 할 수 있다. 사회적 욕구는 사회적 존재로서의 인간욕구를 의미하며 사람으로부터 사랑받고 싶은 애정의 욕구, 집단 속에서 어떤 위치를 차지하고 싶은 소속의 욕구, 무엇인가 가치 있는 일을 하고 싶은 성취의 욕구, 자신이 결정해서 그 책임을 지고 싶은 독립의 욕구, 사람들로부터 인정과 칭찬을 받고 싶은 사회적 승인의 욕구, 새로운 경험을 찾는 욕구, 우월감을 느껴 보고 싶은 욕구 등을 들 수 있는데 이를 2차적 욕구라고 한다. 이러한 2차적 욕구들은 인간이 사회생활을 하는 데 있어서 행동을 결정하는 중요한 요소가 되며 그 충족 여부에 따라서 정신건강을 좌우하게 된다. 경제수준이 높아지고 생활여건과 수준이 향상되었음에도 불구하고 사회문제가 더욱 많아지는 이유는 이와 같은 사회적 욕구가 크게 증가하기 때문이다.

사회적 욕구는 대다수의 사회구성원의 생활에 관련된 내용으로 구성되며 하비(Harvey, 1978)는 다음과 같이 9가지 영역으로 제시하였는데 이것은 아동발달과 밀접한 관련이 있다.

- 음식
- 주택
- 의료
- 교육
- 사회 및 환경
- 소비재
- 레크리에이션
- 이웃분위기
- 대중교통

(2) 발달단계별 특성

인간은 동물 중에 가장 미성숙하고 무능력한 상태로 태어나는 존재다. 그럼에도 불구하고 인간이 인간다워지고 만물의 영장으로 군림할 수 있는 것은 다른 동물에 비하여 거의 무한한 발달 가능성을 가지고 있기 때문이다. 즉 인간다운 인간이 되기 위하여 인간이 가지고 있는 발달 가능성을 최대한 발휘 혹은 계발할 수 있는 환경이 주어져야 하는 것이다.

다시 말하자면 한 인간이 지닌 소질과 가능성을 최대한 발달시켜 보다 건강한 인간으로서 살아가도록 하며, 한 사회의 시민으로서 소속된 가정, 지역, 사회, 국가, 국제사회에서 자신의 능력에 적합한 직업인으로서 사회를 위하여 봉사하고 사회의 발전과 향상을 위하여 공헌하며 협력할 수 있는 능력을 발달시킬 수 있는 사회적 환경조성과 노력이 필요한 것이다.

1920년 인도 캘커타 부근에서 싱클레어 목사는 늑대 굴에서 두 명의 늑대소녀를 발견했다. 깊은 산속에서 늑대와 생활했던 8세로 추정되는 여자아이에게 카말라, 15세로 추정되는 여자아이에게는 아말라라는 이름을 지어주었다.

처음 이들은 늑대처럼 행동했다. 네발로 걷고 뛰었으며 우유와 고기만 먹었고 음식을 먹기 전에 먼저 냄새부터 맡았다. 또한 감각기관이 발달해서 어두운 곳에서도 잘 볼 수 있었고 멀리 떨어진 곳의 냄새도 잘 맡았다. 의사소통은 불가능했고 이들이 할 수 있었던 유일한 소리는 울부짖음뿐이었다. 또한 강한 빛을 두려워해 낮에는 어두운 곳에서 몸을 웅크린 채 잠을 자고 밤에 활동을 했다.

자정이 되면 크게 소리를 지르며 여기저기 돌아다니곤 했고 채소는 먹지 않고 고기만 먹었다. 사람의 손에 있는 것은 먹지 않고 땅에 떨어진 고기만 먹었다.

아말라는 2년 후 세상을 떠났다. 싱클레어 목사는 카말라의 동물적인 행동을 고치기 위해 보살피고 가르쳤으나 발전 속도는 너무 느렸다. 카말라는 2년이 되어서 서는 법을 배웠고 6년이 지나서야 걸을 수 있었다. 4년 동안 겨우 6개의 단어를 익혔고 7년이 지난 뒤 45개 단어를 익혔다. 결국 17세 정도에 세상을 떠났으나 당시 지능수준은 3세 수준에 불과하였다.

이와 같이 인간은 태어날 때 다른 동물에 비하여 최소한의 능력, 즉 본능적인 행동만을 할 수 있고 생존에 필요한 기술과 능력을 배우지 않으면 사회의 구성원으로 성장할 수 없다. 인간은 최소한의 기본적 능력 이외에 성인이 되기까지 오랜 준비기간 동안 생리적 성숙과 양육, 교육을 통하여 발달해 나가야 한다. 이와 같이 인간의 잠재 가능성은 환경과 경험, 교육에 의하여 발달되기 때문에 성장하기 위하여 필요한 능력을 이끌어주고 키워줄 수 있는 가정과 사회환경이 필수적이다. 아동은 환경에 적응하기 위하여 적절한 환경에서 성장해 나가는데, 성장을 위하여 일정한 시기에 반드시 학습하고 성숙되어야 하는 발달과업을 성취하여야 하며 발달과업 성취는 아동 개인의 행복과 사회적 인정을 받는 기회가 된다. 만약 발달과업에 실패하면 성장에 영향을 받게 되는 것이다. Havighurst(1972)의 생애발달단계의 특성과 발달과업, 단계별 욕구와 주요문제의 구체적 내용은 〈표 1-4〉와 같다.

〈표 1-4〉 발달단계별 과업, 욕구, 주요문제

주기 \ 발달특징	발달과업	발달욕구	주요문제	위험요소
영아기	인간과 사회에 대한 기본적인 신뢰감과 안정을 갖고 사회적 결속과 애착 형성	어머니의 보살핌과 양육	• 부적절한 애착관계 • 장애발생, 자폐증 • 부부갈등으로 인한 아동 유기 • 아동학대	임신과 분만, 자녀의 양육과 어머니에 대한 불신
유아기	개별화와 자율성	부모의 보살핌과 언어습득 및 개념화의 인지적 발달	• 유아공격성 • 과잉활동문제 • 불충분한 부모역할 수행	자녀 양육

주기 \ 발달특징	발달과업	발달욕구	주요문제	위험요소
아동전기 (학령전기)	사회화와 성역할 학습, 적절한 대인관계의 성취	학습, 사회화, 놀이 등의 충분한 경험	• 조기교육 부족 • 보육서비스 부재 • 적절한 놀이 부족	자녀 양육과 불충분한 보육서비스 기회
아동후기 (학령기)	주로 또래집단과의 관계경험을 통해 자존감과 자아역량 발달 및 평가, 집단정체감의 형성	교육을 통한 지적·사회적 자극의 충분한 제공	• 아동학대 문제 • 또래아동과의 관계 • 학습 실패로 인한 열등감	자녀 양육과 교육기회의 박탈로 인한 사회성 발달 기회의 박탈
청소년기	자아정체감 형성, 인격의 성숙과 통합의 기초를 마련, 성(gender) 역할의 숙지, 가족으로부터의 독립 준비	자아정체감의 확립과 올바른 성 이해 및 부모로부터의 독립적 요구	• 청소년비행 • 미혼부모문제 • 학교부적응문제 • 청소년유해환경 문제	건강과 보건의 문제와 성적 취약성 노출 및 또래집단에서의 부적응
청년기	일에 대한 융통성과 근면성 및 자율적 능력의 함양	친밀감, 성취감, 결혼을 통한 새로운 가족형성과 생활의 계획, 부부간의 관계 기술 확보	• 미혼부모문제 • 직업문제 • 학교, 직장부적응 문제 • 군대문제 • 부부갈등문제 • 출산, 이혼문제	의료, 질병, 실업, 산업재해, 임신과 분만, 자녀 양육, 부부 갈등, 직업능력 상실
중·장년기	생활의 안정과 취미 등을 통해 정서적인 안정을 꾀하고, 삶의 보람과 성취감 획득	경제적·정서적으로 원만한 가정생활의 운영과 가족 보호 및 자아계발의 기회 확대 욕구	• 신체적·생리적 변화 • 직업실패 • 부부갈등 • 부모-자녀 간 갈등 • 가족해체 • 노숙문제	의료, 질병, 실업, 산업재해, 자녀 양육, 직업능력 상실, 임신과 분만, 부모-자녀 간의 갈등, 중요한 타인의 죽음 및 재정적 어려움
노년기	삶에 대한 긍정적 수용과 자아 통합 및 죽음에 대한 수용	건강한 신체 유지와 노인역할 수행을 위한 자기계발 기회의 증진 및 삶의 정리 욕구	• 빈곤, 질병, 고독 소외문제 • 역할상실로 인한 소득보상문제 • 건강문제, 은퇴로 인한 문제	의료, 질병, 배우자의 사망, 은퇴, 정서적 고독 및 죽음의 문제

출처: 충남여성정책개발원(2011). 생애주기별 맞춤형 복지계획. pp.16-17. 재구성.

2) 권리적 측면의 아동

아동의 지위가 변화됨에 따라 아동을 인간으로서 누려야 할 기본적 권리를 지닌 존재로서 인식하게 되었다. 즉, 권리적 측면에서의 아동은 인간으로서 성인과 동등한 권리를 지니며 인간의 존엄성이라는 가치를 토대로 법적 권리와 도덕적 권리를 모두 지닌다. 아동의 권리에 대하여 Wald(1979)는 자율성이 진정한 권리라고 하였으며 Wringe(1981)는 법률적 자유의 권리, 참여의 권리, 특수한 권리, 복지의 권리가 있다고 하였다. 황성기(1977)는 생존, 성장, 발달권과 의사 표시권, 자기결정권을 지닌다고 하였다. 이와 같이 아동복지는 아동의 발달적 측면과 권리적 측면을 포함하며 특히 아동의 성장발달을 위한 조건과 아동권리를 보장하는 법적·제도적 장치를 마련하여야 한다.

(1) 아동권리의 개념

권리는 형태와 종류를 막론하고 인간의 존엄성을 기초로 하고 있다. 특히 아동권리는 출생과 더불어 누리는 천부성과 보편성에 근거한다. 즉, 성인에게 주어지는 권리가 아동에게도 그대로 적용될 뿐만 아니라 성장하는 존재로서의 아동특성에 따라 보호권과 발달권이 부여된다. 즉, 아동권리는 인간의 존엄성과 더불어 아동기라는 발달특성을 감안하여 보장되어야 하는 권리라고 할 수 있다.

(2) 아동권리 발달과정

① 보호대상으로서 아동권리

스웨덴의 교육학자인 케이는 저서 『아동의 세기』에서 아동을 더 이상 성인의 축소판이 아니며 성인과 다른 고유한 특성을 지닌 독자적 존재로서 무한한 잠재력을 가진 자로 기술함으로써 아동에 대한 관심을 갖게 하는 계기가 되었다. 이후 아동은 사회적 자본의 관점에서 국가의 관심대상이 되었으며 1922년 독일의 바이마르헌법 아래 세계 최초의 아동법을 제정하고 세계아동헌장 초안 작성, 1924년 국제연맹에 의한 아동권리선언(일명 제네바선언) 등으로 현대적 의미의 아동권리사상이 출발되었다고 볼 수 있다. 아동을 권리의 주체로 인식하기보다는 보호의 대상으로 보며 법적 구속력이 없는 선언에 불과하지만, 아동의 발달특성에 기반을 둔 특별한 보호와 조치의 필요성을 제기하였다는 점에서 그 의의가 있다.

② 포괄적 인권보장으로서 아동권리

1960년대가 되어 사회적 약자에 대한 포괄적 인권보장의 관점이 제기되면서 종전에 법적 구속력이 없었던 선언에서 조약으로 인권보장의 제도적 틀이 변화되었다는 데 그 의의가 있다. 포괄적인 인권보장의 조약으로서 의미를 지니며 아동권리에 대하여 구체적인 내용이 포함되지 않았으나 1989년 아동권리에 대한 협약 등이 제정될 수 있는 기반을 마련하는 시기였다.

③ 권리주체로서 아동권리

1959년 아동권리선언이 채택되고 1976년 31차 UN총회에서 국제아동의 해에 대한 결의가 채택되었고 1979년을 국제아동의 해로 선정하였다. 이후 1989년 제44차 UN총회에서 아동권리협약이 만장일치로 채택되면서 권리주체로서 아동권리에 대한 관점이 확립되었다.

④ 우리나라의 아동권리

우리나라는 1921년 방정환이 어린이라는 말을 처음 사용한 이후 1923년 어린이날이 제정되었고, 1975년 대한민국어린이헌장이 선포되었으며, 1975년 5월 5일부터 어린이날이 공휴일로 제정되었다. 이후 1990년 9월 25일 UN의 아동권리협약에 서명하고, 이 협약의 3개 조항을 유보하고 비준하여 1991년 12월 20일부터 협약당사국이 되었다.

(3) 아동권리협약 특성과 구성

1989년 11월 20일 UN총회에서 채택된 UN아동권리협약은 국제적 조약으로서 아동의 생존, 보호, 발달, 참여 등 아동과 관련된 모든 권리를 규정하고 있다. 이 협약을 통하여 아동은 보호의 대상이 아닌 권리의 주체로 인식되는 계기가 되었으며, 2007년 기준 193개국이 비준하여 세계아동의 권리를 보장하기 위한 국제법으로서 구속력을 지닌다. 아동권리협약을 비준한 국가의 정부는 협약에 명시된 모든 아동의 권리를 보장할 의무를 지니고 있으며 협약의 이행상황을 처음 비준한 2년 후, 그 후 매 5년마다 UN아동권리위원회에 보고해야 한다. 아동권리협약 특성과 구성은 〈표 1-5〉와 같다.

〈표 1-5〉 아동권리협약 특성과 구성

아동권리협약 특성	아동권리협약 구성
• 2019년 기준 196개국 가입 • 아동권리보호만을 목적으로 한 국제 사회 최초의 협약 • 아동을 인권의 적극적 향유 주체로 상정한 유일한 국제 협약 • 아동과 관련된 모든 결정에 있어 항상 아동의 최선의 이익을 제1차적 기준으로 강조 • 협약의 모니터링과정 필수(이행결과보고서 제출) • NGO의 뚜렷한 역할을 부여한 협약	• 구성: 전문과 총 54개 조문으로 구성 • 제1부(제1조~41조): 아동권리와 가입국의 아동보호의무규정 • 제2부(제42조~45조): 협약의 이행조치규정 • 제3부(제46조~54조): 부칙

아동권리협약의 이행에 대한 1차적 책임은 국가와 부모에 있지만 아동권리 실현의 책임은 국가와 가족, 아동을 포함한 모두에게 있음을 규정하면서 [그림 1-1]과 같이 권리 주체자와 의무 이행자와의 관계를 규정하였다.

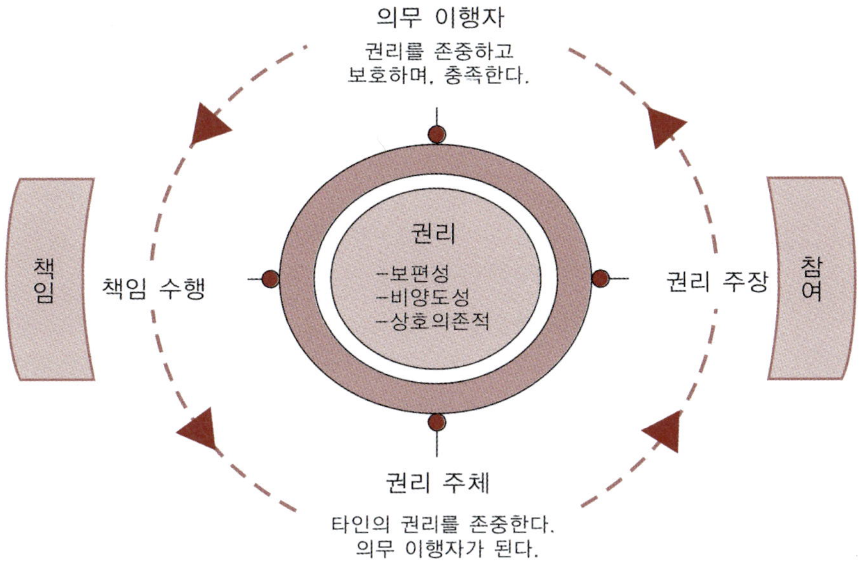

[그림 1-1] 아동권리 주체자와 의무이행자와의 관계

(4) 아동의 기본권리와 원칙

아동권리협약에서의 아동권리는 크게 생존, 보호, 발달, 참여권으로 구분되며, 4대 원칙은 18세 미만의 모든 아동이 이 협약의 대상임을 선포하고 비차별 및 아동 최선의 이익을 보장하기 위한 권리보장이 실현되어야 함을 제시하고 있다. 또한 아동권리 실현의 책임이 정부, 비정부, 국제기구, 가정, 학교를 포함한 모두의 책임임을 명시하고 있으며 구체적 내용은 〈표 1-6〉과 같다.

〈표 1-6〉 아동의 기본권리와 원칙

구분	내 용	세부내용
기본권리	생존의 권리	적절한 생활수준을 누릴 권리, 안전한 주거지에서 살아갈 권리, 충분한 영양을 섭취하고 기본적인 보건서비스를 받을 권리 등 기본적인 삶을 누리는 데 필요한 권리

구분	내 용	세부내용
기본 권리	보호의 권리	모든 형태의 학대와 방임, 차별, 폭력, 고문, 징집, 부당한 형사 처분, 과도한 노동, 약물과 성폭력 등 아동에게 유해한 것으로부터 보호받을 권리
	발달의 권리	잠재능력을 최대한 발휘하는 데 필요한 권리, 교육받을 권리, 여가를 즐길 권리, 문화생활을 하고 정보를 얻을 권리, 생각과 양심과 종교의 자유를 누릴 권리 등
	참여의 권리	자신의 생활에 영향을 주는 일에 대하여 의견을 말하고 존중받을 권리, 표현의 자유, 양심과 종교의 자유, 의견을 말할 권리, 평화로운 방법으로 모임을 자유롭게 열 수 있는 권리, 사생활을 보호받을 권리, 유익한 정보를 얻을 권리 등
기본 원칙	비차별	모든 아동은 본인과 부모, 후견인의 인종, 피부색, 성별, 언어, 종교, 정치적 의견, 출신, 재산, 장애여부, 태생, 신분 등과 관계없이 동등한 권리를 누려야 함
	아동 최선의 이익	아동에게 영향을 미치는 모든 것을 결정할 때는 아동의 이익을 최우선으로 고려해야 함
	생존과 발달의 권리	아동은 특별히 생존과 발달을 위해 다양한 보호와 지원을 받아야 함
	아동 의견 존중	아동은 자신의 잠재능력을 최대한 발휘할 수 있도록 적절한 사회활동에 참여할 기회를 갖고, 자신의 생활에 영향을 주는 일에 대해의견을 말할 수 있어야 하며, 그 의견은 존중받아야 함

(5) 아동권리와 아동복지

아동보호와 양육지원을 내용으로 하는 아동복지서비스는 아동권리가 기본적인 가이드라인으로 제공되어야 하며 국내·외 법과 상충되는 상황에서 무엇을 우선적으로 선택해야 하는가에 대한 선택기준이 되어야 한다. 특히 아동복지서비스를 제공하는 시설과 기관을 아동권리중심의 환경으로 발전시키고 아동에게 적합한 프로그램을 수행하려는 노력이 있어야 한다. 특히 아동이 생활하고 있는 지역사회환경도 변화되어야 하며 이를 통하여 최상의 권리 향상이 이루어질 수 있도록 노력해야 한다.

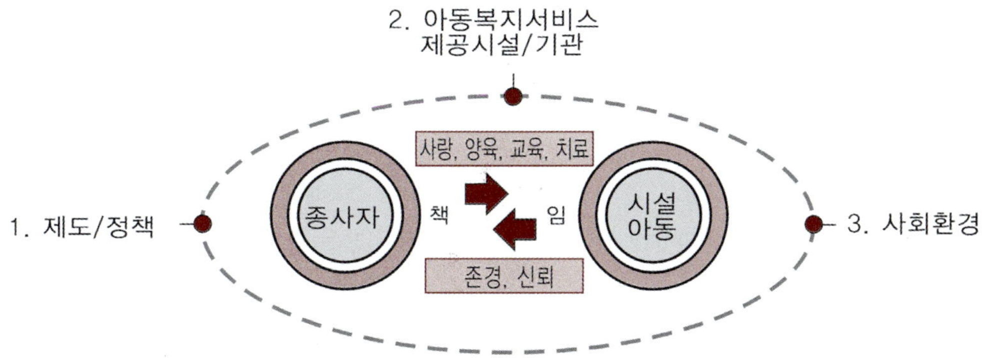

[그림 1-2] 아동권리와 아동복지서비스 전달체계

〈표 1-7〉 UN아동권리협약 내용

구 분	내 용
제1조	아동의 범위는 특별히 따로 법으로 정하지 않는 한 18세 미만까지로 한다.
2	모든 아동은 인종이나 성별, 종교, 사회적 신분에 따른 어떠한 종류의 차별로부터도 보호받아야 한다.
3	당사국 정부는 아동의 이익을 최우선으로 고려하여 정책을 시행해야 한다.
4	당사국 정부는 본 협약이 인정한 아동의 권리실현을 위하여 적절한 행정적·입법적 조치를 취하여야 한다.
5	당사국 정부는 아동의 부모, 또는 보호자가 아동의 능력발달에 맞도록 적절한 감독과 지도를 행할 책임을 가지고 있음을 존중해야 한다.
6	모든 아동은 생명을 존중받을 권리를 가지고 있으며 당사국 정부는 아동의 생존과 발달을 최대한 보장해야 한다.
7	모든 아동은 이름과 국적을 가질 권리를 지니며 부모가 누군지 알고 부모로부터 양육받을 권리를 지닌다.
8	당사국 정부는 이름과 국적, 가족관계 등 아동의 신분보장을 위해 필요한 사항들을 법률로써 보장해야 한다.
9	모든 아동은 아동의 이익이 침해당하는 경우가 아니라면 부모와 함께 살 권리를 지니며 부모와 떨어져 살 경우 부모를 만날 권리를 가진다.
10	당사국 정부는 아동 또는 부모가 서로 간의 면접을 위해 출국이나 입국을 신청할 때 이를 신속히 받아들여 부모와 자녀 간에 관계를 유지할 수 있도록 보장하여야 한다.

구 분	내 용
11	당사국 정부는 아동의 불법해외이송 및 강제해외체류를 막기 위해 협정체결 등의 조치를 취해야 한다.
12	당사국 정부는 모든 아동이 자신에게 영향을 미치는 사건에 대하여 의견을 말할 권리를 보장하여야 하며 아동의 견해에 정당한 비중을 두도록 해야 한다.
13	모든 아동은 표현의 자유를 지니며 국경과 관계없이 모든 종류의 정보와 사상을 접하고 전달할 권리를 가진다.
14	모든 아동은 사상과 양심, 종교의 자유를 가진다.
15	모든 아동은 평화로운 결사와 집회의 자유를 가진다.
16	모든 아동은 가족이나 가정, 통신 등 사생활에 있어 간섭을 받지 않을 권리와 명예에 대하여 위법적인 공격을 받지 않을 권리를 지닌다.
17	모든 아동은 국내나 국외로부터 필요한 정보를 얻을 수 있어야 하며 대중매체는 아동에게 유해한 정보를 지양하고 이익이 되는 정보만을 제공해야 한다.
18	부모는 아동양육에 공동책임을 져야 하며 당사국 정부는 부모가 이러한 책임을 다하도록 지원해주어야 한다.
19	모든 아동은 폭력과 학대, 유기로부터 보호받아야 하며 당사국 정부는 아동학대를 막고 학대로 고통 받는 아동을 보호하기 위한 조치를 취해야 한다.
20	당사국 정부는 가족이 없는 아동에게 보호시설 등을 제공해서 특별히 보호해야 하며 시설을 선택할 때는 아동의 인종이나 종교, 문화적인 배경을 충분히 고려해야 한다.
21	입양제도를 인정할 경우 당사국은 입양을 결정함에 있어 아동의 이익을 최우선적으로 고려해야 하며 권위 있는 관계당국에 의해서만 입양이 이루어지도록 보장해야 한다.
22	당사국 정부는 난민아동이 특별한 보호를 받을 수 있도록 적절한 조치를 취하여야 한다.
23	당사국 정부는 장애아동이 인격을 존중받고 자립하여 사회참여를 할 수 있도록 특별한 보호와 교육을 제공하여야 한다.
24	당사국 정부는 아동이 최상의 건강수준을 누릴 수 있도록 아동에게 적절한 보건서비스를 제공해야만 한다.
25	당사국 정부는 보호나 치료의 목적으로 관계당국에 의하여 양육 지정된 아동의 양육 상태를 정기적으로 심사하여야 한다.
26	모든 아동은 사회보험을 포함 사회보장제도의 혜택을 받을 권리를 가진다.
27	모든 아동은 신체적·정신적·사회적 발달에 적합한 생활수준을 누릴 권리를 가진다. 부모는 아동발달에 필요한 생활여건을 확보하는 1차적 책임을 지며 당사국 정부는 부모가 책임을 완수하도록 보장하여야 한다.

구 분	내 용
28	당사국 정부는 모든 아동이 균등한 교육의 기회를 가지고 있음을 인정하고 초등교육을 의무화해야 하는 한편 중등교육과 고등교육의 발전을 위해 적절한 조치를 취하여야 한다.
29	교육은 아동의 인격 및 재능, 정신적·신체적 능력을 최대한 개발하는 방향으로 행해져야 하며 아동들이 모든 관계에 있어 이해와 평화, 관용, 평등, 우정의 정신에 입각해 책임 있는 삶을 준비해 나가도록 행해져야 한다.
30	소수민족의 아동은 그들 자신의 문화와 종교를 누리고 고유의 언어를 사용할 권리를 가진다.
31	모든 아동은 적절한 휴식과 여가생활을 즐기며 문화예술활동에 참여할 권리를 가진다.
32	모든 아동은 경제적으로 착취당해서는 안 되며 건강과 발달을 위협하고 교육에 지장을 주는 유해한 노동으로부터 보호받아야 한다.
33	당사국 정부는 마약 등의 약물로부터 아동을 보호하여야 하며 약물의 생산과 거래에 아동을 이용되는 것을 막기 위하여 모든 적절한 조치를 취하여야 한다.
34	당사국 정부는 모든 형태의 성 착취와 성폭력으로부터 아동을 보호할 의무를 지며 의무이행을 위하여 아동을 성적으로 이용하는 모든 행위를 방지하기 위한 조치를 취하여야 한다.
35	당사국 정부는 아동을 대상으로 한 모든 형태의 약취유인이나 매매, 거래를 방지하기 위한 조치를 취하여야 한다.
36	당사국 정부는 아동복지에 해가 되는 모든 형태의 착취로부터 아동을 보호해야 한다.
37	모든 아동은 고문이나 잔혹행위, 위법적인 체포나 구금, 사형이나 종신형 등의 형벌로부터 보호받아야 한다. 당사국은 구금된 아동을 성인수감자와 격리시켜야 하며 가족과 접촉할 권리, 신속하고 적절한 법적 판결을 받을 권리를 보장해주어야 한다.
38	15세 미만의 아동은 군대에 징집되어서는 안 되며 분쟁지역의 아동은 특별한 보호를 받아야 한다.
39	당사국 정부는 무력분쟁과 고문, 학대, 폭력 등을 경험한 아동의 신체적, 정신회복 및 사회복귀를 촉진하기 위한 모든 조치를 취해야 한다.
40	당사국 정부는 형법상 유죄로 인정받은 모든 아동이 사회에 복귀하여 건설적인 역할을 담당하도록 하기 위하여 인권과 타인이 자유에 대해 존중하는 생각을 키워주고 공정한 재판을 받도록 보장해주어야 한다.

2. 아동복지의 의의

최근 부모의 이혼, 별거로 인한 가족해체와 다양한 가족형태의 증가로 인한 가족기능 약화로 다양한 아동문제가 발생하고 있다. 이를테면 한부모가족, 미혼모의 증가와 아동방임 및 유기, 학대 등 다양한 이유로 부모가 있음에도 불구하고 도움이 필요한 아동이 증가하고 있다. 아동복지는 가정 내에서 발달에 필요한 양육과 보호가 어려운 아동들을 위하여 보호와 양육, 발달에 필요한 지원과 서비스를 제공하는 것을 핵심내용으로 하고 있다. 현대사회에서 아동을 위한 복지가 필요한 이유는 다음과 같다.

첫째, 아동의 기본적 생활보장이 필요하기 때문이다. 인간은 태어나서 성인이 되기까지 보호와 양육 등 긴 준비기간이 필요한 존재다. 따라서 인간적인 성장과 성숙을 위하여 준비기간 동안 적절한 타인의 도움이 절대적으로 필요하다. 그러나 부모나 가족이 어려움으로 인하여 아동을 위한 보호와 양육 등 필요한 기능을 하지 못할 경우 아동이 기본적 생활을 유지하며 건강하게 성장발달할 수 있도록 사회가 보장해주어야 한다.

둘째, 사회와 국가의 인력 개발과 육성이 필요하다. 아동은 한 사회와 국가의 미래에 큰 영향을 미치는 존재이다. 그 사회의 미래와 직결되기 때문에 아동의 보호와 육성이 필요하다.

셋째, 사회문제 발생을 사전에 예방하는 측면이다. 아동들이 가지고 있는 발달적 욕구를 충족시켜 줌으로써 사회문제를 미연에 예방하거나 해결하기 위한 다양한 활동이 필요한 것이다. 가정이 빈곤하거나 기능이 결손될 경우 아동의 기본적 욕구와 발달적 욕구가 적절하게 충족되지 못할 경우가 발생하며, 아동이 이러한 가족에서 성장할 경우 성인이 되어 일으킬 수 있는 문제 발생을 미연에 방지하기 위하여 아동복지가 필요한 것이다.

특히 아동복지가 아동욕구와 문제에 대한 국가와 지역사회의 지원임을 감안해볼 때 국가와 사회의 주된 아동욕구와 아동문제에 대하여 검토하는 것이 필요하다.

1) 아동문제의 특성

문제란 사람의 욕구가 미충족상태인 경우 그에 대한 해결욕구를 유발시키는 불만족스러운 상태나 조건일 때 발생되는 것이라고 할 수 있지만, 인간의 욕구충족이 차단된 욕구불만 상태 그 자체로 해석되기도 한다. 이와 같이 문제와 욕구는 상대적 대응관계에 있기 때문에 사회복지를 통한 욕구충족은 문제예방, 문제해결과 밀접하게 관련된다. 일반적으로 아동문제는 아동 및 가족의 개별적 문제와 사회문제로 구분될 수 있다. 개인문제는 아동의 특성 및 가족 등 개별적 관계의 범위 안에서 발생하는 문제인 반면, 사회문제를 정의할 때는 다음의 7가지 의미가 포함되어야 한다.

① 사회적 가치, 혹은 규범에서 벗어남으로 인하여 바람직하지 못하다.
② 상당수의 사람들이 그 현상으로 인하여 부정적인 영향을 받아야 한다.
③ 다수의 사람들이나 영향력이 있는 일부 사람들이 문제로 판단할 수 있어야 한다.
④ 그 원인이 사회적인 것이어야 한다. 즉, 자연재해가 아니라 사회의 조직, 구조, 제도로 인하여 파생되어야 한다.
⑤ 사회가 개선을 원하고 있어야 한다. 이를테면 선천적인 장애는 운명이 아니라 질병이며 이에 대한 치료를 원해야 한다.
⑥ 개선을 위하여 집단적·사회적 행동이 요청되어야 한다.
⑦ 사회 및 아동문제는 시대와 사회적 상황과 변화에 따라 상대적으로 정의되어야 한다.

앞의 7가지 의미를 살펴볼 때 개인문제와 구분되는 아동문제의 기준은 사회성(sociality)과 보편성(universality)이라고 할 수 있다.

- 사회성이란 아동 및 가족의 욕구충족이 어려운 상태가 특정 문제에 직면한 개인책임보다도 상대적으로 사회적 제도나 구조상의 결함으로 인하여 발생하는 경우로, 문제발생을 사회적 맥락으로 이해하는 것을 의미한다.
- 보편성이란 아동 및 가족문제가 지닌 부정적인 영향력이 특정 아동에게만 한정

된 것이 아니라 사회구성원 전체 아동에게 보편적으로 영향을 미칠 수 있는 경우를 의미한다.

예를 들면 환경오염이나 무차별적 개발로 인한 생태계 파괴 문제가 가져오는 부정적인 영향력으로 발생하는 질병과 장애가 사회구성원 누구에게나 보편적으로 영향을 미칠 수 있음을 의미한다. 사회성과 보편성은 아동 및 가족문제와 사회문제를 구분하는 기준이 되지만 아동개인문제와 사회문제는 순환적 구조로 아동복지와 관련된다.

- 아동개인문제에서 사회문제로 문제의 성격이 전환되면 사회적으로나 국가적으로 문제해결에 대한 공식적인 관심이 출현될 수 있는 바탕이 마련됨을 의미한다. 이와 같이 공식적인 관심으로서 구체적인 아동문제 해결을 위한 대응책이 아동복지라고 할 수 있다.
- 아동개인문제가 사회문제로 승인되고 받아들여지는 것은 한 사회 내의 다양한 아동개인문제들 중에서 경합과정을 거쳐 선택된다는 것이다. 경합과정에서 사회문제로 인식되고 수용된다는 것은 그 문제에 관하여 사회가 해결 의지가 있음을 의미한다. 아동개인문제가 사회문제화되는 과정은 그 문제를 해결하기 위한 공식적이고 체계적인 아동복지정책이 마련되는 가장 초기단계에 해당된다.

2) 아동문제의 유형

자본주의 경제체제와 산업화, 도시화, 핵가족화로 특징지어지는 현대사회는 물질적 풍요와 자율적 선택의 기회가 증가하였지만 위기에 빠질 위험성과 상호의존성이 보다 확대되었다. 특히 양극화 현상이 심화됨으로써 취약계층이 증가하고 이들이 사회적 위험으로부터 탈피하려는 사회적 욕구도 증가하고 있다. 이러한 사회적 욕구가 미충족되면서 다양한 아동문제가 발생하고 있다.

일반적으로 사회문제의 형태는 3가지가 있다. 첫째, 일탈문제는 반사회적 행위로서 범죄·비행·약물중독·자살·인종문제 등을 의미한다. 둘째, 불평등문제는 사회제도의 결함으로 생긴 구조적 문제로서 빈곤·실업·폭력·노사갈등·지역감정 등이 있다. 셋째, 가족해체의 결과로 발생하는 결손가정·이혼·사별 등과 지역사회해체로 생긴 빈촌·홍등가 등 사회해체의 문제이다. 이러한 형태는 곧 아동 및 청소년들의 생활터전이 되는 가정과 학교 그리고 사회적 현상이기에 직·간접적 원인으로 작용하므로 이러한 문제유형을 토대로 아동문제 유형을 살펴볼 필요가 있다. 아동문제는 문제에 대한 관점과 문제의 성격과 원인, 문제 분류기준에 따라 그 유형이 다양하게 구분된다. 김영모(1984)는 욕구와 사회문제에 따라 아동문제를 〈표 1-8〉과 같이 분류하였다.

〈표 1-8〉 욕구와 사회문제에 따른 아동복지 대상아동

구 분	내 용	대상아동
욕구 결핍 아동	소득욕구	빈곤아동, 실업청소년
	건강욕구	영양실조아동, 질병아동, 장애아동
	교육욕구	미취학아동, 학교중퇴자, 학교부적응
	주거욕구	시설아동, 가출아동, 부랑아동, 무직아동
	문화욕구	문화실조아동
사회 문제 아동	구조적 문제	빈곤아동, 근로아동
	해체적 문제	결손가정아동, 영세민촌아동, 기아 및 가출아동, 학대아동
	탈선적 문제	비행아동, 성격결함 아동, 약물남용아동, 게임중독아동

출처: 김영모(1984). 현대아동복지론. 한국복지정책연구소.

3) 아동문제의 원인

아동기와 청소년기는 발달단계에 따른 욕구충족과 성장발달에 필요한 지지와 강화 속에서 '사회화'와 '규범화'가 잘 된 성인으로 성장하게 된다. 그러나 아동기와 청소년기의 발달 과정상 나타나는 특성에 따라 욕구충족과 적절한 지지를 받지 못할 경우 아동문제의 원인이 된다. 아동문제의 원인은 시대와 사회, 문화에 따라 다양하

게 나타날 수 있으나 현대사회는 도시화·산업화, 핵가족구조 그리고 다양한 사회적 환경의 영향으로 인한 아동문제가 발생하고 있다.

(1) 가족구조의 변화

농경사회의 확대가족형태 가족구조에서는 장남이 결혼을 하여 부모를 부양하고 수발하며 가족원을 위하여 가족의 기능을 유지 혹은 발전시켜 왔으나 산업화, 정보화 사회로 전환되면서 확대가족구조가 핵가족으로 변화되었다. 2015년 인구주택총조사에 의하면 부모와 미혼자녀가 함께 사는 우리나라 표준적인 가족이 44.9%로, 전체 가족의 절반이 안 되는 것으로 나타났다. 또한, 이혼하고 혼자 자녀를 키우며 살아가는 편부모가족도 12.3%를 차지하였다. 고령화로 인하여 가족의 축소가 급격하게 이루어지고 있는데, 부부와 미혼자녀로 구성되거나 여기에 할아버지나 할머니까지 함께 사는 가구의 비율은 2010년 55.6%에서 2015년 50.2%로 5.4%p 감소한 것으로 나타났다. 반면 편부, 편모와 미혼자녀가 함께 사는 한부모가족, 부모 없이 조부모와 미혼 손자녀가 사는 조손가구, 자녀 없이 부부 둘만 사는 가구, 혼자 사는 1인 가구 등 표준가구의 형태를 벗어난 비정형가구의 비율이 2010년 44.5%에서 2015년 50.6%로 6.1%p 증가하였다.

이러한 가족구조의 변화는 가족기능의 변화를 초래하였다. 즉, 전통사회에서의 주요가족기능인 성과 애정의 기능, 자녀 출산과 양육의 기능, 경제의 기능, 교육의 기능, 보호의 기능, 휴식 및 오락의 기능, 종교의 기능은 현대사회에서 상당 부분 그 기능이 상실되었고, 사회기관들이 대체적인 기능을 하고 있다.

이와 같이 가족구조에 있어서 핵가족화는 가족 간의 상호 영향력을 감소시켰을 뿐만 아니라 자녀양육과 보호에도 큰 영향을 미쳤다. 뿐만 아니라 부부갈등에 있어서도 확대가족구조에서는 부모세대들이 중재적 역할을 할 수 있었으나 핵가족구조에서 부부갈등에 대한 중재역할부재는 이혼율이 증가되는 원인이 된다. 가족은 아동에게 규범과 가치를 전수하는 최초의 준거집단이 된다(김미경 외, 2004 : 94). 그러나 핵가족으로의 가족구조 변화는 가족의 기능들을 대부분 상실 혹은 변화하게 만들었다. 뿐만 아니라 핵가족은 가족구성원 간의 관심과 인정과 지지, 격려의 기회 제공이 부족하여 아동과 청소년에게 발달지체 및 일탈의 기회를 제공하고 자아정체감의 확립을 어렵게 하는 등 아동문제의 원인이 되고 있다.

(2) 기혼여성의 취업 증가

전통적으로 기혼여성은 가정에서 가사와 양육자의 역할을 담당하였다. 그러나 최근 여성의 고학력화로 인한 자기실현의 욕구 증가, 가정의 경제력 약화와 저출산 고령화로 인하여 여성의 취업은 선택이 아니라 필수가 되고 있다.

2019년 기준으로 유배우가구는 1,230만 가구로 추정되며 이 중 맞벌이가구는 566만 가구로 유배우가구의 46%인 것으로 나타난다. 가구주 연령대별 맞벌이가구의 비율은 40대(54.2%), 30대(50.2%)로 가장 높게 나타났으며, 65세 이상(25.5%)이 가장 낮게 나타났다. 이와 같은 결과는 우리나라의 기혼여성 대다수는 취업상태이며 맞벌이를 하면서 경험하게 되는 가장 큰 문제는 가사와 육아, 경제 문제인 것으로 밝혀졌다. 이와 같이 맞벌이가정의 육아와 가사문제는 그 자녀들의 성장발달에 필요한 욕구와 관심을 주지 못함으로써 아동문제의 원인이 되고 있다.

또한 부모와 충분한 시간을 갖지 못한 대부분의 아동과 청소년은 방과 후 시간을 학원이나 PC방 등에서 보내게 됨으로써 일탈의 기회를 갖게 되기도 한다. 뿐만 아니라 아동에 대한 방임과 유기로 인해 발달지체나 장애, 혹은 사망에 이르게 되는 경우도 있다.

(3) 경제적 불안정

우리나라의 경제적 불안정이 시작된 것은 1990년대 말 외환위기부터라고 할 수 있다. IMF 외환위기 이후 고용안정성에 결정적인 영향을 미치게 되었다. 최근 OECD 발표에 의하면 우리나라 임금노동자의 평균근속년수가 5.1년으로 나타났으며 OECD회원국의 10년 이상 근속자는 평균 33%이지만 우리는 16%로 가장 낮은 수준이며 1년 미만 단기근속자의 경우 OECD회원국의 평균은 17%이지만 우리는 36%로 가장 높은 수준인 것으로 나타났다. 이와 같이 고용불안정은 특히 빈곤층을 증가시키는 주요한 원인이 되고 있다. 근로빈곤(working poor), 즉 일을 하지 않아서 빈곤한 것이 아니라 일을 하면서도 빈곤한 사람들이 증가하고 있다는 것이다. 전문가들은 우리 사회에서 근로빈곤층은 전체 인구의 약 10%, 빈곤층의 52%가 되는 것으로 추산하고 있다.

초록우산어린이재단의 아동빈곤가구 복지사각지대현황분석 보고서에 의하면 복지사각지대에 놓인 빈곤아동은 2009년 기준 41만 명에 이르며 차상위계층 아동이 16만 9,000명, 상대적 빈곤에 시달리는 저소득 빈곤아동이 약 24만 명인 것으로 나타났다. 이 중 기초생활수급대상아동은 2009년 40만 명, 2010년 38만 명, 2011년 34만 명으로 감소되고 있으나 복지사각지대에 있는 빈곤아동은 2012년 45만 명이 넘어선 것으로 추정하고 있다. 특히 이들 빈곤가정아동 중 차상위계층 아동들은 기초수급아동보다 부모로부터 신체적·정신적 학대를 심하게 받는 것으로 나타났다. 이와 같이 가정의 경제적 불안정은 가족의 어려움을 보다 증가시킨다. 가정의 경제적 어려움은 가족의 기능과 가족관계에 부정적 영향을 미친다. 따라서 부부갈등은 가정파탄이나 결손가정의 양상을 보이고, 결국 이러한 불안정한 가정형태는 극심한 고통을 겪다가 결국 생활고로 인한 가장의 자살 혹은 자녀들과의 동반자살로까지 이어지고 있다. 특히 지지와 칭찬을 통해 자아정체감이 성립되는 시기의 아동 및 청소년이 가정불화를 경험하는 가정에서 성장하였을 때 가정불화가 없는 가정에서 성장한 아동 및 청소년들에 비해 탈선할 가능성이 더 크다. 또한 가정불화를 목격하며 성장하는 아동 및 청소년들은 자신의 피난처를 찾게 되는데, 약물·담배·술·마약·본드 흡입 등과 같은 향정신성 약물에 빠질 위험이 더욱 높다.

(4) 학벌만능주의적인 사회적 풍토

우리나라 부모들의 자녀교육열이 세계적인 수준이라는 것은 익히 알려진 사실이며 그러한 교육열이 우리나라가 발전하게 된 원동력이 되기도 하였다. 자녀교육열의 근본은 입신양명을 덕목으로 하는 유교문화와 전통, 학연과 지연을 중요시하는 우리 사회 풍토에 뿌리를 두고 있으며, 이로 인하여 자녀교육, 즉 명문대학 입학이 출세의 지름길이라는 학벌만능주의가 만연하고 있다.

이와 같은 학벌만능주의는 다양한 문제를 발생시키고 있다. 먼저 학벌만 보고 획일적으로 판단하는 간판사회, 서열사회, 파벌주의가 만연됨으로써 사회통합의 위기를 초래하게 되고 교육적인 측면에서는 사교육비 증가와 교육이민, 학력인플레이션 현상을 가속화시킨다. 또한 입시위주의 암기식 교육으로 인하여 인성교육을 등한시하게 됨으로써 학교교육을 부실하게 만들어 다양한 학교부적응의 원인이 된다.

뿐만 아니라 부모들은 내 아이만큼은 남부럽지 않게 키워야 한다는 생각과 자녀의 성공을 통하여 자신의 성공을 보상받으려는 심리까지 가세하여 자신의 노력, 물질, 시간 등 모든 것을 투자하기도 한다. 이들 부모를 지칭하는 마마보이, 헬리콥터 맘 등의 신조어가 등장하기도 하였다. 이와 같이 학벌만능주의 풍토는 자녀교육비의 지출을 증가시켰고 이로 인하여 가계교육비 양극화현상은 보다 심화되고 있다. 2021년 통계청 2/4분기 가계동향조사에 따르면 소득상위(4~5분위)계층이 교육비로 평균 29만 5천 원을 지출한 반면 같은 기간 소득하위(1~2분위)계층이 지출한 교육비는 3만 원으로 두 계층 간 지출격차는 9.9배로 2019년의 약 8.2배보다 그 격차가 보다 심화된 것으로 나타났다. 이러한 교육비 지출의 양극화로 인하여 다양한 사회문제 발생의 주요한 요인이 되고 있다. 또한 부모의 자식사랑이라는 이름으로 이어지는 자녀교육열은 부모-자녀 간의 갈등을 만들고 부모의 지나친 간섭, 지나친 관심, 그리고 교육이 자녀들이 독립적이고 책임감 있는 성인으로 성장발달하는 데 걸림돌이 되기도 한다. 이로 인하여 자녀교육을 명목으로 아들에게 인격적 모독과 구타를 하는가 하면 교육관이 다른 남편을 다른 남편과 일방적으로 비교·매도함으로써 가정생활을 파탄에 이르게 한 과도한 교육열을 지닌 아내에 대하여 남편에게 위자료를 지급하라는 판결이 있을 정도로 과도한 교육열로 인한 문제가 증가하고 있다. 이러한 현상은 결국 아동 및 청소년들을 탈선하게 만드는 요인이 되며 아동과 청소년들이 사회적 문제를 일으키게 하는 요인으로 작용하고 있다.

3. 한국사회의 주요 아동문제

최근 발표된 자료에 의하면 우리나라 국민의 삶의 질 수준은 경제협력개발기구(OECD) 회원국 중 최하위권인 것으로 나타났다. 또한, 2018년 OECD에서 진행한 '더 나은 삶 지수(Better Life I, BLI)' 조사에 의하면 우리나라는 삶의 질 만족도에서 10점 만점에 6.2점을 받아 40개국 가운데 30위인 것으로 나타났다. OECD 회원국들은 1인당 GDP가 높을수록 위험방지지출을 많이 하고 있다. 위험방지지출은 노령, 질병, 실업, 재해와 같은 위험에서 국민을 보호하기 위한 사회복지지출(Social Expenditure)을 의미한다. 그러나 우리나라의 경우 경제적 성장은 이루었지만 사회복지지출은 아직 많이 부족한 실정이다. 어느 국가이든지 사회문제는 있지만 미취업자와 빈곤층을 대상으로 하는 사회복지제도 강화, 사회적 고립과 위험에 처해 있는 특별한 욕구를 가진 대상자를 위하여 경제적인 측면뿐만 아니라 사회적·심리적·관계적 차원의 사회안전망이 요구된다. 사회안전망은 IBRD(세계은행), IMF(국제통화기금) 등 브레턴우즈협정 기관들이 개발도상국과 동구권 국가들에 대한 차관을 제공하면서 요구한 구조조정으로 야기된 실업 및 생계 곤란자 양산이라는 부작용을 완화하기 위하여 최소한의 인간다운 생활을 보장하고자 마련되었다. 우리나라는 1997년 경제위기 시 IMF 및 세계은행이 구제금융의 조건으로 사회안전망 확충을 요구하면서 시작되었다. 최근 우리나라에서 발생하는 사회문제유형은 무엇인지, 그리고 그 대상은 누구이며 그에 대한 사회복지적 대응은 어떠한지에 대한 답변을 토대로 저출산문제, 양극화 문제, 아동학대 및 정신건강 문제, 다문화가정아동과 소수아동 인권 문제, 학교폭력 문제 등에 대하여 살펴보고자 한다.

1) 저출산 문제

2020 세계인구현황보고서에 의하면 2020년 세계 총인구는 77억 9,500만 명인 것으로 나타났다. 특히 세계 평균 합계출산율(여성 1명이 평생 낳는 자녀의 수)은 평균 2.4명으로 선진국의 경우 1.6명, 개발도상국 2.6명, 최빈국 3.9명인 것으로 집계되었으나, 우리나라는 1.1명으로 198개국 중 198위로 우리나라보다 출산율이 낮은 국가는 없는 것으로 나타났다. 또한 2020년 우리나라 총인구 5,130만 명 중 65세 이상 노인인구는 15.8%로 세계평균 9.3%보다 높게 나타나 고령사회로 진입하였다.

※ 다음과 같은 질문에 대한 사람들의 반응과 선택을 예측해 봅시다.

Q : 아이를 낳지 않는 원인이 무엇이라고 생각하세요?

(1) 결혼이나 출산보다 일이 우선이기 때문에 (   )

(2) 육아/교육비 부담이 너무 크기 때문에 (   )

(3) 육아를 여자만 부담하기 때문에 (   )

(4) 아이 키우기 힘든 사회적 조건 때문에 (   )

다시 말하자면 우리나라의 저출산·고령화는 세계에서 유례를 찾아보기 어려울 정도로 빠르게 진행되고 있다. 전문가들은 저출산 문제를 여성고용과 자녀양육에 대한 경제적 부담으로 보아 출산과 보육에 적절한 환경을 조성해주고 자녀양육에 필요한 교육비 지원이나 무상급식 등 사회복지적 대책 마련이 필요하다고 주장하고 있다.

2) 빈곤과 양극화 문제

우리나라에서 빈곤층이 증가하면서 사회양극화가 문제로 대두된 것은 1997년 IMF구제금융 때부터라고 할 수 있다. IMF경제위기로 인하여 대규모의 실직자가 생기면서 경제활동이 불가능해지거나 경제능력에 문제가 생기고 그로 인하여 빈곤층이 증가하였기 때문이다. 빈곤아동은 단지 가난한 가정에서 태어났을 뿐이지만 교육기회 부족 등의 이유로 성인이 되어서도 가난으로 이어지는 빈곤의 대물림이 될 수 있다는 측면에서 사회적 문제가 되고 있다. 보건복지부에 의하면 버려지는 아동이 크게 증가하고 있는데 이는 부모의 이혼이나 미혼출산, 아동학대 등이 직접적인 원인이지만 그 중심에는 빈곤의 문제가 얽혀 있다고 본다. 한국보건사회연구원 조사 자료에 의하면 비빈곤가구(87.8%, 아동 수 9,709,000명), 정부지원을 받는 빈곤가구(6.0%, 아동 수 371,000명), 절대빈곤선 이하의 정부지원을 받지 못하는 빈곤가구(2.3%, 아동 수 169,000명), 절대빈곤선 이상의 정부지원을 받지 못하는 저소득 빈곤가구(3.9%, 아동 수 241,000명)로 집계되었다. 집계된 수치에 의하면 아동빈곤가구는 약 41만 명으로 정부지원대상 아동인구 약 37만 명을 상회하는 것으로 나타났다. 아동빈곤가구의 월평균 가구소득은 정부지원을 받는 빈곤가구 89만 원, 정부지원을 받지 못하는 빈곤가구 61만 원, 정부지원을 받지 못하는 저소득빈곤가구 53만 원 수준으로 정부지원을 받지 못하는 빈곤가구아동이 큰 어려움을 겪는 것으로 나타났다. 빈곤아동들은 돈이 없어서 공과금을 기한 내 납부하지 못하거나 난방비가 없어 추운 겨울에도 난방하지 못하는 경험, 연속 3개월 이상 건강보험미납경험이 있으며 부모와의 관계에서 복지사각지대 양육자는 생활고로 인한 양육스트레스를 더 많이 경험하는 것으로 나타났다. 빈곤과 양극화로 인한 아동문제에 대하여 국가는 세금체계 조절과 사회보장제도를 통한 사회비용 조절 시스템 마련이 필요하고 아동빈곤가정에 대하여는 수급권 확대와 인간다운 생활 유지를 위한 최저생계비 지원과 건강하게 성장·발달할 수 있는 수준의 환경조성 등 사회안전망을 구축할 필요가 있다.

학교 인근에 있는 ○○지역아동센터를 방문했다. 그곳에서 중학교 1학년생인 민수(가명)를 만났다. 민수는 이곳 지역아동센터에 오게 되면서부터 자신의 꿈이 생겼고 미래에 대한 희망이 생겼다고 한다. ○○지역아동센터의 사회복지사는 민수가 지역아동센터에 오기 전에는 밤늦게까지 친구들과 어울려 이웃집 물건을 훔치는 등 나쁜 행동을 일삼았다고 한다. 학교에서도 문제학생으로 골칫덩어리였는데 최근 ○○지역에 ○○지역아동센터가 설치되고 운영되면서 이곳에 오게 된 것이다. 처음에는 거부적이었으나 대학생과의 멘토링으로 학습지도를 받고 우리나라 최고의 자동차정비사가 되는 꿈을 키우고 있다. ○○지역아동센터 사회복지사는 민수에게 지역 내 자동차정비사와 후원결연을 맺도록 하였고 고등학생이 되면 그곳에서 아르바이트도 할 수 있다고 밝게 웃었다.

민수는 지금 비록 어려운 상황이지만 자신의 꿈을 꼭 이루겠다고 말했다. 그러나 민수네 가정형편은 매우 어려운 상황이다. 원래 민수네 가족은 국민기초생활수급대상이었지만 민수의 형이 근로능력이 있는 나이가 되었다는 이유로 수급대상에서 제외되어 수급비도 중단되고 가족 중 수입이 전혀 없는 절대빈곤가족이 되었다는 것이다.

민수네 가족은 현재 치매를 앓고 있는 할아버지와 손가락 장애를 가진 아버지, 집에서 놀고 있는 형과 하루하루 끼니를 걱정하면서 살고 있다. 민수의 아버지는 자신의 처지를 비관하여 술을 마시며 지내고 있고 그 가운데 민수는 필요한 보호와 양육을 받을 수 없는 안타까운 상황이다.

지역아동센터에서 민수의 사연을 듣고 돌아오는 길에 마음이 무거웠다. 통계에 의하면 민수네 가족처럼 복지사각지대에 놓인 빈곤아동가구는 전국적으로 41만여 명에 이르는데 실제 현장에서는 빈곤가족아동을 위한 지원책은 극히 미미하다는 것이다.

3) 아동학대 및 정신건강 문제

우리나라는 산업화 과정 속에서 경쟁주의와 물질만능주의, 가족구조와 기능 변화, 개인주의 강화 등 급속한 변화로 인하여 스트레스와 우울감, 분노와 소외감 등 정신건강 문제를 경험하고 있다. 이로 인하여 아동에 대한 폭력과 학대 발생률이 증가하고 있다. 이와 같이 사회의 변화에 대처할 자원 준비가 되지 못하여 자신의 생활을 소신 있게 영위하지 못하는 사람이 증가하고 있으며 이로 인하여 고독감, 무력감, 불안, 스트레스 등 정신건강을 위협하는 요인이 급속히 증가하고 있다. 변화에 대한 적응능력은 성인뿐만 아니라 아동들에게도 주어지는데 아동들은 기어 다니기 전에 걸어 다니게 하고 듣기도 전에 말할 것을 요구하는 압력을 받고 있다.

또한 부모의 과잉기대와 경쟁적인 학교 분위기는 아동들에게 스트레스를 주고 분노, 과잉행동, 파괴적 행동, 거짓말하기, 도벽, 열등감 등과 같은 문제행동과 학습장애, 성격장애, 우울증 들 정신병리와 장애를 갖게 한다. 또한 아동기의 문제행동과 정신병리를 방치할 경우 또 다른 부적응문제가 야기되며 문제를 더욱 악화시키고 사회문제가 되는 것이다.

아동기에 적절한 교정적·치료적 개입은 이후 개입보다 효과가 매우 크기 때문에 중요하다. 교육부에서 초·중·고생 178만 8,843명을 대상으로 실시한 '2020 학생정서, 행동특성검사'를 실시한 결과 우울증이나 폭력성향을 보여 지속적인 상담과 관심이 필요한 관심군 학생은 8만 4,318명으로 집계되었다. 이들 중 2차 검사에서 불안, 우울, ADHD 등의 문제가 심해 심층상담 같은 집중관리가 필요한 주의군 학생은 5만 6,089명이었고, 20,682명은 자살까지 생각해 본 고위험군으로 분류되었다.

교육부는 이와 같이 많은 학생들이 정신적으로 위기를 겪고 있는 것은 사회 전반에 만연되어 있는 경쟁분위기 속에서 학업스트레스, 학교폭력, 빈곤과 가정 붕괴 등이 증가하고 있기 때문인 것으로 분석하였다. 우리나라 어디에서든지 인터넷과 컴퓨터게임을 할 수 있는 것도 정신적인 불안정과 무관하지 않으며 학교폭력에 시달리고 성적, 가정환경을 비관하면서 우울증에 빠지거나 비행 등 문제행동을 저지르게 되고 심한 경우 자살을 시도하는 경우도 증가하고 있다. 전문가들은 아동과 청소년들이 안정된 환경에서 성장할 수 있도록 가정과 학교, 사회 전체가 노력해야 한다고 주장한다. 다시 말하자면 아동학대와 정신건강에 대한 아동복지적 대책과 전문적 서비스 지원체제가 마련되어야 한다는 것이다.

학생들에게 아동학대사례를 조사하도록 하였다. 아동학대사례를 조사한 학생들이 국에다 밥을 말고 소금을 넣어 한 달이 넘도록 먹이고, 먹지 않으면 때리는 등 10대 의붓딸을 소금중독으로 숨지게 한 50대 계모의 아동학대사례를 소개하였다. 그 사례를 접하고 21세기에 현대판 신데렐라 동화가 재현된 것 같은 생각이 들었다. 대학생들이 발표한 사례의 내용은 다음과 같았다.

아이의 아버지와 재혼한 계모는 가끔씩 술을 마시고 시댁에서 받은 스트레스를 의붓딸과 아들에게 분풀이하였다고 한다. 심지어는 술을 마시고 들어와 방에서 자고 있는 아이들을 깨워 국에다 밥을 말고 소금 세 숟가락을 넣어 강제로 먹이기까지 하였다는 것이다. 아이들에게 소금밥을 먹이다가 아이들이 토하거나 음식을 남기면 또다시 구타를 하였다는 것이다. 아이들은 한 달이 넘도록 소금밥을 먹었고 마침내 의붓딸은 갑자기 헛소리를 하기 시작하였고 이상한 행동을 보여 병원에 옮겼으나 숨졌다. 숨진 딸의 상태는 소금중독에 따른 "나트륨중독사"인 것으로 나타났는데 보통 성인이 사망했을 때 나트륨농도는 ℓ당 153~246meq이나 숨진 아이의 농도는 181meq로 나타났다는 것이다. 사례를 들은 사람들은 대부분 부모에게 분노하고 부모를 강력하게 처벌해야 한다고 목소리를 높였지만 정작 사례가 발생하게 된 근본적인 원인과 이러한 사례가 다시는 발생하지 않게 예방할 수 있는 구체적 방안에 대하여는 모두 할 말이 없었다.

이 사례를 다른 사람에게 들려주고 사례에 대한 반응을 조사해 봅시다.

4) 사회적 소수아동의 인권 문제

양극화에 따른 또 다른 문제는 사회적 약자로서 다문화가정 및 외국인근로자 아동의 인권문제다. 정부가 UN인권이사회에 제출한 보고서에 의하면, 외환위기를 극복하는 과정에서 이루어진 구조조정과 중산층 및 자영업자의 몰락, 비정규직의 양산, 부동산 가격폭등 등으로 심각한 양극화가 진행되었고 이로 인한 사회적 약자 및 취약계층의 인권상황이 국가 전체적 부담이 되고 있다고 한다. 우리나라는 2001년 국가인권위원회가 출범하면서 인권의 관점에서 사회적 약자의 문제를 제기하는 경향이 나타나기 시작하였다(윤찬영, 2005). 사회복지제도와 실천의 대상자는 빈민, 노동자, 노인, 아동 및 청소년, 장애인, 여성 및 한부모가정, 다문화가정 등 사회적 소수자라고 할 수 있다. 이들은 불평등한 사회적 처우를 감수해야 하며 차별과 제약에 따라 생존위협뿐만 아니라 인권을 침해당하고 있다. 사회복지는 사회적 약자의 인권을 대변하고 옹호할 뿐만 아니라 사회복지실천현장 역시 사회복지사가 인권을 실현하는 장이 될 수 있도록 제도적 방안과 다양한 서비스지원체계가 마련되어야 한다.

5) 학교폭력 문제

한 인간이 태어나서 성장하는 과정은 곧 그가 속한 사회에 적응하는 과정이다. 사회에 적응하는 과정 중 사회의 규범을 받아들이고 적응하거나 혹은 규범에 적응하지 못하고 사회적 규범을 무시하거나 거부하는 일탈행동을 하게 된다. 이와 같이 일탈행위는 여러 사회적 지위와 역할을 규정하는 사회적 규범으로부터 이탈을 의미하며 범죄, 비행, 정신질환, 약물중독, 알코올중독, 매춘 및 동성애 등이 있다. 이러한 일탈행동은 개인의 욕구충족에 실패한 사회적 결함의 표출인 것이다(김영화, 2001 : 409). 즉, 어느 시대, 어느 사회든지 개인적인 일탈이 존재하지만 학교폭력과 같은 일탈은 아동에게 부정적인 영향을 미치게 되어 심각한 사회문제가 된다.

2019년 교육부의 학교폭력대책 자치위원회 심의 및 피 · 가해 학생 조치현황 자료에 의하면 2012년 1학기 초·중·고 학교폭력 가해학생은 4만 1183명으로, 2015년 가해학생 2만 8393명 대비 약 45%가 증가했다. 교육부는 학교폭력근절봉합대책을 시행하고 있지만 처벌위주의 대책은 실패하고 있어 가해학생에 대한 징벌적 대책만으로는 학교폭력이 근절되지 않기 때문에 피해자보호와 더불어 가해자에 대한 사회적 처벌에 한정하지 않고 아동복지를 통하여 보다 적극적이고 예방적인 차원의 아동복지서비스를 제공할 수 있는 제도적 지원체제가 필요하다.

어느 날 저녁 한 방송국에서 뉴스를 전했다. 뉴스의 내용은 지방 어느 중학생이 자신이 살고 있는 아파트 옥상에서 투신자살을 했다는 내용이었다.

중학생의 어머니는 현직교사였고 아버지와 형, 가정환경은 비교적 좋은 편이였다. 자살한 중학생도 성실하고 모범적인 학생이었다. 그러나 그렇게 성실하고 모범적인 학생이 극단적인 선택을 하게 된 것은 바로 학교폭력을 견디지 못했기 때문이라는 것이다. 중학생은 자살하기 직전에 유서를 적어놓았는데 그의 어머니는 그 유서를 보고 견딜 수가 없다는 것이다. 왜냐하면 중학생을 자살하게 만든 학교폭력 가해자는 어머님이 친한 친구라고 알고 있던 학생이었기 때문이다. 가해학생은 이미 수차례 학교폭력으로 인한 문제로 학교로부터 지목받고 있는 학생이었으며 학교에서 실시하는 심리검사에서 자살한 학생의 심리적 문제가 있었음에도 누구도 아이의 마음을 헤아려주지 못하고 방관한 것이 결국 아이를 극단적인 선택을 하게 만든 것이다. 자살한 중학생의 어머니는 아들이 극단적인 선택을 할 때까지 아들의 마음을 헤아려주지 못한 죄책감과 친구인줄 알았던 가해학생에 대한 분노와 가해자와 피해자를 모두 방관한 학교, 그리고 우리사회에 대한 원망과 불신으로 자살한 중학생의 유서를 언론에 공개적으로 공개하였다. 어머님의 유서 공개는 학교폭력으로 인한 피해자가 더 이상 나오지 않기를 바라는, 그리고 우리의 아이들이 건강하게 성장할 수 있는 환경을 만들어주기를 바라는 소망이었을 것이다.

※ 서울시에서 조사한 "서울시 중고생 건강상태"
다음 내용에 대한 결과를 예측하고 토론해 봅시다.

• 평상시 스트레스가 많다.
여학생 ( ) %, 남학생 ( ) %

• 스트레스 주요원인에 대한 베스트 5

교사와의 갈등 ( )	성적·진로에 대한 부담 ( )
가정형편 ( )	외 모 ( )
부모와의 갈등 ( )	교우관계 ( )

• 청소년들이 가장 원하는 것 5가지는 무엇인지 토론해 봅시다.

연습문제

01 우리나라의 주요 아동문제에 해당되지 않는 것을 모두 고르세요.

① 저출산 문제 ② 빈곤과 양극화 문제 ③ 과잉보호 문제
④ 아동학대문제 ⑤ 학벌지향문제

02 아동문제의 원인에 해당되는 것을 모두 고르세요.

① 가족구조 변화 ② 기혼여성 취업 증가 ③ 경제적 안정
④ 미혼모 증가 ⑤ 학벌만능주의 풍토

03 욕구결핍아동 중 건강욕구의 대상아동에 해당되지 않는 것을 고르세요.

① 근로아동 ② 영양실조아동 ③ 질병아동
④ 시설아동 ⑤ 장애아동

04 사회문제아동 중 탈선적 문제의 대상아동에 해당되는 것을 모두 고르세요.

① 학대아동 ② 비행아동 ③ 게임중독아동
④ 가출아동 ⑤ 성격결함아동

※ (5-6) 다음 설명에 해당되는 개념을 적어 보세요.

아동기와 청소년기는 발달단계에 따른 욕구충족과 성장발달에 필요한 지지와 강화 속에서 (5)와 (6)가 잘된 성인으로 성장하게 된다.

05

06

07 아동문제의 기준에 해당되는 것을 모두 고르세요.

① 사회성 ② 일반성 ③ 특수성
④ 보편성 ⑤ 일관성

08 사회문제를 정의할 때의 일반적 의미에 대한 설명 중 틀린 것을 모두 고르세요.

① 그 원인이 자연적인 것도 포함된다.
② 상당수의 사람들이 부정적인 영향을 받아야 한다.
③ 사회가 개선을 원해야 한다.
④ 시대와 사회적 상황과 관계없이 절대적으로 정의된다.
⑤ 개선을 위하여 집단적·사회적 행동이 요청되어야 한다.

09 아동의 기본 권리에 해당되지 않는 것을 고르세요.

① 생존의 권리　② 보호의 권리　③ 책임의 권리
④ 발달의 권리　⑤ 참여의 권리

※ (10~11) 다음 설명에 해당되는 아동권리의 기본원칙을 적어 보세요.

10

아동에게 영향을 미치는 모든 것을 결정할 때는 아동이익을 최우선으로 고려하여야 한다.

11

생애시기에서 특별히 생존과 발달을 위하여 필요한 다양한 보호와 지원을 받아야 한다.

12 아동권리협약의 특성에 해당되지 않는 것을 모두 고르세요.

① 2007년 193개국 가입
② 아동권리보호만을 목적으로 한 국제사회 최초의 협약
③ 협약의 모니터링과정 선택
④ 아동관련 결정에 있어 부모의 최선이익을 강조
⑤ 부모의 뚜렷한 역할부여협약

연습문제

13 우리나라의 아동권리협약 당사국에 가입된 연도를 고르세요.

① 1921년 ② 1923년 ③ 1990년
④ 1991년 ⑤ 1995년

14 아동발달과 밀접한 관련이 있는 사회적 욕구에 해당되지 않는 것을 모두 고르세요.

① 음식 ② 주택 ③ 자동차
④ 이웃분위기 ⑤ 문화재

15 법률상 아동의 연령범위가 바르게 연결된 것을 고르세요.

① 아동복지법 - 18세 미만인 자
② 영유아보육법 - 5세 미만의 취학 전 아동
③ 청소년보호법 - 25세 미만인 자
④ 소년법 - 20세 미만인 자
⑤ 형법 - 10세 미만인 자

CHAPTER 02

아동복지의 조건과 서비스 유형

1. 아동복지의 조건

아동복지의 기본조건으로 Fredricksen(1957)은 부모의 계몽, 가정생활의 보존과 강화, 심신, 보건 시설의 증진, 경제적 안정, 종교, 교육, 놀이, 위험한 착취의 해방, 특수욕구를 지닌 아동에 대한 특별한 서비스를 들고 있다. 엘렌 케이는 아동의 복지 권리로 튼튼하게 태어날 권리, 건전하게 양육 받을 권리, 정상적인 가정생활을 누릴 권리, 교육받을 권리, 도덕성, 정신적 훈련을 받을 권리, 유희나 오락을 즐길 권리 등을 들고 있다. 위와 같은 아동복지의 기본조건이 되는 요소를 토대로 공통적으로 제시되는 아동복지의 조건은 건강한 가정과 부모, 경제적 안정, 교육, 보건 및 의료, 놀이와 오락 문화, 노동으로부터 보호, 특수아동의 보호 등을 들 수 있다.

1) 건강한 가정과 부모

가정은 아동이 태어나서 최초로 경험하는 생활환경으로 아동의 건강한 성장발달에 필수적 요소라고 할 수 있다. 인간의 발달에 있어 어린 시절의 경험은 매우 중요하며 부모 및 가족과의 상호작용은 개인의 삶에 일생 동안 영향을 미치게 된다. 가정환경에서 중요한 점은 부모의 양육태도이다. 부모가 자녀를 양육할 때 과잉보호하거나 혹은 방치하거나 무관심한 경우, 지나친 훈육이나 처벌을 할 경우 문제가 된다. 현대 부부중심의 핵가족은 과거의 가족에 비하여 자녀양육에 대한 지지체계가 매우 취약하며 이혼 등으로 인한 한부모가족 증가, 맞벌이부부, 외둥이가족 등의 증가로 가족구조와 기능 문제가 증가하고 있다. 이로 인하여 가정의 안정성이 크게 위협받고 있는 실정이다. 또한 부모양육기술이 부족하여 부모－자녀 간의 갈등 및 스트레스를 경험하게 되고 이로 인하여 아동에게 바람직하지 못한 행동이나 아동학대 등이 발생하기도 한다. 즉, 가족구조와 기능의 변화로 인하여 건강한 가정은 아동복지의 최우선 조건이라고 할 수 있다.

이러한 점을 감안하여 정부에서는 2004년 건강가정법을 제정하였다. 건강가정지원법은 건강한 가정생활의 영위와 가족의 유지 및 발전을 위한 국민의 권리와 국가 및 지방자치단체 등의 책임을 명백히 하고 가정문제의 적절한 해결방안을 강구하며 지원정책을 강화함으로써 건강가정구현에 기여하기 위함에 그 목적이 있다. 건강가정지원법에 의한 건강가정이란 가족구성원의 욕구가 충족되고 인간다운 삶을 보장하는 가정으로 정의되며 가족구성원은 부양자녀양육, 가사노동 등 가정생활 운영에 동참해야 하고 서로 존중하며 신뢰해야 함을 규정하고 있다. 또한 국가와 지방자치단체는 출산과 육아의 사회적 책임을 인식하고 모성보호와 태아의 건강보장 등 적절한 출산환경을 조성하는 데 적극 지원해야 하며 가정의 중요성을 고취하고 개인, 가정, 사회의 적극적인 참여 분위기 조성을 위해 매년 5월을 가정의 달로, 5월 15일을 가정의 날로 정하여 건강가정을 위한 사회적 책임을 강조하였다.

2) 경제적 안정

아동의 건강한 성장발달은 가정생활의 경제적 안정과 밀접한 관계가 있다. 경제적으로 안정된 가정에서의 아동과 빈곤한 가정의 아동은 성장발달의 수준에 차이가 있을 수 있다.

Garbarino(1992 : 227)는 “가정의 빈곤은 아동복지의 지표이며 동시에 가정기능의 수준을 측정하는 지표다”라고 하면서 가정의 경제적 안정이 아동복지에 있어서 매우 필수적 조건임을 강조하였다. 아동의 인구사회학적 배경과 상관없이 각 가정에서 아동양육에 필요한 최소한의 물질적 욕구, 즉 의식주를 포함한 발달적 욕구를 충족시킬 수 있어야 한다. 그러나 경제적 불안정은 이러한 최저수준의 아동의 발달적 욕구를 충족시킬 수 없게 되어 아동발달의 장애요인이 된다. 가정의 빈곤함은 경제적으로 불안정한 상태를 의미하지만 아동의 경우 물질적 결핍뿐만 아니라 교육, 건강, 비행, 불평등, 기회 등의 사회적 조건 혹은 자원의 결핍상태를 의미하기 때문에 이를 위한 지원이 필요한 것이다. 아동이 속한 빈곤가정의 경우 경제적인 측면뿐만 아니라 신체적·사회적·문화적·심리적 박탈 등 매우 광범위하고 복합적이기 때문에 빈곤가정아동을 위한 공적부조, 사회보험, 아동수당제도 등을 통하여 경제적으로 안정될 수 있는 제도적 기반이 마련되어야 한다.

3) 교 육

우리나라 헌법 제27조에는 '모든 국민은 능력에 따라 균등하게 교육받을 권리를 지닌다'라고 명시함으로써 교육권을 기본적 권리로 보장하고 있다. 또한 초·중등교육법 제13조에 의하면 초등학교와 중학교를 의무 교육화하고 있다. 또한 유아교육법 제24조에서는 취학 전 유아교육을 무상으로 실시하도록 함으로써 모든 아동이 교육받을 수 있는 권리를 보장하고 있다.

이와 같이 우리나라는 의무교육의 양적인 확대를 위한 제도적 기반을 마련하는 데 치중하여 왔으나 교육의 질적인 향상과 방법에 대한 방안도 모색되어야 할 필요가 있다. 우리나라는 OECD 국가 중 6번째로 교육수준이 높은 나라로 나타났음에도 불구하고 학력위주의 교육과 교육의 질적 수준이 낮다는 것이 문제로 지적되고 있다. 즉, 국가가 교육여건과 교육비용을 책임지고 학부모들은 아이를 학교에 보내는 의무를 규정한 의무교육의 개념은 우리나라 교육현실로 볼 때 진정한 의무교육이라고 보기 어렵다는 것이 전문가들의 의견이다. 다시 말하자면 수업료만 무상교육이지 학교에서의 학습준비물 비용, 각종 수련회, 현장 학습비, 교복과 체육복비 등 교육 목적의 각종 비용을 전적으로 학부모가 부담하고 있는 현실이다. 중학교의 경우 학교운영지원비, 보충 학습비, 학교발전기금, 각종 행사 찬조금, 심지어는 교실 냉·난방시설비까지 부담하여 교육재정에 대한 학부모의존도가 매우 높은 현실이다.

또한 개인의 차이를 인정하지 않는 교육, 상향평준화된 획일적 교육이 학교를 경쟁의 장으로 만들었다. 그 결과 '특목고', '자립형사립고' 등과 같이 학교가 이분화됨으로써 계층 간 교육의 불평등현상이 심화되기에 이르렀다. 또한 교실 내에서 학습부진아는 문제아로 낙인찍히는 일이 다반수이며, 학교 수업도 점점 우등생을 위한 교육 위주로 하여 균등한 교육을 받을 권리를 보호 받지 못하는 부적응학생이 늘어나고 있다. 우리나라는 모두가 교육받을 권리를 가질 수 있도록 의무교육을 확대하였으나 교육의 질적 측면에서는 학생들 간의 위화감이 조성되는 문제에 대한 방안이 필요하다.

우리나라 교육제도는 '모두에게 교육의 기회를 균등하게 부여한다고 할 수 있으나 모두에게 균등한 교육을 제공하고 있다'고 할 수는 없다. 의무교육을 통하여 96%가 넘는 학생들이 입학하지만 그들의 성장발달에 적합한 교육서비스를 제공하고 있다고 보기는 어렵다. 특히 다문화가정 등 다양한 문화적 배경과 특별한 발달적 욕구를 지닌 아동과 청소년들을 위한 교육적 방안 마련이 이루어져야 한다. 이에 정부에서는 초등학생을 대상으로 학교의 교육과 보육기능 강화를 위한 온종일 학교를 운영하고 중학생에게는 한 학기 동안 진로탐색활동을 할 수 있는 자유학기제를 도입하는 등 공교육의 질적 향상을 위한 내용을 골자로 하는 공교육정상화법이 제정되었다.

4) 보건 및 의료

아동복지법 제1조에 의하면 국가는 모든 아동이 건전하게 출생하여 행복하고 건강하게 육성되도록 그 복지를 보장하여야 한다고 명시하고 있으며 모자복지법은 모성의 생명과 건강을 보호하고 건전한 자녀의 출산과 양육을 도모함으로써 국민보건향상에 이바지함을 목적으로 한다고 명시하고 있다. 이와 같이 아동복지법과 모자복지법에서는 아동의 신체적·정신적 건강을 위하여 모자보건과 아동보건이 중요함을 의미한다고 볼 수 있다. 경기도교육청의 학교보건통계자료에 의하면 만성질환을 가지고 있거나 신체가 허약하여 학교 교육활동 중 건강상 문제가 발생하여 특별히 주의가 필요한 요양보호학생이 2010년 1.8%, 2011년 2.0%, 2012년 2.3%로 매년 증가하고 있는 것으로 나타났으며 주요만성질환은 천식, 심장질환, 뇌질환, 신장질환, 희귀병, 소아암, 당뇨병, 결핵 등인 것으로 조사되었다. 이러한 결과는 이들을 위한 적절한 보건 및 의료서비스 대책이 마련되어야 함을 의미하는 것이다. 특히 특별한 발상의 문제를 지닌 아동이나 만성질환에 시달리는 아동에 대한 전문적 의료서비스 지원체제가 마련되어야 한다. 아동이 적절한 보건의료서비스를 제공받지 못할 경우 아동의 성장발달에 부정적 결과를 초래하게 되며 가족들은 심각한 스트레스로 인한 가족갈등이 빈번하여 정상적인 가족기능의 장애를 초래하게 된다. 또한 만성적인 건강문제로 인하여 아동은 신체적 제한을 받게 되며 치료 및 각종 검사와 관련된 통증과 공포감을 느끼게 된다. 또한, 반복된 입원으로 인한 친구교제 및 학교부적응으로 사회적 고립, 의존성과 죽음에 대한 염려 등을 경험한다. 아동에 대한 적극적인 보건 및 의료지원서비스를 마련하고 특히 경제적 어려움이나 열악한 환경 속에서 아동을 위한 정기적인 무료 검진과 의료비 지원이 필요하다.

일반적으로 국민건강보험의 보장률은 70%대이지만 만성질환이나 희귀질환 환자 가족들에게는 보험적용이 되지 않는 비급여항목이 많기 때문에 보장률이 50%선에도 미치지 못한다. 향후 정부에서는 4대 중증질환(암, 심장, 뇌혈관, 희귀난치성질환) 진료 전액을 국가가 대신 부담하도록 하고 소득보다 지나치게 의료비가 많이 나왔거나 연간본인부담진료비(최하위소득계층 200만 원, 중위계층 300만 원, 상위계층 400만 원)가 초과되면 국가가 대신 지원하는 방안을 검토하고 있다.

5) 놀이와 오락 문화

UN아동권리에 관한 협약 제31조에 의하면 아동의 여가, 오락 활동 및 문화적 활동에 대한 권리가 명시되어 있으며 우리나라 어린이 헌장에도 아동의 놀이와 오락의 권리가 명시되어 있으나 아동놀이와 문화 활동에 대한 법적 근거는 마련되어 있지 않다.

그러나 놀이는 아동발달에 있어서 매우 중요한 요소이다. 교육학자인 아이작스(Isaacs)는 놀이가 아동의 삶 자체인 동시에 세상을 이해하는 수단이라고 정의함으로써 놀이가 아동의 삶과 성장발달과정에서 최고의 수단이 된다는 것을 강조하였다.

뿐만 아니라 아동에게 놀이는 교육적 가치를 지니고 있다. 놀이는 아동의 생활 속에서 자연스럽게 이루어지는 학습활동이며 스스로 배울 수 있는 자발적 동기유발을 가능하게 하기 때문이다. 그러나 우리나라는 아동의 놀이와 오락문화에 대한 법적 기반이 마련되어 있지 않으며 놀이시설 혹은 놀이관련 기구 등이 충분하지 않은 실정이다. 청소년대화의 광장에서 조사한 결과에 의하면 청소년들이 즐기는 놀이 중 인터넷게임/전자오락이 50.4%로 가장 많은 것으로 나타났고, 그 다음이 음악 감상(49.8%), 만화(49.2%)인 것으로 나타났다. 또한 청소년들의 놀이대상은 주로 학교친구들이었으며 가족들과의 놀이는 거의 없고, 전체 응답자의 54.6%가 노래방이나 비디오방에 가는 것으로 나타난 결과는 아동, 청소년의 건전한 놀이문화를 위한 지원방안이 필요함을 의미한다고 볼 수 있다. 특히 아동을 위한 놀이문화를 지원하기 위하여는 성인들의 퇴폐적인 놀이문화로부터 보호할 수 있는 방안과 오락거리가 마땅치 않은 아동과 청소년들만을 위한 전용놀이공간과 프로그램을 마련하여 아동의 여가·오락활동 및 문화활동에 대한 권리를 보장할 수 있어야 한다.

6) 노동으로부터 보호

우리나라 근로기준법과 아동복지법에서는 다음과 같이 아동의 노동금지 및 유해노동으로부터 보호되어야 함을 규정하고 있다.

세계노동기구(ILO)의 통계자료에 의하면 가난으로 인하여 전 세계 5세 이상 14세 이하의 아동 2억 5천만 명 정도가 노동에 종사하고 있다고 한다. 그 가운데 1억 2천만 명의 아동(5~14세)들이 학교를 다니지 못한 채 건강을 해치면서 매일 전일제로 일하고 있다고 한다.

그러나 아동 노동인구를 추산하기는 쉽지 않다. 일하는 아동의 연령과 노동시간 혹은 노동의 형태에 따라 어느 선까지 아동노동인지 규정하는 것이 어렵고 아동노동은 불법적으로 이루어지기 때문이다. 아동이 일을 하는 것이 모두 부정적인 것은 아니다. 이를테면 집안일을 돕거나, 신문을 돌린다든지, 동생을 돌보는 등의 일은 아동이 성장하고 발달하는 데 경험해야 할 일이다. 그러나 빈곤가정의 아동이나 한부모가족아동, 조손가정아동들의 경우 이러한 수준을 넘는 노동을 해야 하고 이로 인하여 성장발달에 부정적 영향을 받을 수 있다.

일반적으로 개발도상국아동이나 빈곤가정아동의 노동유형은 다음과 같다.

- 집 안에서 아기를 돌보거나 집안일을 도맡는다.
- 논이나 밭에서 잡초를 뽑거나, 농작물을 수확하고, 가축을 키운다.
- 청소 및 가사 일을 한다.
- 공장의 직공으로 채용되어 의류공장, 건설현장, 융단공장 등에서 일한다.
- 거리에서 쓰레기통을 뒤지거나, 구두닦이, 껌팔이 등을 한다.
- 아동매춘 혹은 음란산업에 악용된다.

이러한 일은 아동의 건강을 해치고, 성장에 심각한 장애를 가져올 뿐만 아니라 정상적 학교생활을 할 수 없고 친구와 어울릴 수 있는 기회를 갖지 못하게 된다. 또한 열악한 환경 속에서 부모나 양육자의 다양한 학대를 당할 우려가 있다. 유니세프(UNICEF)와 월드비전에서는 아동의 일 중에서 다음 사항에 해당될 경우를 착취적 노동이라고 규정하고 있다.

아동이 노동을 해야 하는 가장 큰 원인은 가정의 빈곤이다. 아동에게 과도한 노동을 시키는 부모는 대부분 직업이 없거나 있어도 임금이 낮은 저소득계층이어서 안정된 일자리나 수입이 필요한 경우가 많다. 특히 가정의 빈곤으로 인하여 아동이 노동할 수밖에 없는 상황일 경우 아동의 권리는 보호되어야 하며 적절한 조건과 임금을 받아야 하고, 아동노동자의 생활에 맞는 교육기회가 주어져야 할 것이다.

〈표 2-1〉 아동노동착취조건

유니세프	월드비전
• 일하는 시간이 너무 길다. • 신체적·심리적으로 극심한 스트레스를 주고 있다. • 노동환경이 열악하고 위험하다. • 봉급이 너무 적다. • 너무나 큰 책임을 지고 있다. • 교육을 받지 못하도록 한다. • 아동이 갖는 존엄성과 자긍심을 저해한다. • 마치 노예처럼 아동을 작업장에 묶어둔 채 일을 시킨다.	• 어린이를 혹사시키고 영양실조를 가져오는 경우 • 비좁고 통풍이 안 되는 열악한 작업 환경 • 시력을 상하게 하는 세밀한 작업 • 화학약품 및 기계류를 다루는 위험한 일 • 노는 시간이 없고 부모를 만나볼 수 없고 교육을 받지 못하는 경우 • 신체적·심리적·성적(性的)인 학대 • 매우 나이 어린 아동을 고용하는 경우 • 빚의 대가로 아동을 담보로 가두거나 도망가지 못하게 묶어 놓고 일을 시키는 경우

가난한 가정의 아동, 청소년들은 가정을 위하여 일을 하지만 아동의 노동은 빈곤을 탈피하지 못한다. 빈곤으로 인하여 적절한 교육을 받지 못한 아동들은 학교중퇴 및 학습지체가 될 것이고 그 결과 성인이 되어서도 좋은 직업을 가질 수 없게 되며, 또 다시 자신의 자녀들도 어린 나이에 노동을 할 수밖에 없게 되는 등 가난의 대물림현상으로 나타나게 된다.

국가의 발전과 미래를 위하여 아동의 노동으로부터의 보호와 교육을 받을 권리를 보장하는 것은 아동복지의 기본적 조건이다. 아동의 노동은 수입의 분배, 교육, 제도, 여성의 지위, 경제 구조, 소비 형태 등과 같은 문제들과 관련이 있다.

아동의 노동문제를 해결하기 위하여 권리적 측면의 접근이 무엇보다 필요하다. 가정의 빈곤으로 인하여 아동이 노동할 수밖에 없는 상황일 경우 아동의 연령과 능력을 고려하여 적절한 조건과 임금을 주어야 하며 아동의 발달적 욕구를 충족시켜 줄 수 있는 지원 대책과 교육기회가 주어져야 한다. 세계노동기구(ILO)는 1999년 아동노동에 대한 인식을 제고하기 위하여 세계아동노동반대의 날을 제정했으며 같은 해 연례총회에서 18세 미만 미성년자의 가혹한 노동과 매춘, 강제징병 등을 금지하는 내용을 담은 협정182조를 채택했다. 이후 ILO와 각국 비정부기구(NGO)들은 아동노동근절을 위한 감시활동과 노예상태로 일하는 아동 노동자를 구출하고 보호하는 활동을 하고 있다. 또한 부모들이 자녀를 노동현장에서 학교로 되돌려 보내도록 보조금을 지원하며 다양한 홍보활동을 전개하고 있다.

우리나라도 국내·외적으로 노동으로부터 아동을 보호하기 위한 다양한 제도적 장치와 복지대책이 마련되어야 할 것이다. 우리나라 근로기준법과 아동복지법에서는 〈표 2-2〉와 같이 아동의 노동금지 및 유해노동으로부터 보호되어야 함을 규정하고 있다.

〈표 2-2〉 우리나라 아동노동금지관련 법

근로기준법	아동복지법
• 15세 미만인 자는 근로자로 사용하지 못한다. 다만, 대통령령이 정하는 기준에 따라 노동부장관이 발급한 취직인허증을 지닌 사람은 근로자로 사용할 수 있다(제64조). • 임산부와 18세 미만인 자를 도덕상 또는 보건상 유해, 위험한 사업에 사용하지 못한다(제65조). • 친권자 또는 후견인은 미성년자의 근로계약을 대리할 수 없다(제67조). • 15세 이상 18세 미만인 자의 근로시간은 1일에 7시간, 1주일에 35시간을 초과하지 못한다. 다만 당사자 간의 합의에 의하여 1일에 1시간, 1주일에 5시간을 한도로 연장할 수 있다(제69조).	• 아동복지법 제29조의 아동의 노동관련 금지행위 • 아동에게 음행을 시키거나 음행을 매개하는 행위 • 장애를 가진 아동을 공중에 관람시키는 행위 • 아동에게 구걸을 시키거나 아동을 이용하여 구걸하는 행위 • 공중의 오락 또는 흥행을 목적으로 아동의 건강 또는 안전에 유해한 곡예를 시키는 행위 • 정당한 권한을 가진 알선기관 외의 자가 아동의 양육을 알선하고 금품을 취득하는 행위 • 아동을 위하여 증여 또는 급여된 금품을 그 목적 외의 용도에 사용하는 행위

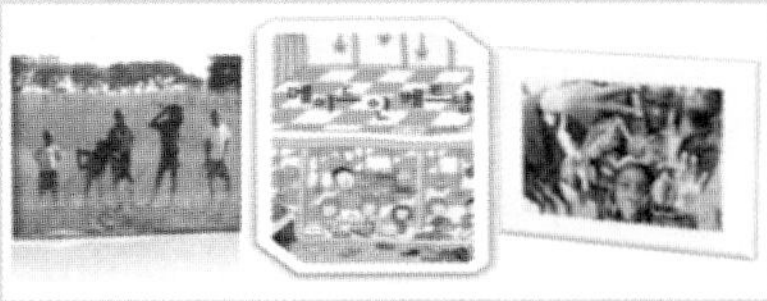

최근 지인으로부터 책 한 권을 선물 받았다. 『메이드 인 베트남』이라는 책의 내용은 베트남 신발공장에서 일하는 14세 소녀에 대한 이야기를 내용으로 한 책이었다. 사회적 약자의 이야기를 주로 다루어온 저자(카롤린 필립스)는 이 책을 통하여 청소년의 노동착취의 문제를 고발하고 있다. 14세 소녀 '란'은 공부를 계속해서 의사가 되고 싶지만, 건강을 잃은 아버지와 고엽제 후유증으로 장애를 안고 태어난 사촌들을 돌보기 위해 꿈을 접어야 했다. 란이 일하는 신발공장의 환경은 매우 열악하다. 어린 아이들은 환기도 잘 안 되는 곳에서 접착제 냄새로 두통과 구역질에 시달리고 야근을 밥 먹듯 한다. 하지만 아이들에게 지급되는 임금은 생계를 유지하기에 너무도 적은 액수이다.

고된 노동과 적은 임금, 인권을 침해하는 감시 체계에 시달리던 노동자들은 공장 작업환경을 둘러보러 온 국제조사단에게 이야기하지만 조사단은 그들의 목소리에 귀기울이지 않고 떠나버리자 란은 크게 절망한다. 마지막으로 란의 아버지와 사장을 만나게 되고 열악한 공장환경을 몰랐던 사장은 작업 환경 개선을 약속한다는 줄거리다.

7) 특수아동의 보호

아동복지의 대상은 모든 아동과 특별한 보호를 필요로 하는 아동으로 구분된다. 특별한 보호가 필요한 아동은 개별적이고 특수한 욕구와 문제가 있으며 이러한 문제를 지원하기 위한 전문적인 지원서비스가 요구된다. Fredericksen(1972)은 특수한 욕구를 지닌 아동의 유형을 정상적인 결혼을 하지 않은 부모에게서 태어난 아동, 취업모자녀, 장애아동, 인격 및 행동장애아동, 소수집단아동, 저소득층아동으로 분류하였다. UN아동권리에 관한 국제협약에서는 특별보호조치를 받을 권리가 있는 아동을 법적분쟁상의 아동과 착취상황하의 아동으로 규정하고 있다. 우리나라 아동복지법에서는 특수아동의 보호와 관련된 구체적 조항은 없으나 2012. 8. 5. 장애아동복지지원법이 시행되고 있으며 이 법에 의하면 장애아동의 특별한 복지적 욕구에 적합한 지원을 통합적으로 제공할 수 있도록 하고 있다. 또한 1990년 후반 외환 위기부터 취약계층이라는 용어가 등장하였는데, 대체적으로 빈곤층, 장애인, 한부모가정, 실업자, 노인 등 한 개 혹은 둘 이상의 특성을 복합적으로 가지고 있는 가족을 취약계층가족이라고 한다. 취약계층과 관련되어 사회적기업 육성법 시행령 제2조에서는 다음과 같이 명시되어 있다.

취약계층(사회적기업육성법 시행령 제2조)

- 가구 월 평균소득이 전국 가구 월 평균소득의 100분의 60 이하인 사람
- 「고용상 연령차별금지 및 고령자고용촉진에 관한 법률」 제2조 제1호에 따른 고령자
- 「장애인고용촉진 및 직업재활법」 제2조 제1호에 따른 장애인
- 「성매매알선 등 행위의 처벌에 관한 법률」 제2조 제1항 제4호에 따른 성매매피해자
- 「청년고용촉진 특별법」 제2조 제1호에 따른 청년 중 또는 「경력단절여성 등의 경제활동 촉진법」 제2조 제1호에 따른 경력단절여성 등 중 「고용보험법 시행령」 제26조 제1항 및 별표 1에 따른 신규고용촉진 장려금의 지급대상이 되는 사람
  ☞ (청년) 「청년고용촉진 특별법」 제2조 제1호에서 "대통령령으로 정하는 나이에 해당하는 사람"이란 15세 이상, 29세 이하인 사람을 말한다. 다만, 법 제5조 제1항에 따라 「공공기관의 운영에 관한 법률」에 따른 공공기관과 「지방공기업법」에 따른 지방공기업이 청년 미취업자를 고용하는 경우에는 15세 이상 36세 이하인 사람을 말한다.
  ☞ (경력단절여성) 「경력단절여성등의 경제활동 촉진법」 제2조에서 "경력단절여성등"이란 혼인·임신·출산·육아와 가족구성원의 돌봄 등을 이유로 경제활동을 중단하였거나 경제활동을 한 적이 없는 여성 중에서 취업을 희망하는 여성을 말한다.
- 「북한이탈주민의 보호 및 정착지원에 관한 법률」 제2조 제1호에 따른 북한이탈주민
- 「가정폭력방지 및 피해자 보호 등에 관한 법률」 제2조 제3호에 따른 가정폭력 피해자
- 「한부모가족 지원법」 제5조 및 제5조의2에 따른 보호대상자
- 「재한외국인 처우 기본법」 제2조 제3호에 따른 결혼이민자
- 「보호관찰 등에 관한 법률」 제3조 제3호에 따른 갱생보호 대상자
- 「범죄피해자 보호법」 제16조에 따른 구조피해자가 장해를 입은 경우 그 구조피해자 및 그 구조피해자와 생계를 같이하던 배우자, 직계혈족 및 형제자매
- 「범죄피해자 보호법」 제16조에 따른 구조피해자가 사망한 경우 그 구조피해자와 생계를 같이하던 배우자, 직계혈족 및 형제자매
- 그 밖에 1년 이상 장기실업자 등 고용노동부장관이 취업 상황 등을 고려하여 「고용정책 기본법」 제10조에 따른 고용정책심의회의 심의를 거쳐 취약계층으로 인정한 사람

이와 같은 점을 종합해 볼 때 특수아동의 범위는 장애아동을 포함하여 빈곤가정아동, 미혼부모의 자녀, 맞벌이부부자녀, 비행아동, 다문화가정아동, 불법체류아동, 국내외 입양아동, 조손가정아동, 시설아동, 학교부적응아동, 실직가정아동 등으로 분류될 수 있다. 이와 같이 다양한 사유로 인하여 특별한 보호를 필요로 하는 취약계층 아동들을 위한 개별적이고 전문적인 사회적 지원방안이 마련되어야 하며 아동복지를 실천하기 위하여 7가지 기본조건이 충족될 수 있이야 한다.

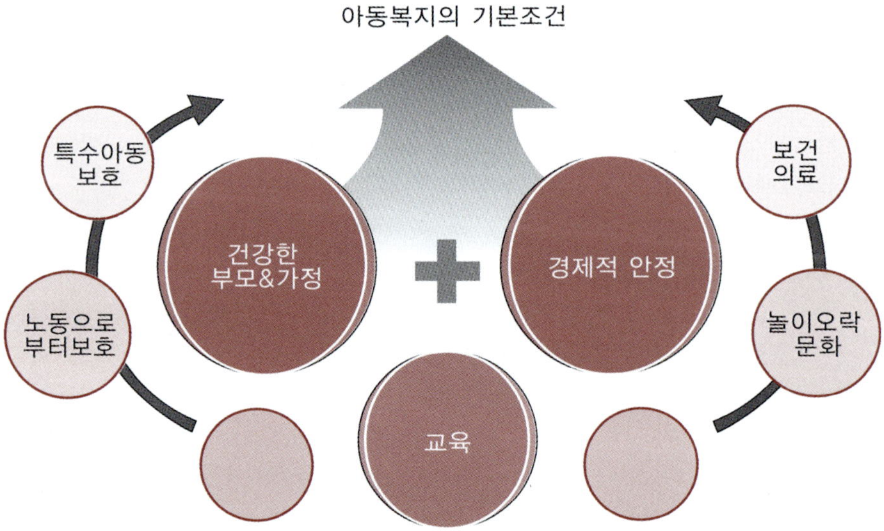

[그림 2-1] 아동복지의 기본조건

2. 아동복지의 기본원칙

아동복지는 사회복지서비스의 한 분야로 사회복지서비스와 실천적 측면의 공통점이 있지만 접근방법에 있어 차이점이 있다. 특히 클라이언트로서 아동은 성인클라이언트와 다른 발달적 특성을 가지고 있으므로 아동발달특성과 아동 권리적 측면과 환경을 고려한 기본적 원칙이 필요하며 이것을 토대로 아동복지정책과 행정, 서비스를 마련하고 제공할 수 있어야 한다. 장인협과 오정수(2001)는 아동복지의 기본적 원칙으로 권리와 책임의 원칙, 보편성과 선별성의 원칙, 개발성의 원칙, 포괄성의 원칙, 전문성의 원칙을 제시하였다. 김성경 외(2011)는 이외에 예방성과 치료성의 원칙을 포함하여 6가지 원칙을 제시하였다.

1) 권리와 책임의 원칙

권리와 책임의 원칙은 아동의 권리적 측면을 강조하며 아동복지에 있어 아동, 부모, 국가에게 공동의 권리와 책임이 있음을 의미한다. 아동, 부모, 국가의 권리와 책임 간 상충되는 측면이 있을 수 있으나 아동의 건강한 성장발달을 위하여 권리와 책임이 조화를 이룰 수 있도록 하는 원칙이다.

현대사회는 아동을 단순히 성인의 축소판 혹은 보호의 대상이 아니라 권리의 주체로 보고 있다.

UN의 아동권리협약에서 아동은 부모와 사회로부터 안정된 생활을 보장받아야 할 뿐만 아니라 학대 및 착취로부터 보호받아야 하고 교육을 받아야 하며 자신의 의견을 표현하고 장애를 가진 아동은 특수교육이나 적절한 치료를 받을 권리를 지닌다고 명시하고 있다. 또한 아동은 기본적 발달권리에 따른 책임도 있다. 즉, 부모와 국가의 아동권리에 대한 책임이 있다. 아동은 가정과 사회의 구성원으로서 부모와 국가가 규정하고 있는 질서를 지킬 의무가 있으며 부모의 양육과 보호 그리고 사회의 교육을 다르게 배우고 실천할 수 있어야 하는 책임이 있다.

20세기에 들어서면서 아동과 가족을 대상으로 하는 국가와 사회의 서비스가 개발되기 시작했으나 아동에 대한 1차적 책임은 부모에게 있다. 부모는 아동을 보호하고 양육하고 교육시켜야 하는 1차적 책임이 있으며 자신의 자녀의 보호와 양육을 위한 권리를 가진다. 즉, 미성년자인 자녀를 돌보고 양육하는 책임과 미성년 자녀에 대한 보호자 혹은 후견인으로서 권리를 가진다. 특히 부모에 의한 아동학대가 있을 경우 아동의 보호받을 권리와 부모의 양육할 권리 간 갈등이 있을 수 있다.

국가와 사회 또한 아동복지를 증진시킬 권리와 책임을 가지고 있다. 국가와 사회는 아동이 부모로부터 보호와 양육 받지 못하는 경우 적극적으로 개입하여 보호하고 양육해야 할 책임이 있다. 또한 아동권리를 위한 정책개발과 법 제정, 교육권 등을 보장하고 유해한 환경으로부터 아동을 보호해야 하는 책임이 있다.

그러나 부모나 학교, 시설 등에서 아동에 대한 부적절한 보호와 양육, 교육적 행위들에 대하여 책임을 물을 권리를 지닌다.

〈표 2-3〉 아동, 부모, 국가의 권리와 책임

주체	권 리	책 임
아동	생존권리, 발달권리	부모와 국가의 요구와 기대에 부응할 책임
부모	아동보호권리, 양육권리	자녀보호, 양육, 교육시킬 책임
국가	부모의 부적절한 양육에 대한 제재권리	• 아동복지증진책임 • 부모를 대신하여 아동을 보호하고 양육, 교육할 책임

2) 보편성과 선별성의 원칙

아동복지의 대상은 모든 아동을 대상으로 하는 보편성과 특수한 욕구를 지닌 아동을 대상으로 하는 선별성이 동시에 적용되어야 한다는 원칙이다. 보편성이란 국가, 지역, 계층, 소득수준, 인종, 민족, 장애유무, 부모유무에 관계없이 모든 아동을 대상으로 동일한 수준의 서비스가 제공되어야 한다는 원칙이다. 예를 들면, 6세 미만의 모든 아동에게 제공되는 무상보육, 아동양육수당, 아동에 대한 의무교육, 자녀에 대한 가족수당, 세제감면혜택 등을 들 수 있다. 선별성은 모든 아동을 대상으로 하기보다는 대상 선정에 있어서 조건과 기준에 해당되는 아동을 대상으로 필요한 서비스를 제공하는 것을 내용으로 한다. 이를테면 빈곤하거나 부모가 양육할 수 없는 아동, 장애판정을 받았거나 희귀질환 등 만성질환에 걸린 아동, 학대받은 아동

등 선별적으로 서비스를 제공하는 것을 의미한다. 우리나라의 아동복지는 보편성보다는 선별성에 초점을 맞추어 추진되어 왔으나 점차적으로 보편성의 원칙에 의한 아동복지서비스를 추진하고 있다. 최근 무상보육과 무상교육의 확대, 무상급식사업, 아동수당제도 도입 등을 통하여 보편성에 입각한 아동복지서비스를 확대하고 있으나 아직 미흡한 현실이다. 아동복지는 모든 아동을 대상으로 하며 특수한 욕구를 지닌 아동을 위한 선별적 복지와 병행하여 균형 있게 이루어져야 한다는 원칙이다.

3) 예방성과 치료성의 원칙

치료성의 원칙은 아동문제 발생 시 즉각적으로 개입하는 것을 의미하며 아동의 문제를 조기 발견하여 적절한 개입을 통한 서비스를 제공함으로써 더 이상 문제가 악화되는 것을 미연에 예방할 수 있다는 것을 전제로 하고 있다. 뿐만 아니라 아동이 속한 가정이나 아동이 외상을 경험했을 경우 적절한 개입을 실시하면 아동기 외상이 일생 부정적 영향을 미치지 않게 되기 때문에 아동기에 적절한 개입을 할 수 있어야 한다는 것이다. 예를 들면 ADHD가 있는 아동은 주의력이 떨어지고 과잉행동이나 충동성이 나타난다. 전체 아동 중 3~5% 정도가 갖고 있을 정도로 발생빈도가 높으며 이들은 집에서나 학교에서 가만히 앉아 있지 못하고 안절부절못하며 지나치게 많이 움직이고 부산한 특성이 있다. 또한 지시대로 행동하지 못하고 주의가 산만해 자주 지적받고 늘 문제아로 지목당하기도 한다. 일부 연구에 의하면, ADHD 아동의 50~80%가 성인이 되어서도 문제가 지속되면 심할 경우 반사회적 인격 장애(사이코패스)나 게임중독과 같은 문제로 발전되기도 한다. 즉, ADHD로 진단된 아동을 추적 조사한 결과에 의하면 청소년기와 성인기에 1차적인 주요증상이 감소하거나 완전히 사라진다고 해도 의사소통이나 학교생활적응도가 낮고 우울 정도가 심각하여 대인관계가 원만하지 않은 것으로 나타나고 있다. 결국 ADHD 아동들이 아동기에 적절한 개입이 이루어지지 않는다면 성인기에 이르러 75%가 우울증상을 보이고 23~45%가 범죄행위, 27%가 약물중독을 나타내고 장기적으로 사회·정시적인 문제를 경험하는 것으로 나타났다. 이러한 아동문제에 대한 조기개입과 치료는 성인 문제와 사회문제를 예방한다는 측면에서 매우 중요하다고 할 수 있다.

또한 인터넷과 게임 등 유해한 환경은 자기조절능력이 부족한 아동들의 경우 게임 중독에 빠지게 된다. 게임중독에 빠지게 되면 현실에서 스스로를 고립시키고 친구와 부모와 단절되며 심지어는 은둔형 외톨이가 되거나 묻지마범죄자가 되기도 한다. 한 통계자료에 의하면 우리나라 전체 인구의 8.8% 약 200만 명이 인터넷 중독에 빠져 있으며 그중 100만 명은 아동·청소년이라고 한다. 특히 주의력결핍이나 과잉행동장애를 지닌 아동은 다른 아동에 비하여 게임중독 가능성이 높으며 이 경우 과잉행동장애치료와 병행하여 게임중독치료를 해야 한다.

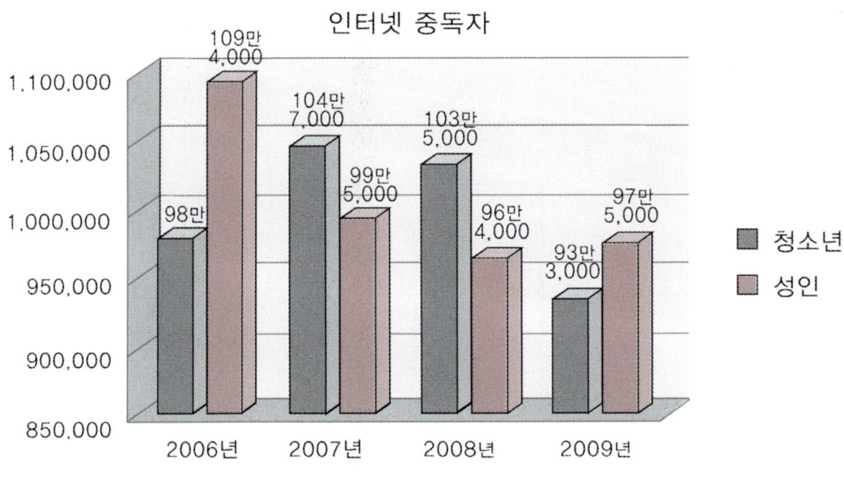

출처: 행정안전부(2009).

[그림 2-2] 인터넷 중독자 추이

이러한 점을 감안하여 아동기에 발생하는 다양한 아동발달상의 문제에 대하여 즉각적으로 개입하여 조기에 아동문제를 치료하고 가능한 한 더 큰 문제를 예방할 수 있어야 한다는 원칙이다.

4) 개발성의 원칙

개발성의 원칙은 아동의 권리 중 교육·여가 및 문화적 생활을 향유할 권리에 해당하는 원칙이다. 모든 아동은 타고난 잠재능력을 개발하기 위하여 교육받을 권리가 있으며 사회화에 필요한 기본능력을 준비할 수 있는 충분한 교육과정이 제공되어야 하는 것이다. 아동의 잠재능력 개발을 위하여는 발달상의 특성과 개별적인 특성이 고려되어야 한다. 연구에 의하면 학습장애를 가진 아동이 전체 아동의 10~15%가 되며 학습장애아동의 일반적 특성은 다음과 같다.

- 좋은 수행을 할 수 있을 만큼 충분한 잠재적 지적능력을 가지고 있다(일반적으로 IQ는 보통 혹은 그 이상임).
- 학습을 방해할 만큼 심각한 신체적·생리적 결함이 없다.
- 가정이나 교육, 문화적 배경에 두드러진 결손이 없다.
- 이상과 같은 특징에도 불구하고 학교에서 각종 교과목의 학습에 필수적인 제반능력, 즉 듣기, 말하기, 읽기, 쓰기, 수학적 계산능력을 사용하는 데 곤란을 보인다.

이와 같이 개발성의 원칙은 아동의 잠재능력을 개발하는 것이 단순히 아동과 부모의 문제 혹은 책임이라고 보기보다는 아동과 부모가 잠재능력 개발을 위하여 필요한 역할을 할 수 있도록 지원해야 하며 부모보다 전문적이고 치료적인 서비스를 제공해 줄 수 있는 체제를 마련해야 함을 의미한다고 볼 수 있다. 모든 아동의 잠재능력 개발이 필요하지만 특히 장애아동이나 양육환경이 결핍된 아동, 시설아동, 빈곤가정아동, 다문화가정아동 등의 잠재능력 개발에 관심을 두어야 한다. 특히 아동의 잔존능력 개발이라는 관점에서 다양한 기관과 유기적인 협조체제를 구축하고 지원방안이 마련되어야 한다. 이 경우 선천적인 원인으로 혹은 각종 질병과 사고 등으로 인하여 장애가 생긴 아동으로 하여금 주어진 조건하에서 최대한의 신체적·정신적·사회적 능력과 잠재적 능력을 발달시켜 장애를 최소화하고 보다 기능적인 삶을 살 수 있는 치료와 교육이 필요하다는 관점의 원칙이다.

5) 통합성의 원칙

우리나라도 선진복지국가 대열에 합류하면서 다양한 계층을 위한 다양한 복지서비스가 제공되고 있다. 최근에는 서비스의 중복, 누락을 방지하고 효율적인 서비스 전달을 위하여 필요한 서비스를 통합·연계하는 원스톱복지서비스 지원체제를 마련하고 있다. 아동의 전인적 발달을 도모하기 위하여는 경제, 교육, 보건, 주택, 노동 등 다양한 분야의 통합적인 접근이 이루어져야 하는 것이다. 뿐만 아니라 아동은 신체적·정서적·인지적·사회적 발달이 필요하다. 각각의 발달영역은 서로 관련되어 있기 때문에 각각의 발달이 조화롭게 이루어질 수 있는 통합적 접근이 필요하며 이러한 통합적 욕구를 충족시켜줄 수 있도록 지역 내 관련기관과의 협조체제가 구축되어야 한다. 이를테면 아이를 낳아서 출산장려금을 받으려면 보건소나 주민자치센터에 문의해야 하고 보육료는 시청 여성가족과에 문의해야 한다. 아동발달심리검사는 청소년지원센터에 문의해야 하고 장애가 있을 경우 이와 관련된 서비스는 장애인종합복지관에 해야 하는 등 아동복지와 관련된 시스템이 분산되어 있는 실정이다. 호주의 경우 1997년에 고객(저소득층, 장애인, 아동, 노인, 실업자)이 한 장소에서 정부기관들이 제공하는 다양한 지원금과 프로그램을 편리하고 효과적으로 제공받을 수 있는 센터링크라는 통합복지서비스를 제공하는 기구를 운영하고 있다. 센터링크에서는 10개 부처를 포함해서 25개 정부기관이 제공하는 약 140가지 복지서비스를 원스톱으로 제공하고 있다. 출산지원금, 보육비, 아동수당, 장애인지원, 구직, 실업수당, 퇴직자 연금 등 복지서비스가 원스톱으로 제공되고 있는 점을 감안하여 국가와 지역사회에서 제공되는 아동복지서비스가 포괄적 통합적으로 제공될 수 있어야 한다. 최근 우리나라에서는 일부지자체를 중심으로 아동보호와 권리증진을 위한 아동전용복지관을 건립하여 지역아동의 다양한 욕구에 통합적이고 전문적으로 대응하기 위한 서비스운영체제를 마련하고 있다.

[그림 2-3] 아동전용종합복지관

6) 전문성의 원칙

아동복지는 아동과 아동이 속한 가정과 지역사회 등 모든 환경에 대한 이해를 토대로 아동발달에 대한 공동책임과 노력이 요구되는 전문적인 서비스영역이라고 할 수 있다. 최근 급격한 사회변화와 다양한 가족문제로 인한 아동문제가 증가하고 있으며 이러한 다양한 아동문제와 문제해결을 지원하기 위한 전문적 접근방법이 요구되고 있다. 특히 아동의 기본적 욕구와 발달적 욕구가 충족되지 못했을 때 나타나는 부적응행동을 지원하기 위하여는 무엇보다 전문적인 서비스가 마련되어야 한다. 최근 사회문제가 되고 있는 학교폭력의 경우 학생과 그 가족의 문제일 뿐만 아니라 가해학생을 처벌하는 것만으로는 문제해결이 되지 않으므로 피해학생, 가해학생, 교사들까지도 전문적인 접근이 필요하다. 전문적 서비스를 지원하기 위하여 무엇보다 전문적인 아동복지서비스를 제공할 수 있는 아동복지전문사회복지사가 양성되고 배치되어야 한다. 특히 아동복지서비스를 제공하는 사회복지사는 전문적서비스를 제공하는 데 필요한 전문지식과 기법이 무엇이 있으며 어떻게 배우고 활용할 것인지에 대한 노력을 하면서 지역사회전문기관 혹은 전문가들과 연계하여 사례관리를 할 수 있어야 한다. 뿐만 아니라 직접서비스를 제공하기 위한 가족상담, 놀이치료, 미술치료, 집단상담기술과 아동문제 사정을 위한 검사 등을 활용할 수 있어야 한다.

3. 아동복지서비스 유형

아동복지서비스는 서비스대상과 제공 장소, 서비스기능, 서비스수행방어선의 위치에 따라 다양하게 분류될 수 있다. 그러나 아동복지서비스를 실천함에 있어서 가장 중요한 점은 아동의 욕구와 권리, 그리고 문제해결을 통한 성장발달을 어떻게 지원해야 할 것인가에 초점을 맞추어야 한다.

1) 서비스대상에 따른 분류

아동복지의 대상은 원칙적으로 모든 아동과 부모, 가정이라고 할 수 있다. 그것은 아동보호와 양육의 1차적 책임이 부모와 가정에 있기 때문이다. 모든 아동과 가정이 서비스대상이 되는 것은 보편주의 원칙에 의거하는 것이다. 보편주의에 입각한 아동복지서비스는 일정 연령에 해당되는 모든 아동에게 지급되는 아동수당제도가 대표적이라고 할 수 있다. 그러나 일정한 조건을 갖춘 대상아동에게 아동복지서비스를 집중적으로 제공하는 선별주의 원칙을 적용할 경우 아동복지서비스 대상아동은 요보호아동과 그 부모와 가정이 된다.

(1) 일반아동

우리나라는 그동안 아동복지서비스를 제공함에 있어 요보호아동을 대상으로 주로 실시하였으며 일반아동을 대상으로 한 아동복지서비스는 미흡한 실정이다. 그러나 저출산·고령화가 심각한 사회문제로 부각되면서 일반아동에 대한 아동복지서비스에 대한 관심이 증가하고 있으며 서비스도 확대되고 있다. 즉, 아동의 건강한 성장발달에 대한 책임이 부모와 가정에게만 있는 것이 아니므로 국가와 사회의 책임도 강조되기에 이른 것이다. 또한 일반아동을 위한 아동복지서비스 제공은 모든 아동을 대상으로 발달적 욕구와 아동권리를 충족시킴으로써 이후에 발생되는 다양한 아동문제를 사전에 예방할 수 있으며 모든 아동에 대하여 동일한 수준의 서비스혜택이 이루어지므로 낙인효과를 최소화할 수 있다. 이를 통하여 사회양극화현상과 가난의 대물림 등을 방지할 수 있는 장점이 있다. 한국보건사회연구원에선 출산장려정책의 일환으로 소득계층이나 부모생존여부와 관계없이 아동 1인당 일정 금액을 지원하는 아동수당제도를 도입할 것을 제안하고 있다. 아동수당제도는 2017년 기준 전 세계 90여 개국에서 시행하고 있다.

〈표 2-4〉 보육료 및 아동양육수당 조건표

구분	대상	지원 비율	연령	지원단가 (단위 : 원)		
				종일	야간	24시
시설이용 영·유아	만 0~5세	100%	만 0세	484,000	484,000	726,000
			만 1세	426,000	426,000	639,000
			만 2세	353,000	353,000	529,500
			만 3세~5세 (21.1.1~2.28.)	240,000	240,000	360,000
			만 3세~5세 (21.3.1~)	260,000	260,000	390,000

구분	대상	연령	지원단가 (단위: 원)		
			일반	농어촌	장애
가정양육 영·유아	0~84개월 미만	0~11개월	200,000	200,000	200,000
		12~23개월	150,000	177,000	200,000
		24~35개월	100,000	156,000	200,000
		36~84개월 미만	100,000	36-47개월 129,000 48-84개월 미만 100,000	100,000

2013년도부터 0~5세 자녀를 둔 부모들은 소득계층과 관계없이 보육료를 지원받거나 양육수당을 받을 수 있는 무상보육제도가 시행되고 있다. 이 경우 모든 영유아

를 대상으로 보육시설을 이용하는 아동의 경우 월 24만 원~72만 6천 원까지, 가정에서 키울 경우 월 10~20만 원의 양육수당을 받고 있다.

이와 같이 저출산의 사회문제와 아동의 건강한 성장발달, 그리고 아동문제의 사전예방차원에서 모든 아동을 대상으로 하는 아동복지서비스가 확대될 필요가 있다. 일반아동을 위한 아동복지서비스로는 아동권리옹호를 위한 사회분위기 조성, 모자보건 및 아동의료서비스, 아동보육서비스, 아동무상교육확대, 부모교육 및 상담서비스, 여가 및 문화서비스, 아동전용복지관 설치운영 등을 들 수 있다.

(2) 요보호아동

우리나라 아동복지법 제2조제2항에 의하면 보호를 필요로 하는 아동이 보호자가 없거나 보호자로부터 이탈된 아동, 또는 보호자가 아동을 학대하는 경우 등 보호자가 아동을 양육하기에 부적당하거나 양육할 능력이 없는 경우의 아동으로 규정하고 있다. 즉, 빈곤, 실직, 학대, 부모 사망이나 질병, 부모 이혼 등과 비행 혹은 가출한 아동을 대상으로 아동양육시설, 일시보호시설, 장애아동시설, 공동생활가정 등에서 보호하는 아동을 의미한다. 다시 말하자면 아동의 발달적 욕구와 문제를 충족시키거나 아동의 문제를 해결할 수 있는 부모나 가정이 부재할 경우, 혹은 부모와 가정이 해결할 능력이 현저히 떨어질 경우 그 아동을 요보호아동이라고 하고 국가와 사회가 보호하고 양육하는 아동이다.

우리나라는 IMF외환위기로 인한 경제적 어려움으로 중산층이 무너지면서 요보호아동이 증가하였으나 최근 요보호 아동 수는 감소하고 있다.

그동안 우리나라는 요보호아동을 대상으로 아동복지서비스를 제공하여 왔으며 가정위탁 및 입양서비스, 다문화가정아동서비스, 한부모가정아동 보호서비스, 시설보호서비스, 장애아동보호서비스, 결식아동지원서비스, 생계지원서비스, 의료서비스, 교육서비스 등이 있다. 요보호대상을 위한 아동복지서비스는 발달적 욕구충족이 어려운 대상에게 우선적으로 집중된 서비스를 제공할 수 있고 사회복지서비스 제공에 소요되는 불필요한 재원 낭비를 감소시킬 수 있는 반면, 요보호대상아동에 대한 낙인효과와 그로 인하여 사회양극화 현상이 강화될 수 있다는 단점이 있다. 최근 정부에서는 요보호아동에 대한 시설보호위주의 정책에서 재가복지중심의 아동보호정책으로 전환하고 있으며 재가보호에 필요한 다양한 아동복지서비스 개발이 요구되고 있다.

2) 서비스 제공 장소에 따른 분류

아동복지 대상아동이 서비스를 제공받는 장소에 따라서 아동복지서비스를 분류할 수 있다. 즉, 아동이 자신의 가정에서 생활하면서 서비스를 제공받는 재가서비스(in-home service)와 자신의 가정과 분리되어 시설이나 다른 가정에서 서비스를 제공받는 가정 외 서비스(out of home service)로 분류된다.

(1) 재가서비스(in-home service)

재가서비스는 여러 가지 도움이 필요한 아동들을 그의 가정에서 분리하여 시설에 수용하지 않고 지역사회에서 일상생활을 위한 서비스를 제공하는 것을 의미한다. 일반적으로 재가서비스는 시설보호와 상반되는 개념으로 재가보호, 재가복지서비스 등으로 일컫는다. 우리나라에서는 노인, 장애인을 위한 재가보호서비스가 제공되고 있으며 재가복지센터에 대한 운영지침에 의하면 재가복지서비스란 지역사회 내에서 일정한 시설과 전문 인력을 통하여 요보호자들에게 필요한 서비스라고 정의하고 있다. 즉, 재가서비스는 질병, 장애, 부모의 사망, 질병, 실직 등 다양한 이유로 생활상의 곤란에 직면하여 아동보호와 양육에 어려움이 있을 때 지역사회 내에서 아동이 가족 등 이웃과 함께 생활할 수 있도록 필요한 서비스를 제공하는 것이라고 할 수 있다. 다문화가정, 맞벌이가정 등 가족의 구조적 결손은 없지만 심각한 스트레스나 가족의 역기능적 요소가 있을 경우, 한부모가정이나 조손가정과 같이 구조적 결손과 가족기능의 문제가 있는 경우 제공되는 서비스다. 재가서비스는 아동을 가정에 머물게 하면서 제공되며 아동과 그 가정의 손상된 기능이나 결핍된 기능에 대한 보충적 기능을 수행한다. 특히 아동과 가정의 특성과 강점을 토대로 접근할 수 있음으로 가정기능을 회복할 수 있는 보충적·지지적 서비스다. 아동을 위한 재가복지서비스의 유형으로는 급식서비스, 장애아를 위한 순회목욕서비스, 가정봉사원파견서비스, 방문재활서비스, 방문교육 및 상담서비스, 부모상담 및 교육서비스, 특수교육방문서비스, 다문화아동 언어교육서비스 등을 들 수 있다.

(2) 가정 외 서비스(out of home service)

가정 외 서비스는 아동이 생활하던 자신의 가정에서 분리되어 일정 기간 동안 혹은 영구히 시설, 위탁가정 등에서 제공받는 서비스를 의미한다. 이를테면 맞벌이부부의 아동이 집에 머물면서 그 가정을 방문하여 양육서비스를 제공하는 아이돌보미서비스의 경우는 재가서비스에 해당되지만 부모가 근무하는 시간 동안 보육시설에서 양육지원서비스를 제공받게 되면 가정 외 서비스에 해당된다. 아동을 위한 가정 외 지원서비스로는 가정을 떠나 시설이나 기관을 중심으로 제공되며 장기간 혹은 영구히 보호서비스가 제공되는 가정위탁보호서비스, 입양서비스, 시설보호서비스와 일정기간 혹은 단기간 제공되는 보육서비스, 아동상담 및 치료서비스, 장애주간보호서비스, 방과 후 아동돌봄서비스 등이 있다.

3) 서비스기능에 따른 분류

서비스기능에 따른 분류는 아동의 발달적 욕구충족을 위한 가족의 기능과 역할 중 어떠한 기능에 대한 서비스를 제공하느냐에 따라서 분류하는 방식이다.

Kadushin(1998)은 가족기능에 따라 아동복지서비스유형을 지지적 서비스(supportive service), 보충적 서비스(supplementary service), 대리적 서비스(substitute service)로 구분하였으며, 이것을 3S모델이라고 지칭하기도 한다.

(1) 지지적 서비스(supportive service)

지지적 서비스는 재가복지서비스에 해당되며 아동의 성장발달을 위하여 가족기능을 회복, 향상시키고 가족문제를 예방하기 위한 접근방법이라고 할 수 있다. 즉, 가족이 스트레스 상황이나 위기에 처하게 되고 그에 대한 적절한 대처를 하지 못하게 되면 가족갈등 및 문제가 발생하게 된다. 특히 가정의 기능에 영향을 미치게 되는 위기상황이 되면 아동의 발달적 욕구를 충족시킬 수 없을 뿐만 아니라 이혼, 별거, 유기 등 가족해체로까지 진행되면서 아동의 발달에 치명적 문제가 발생하게 된다. 지지적 서비스는 스트레스나 위기에 처한 가족 및 아동뿐만 아니라 일반가정아동을 대상으로 건강한 가족기능 유지, 향상을 위한 서비스도 포함하고 있다. 지지적 서비스의 방법으로는 가족상담 및 치료서비스, 가족생활교육서비스, 부모교육서비스, 아동상담서비스, 가족문화조성서비스, 집단상담서비스, 예비부모 및 부부교육서비스, 이혼전후 상담서비스 등이 있으며 서비스제공기관으로는 건강가정지원센터, 아동상담소, 가족상담소, 정신보건센터, 아동보호전문기관 등이 있다.

(2) 보충적 서비스(supplementary service)

보충적 서비스는 부모의 보호, 양육의 질이 아동에게 적절하지 않거나 부모나 가정에서 아동을 전적으로 양육하기 어려운 여러 가지 사정이 있는 경우 아동양육을 위한 가족의 부족한 기능과 역할을 부분적으로 대신 수행해 주거나 지원해 주는 서비스다. 이를테면 부모의 사망, 이혼, 별거, 유기 등으로 부모역할 수행이 어려운 경우 교도소 수감, 질병, 직업상의 이유로 한시적으로 부모역할 수행이 어려울 때 제공되는 서비스다.

즉, 지지적 서비스를 통하여 가족기능이 회복 혹은 유지되기 어려운 경우에 사회가 부분적으로 아동양육에 대한 책임을 지고 부모역할의 일부를 보충해 주는 2차 방어선으로서 서비스가 제공된다(Zuckerman, 1983). 보충적 서비스 방법은 사회보험, 공적부조를 통한 경제적 지원서비스, 가사지원서비스, 장애아동보호서비스, 부육서비스, 방과 후 아동보호서비스, 급식지원서비스, 다문화가정아동지원서비스 등이 있으며 서비스제공기관으로는 공공기관, 건강가정지원센터, 보육시설, 다문화가족지원센터, 장애복지관, 종합복지관, 지역아동센터, 재가복지센터 등이 있다.

(3) 대리적 서비스(substitute service)

대리적 서비스는 아동이 속한 가정이 부모의 사망, 이혼, 질병 등으로 완전히 해체되어 가족 중 누구도 아동을 보호, 양육의 기능과 역할을 수행하기 어려운 경우 부모와 가정을 대신하여 보호양육의 기능을 대신하는 서비스를 의미한다.

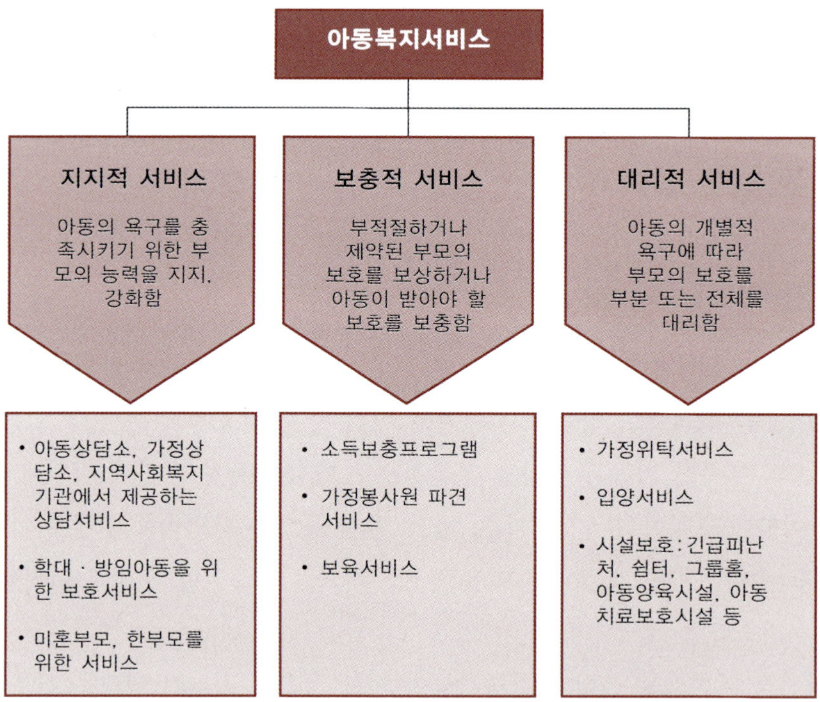

[그림 2-4] 서비스 기능에 따른 아동복지서비스 분류

즉, 부모가 아동에 대한 양육기능을 상실하거나 포기하게 되고, 아동은 자신의 가정을 떠나서 다른 가정이나 시설에서 그 기능을 대신하게 된다. 대리적 서비스는 아동을 보호, 양육하기 위한 마지막 대책에 해당되며 대리적 서비스 방법으로는 가정위탁서비스, 입양서비스, 시설보호서비스 등이 있다. 서비스제공기관으로는 가정위탁지원센터, 입양상담소, 아동일시보호시설, 아동양육시설, 공동생활가정 등이 있다.

(4) 방어선의 위치에 따른 분류

Zuckerman(1983)은 방어선의 개념으로 아동복지서비스를 구분하였다. 이는 Kaudushin(1988)이 기능에 따라 아동복지서비스를 분류한 것과 비교적 유사하다. 방어선의 위치에 따라 1차 방어선서비스, 2차 방어선서비스, 3차 방어선서비스로 구분하였으며 주요특징은 다음과 같다.

1차 방어선[가정지원]

- 지지적 서비스에 해당되며 가족기능회복, 유지, 향상을 위한 서비스
- 상담서비스, 교육서비스, 가사지원서비스, 양육지원서비스

2차 방어선[대리가정]

- 1차 방어선이 무너진 경우 원가정을 대신하여 부분적 혹은 장기적으로 원가정을 대신하여 보호, 양육하는 서비스
- 보육서비스, 가정위탁서비스, 입양서비스

3차 방어선[시설보호]

- 원가정과 대리가정에서 보호, 양육이 어려울 때 시설에서 보호하는 서비스
- 양육시설서비스, 그룹홈서비스

[그림 2-5] 방어선에 따른 아동복지서비스 분류

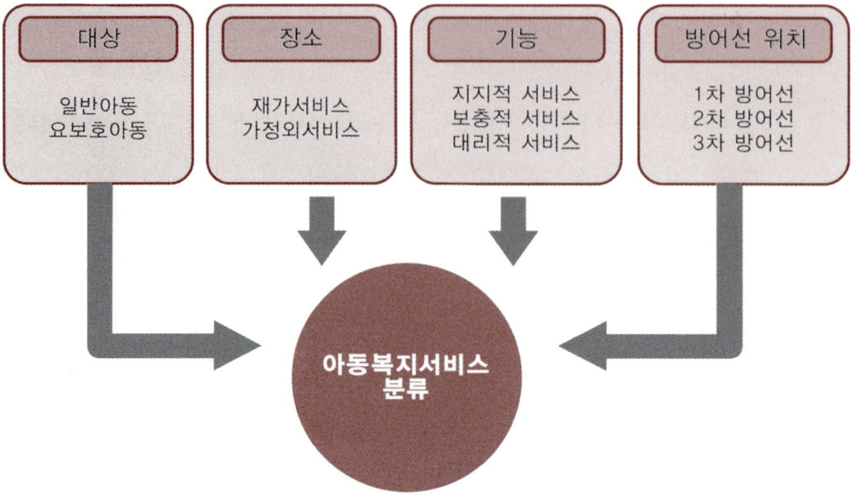

[그림 2-6] 아동복지서비스 분류

01 다음 중 아동복지의 최우선 조건에 해당되는 것을 고르세요.

① 경제적 안정 ② 건강한 가정과 부모 ③ 교육
④ 보건의료 ⑤ 노동의 보호

02 아동복지의 기본원칙에 해당되지 않는 것을 고르세요.

① 권리와 책임의 원칙 ② 보편성과 선별성의 원칙
③ 예방성과 치료성의 원칙 ④ 일관성의 원칙
⑤ 전문성의 원칙

※ (3–5) 아동복지의 기본원칙 중 권리와 책임의 원칙에 대하여 아동, 부모, 국가로 구분하여 설명하세요.

03 아동 :

04 부모 :

05 국가 :

06 다음 설명에 해당되는 아동복지의 기본원칙에 해당되는 것을 적어 보세요.

아동문제발생 시 즉각적으로 개입하는 것을 의미하며 아동의 문제를 조기에 발견하여 적절한 개입을 통한 서비스를 제공함으로서 더 이상 문제가 악화되는 것을 미연에 예방할 수 있다는 것을 전제로 하고 있다.

07 학습장애아동의 일반적 특성에 해당되지 않는 것을 모두 고르세요.

① 일반적으로 IQ는 보통이나 그 이상이다.
② 좋은 수행을 할 수 있을 만큼 충분한 잠재능력이 있다.
③ 학습을 방해하는 심각한 신체적·생리적 결함이 없다.
④ 한부모가정이나 가정이 결손되었다.
⑤ 학습을 방해할 만큼 심각한 신체적·생리적 결함이 있다.

연습문제

08 아동복지서비스 분류의 기준에 해당되지 않는 것을 고르세요.

① 대상 ② 연령 ③ 장소
④ 기능 ⑤ 방어선 위치

09 방어선에 따른 아동복지서비스 중 2차 방어선에 해당되지 않는 것을 모두 고르세요.

① 상담서비스 ② 보육서비스 ③ 가정위탁서비스
④ 그룹홈서비스 ⑤ 입양서비스

10 서비스기능에 따른 아동복지서비스 중 대리적 서비스에 해당되는 것을 모두 고르세요.

① 아동상담소 ② 치료보호시설 ③ 보육서비스
④ 가정위탁서비스 ⑤ 입양서비스

11 특수아동의 범위에 해당되지 않는 것을 고르세요.

① 빈곤가정아동 ② 미혼부모의 자녀 ③ 맞벌이부부자녀
④ 비행아동 ⑤ 외둥이가족 자녀

12 우리나라 근로기준법의 아동노동금지 내용에 해당되지 않는 것을 고르세요.

① 15세 미만인 자는 근로자로 사용하지 못한다.
② 친권자 또는 후견인은 미성년자의 근로계약을 대리할 수 없다.
③ 장애를 가진 아동을 공중에 관람시키는 행위를 해서는 안 된다.
④ 아동에게 음행을 시키거나 음행을 매개하는 행위를 해서는 안 된다.
⑤ 15세 이상 18세 미만인 자의 근로시간은 1일 7시간을 초과하지 못한다.

13 유니세프에서 제시하는 아동노동착취조건에 해당되지 않는 것을 모두 고르세요.

① 일하는 시간이 너무 길다. ② 노동환경이 열악하고 위험하다.
③ 봉급이 너무 적다. ④ 교육을 받고 있다.
⑤ 적당한 책임을 지고 있다.

14 아동복지의 지표인 동시에 가정기능의 수준의 측정하는 지표에 해당되는 것을 고르세요.

① 건강한 가정 ② 건강한 부모 ③ 가정의 빈곤
④ 아동복지서비스 ⑤ 보건의료

15 다음 설명 중 빈칸에 해당되는 개념을 적어 보세요.

모든 아동의 잠재능력 개발이 필요하지만 특히 장애아동이나 양육환경이 결핍된 아동, 시설아동, 빈곤가정아동, 다문화가정아동 등의 잠재능력개발에 관심을 두어야 하며 특히 아동의 (　　　　　)이라는 관점에서 지원방안이 마련되어야 한다.

CHAPTER 03

아동복지실천을 위한 사회복지사의 역할과 자질

아동복지는 아동의 건전한 보호와 교육, 놀이와 오락, 가족과 지역사회와의 연계 등 아동의 건강한 성장발달을 지원하기 위한 서비스를 제공하는 것이다.

그러므로 아동복지서비스를 지원하는 시설이나 기관의 사회복지사들은 아동과 그 가정에게 필요한 서비스를 제공할 수 있어야 한다. 아동은 개별적 특성에 따라 혹은 발달과정에 따라 성장과 성숙해나가는 수준이 다르다. 특히 아동은 성인과 다른 고유의 독특성과 욕구를 지닌 존재이므로 이러한 특성을 감안한 전문적인 실천방법이 필요하다. 일반적으로 다음과 같은 아동특성을 감안할 수 있어야 한다.

첫째, 특정한 행동은 병리적인 일탈이 아닌 연령이나 발달과업상의 특성이다.

둘째, 비언어적 의사소통, 즉 행동언어로 의사소통하는 특성을 가지고 있다.

셋째, 현실과 환상과의 경계가 명확하지 않다.

넷째, 부모나 보호자에게 의존적이다.

다섯째, 행동상의 문제를 지니고 비자발적이다.

아동문제는 발달과정상의 문제와 더불어 가정환경, 가족구조 등의 문제로, 어릴 때부터 학대, 방임, 폭력 등의 문제와 필요한 보호를 받지 못하여 정서적 행동상의 문제가 될 수 있기 때문에 이러한 관점에서 아동문제를 이해하고 접근할 수 있는 전문적 실천방법을 모색할 수 있어야 한다.

사회복지사의 관계와 자질과 역할은 아동복지실천에 있어 중요한 사항이다. 아동복지실천을 위하여 사회복지사는 다음과 같은 전문적인 지식과 자질을 갖출 필요가 있다.

① 아동발달과 성장에 필요한 단계와 특성에 대한 지식과 정보를 알아야 한다.

② 사회복지사는 발달, 정신역동성, 그리고 대인관계라는 측면에서 사회복지사 자신뿐만 아니라 타인에 대해서 알아야 한다.

③ 사회복지사는 아동을 변화시키기 위한 전문적 관계와 기제의 특성에 대해서 알아야 한다.

④ 아동을 대상으로 하는 사회복지사는 이외에도 다음과 같은 기본적인 자질이 필요하다.

- 아동을 진심으로 좋아하고 그들의 내면세계를 이해하며 아동의 사고, 감정, 충동을 수용하고 그것에 익숙해야 한다.
- 아동의 성장과 발달과정에 대하여 신뢰하는 마음과 일관성 있는 관계로 아동에게 안정성을 부여한다.
- 아동과 비언어적 의사소통을 할 수 있는 창조적이고 전문성을 지닌 사회복지사여야 한다.
- 사회복지사가 아동에게 행하는 칭찬이나 격려, 지지, 통제 등은 적절한 시기에 신중하게 사용되어야 한다.
- 아동복지실천의 과학적 측면을 고려하여야 한다.
- 사회복지사는 아동복지실천기법을 주의 깊게 기술적으로 사용하여 경험을 제공하고 아동의 특성뿐만 아니라 환경과 성장과정을 이해해야 한다.
- 실천과정에서 가족과의 관계를 중요시하고 아동과 잠재력에 대한 존중감을 지녀야 한다.
- 아동, 가족과 학교, 지역 전문가와의 협력적 시스템을 구축할 수 있어야 한다.

일반적으로 아동복지서비스를 제공하기 위하여 사회복지사의 역할과 자질을 포함하고 클라이언트로서의 아동과 아동복지서비스제공기관, 서비스의 특성을 토대로 아동복지실천을 위한 사회복지사의 역할과 자질을 살펴보고자 한다.

1. 아동복지실천을 위한 사회복지사의 역할

사회복지실천을 위한 사회복지사의 역할은 미시적인 차원으로서 조정자, 중개자, 옹호자, 교육자의 역할과 거시적인 차원으로서 계획가, 행동가, 현장개입가를 들고 있다. 또한 전국사회복지사협회에서는 사회복지사의 핵심윤리로 서비스, 사회정의 실현, 인간의 존엄성과 가치, 대인관계의 중요성, 성실, 능력을 제시하고 있다. 아동복지실천을 위한 사회복지사의 역할은 이러한 사회복지사의 윤리와 역할을 기본으로 하며 아동복지서비스를 제공하는 시설과 기관의 유형에 따라 중점적 역할에는 차이가 있다. 이향란(2012)은 지역아동센터 교사의 역할을 사회복지사로서의 역할, 양육자로서의 역할, 교사로서의 역할, 행정가로서의 역할, 지역사회운동가로서의 역할을 들고 있다. Wilson & Rylan(1994)은 청소년지도사의 역할을 청소년봉사업무를 담당하는 역할, 지도감독과 관련된 역할, 행정업무와 관련된 역할, 기관 간의 조정업무와 관련된 역할이라고 하였으며 학교사회복지사의 역할로 지도력과 정책결정의 역할, 아동과 부모에 대한 개별사회사업서비스제공의 역할, 아동과 부모에 대한 교육상담의 역할, 교사에 대한 개인적 서비스제공자의 역할, 아동사례관리의 역할, 가정과 지역사회기관연계의 역할, 아동의 정서적 문제에 대한 임상적 치료의 역할을 들고 있다. 이와 같은 역할을 토대로 이 책에서는 아동복지실천을 위한 사회복지사의

장애아동 생활시설 사회복지사 역량강화교육(2012년 12월)

역할을 아동양육보호자의 역할, 아동지도 및 교육자의 역할, 아동 및 가족문제에 대한 상담과 치료자의 역할, 행정업무와 관련된 역할, 가정 및 지역사회기관과 연계자의 역할로 보고자 하며 그 세부적 내용은 〈표 3-1〉과 같다.

〈표 3-1〉 아동복지실천을 위한 사회복지사의 역할

역할구분	주요 내용
아동 양육 및 보호자의 역할	• 아동의 기본적·발달적 욕구를 충족시켜줄 수 있어야 한다. • 아동의 성장발달과 권리가 위협받는 환경으로부터 아동을 안전하게 보호하고 아동권리를 존중하는 분위기를 조성할 수 있어야 한다. • 아동에게 필요한 올바른 생활습관형성을 위하여 생활지도를 할 수 있어야 한다.
아동 지도 및 교육자의 역할	• 아동에게 필요한 학습지도와 올바른 생활습관형성을 위하여 생활지도를 할 수 있어야 한다. • 아동의 행동과 발달수준을 평가하기 위하여 아동을 관찰하고 아동에게 제공되는 모든 서비스를 기록관리할 수 있어야 한다. • 통합적 관점의 아동발달을 촉진하고 아동에게 필요한 프로그램을 개발, 제공, 평가할 수 있어야 한다. • 아동을 위한 개별, 가족, 집단프로그램을 구성·운영할 수 있어야 한다.
상담자 및 치료자의 역할	• 아동 및 가족에 대한 문제와 욕구를 사정하고 문제를 해결을 지원할 수 있어야 한다. • 발달적 관점과 강점관점에서 아동의 욕구중심으로 아동사례별 적절한 상담기법을 활용할 수 있어야 한다. • 전문적인 상담과 치료를 필요로 하는 경우 전문가에게 의뢰할 수 있어야 한다.
행정업무 수행자의 역할	• 아동복지서비스제공에 따른 문서 및 회계서류관리자의 역할을 할 수 있어야 한다. • 정부로부터의 예산지원과 정산, 후원자모집 및 홍보, 프로그램공모, 자원봉사자관리 등 행정업무를 할 수 있어야 한다.
가정 및 지역 사회와 연계자의 역할	• 가정과 지역사회와 연계하여 아동복지서비스제공을 위한 자원을 활용할 수 있어야 한다. • 아동권리보호를 위한 지역사회활동에 참여하고 제도적 장치를 마련하기 위한 활동에 참여할 수 있어야 한다. • 지역사회의 아동문제를 발굴하고 아동문제에 대한 인식 위한 주도적 역할을 할 수 있어야 한다.

2. 아동복지실천을 위한 사회복지사의 자질

사회복지사의 자질은 정직성, 전문적 지식, 평생학습, 비판적 사고, 타인에 대한 수용, 전문적인 경계선 유지하기, 자기노출 등으로 들 수 있다. 한상철(2008)은 청소년지도사의 자질을 자기성장, 전문능력, 전문지식(주변환경지식, 청소년지도실제), 전문기술(조정, 통합기술, 인간관계기술, 실무적 기술)로 들고 있다. 이러한 점을 감안하여 아동복지실천현장에서의 사회복지사는 기관과 시설의 동료사회복지사와 지역사회 타 기관의 실무자들과 함께 일하는 것이 매우 중요하다. 아동성장발달을 위한 협력적 분위기가 무엇보다 중요하기 때문이다. 이를테면 아동복지시설과 기관의 시설장과 사회복지사의 자신의 업무에 대한 태도와 행동, 관계에 따라 분위기가 달라지기 때문이다. 아동복지실천을 위한 사회복지사는 아동들과 함께 하는 것을 즐겁게 생각하고 아동의 성장발달에 대한 관심과 열정을 지닌 사람이어야 한다. 또한 아동의 발달특성과 아동의 성장발달에 필요한 지원을 적기에 할 수 있으며 아동을 좋아하고 성인이지만 아동과 함께 즐길 수 있는 사람이어야 한다. 또한 아동복지실천을 위한 사회복지사는 자신도 성장하며 연구하고 아동복지와 관련된 전문지식과 정보를 배우고자 노력하는 사람이다. 그들은 워크숍이나 회의, 행사 등에 참가하여 새로운 기법을 배우고 프로그램 개발을 위한 정보도 얻고 상황에 따라 대처하는 방법을 습득한다. 다른 기관과 서비스와 프로그램을 교류하며 사례에 대한 전문가의 자문을 구하기도 한다. 이상을 토대로 이 책에서는 아동복지실천을 위하여 사회복지사가 갖추어야 할 자질을 건강, 동기와 열정, 모델링, 관심과 용기, 호기심이라고 보며 그 구체적 내용은 〈표 3-2〉와 같다.

〈표 3-2〉 아동복지실천을 위한 사회복지사의 자질

구분	내용
건강	아동들과 함께 일한다는 것은 상당한 노동을 요구하기 때문에 건강이 중요하다. 즉, 신체적·정서적·심리적·인지적·사회적으로 건강해야 아동발달에 긍정적 역할을 할 수 있다.

구분	내용
동기와 열정	전문적인 아동복지서비스를 제공하기 위하여는 아동에 대한 관심을 가지고 아이들을 돌보는 것을 즐기며 아동의 성장발달에 대한 교육적 열정을 가진다.
모델링	아동은 모방을 잘하며 본보기를 통하여 배운다. 사회복지사는 단정한 외모, 예의 바르고 자신과 타인을 존중하며 이것을 통하여 아동들에게 모델링이 될 수 있어야 한다.
관심과 용기	사회복지사는 아동의 일상에 관심을 보이고 아동에게 도움이 되는 것을 실천할 수 있어야 한다. 사회복지사는 자신의 원칙과 아동권리를 지키기 위하여 용기가 필요하다.
창의성	사회복지사는 개방적이고 독창적이며 도전과 모험을 즐기고 호기심이 많으며 유머가 있어야 한다. 또한 예술에 대한 관심이 있어야 하는데 이러한 것은 창의성의 영역에 해당된다.
갈등 관리	사회복지사는 자신의 감정과 스트레스를 적절하게 관리할 수 있어야 한다.
기 타	그 외에 아동복지실천을 위한 사회복지사는 새로운 정보, 지식, 경험을 얻고자 하는 욕구가 있으며 긍정적인 정서, 새로운 경험에 대한 수용성, 확장된 인지적 과정, 과제몰입 등을 포함하는 호기심이 있어야 한다.

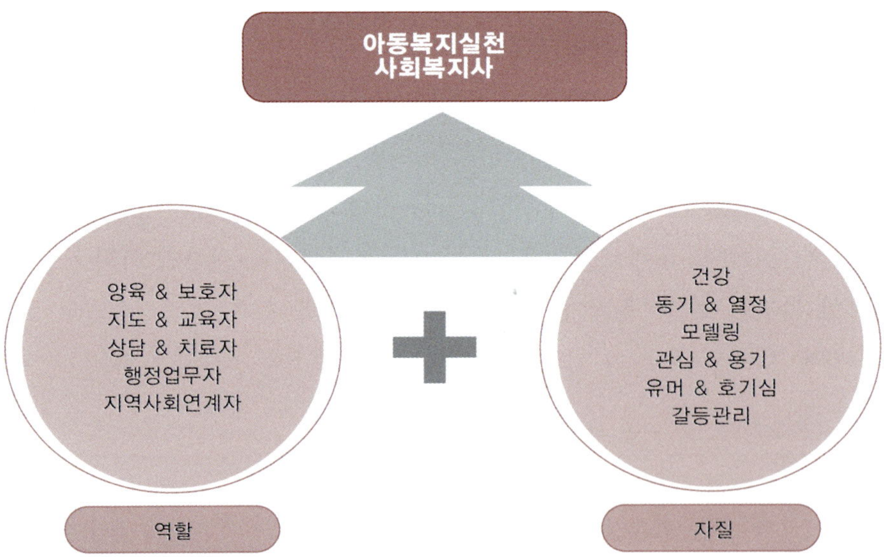

[그림 3-1] 아동복지실천을 위한 사회복지사의 역할과 자질

3. 아동복지서비스기관 및 종사자 유형

우리나라의 아동복지법 제52조제1항에 의한 아동복지시설 및 기관의 유형은 아동양육시설, 아동일시보호시설, 아동보호치료시설, 공동생활가정, 자립지원시설, 아동상담소, 아동전용시설, 지역아동센터, 아동보호전문기관 등의 이용시설이 있다.

〈표 3-3〉 아동복지시설의 종사자 유형과 자격조건

명 칭	자 격	주요 업무	
아동복지 시설의 장	1. 「사회복지사업법」에 따른 사회복지사 2급 이상의 자격 취득 후 아동과 관련된 사회복지사업에 3년 이상 또는 사회복지사업에 5년 이상 종사한 경력이 있는 자 2. 학대아동보호사업과 관련된 기관에서 3년 이상 근무한 경력이 있는 자 3. 7급 이상 공무원으로서 국가나 지방자치단체에서 사회복지사업에 관한 행정업무에 5년 이상 종사한 경력이 있는 자 4. 「의료법」에 따른 의사·한의사 또는 치과의사 면허 취득 후 3년 이상 진료 경력이 있는 자 5. 「정신보건법」에 따른 정신보건전문요원 자격 취득 후 사회복지사업에 5년 이상 종사한 경력이 있는 자 6. 「영유아보육법」에 따른 보육교사 1급 자격 취득 후 사회복지사업에 5년 이상 종사한 경력이 있는 자 7. 유치원, 초등학교 또는 중등학교 교사 자격증 취득 후 사회복지사업에 5년 이상 종사한 경력이 있는 자 8. 직업훈련교사, 간호사, 영양사 자격 취득 후 사회복지사업에 5년 이상 종사한 경력이 있는 자	아동복지법에 규정된 시설(아동양육시설, 아동일시보호시설, 아동보호치료시설, 공동생활가정, 자립지원시설, 아동상담소, 아동전용시설, 지역센터)에 근무, 관련 업무의 수행	아동복지법 시행령

명 칭	자 격	주요 업무	
사무국장	1. 「사회복지사업법」에 따른 사회복지사 2급 이상의 자격 취득 후 아동과 관련된 사회복지사업에 1년 이상 또는 사회복지사업에 3년 이상 종사한 경력이 있는 자 2. 학대아동보호사업과 관련된 기관에서 1년 이상 근무한 경력이 있는 자 3. 9급 이상 공무원으로서 국가나 지방자치단체에서 사회복지사업에 관한 행정업무에 3년 이상 종사한 경력이 있는 자 4. 「정신보건법」에 따른 정신보건전문요원 자격 취득 후 사회복지사업에 3년 이상 종사한 경력이 있는 자 5. 「영유아보육법」에 따른 보육교사 1급 자격 취득 후 사회복지사업에 3년 이상 종사한 경력이 있는 자 6. 유치원, 초등학교 또는 중등학교 교사 자격증 취득 후 사회복지사업에 3년 이상 종사한 경력이 있는 자 7. 직업훈련교사, 간호사, 영양사 자격 취득 후 사회복지사업에 3년 이상 종사한 경력이 있는 자	아동복지법에 규정된 시설(아동양육시설, 아동일시보호시설, 아동보호치료시설, 공동생활가정, 자립지원시설, 아동상담소, 아동전용시설, 지역센터)에 근무, 관련 업무의 수행	아동복지법 시행령
보육사, 생활복지사, 상담지도원	1. 「사회복지사업법」에 따른 사회복지사 3급 이상 자격이 있는 자 2. 「영유아보육법」에 따른 보육교사 자격이 있는 자 3. 유치원, 초등학교 또는 중등학교교사 자격이 있는 자		
직업훈련교사	1. 「근로자직업능력 개발법」에 따른 직업능력개발훈련교사 자격이 있는 자 2. 「학원의 설립·운영 및 과외교습에 관한 법률」에 따른 학원강사 자격이 있는 자		
임상심리상담원	1. 「고등교육법」 제2조에 따른 학교, 「평생교육법」 제32조 또는 제33조에 따라 교육부장관의 인가를 받아 전문대학 또는 대학졸업자와 동등한 학력·학위	아동복지법에 규정된 시설(아동양육시설, 아동일시보호시설, 아동보호치료시설, 공동생활가정, 자립지원시설, 아동상담소,	아동복지법 시행령

명 칭	자 격	주요 업무	
	가 인정되는 평생교육시설(이하 이 표에서 "대학 등"이라 한다)의 심리 관련 학과를 졸업한 자 2. 「국가기술자격법 시행령」 제12조의2제1항 및 별표 1에 따른 임상심리사 2급 이상의 자격이 있는 자	아동전용시설, 지역센터)에 근무, 관련 업무의 수행	
자립지원 전담요원	1. 「근로자직업능력 개발법」에 따른 직업능력개발훈련교사 자격이 있는 자 2. 「사회복지사업법」에 따른 사회복지사 2급 이상의 자격이 있는 자 3. 초등학교 또는 중등학교 교사 자격이 있는 사람 4. 대학 등 졸업자(법령에 따라 이와 같은 수준의 학력이 있다고 인정되는 사람을 포함한다)로서 아동복지 또는 사회복지 관련 학과를 졸업하고 1년 이상 아동복지 업무에 종사한 경력이 있는 자		
아동복지 전담 공무원	1. 아동복지에 관한 업무를 담당하기 위하여 특별시·광역시·도·특별자치도 및 시·군·구에 각각 아동복지전담공무원을 둘 수 있다. 2. 전담공무원은 「사회복지사업법」 제11조에 따른 사회복지사의 자격을 가진 사람으로 하고 그 임용 등에 필요한 사항은 해당 시·도 및 시·군·구의 조례로 정한다.	전담공무원은 아동에 대한 상담 및 보호조치, 가정환경에 대한 조사, 아동복지시설에 대한 지도·감독, 아동범죄 예방을 위한 현장 확인 및 지도·감독 등 지역 단위에서 아동의 복지 증진을 위한 업무 수행	
사회복지 전담 공무원	1. 사회복지사업에 관한 업무를 담당하게 하기 위하여 시·도, 시·군·구 및 읍·면·동 또는 제15조에 따른 복지사무 전담기구에 사회복지 전담공무원을 둘 수 있다. 2. 복지전담공무원은 사회복지사 자격을 가진 사람으로 하며, 그 임용 등에 필요한 사항은 대통령령으로 정한다.	1. 복지전담공무원은 그 관할지역에서 사회복지를 필요로 하는 사람 등에 대하여 항상 그 생활 실태 및 가정환경 등을 파악하고, 사회복지에 관하여 필요한 상담과 지도를 한다. 2. 관계 행정기관과 사회복지시설을 설치·운영하는 자는 복지전담공무원의 업무 수행에 협조하여야 한다. 3. 국가는 복지전담공무원의 보	사회복지사업법

명 칭	자 격	주요 업무	
		수 등에 드는 비용의 전부 또는 일부를 보조할 수 있다.	
보육 시설장 및 보육 교사	1. 대학(전문대학 포함) 또는 이와 동등 이상의 학교에서 유아교육 또는 아동복지에 관련된 학과를 전공하여 졸업한 자 2. 고등학교 또는 이와 동등 이상의 학교를 졸업한 자로서 여성가족부령이 정하는 교육훈련시설에서 소정의 교육과정을 이수한 자	아동의 보호와 교육	영유아 보육법
아이 돌보미	1. 아이돌보미가 되려는 사람은 제9조에 따른 교육기관에서 교육과정을 수료하거나 대통령령으로 정하는 일정 자격을 갖추어야 한다. 2. 「영유아보육법」 제21조 제2항에 따른 보육교사의 자격 3. 「유아교육법」 제22조 제2항에 따른 교사의 자격 4. 「초·중등교육법」 제21조 제2항에 따른 교사의 자격 5. 「의료법」 제2조 제1항에 따른 의료인의 자격	아이의 주거지 등에서 개별적으로 제공하는 보호 및 양육 등의 서비스 제공 1. 여성가족부장관이 정하는 기준에 따라 아이의 안전한 보호 및 돌봄 업무 수행 2. 아이에게 질병·사고 등이 발생한 경우 의료기관에의 이송 3. 안전하고 균형 있는 영양의 급식 및 간식 제공 4. 아이의 청결과 위생의 유지	건강가정 기본법 아이돌봄 지원법
다문화 가족지원 센터 전문 인력	1. 국가와 지방자치단체는 다문화가족 구성원인 아동이 학교생활에 신속히 적응할 수 있도록 교육지원 대책을 마련하여야 하고, 특별시·광역시·도·특별자치도의 교육감은 다문화가족 구성원인 아동에 대하여 학과 외 또는 방과 후 교육 프로그램 등을 지원할 수 있다. 2. 다문화가족지원센터(이하 "지원센터"라 한다)에는 같은 조 제5항에 따라 다음 각 호의 어느 하나에 해당하는 전문 인력 1명 이상 두어야 한다. (1) 「건강가정기본법」 제35조에 따른 건강가정사 (2) 「사회복지사업법」 제11조에 따른 사회	1. 다문화가족을 위한 교육·상담 등 지원사업의 실시 2. 결혼이민자 등에 대한 한국어교육 3. 다문화가족 지원서비스 정보제공 및 홍보	다문화 가족 지원법

명 칭	자 격	주요 업무	
	복지사 (3) 그밖에 여성가족부장관이 인정하는 관련 분야의 전문 인력		
청소년 지도사	국가 및 지방자치단체는 청소년시설을 설치·운영하여야 한다. 1. 청소년시설 및 청소년단체는 대통령령이 정하는 바에 따라 청소년육성 담당 청소년지도사 또는 청소년상담사를 배치 2. 청소년지도사 자격검정에 합격하고 청소년지도사 연수기관에서 실시하는 연수과정을 마친 자에게 청소년지도사의 자격을 부여	수련시설 및 청소년단체에서 청소년의 육성에 관련되는 업무	청소년 기본법
청소년 상담사	여성가족부장관은 청소년상담사 자격검정에 합격하고 청소년상담사 연수기관에서 실시하는 연수과정을 마친 자에게 청소년상담사의 자격을 부여한다.		
청소년 육성전담 공무원	특별시·광역시·도(이하 "시·도"라 한다), 시·군·구(자치구를 말한다. 이하 같다) 및 읍·면·동 또는 제26조의 규정에 의한 청소년육성전담기구에 청소년육성전담공무원을 둘 수 있다. 1. 청소년육성전담공무원은 청소년지도사 또는 청소년상담사의 자격을 가진 자	청소년육성전담공무원은 그 관할구역 안의 청소년 및 다른 청소년지도자 등에 대하여 그 실태를 파악하고 필요한 지도를 하여야 한다.	
생활 복지사	1. 사회복지사업법에 따른 사회복지사 3급 이상의 자격을 가진 자 2. 사회복지사업법에 따른 사회복지상담업무에 3년 이상 종사한 경력이 있는 자 3. 대학 또는 이와 동등 이상의 학력이 인정되는 학교에서 심리학·교육학·여성학·사회학·사회사업학·법학·신학·의학·간호학 또는 사회복지학을 전공하고 졸업한 자	각 분야별(아동, 청소년, 장애인, 노인, 여성 등) 대상별 입소생활 및 행정업무, 대상자 상담 및 정서적 지원업무, 후원자개발 및 연결, 자원봉사 관리 등 생활시설 전반에 대한 업무를 한다.	사회복지 사업법
한부모 가족복지 상담원	특별시, 광역시, 도·시·군·구에 한부모가족지원 상담소를 설치할 수 있으며, 한부모가족복지 상담원을 두도록 규정, 사회복지사 자격을 소지한 자	한부모가정에 대한 상담 및 지도	한부모 가족 지원법

출처: 국가법령정보센터(https://www.law.go.kr/)

<사례실습>

• 다음 사례를 읽고 사회복지사의 자질과 역할에 대하여 토론해 봅시다.

2013년 4월 우리 사회를 뜨겁게 달군 사건이 있었습니다.

그 사건은 지방의 한 소도시에 위치하고 있는 보육원에서 보육교사(사회복지사)가 보육원에서 생활하는 아동을 다른 학생의 돈을 훔쳤다는 학교의 전화를 받고 아이를 훈계할 목적으로 인근 야산에 데려가 생활지도사 3명과 함께 아이를 참나무에 묶은 후 대걸레 자루로 엉덩이와 허벅지를 때렸다는 것입니다. 이어서 아이를 길이 175센티, 너비 50센티, 깊이 20센티 구덩이를 판 후 머리만 밖으로 드러나게 흙을 덮고 30분간 어둠 속에서 방치했다는 것입니다. 이러한 사실이 드러난 후 생활지도사(사회복지사) 3명은 구속되었고 연일 뉴스와 인터넷에서는 사회복지사의 자질에 대한 비난의 목소리를 높였습니다. 이러한 사건이 발생한 후 ○○시를 방문하여 사회복지사를 대상으로 한 슈퍼비전 시간을 가질 기회가 있었습니다. 슈퍼비전 시간이 끝난 후 해당 시의 사회복지사들이 이 사건에 대하여 어떻게 생각하고 있고 그 사건발생원인과 대처방안이 무엇이라고 생각하는지 궁금해지기 시작했습니다. 슈퍼비전 시간 후 사회복지사들에게 질문하였습니다. 사회복지사들은 이 사건에 대한 다음 질문에 어떻게 답변하였을까요?

(1) 이번 사건이 발생하게 된 원인이 무엇이라고 생각하나요?

(2) 물건을 훔치는 등 문제행동을 하는 학생에 대하여 사회복지사는 어떻게 해야 할까요?

(3) 이러한 사례를 예방하기 위한 방안은 무엇일까요?

(4) 이 사례를 통하여 무엇을 배울 수 있을까요?

연습문제

01 전문적인 아동복지실천 시 감안하여야 할 아동 특성에 대한 설명 중 바르지 않은 것을 모두 고르세요.

① 특정한 행동은 병리적인 일탈로 본다.
② 언어적 의사소통을 하는 특성을 가지고 있다.
③ 부모나 보호자에게 의존적이다.
④ 행동상의 문제를 지니고 비자발적이다.
⑤ 현실과 환상과의 경계가 명확하다.

※ (2-6) 아동복지실천을 위한 사회복지사의 전문적인 지식과 자질 중 5가지를 적어 보세요.

02

03

04

05

06

07 아동복지실천을 위한 사회복지사의 역할에 해당되지 않는 것을 고르세요.

① 아동양육 및 보호자의 역할
② 아동지도 및 교육자의 역할
③ 체벌 및 훈육자의 역할
④ 상담자 및 치료자의 역할
⑤ 행정업무수행자의 역할

연습문제

08 아동복지실천을 위한 사회복지사의 역할 중 아동지도 및 교육자의 역할에 대한 설명을 모두 고르세요.

① 아동을 위한 개별, 가족, 집단프로그램을 구성 운영할 수 있어야 한다.
② 아동의 기본적·발달적 욕구를 충족시켜줄 수 있다.
③ 아동의 행동과 발달수준을 평가하기 위하여 아동을 관찰할 수 있다.
④ 통합적인 관점에서 아동발달을 촉진할 수 있다.
⑤ 아동욕구중심으로 아동사례별 적절한 상담기법을 활용할 수 있어야 한다.

※ (9-14) 아동복지실천을 위한 사회복지사의 자질 6가지를 적어 보세요.

09

10

11

12

13

14

15 아동복지실천을 위한 사회복지사의 자질과 역할 중 가장 중요하다고 생각되는 요소에 대하여 논하세요.

PART 02

아동복지 접근방법

CHAPTER

04 아동복지의 정책적 접근방법

아동복지의 정책적 접근은 그 대상을 아동 전체 즉, 전체 아동을 대상으로 하며 개별적 접근보다는 아동 성장발달을 위한 사회구조적 문제에 대한 국가 및 지역사회의 의무와 책임의 관점에서 아동문제에 접근하는 방식으로, 아동복지정책과 행정 및 제도, 관련 법 등을 의미한다고 볼 수 있다.

1. 아동복지정책

1) 아동복지정책의 개념

아동복지정책(child welfare policy)은 대상인 아동(child), 목표인 복지(welfare), 그리고 아동복지를 구현하기 위한 수단인 정책(policy)의 합성어이다(임시아, 2011). 아동복지정책은 아동의 복지를 위한 정책(policy)이지만 아동복지는 다른 분야의 복지정책과 밀접한 관련이 있으며, 특히 아동이 속한 가족을 위한 복지정책과는 매우 밀접한 관련이 있기 때문에 아동복지정책을 아동 및 가족복지정책으로 확대하여 정의하기도 한다. 여기서 정책(policy)이란 '공공문제를 해결하기 위하여 국가에 의하여 결정된 행동방침'을 의미한다.

Kadushin & Martin(1988)은 아동복지정책을 아동에게 영향을 미치는 모든 정책, 프로그램 및 활동으로 포괄적으로 설명하였으며, 주정일과 이소희(2001 : 82-83)는 아동복지정책을 정부가 아동의 복지를 설정한 방침이라고 정의하며, 그 수준은 현실적으로 국가의 성격과 복지이념의 기준에 의해 결정된다고 보았다. 공계순 외(2006)는 아동의 복지를 위한 정부의 원칙이나 지침 또는 조직화된 노력으로 정의, 더 구체적으로 아동의 물질적·비물질적 욕구를 충족시키기 위한 법적 그리고 법에 기초한 정부의 서비스로 제한하여 보았다. 또한 보다 포괄적인 정의로 Antler(1985)는 아동복지정책은 아동 및 가족복지정책으로 개념화되어야 하며, 아동 및 가족복지 분야에 관한 정책, 프로그램 법령을 의미하고 사회복지정책의 특수영역이라고 보았다. Kamerman & Kahn(1985)도 아동만의 복지를 목표로 하는 전통적인 정책에서 아동이 있는 가족의 삶의 질 향상, 아동이 있는 가정의 복지를 지향하는 아동 및 가족복지정책으로 개선된 것이며, 이는 아동과 가족에 대하여 이중적인 초점을 맞추어야 한다고 하였다.

다시 말하면 아동복지정책은 아동뿐만 아니라 아동이 속한 가족을 대상으로 아동과 가족의 욕구를 충족시키고, 문제를 해결함으로써 아동의 기본적 발달과 건강하게 성장할 권리를 보장하기 위한 국가에 의하여 결정된 일련의 행동방침이라고 할 수 있다.

2) 아동복지정책의 범위 및 유형

아동복지정책의 개념정의와 같이 아동복지복지정책의 범위를 분명하게 설정하는 것은 어렵다. 특히 아동복지를 추구하든지 혹은 다른 목적을 가진 복지정책을 추구하든지 간에 국가에 의하여 결정된 국민을 위한 모든 행동방침, 즉 정책은 어떠한 형태로든지 아동과 그 가족에게 영향을 미친다는 점에서 모든 사회복지정책이 아동복지정책에 포함될 수도 있다.

보다 포괄적인 범위에서는 소득분배정책, 인구정책, 결핍된 욕구를 지닌 가족을 위한 지지적·보충적·대리적 서비스, 아동에게 영향을 미치는 공공정책, 여성을 위한 정책, 다문화정책, 실직자를 위한 고용안정지원정책 등이 포함될 수 있다. 다양한 아동복지정책과 제도의 범위를 설정함에 있어 흔히 사용되는 방법은 아동이 속한 가족의 사회적 기능과 역할에 의하여 분류하는 방법이다.

즉, 아동과 가족의 욕구인 경제적 욕구, 육체건강의 욕구, 양육 및 보호의 욕구, 심리·정서적 욕구, 건강가족유지의 욕구 등 국가와 사회가 아동 성장발달을 위하여 가족에게 기대하는 기능과 역할수행에 의거한 아동복지정책은 <표 4-1>과 같다.

<표 4-1> 아동복지정책의 범위

가족 및 아동욕구	아동복지정책의 범위
경제적 욕구	사회보험, 공공부조, 아동수당, 무상교육, 세금감면, 주택지원 등
육체건강의 욕구	건강보험 및 관련 프로그램
양육 및 보호욕구	육아휴직, 아동수당, 양육비지원, 무상보육, 모자보건, 아동간병휴가, 아동부양지원서비스, 장애아동발달지원서비스, 방과 후 아동서비스
심리·정서적 욕구	아동상담 및 치료서비스, 가정폭력 및 학대아동지원서비스, 부부상담 및 가족치료서비스, 학교폭력피해자(가해자)지원서비스
건강가족유지욕구	가족과 관련된 법, 제도, 민법, 건강가정지원법, 다문화가족지원법, 장애아동복지지원법 등

출처: 송정애 외(2010). 가족복지론. 양서원.

아동복지정책의 유형은 국가와 사회가 지향하는 아동에 대한 관점과 밀접한 관련이 있지만, 최근 UN의 아동권리협약당사국의 권고사항과 각 국가에서 채택하고 있는 아동복지정책의 모델과 서비스 형태를 통하여 공통된 특성을 살펴보고자 한다.

일반적으로 Esping-Andersen(1999)은 아동에 대한 책임의 중심이 어디에 있느냐에 따라 복지정책을 유형화하였다. 즉, 아동에 대한 가족의 책임을 강조하느냐 혹은 아동 및 가족에 대한 국가적 책임을 강조하느냐에 따라 분류될 수 있다고 하였다. 다시 말하자면 국가가 자유주의 복지체계, 조합주의 복지체계, 사회민주주의 복지체계 중 어느 것을 채택하느냐에 따라서 국가의 아동과 가족에 대한 역할과 개입 정도가 달라지며, 그것은 다시 이원적 가족주의와 탈가족주의로 유형화할 수 있다고 보았다.

〈표 4-2〉 복지국가체계에 따른 유형

복지체계	아동 및 가족복지유형	국가의 역할과 개입	해당 국가
자유주의 복지체계	가족주의	국가개입 최소화, 가족 스스로 아동에 대한 책임과 전통적 가족기능 강조	미국, 캐나다, 영국
조합주의 복지체계	이원적 가족주의	국가가 상당 부분 개입하나 가족의 보호와 양육기능의 책임주체로 역할 강화	독일, 프랑스, 호주, 이탈리아, 네덜란드
사회민주주의 조합주의혼합	탈가족주의	국가가 가족에게 양육과 보호책임을 전가하지 않음	덴마크, 스웨덴, 노르웨이, 핀란드

출처: 송정애 외(2010). 가족복지론. 양서원.

또한 아동복지정책은 아동과 그 가족유지를 위한 지원수준에 의하여 가족유지지원정책과 대체가정지원정책, 아동강제보호정책으로 유형화할 수 있으며 그 세부적 내용은 〈표 4-3〉과 같다.

〈표 4-3〉 아동복지정책 유형

구 분	내 용	
가족유지 지원정책	아동양육을 지원하는 정책으로 소득보장에 의한 방법과 가족을 지원하는 서비스 정책	공공부조, 사회보험, 아동수당, 출산수당 및 가족수당
대체가정 지원서비스	가정위탁, 친족보호, 주거시설보호 등 일시적인 대체가정보호정책 및 입양과 같은 영구적인 대체가정보호 정책	가정위탁보호사업 입양사업 시설보호사업
아동강제 보호서비스	아동의 학대와 유기에 대한 대응으로 학대 및 방임부모나 기타 보호자로부터 아동을 분리시켜 보호하는 정책	아동학대 예방지원사업 실종아동 등의 보호 및 지원

출처: 장인협 외(2001). 아동·청소년복지론. 서울대학교출판부. 재구성.

2. 아동복지정책 전달체계

한국의 아동복지정책의 체계는 크게 중앙정부와 지방부서인 공공전달체계, 국가로부터 위탁받은 민간 차원의 민간전달체계로 구분해 볼 수 있다.

먼저 공공전달체계로서 아동복지정책을 기획·수립하는 중앙의 정책담당행정기구와 수립된 아동복지정책을 집행하는 지방자치단체의 행정부서가 있다. 중앙에서 아동복지정책을 기획하고 입안하는 대표적인 기구로는 보건복지부, 여성가족부 등을 들 수 있으며, 지방자치단체의 행정부서는 시·군·구의 주민복지과, 사회복지과, 가족여성과 등을 들 수 있다.

민간전달체계는 중앙정부나 지방정부의 위탁을 받아 아동복지정책을 직접적으로 전달하는 아동복지서비스 기관이며 대표적인 민간전달체계로 아동상담소, 청소년지원센터, 아동보호전문기관, 가정위탁지원센터, 아동양육시설, 청소년쉼터, 지역아동센터 등을 들 수 있다. 중앙과 지방의 아동복지담당기구와 민간전달체계를 살펴보면 다음과 같다.

1) 공공전달체계

(1) 중앙부처

중앙의 아동복지담당 행정기구는 업무별, 부처 간 이동을 반복하면서 현재는 이원화되어 있다. 2000년까지는 보건복지부가 아동복지업무를 주관하여 왔으나 2001년 여성부가 신설되면서 아동관련 정책의 일부가 여성부로 이관되었고, 2008년 여성부에서 보건복지가족부로 가족복지정책의 일부가 이관되었고, 이후 다시 정부조직법이 개정되어 보건복지부에서는 아동복지정책과와 아동권리과, 아동학대대응과에서 아동복지관련업무를 담당하고 있으며, 여성가족부에서는 아동청소년성보호과, 청소년정책관을 중심으로 청소년과 관련된 다양한 업무를 담당하고 있다. 〈표 4-4〉는 아동복지정책을 담당하고 있는 아동부처의 업무내용을 정리한 것이다.

〈표 4-4〉 아동복지관련부처의 업무내용

중앙부처	관련국	과	업무 내용
보건복지부	인구정책실	아동복지정책과	1. 아동복지에 관한 정책 총괄 및 종합계획의 수립·시행 2. 아동복지법령 제정·개정에 관한 사항 3. 아동정책조정위원회에 관한 사항 4. 아동복지서비스 조사·연구·홍보 및 통계에 관한 사항 5. 아동복지관련 업무의 중앙부처 및 지방자치단체 협의·조정 6. 빈곤아동종합대책의 수립 및 조정 7. 가정위탁, 소년소녀가정에 관한 사항 8. 아동복지시설, 그룹홈 등 운영·지원에 관한 사항 9. 입양특례법령 제정·개정에 관한 사항 10. 국내외 입양 제도개선 및 활성화 종합대책 수립·시행에 관한 사항 10의2. 국내외 입양 실태조사·연구·홍보 및 통계에 관한 사항 10의3. 헤이그국제아동입양협약에 관한 사항 10의4. 중앙입양원 및 입양 기관·단체에 관한 사항 11. 아동발달지원계좌에 관한 사항 12. 아동관련 법인 및 단체에 관한 사항 13. 한국아동복지협회, 한국아동그룹홈협의회에 관한 사항
		아동권리과	1. 아동권리증진 및 인권보호에 관한 사항 2. 아동권리 관련 국제협약 및 국제협력에 관한 사항 3. 아동 건강관리에 관한 사항 4. 결식아동 급식에 관한 사항 5. 실종아동보호 및 지원에 관한 사항 6. 실종아동등의 보호 및 지원에 관한 법령 제정·개정에 관한 사항 7. 아동에 대한 맞춤형 통합서비스 제공에 관한 사항 8. 지역아동센터, 방과 후 돌봄서비스에 관한 사항 9. 아동복지교사 파견 및 관리에 관한 사항 10. 어린이날, 어린이 주간 등 아동행사에 관한 사항 11. 아동안전에 관한 사항
보건복지부	인구정책실	아동학대대응과	1. 관계기관 협력을 통한 아동학대 예방 및 피해아동 보호대책의 수립·시행 2. 아동학대 관련 법령에 관한 사항 3. 아동학대 예방을 위한 중앙행정기관 및 지방자치단체와의 협력에 관한 사항

중앙부처	관련국	과	업무 내용
			4. 아동학대 관련 범죄전력자 취업제한제도 운영에 관한 사항 5. 아동보호전문기관 및 학대피해아동쉼터의 설치·운영에 관한 사항 6. 피해아동에 대한 의료 및 법률 서비스 지원에 관한 사항 7. 아동학대 예방 관련 법인 및 단체에 대한 지원 8. 아동학대 예방 및 피해아동 보호 실태에 관한 조사·연구에 관한 사항 9. 아동학대 관련 통계의 생산 및 관리 10. 위기아동 조기발견시스템의 운영 및 관계기관 간 정보연계에 관한 사항 11. 국가아동학대정보시스템의 운영 및 아동학대 관련 정보제공에 관한 사항 12. 아동학대예방주간 운영 등 아동학대 예방을 위한 대국민 홍보에 관한 사항 13. 관계기관 협력을 통한 아동학대 신고의무자 교육 및 아동학대 예방교육에 관한 사항 14. 아동학대 예방교육 프로그램의 개발·보급 및 전문강사 양성·관리 15. 아동학대 현장점검 지원에 관한 사항 16. 아동학대 관련 해외 사례 조사 및 지원에 관한 사항
여성가족부	권익증진국	아동청소년성보호과	1. 아동청소년의 성보호를 위한 시책의 수립·시행 2. 아동청소년 성보호 관련 법령의 관리·운영 3. 아동청소년 성보호 관련 실태에 관한 조사·연구 4. 아동청소년 대상 성범죄자 신상정보의 열람 및 취업제한제도의 운영에 관한 사항 5. 아동청소년 대상 성범죄자에 대한 재범방지대책의 수립·시행 6. 성범죄 가해 아동청소년의 치료·재활 및 지원에 관한 사항 7. 성보호의식 확산을 위한 대국민 교육·홍보에 관한 사항 8. 아동청소년 대상 성매수 등 신고포상금 제도 운영 9. 청소년성문화센터의 설치·운영에 관한 사항
	청소년정책관	청소년정책과	1. 청소년정책에 관한 중장기 기본계획의 수립 및 조정 2. 중앙부처 및 지방자치단체 청소년정책의 협의·조정 총괄 3. 청소년정책 관련 법령의 관리·운영 4. 청소년정책관계기관협의회의 운영

중앙부처	관련국	과	업무 내용
			5. 청소년정책 전담 기구·공무원 등 전달체계에 관한 사항 6. 관계 기관 청소년정책의 평가 및 지원에 관한 사항 7. 청소년의 달 등 청소년 관련 행사 및 포상에 관한 사항 8. 청소년 정책 관련 조사·연구 및 제도개선 9. 청소년 관련 통계의 유지 및 백서 등의 발간 10. 청소년 관련 산하기관 및 법인 관리 총괄 11. 한국청소년활동진흥원의 지도·감독 12. 청소년 관련 기관·단체 종사자의 교육·훈련 13. 청소년지도자 자질향상에 관한 사항 14. 청소년 인권 보호 등 청소년 권리증진에 관한 사항 15. 청소년 특별회의 및 참여위원회 등 청소년 정책참여기구 구성·운영 지원 16. 청소년 정책참여 활성화 프로그램의 개발·보급 17. 청소년 우대정책의 수립 및 교육·홍보 18. 청소년증의 발급 및 운영에 관한 사항 19. 그 밖에 실 내 다른 과의 주관에 속하지 아니하는 사항
		청소년 활동 진흥과	1. 청소년 활동진흥, 역량개발 및 국제교류에 관한 계획의 수립·시행 2. 지방청소년활동진흥센터의 설치·운영 지원 3. 청소년 프로그램·사업의 개발·보급 및 평가 4. 청소년의 수련활동 및 문화·예술체험 활성화에 관한 사항 5. 청소년 축제, 동아리, 자원봉사 활성화에 관한 사항 6. 청소년 활동정보 제공·지원 7. 청소년지도사의 자격검정·연수 및 활동 지원 8. 청소년방과후아카데미 등 방과 후 활동프로그램의 개발·지원 9. 청소년의 국제교류를 위한 프로그램 개발 및 운영 지원 10. 청소년 관련 국제행사 개최 및 국제교류에 관한 사항
		청소년 활동 안전과	1. 청소년수련활동 안전에 관한 정책의 총괄 및 계획의 수립·시행 2. 숙박형 청소년수련활동 및 비숙박형 청소년수련활동 계획의 3. 신고업무관리, 온라인 종합정보제공 시스템 구축·운영 4. 청소년수련활동 인증제도의 운영·관리에 관한 사항 5. 청소년수련활동 이행 실태 점검 및 안전관리에 관한 사항 6. 청소년수련시설 운영관리, 지도·감독 및 제도 개선에 관한 사항 7. 청소년수련시설 종합 안전점검 및 종합평가 실시·공개에 관

중앙부처	관련국	과	업무 내용
			한 사항 8. 국·공립 청소년수련시설 확충계획 수립 및 건립에 관한 사항 9. 한국청소년수련시설협회 지도·관리 및 감독에 관한 사항 10. 국립청소년수련원의 지도·감독 및 국유재산 관리에 관한 사항
		청소년 자립 지원과	1. 청소년복지에 관한 정책의 총괄 및 계획의 수립·시행 2. 청소년복지 관련 법령의 관리·운영 3. 청소년복지서비스의 조사·연구 및 통계에 관한 사항 4. 청소년복지시설의 운영·지원 및 청소년복지·지원업무 종사자의 교육·훈련 5. 한국청소년상담복지개발원의 지도·감독 6. 청소년상담사의 자격검정·연수 등에 관한 사항 7. 취약계층 청소년의 보호 ·상담·자립 등에 대한 계획의 수립·조정 및 시행 8. 가출 등 청소년에 대한 보호 및 자립 지원에 관한 사항 9. 청소년 비행·폭력 등의 예방 및 선도에 관한 사항 10. 폭력, 학대 노출된 청소년의 상담, 치료 및 법률 서비스 지원 11. 위기 청소년을 위한 사회안전망 구축을 위한 종합대책의 수립·조정 12. 청소년상담복지센터 등 청소년상담·구조 관련 기관·단체에 대한 지도·지원 13. 청소년 전화·청소년 모바일 상담 및 청소년동반자 프로그램의 운영 14. 청소년의 사회진출 및 취업·창업 지원에 관한 사항
		학교밖 청소년 지원과	1. 학교 밖 청소년에 관한 정책의 총괄 및 계획의 수립·시행 2. 학교 밖 청소년 관련 법령의 관리·운영 및 제도개선에 관한 사항 3. 학교 밖 청소년에 대한 사회적 편견과 차별 예방 및 사회적 인식 개선에 관한 사항 4. 학교 밖 청소년 지원 프로그램의 개발 및 지원에 관한 사항 5. 학교 밖 청소년 지원을 위한 관련 기관 간 협력체계 및 지역 6. 사회 중심의 지원체계 구축·운영에 관한 사항 7. 학교 밖 청소년 지원을 위한 실태조사 및 결과 공표에 관한 사항 8. 학교 밖 청소년 지원 위원회 운영에 관한 사항 9. 학교 밖 청소년 지원을 위한 상담 및 교육지원에 관한 사항

중앙부처	관련국	과	업무 내용
			10. 학교 밖 청소년의 취업 및 자립지원에 관한 사항 11. 학교 밖 청소년의 지원센터의 설치·운영에 관한 사항 12. 「청소년복지 지원법」제18조에 따른 이주배경청소년의 사회 적응 및 학습능력 향상을 위한 지원에 관한 사항 13. 특별지원 대상 청소년에 대한 지원계획의 수립 및 시행
		청소년 보호 환경과	1. 청소년보호에 관한 계획의 수립·시행 2. 청소년보호위원회 운영에 관한 사항 3. 매체물·업소·약물·물건 등의 청소년 유해성 심의·결정 등에 관한 사항 4. 청소년 유해환경에 대한 점검, 단속, 규제 및 개선 활동 지원에 관한 사항 5. 인터넷 중독 등 매체의 역기능 피해의 예방·치료 및 재활 지원 6. 청소년의 건전한 매체 활용능력증진 및 건전한 매체 문화 조성 등에 관한 사항 7. 청소년 대상 인터넷 게임 제공시간 제한제도 등의 운영 및 평가에 관한 사항 8. 청소년치료재활센터의 운영에 관한 사항 9. 신·변종 유해업소 등 청소년유해환경 점검·단속활동 10. 지방행정기관 청소년유해환경 개선 유도 및 평가 11. 청소년보호종합대책 추진상황 종합 점검·관리 12. 청소년유해환경감시단 운영

출처 : 보건복지부(http://www.mohw.go.kr) 및 여성가족부(www.mogef.go.kr) 홈페이지

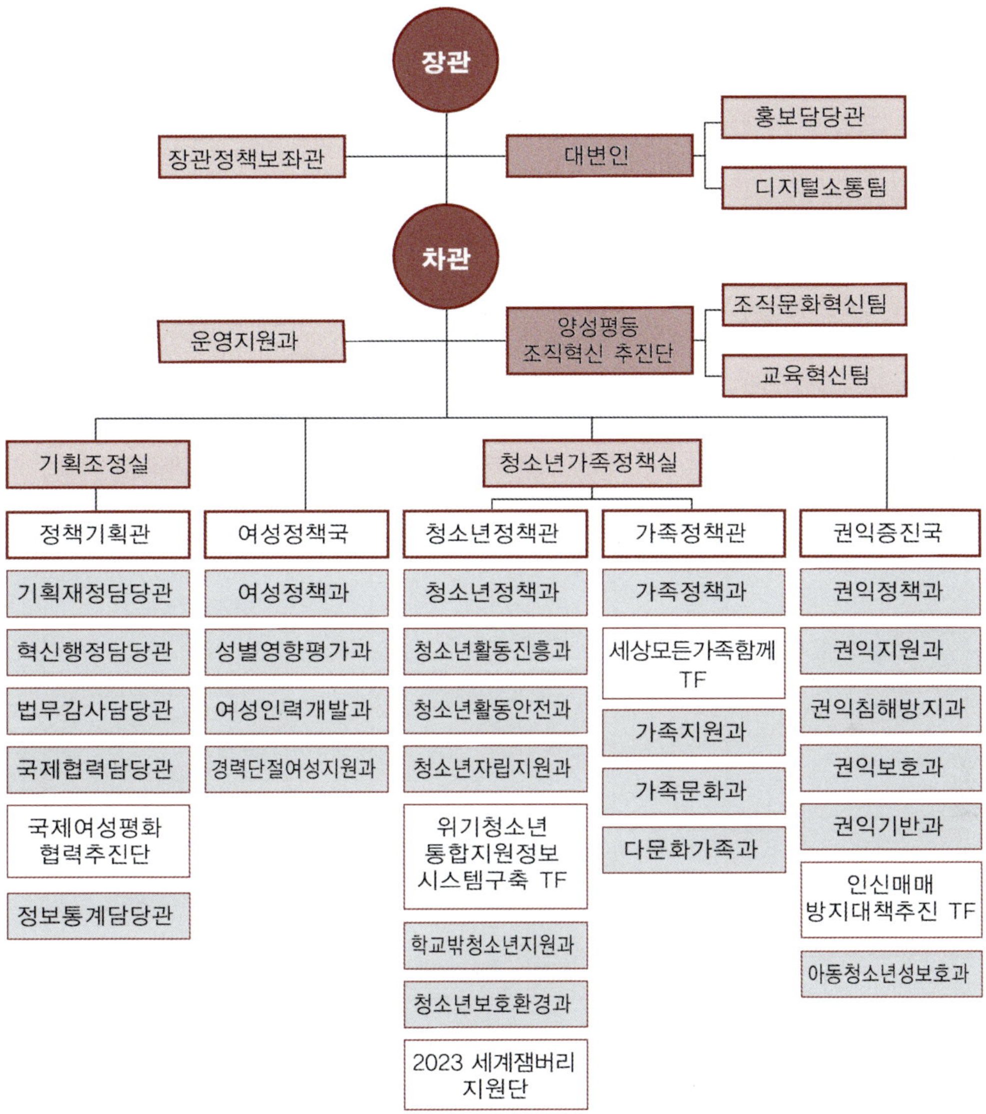

출처: 여성가족부(www.mogef.go.kr)

[그림 4-1] 여성가족부 조직도

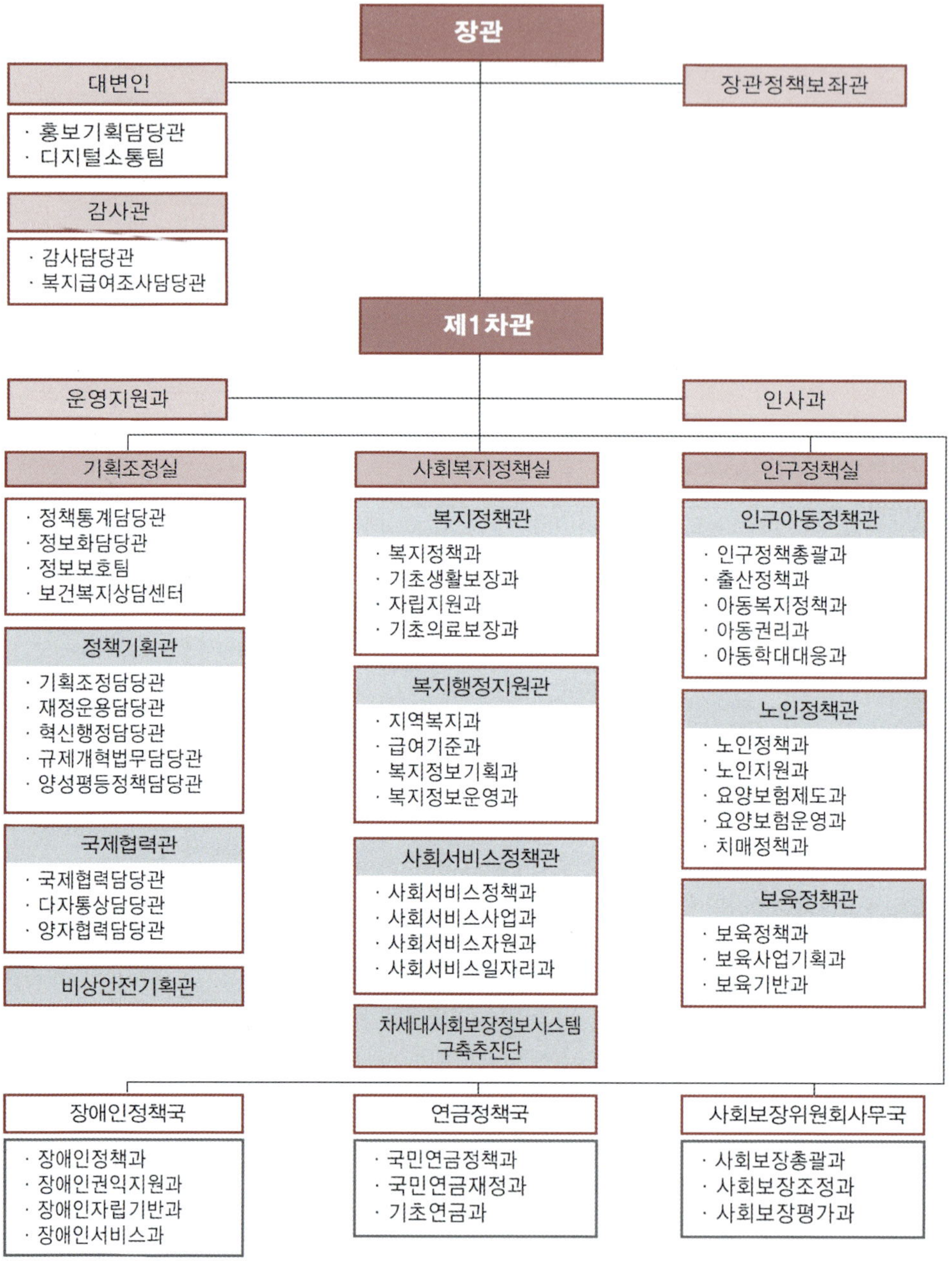

출처 : 보건복지부(www.mohw.go.kr)

[그림 4-2] 보건복지부 조직도

중앙부처인 보건복지부, 여성가족부, 교육부의 아동복지정책은 국가공무원인 행정직 공무원이 담당하고 있으며, 전문분야에 따라서 담당팀장 및 국장급을 외부 전문 인력으로 배치하고 있다. 보건복지부에서는 일반 행정직과 함께 사회복지직렬을 두고 있어서 사회복지서기보, 서기, 주사보, 주사, 사회복지사무관의 직제를 두고 복지업무의 전문화를 지향하고 있다.

(2) 아동권리보장원

아동복지법 제10조제2항에 근거하여 2019년 아동권리보장원이 설립되었다. 아동권리보장원은 아동정책에 대한 종합적인 수행과 아동복지관련사업의 효과적인 추진을 위하여 필요한 정책수립을 지원하고 사업을 평가하는 업무를 수행하는 것을 목적으로 한다. 아동권리보장원에서 아동정책연구 지원, 아동성장 돌봄, 아동보호, 입양과 가정형보호, 아동자립, 아동권리증진 사업을 추진하며 각 사업별 세부사업은 〈표 4-5〉와 같다.

〈표 4-5〉 아동권리보장원 추진사업

사업분야	세부사업
아동정책연구 지원	• 아동정책 수립평가, 아동정책개발 조사연구, 교육프로그램 연구개발
아동성장 돌봄	• 지역아동센터, 다함께 돌봄센터지원, 아동통합서비스 지원
아동보호	• 아동학대예방 및 보호, 실종아동 등 보호지원, 실종예방교육
입양	• 입양정책수립지원, 입양안내 및 절차, 입인인, 가족지원
가정형보호	• 가정위탁사업활성화, 가정위탁안내 및 절차
아동자립	• 아동자립지원, 아동자산형성(디딤씨앗통장)
아동권리증진	• 유엔아동권리협약이행지원, 지역사회중심 놀이혁신확산, 대한민국 아동총회

출처: 아동권리보장원 자료를 토대로 재구성.

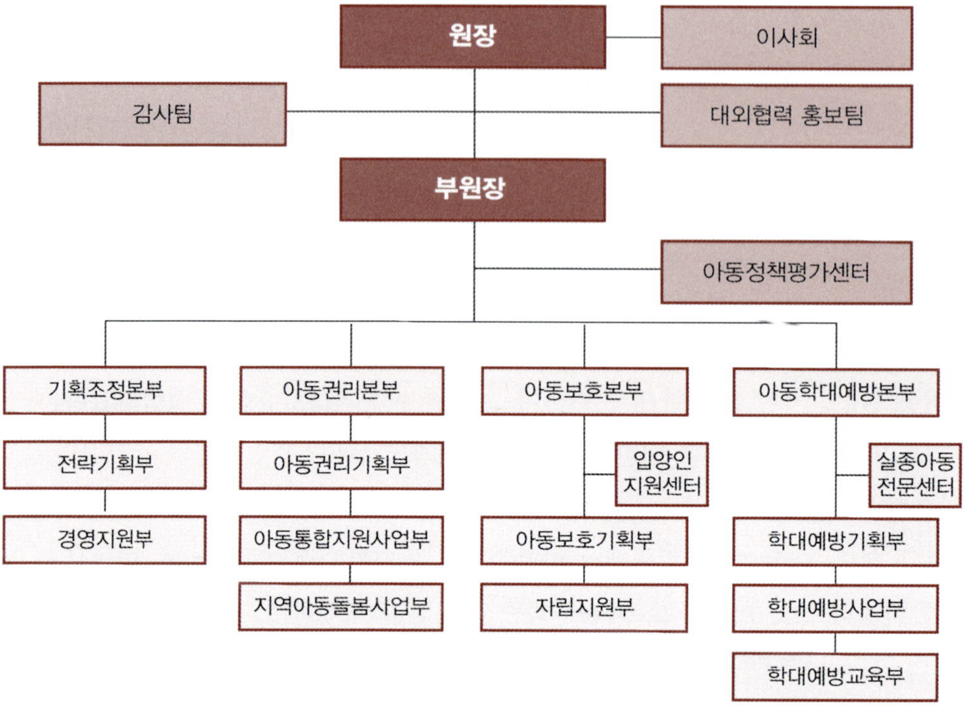

출처 : 아동권리보장원(http://ncrc.or.kr)

[그림 4-3] 아동권리보장원 조직도

(3) 지방자치단체의 아동복지 전달체계

중앙에서 수립된 아동복지관련 정책을 집행하고 직·간접적 서비스를 제공하는 지방자치단체의 담당부서, 보육, 아동, 청소년, 여성, 가족담당 팀, 국 단위의 기구이며 이러한 업무를 수행하는 공무원들로 구성된다.

중앙부처에서는 각기 다른 부서에서 정책이 입안되고 관장되지만 지방전달체계로 내려오면 업무가 같은 조직 내에서 이루어지므로 실질적으로 정책을 집행하는 역할을 한다.

아동복지정책을 담당하는 지방자치단체의 조직은 광역시, 시·도 단위에서는 여성정책국, 보건복지여성국, 여성정책실 등의 명칭으로 구성되어 보건복지부, 여성가족부의 직무를 담당하고 있다.

또한 시·군·구 단위의 지방자치단체에서는 여성가족정책실, 복지정책실, 주민생활지원과, 사회복지과, 여성가족과, 여성청소년과 혹은 가정복지과 등의 명칭으로 아동복지 관련 업무를 담당하고 있다. 읍·면·동사무소에서는 국민기초생활보장업무와 함께 아동, 보육, 청소년, 여성, 한부모가족아동 등에 대한 업무를 관장하며 종합적 복지행정서비스를 제공하고 있다.

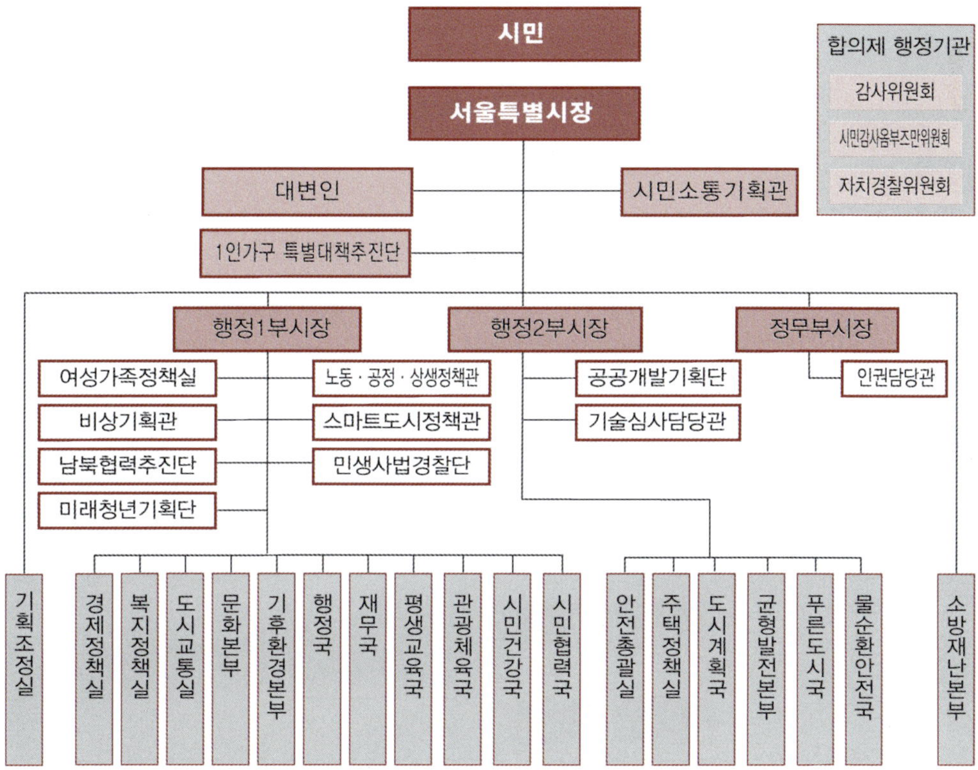

출처: 서울시청(www.seoul.go.kr)

[그림 4-4] 서울시청 아동정책 전달 행정조직

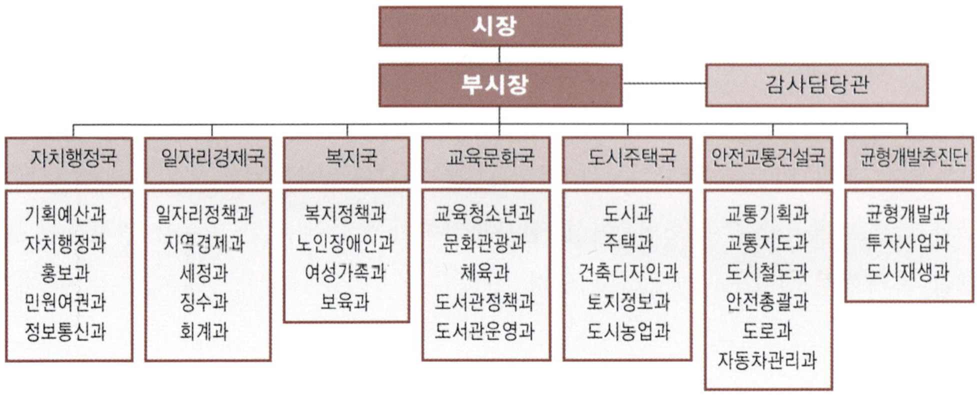

출처 : 의정부시청(www.ui4u.net)

[그림 4-5] 의정부시청 행정조직도

2) 민간전달체계

아동복지정책의 민간전달체계는 중앙정부나 지방정부의 위탁을 받아 아동복지정책을 직접적으로 전달하는 아동복지서비스 기관이며, 대표적인 민간전달체계로 아동양육시설, 가정위탁지원센터, 아동보호기관, 아동상담소, 청소년지원센터 등 대부분의 아동복지서비스기관이 속한다.

(1) 아동양육시설

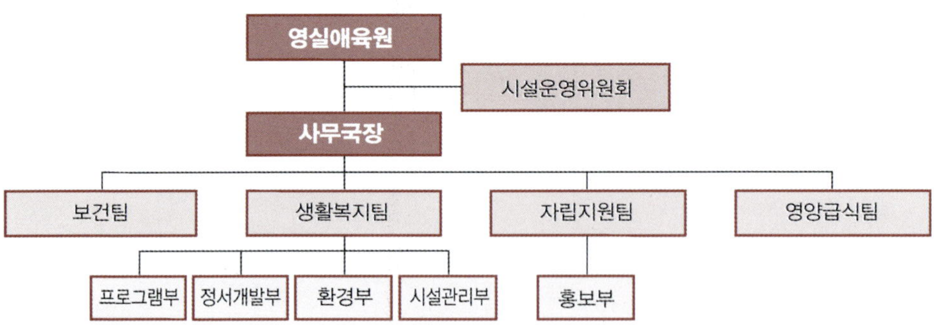

출처 : 영실애육원(www.yeongsil.or.kr)

[그림 4-6] 아동양육시설 영실애육원 조직도

(2) 가정위탁지원센터

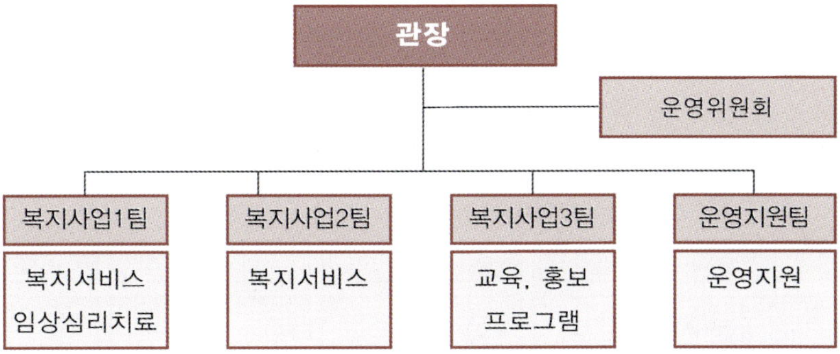

출처: 초록우산 어린이재단 경기남부가정위탁지원센터(www.gg-foster.or.kr)

[그림 4-7] 어린이재단 경기도가정위탁지원센터 조직도 및 업무

(3) 종합사회복지관

중앙정부 혹은 지방자치단체의 아동복지 전달체계 안에서 해소되지 않은 사각지대의 아동을 위한 민간전달체계는 종합사회복지관이라고 할 수 있다. 종합사회복지관은 사회복지사업법 제2조에 근거하여 지역사회를 기반으로 일정한 시설과 전문인력을 갖추고 지역주민의 참여와 협력을 통하여 아동문제를 포함한 전반적인 지역사회문제를 예방하고 주민의 복지욕구를 충족시키기 위한 종합적 사회복지사업을 수행하는 기관이다. 종합사회복지관은 사회복지서비스를 필요로 하는 모든 지역주민을 대상으로 하며, 방과 후 교실운영, 아동을 위한 상담 및 교육문화사업, 결식아동을 위한 급식지원사업 등을 통하여 가족기능 강화, 각종 아동문제를 예방 치료하는 기관으로서 역할을 하고 있다.

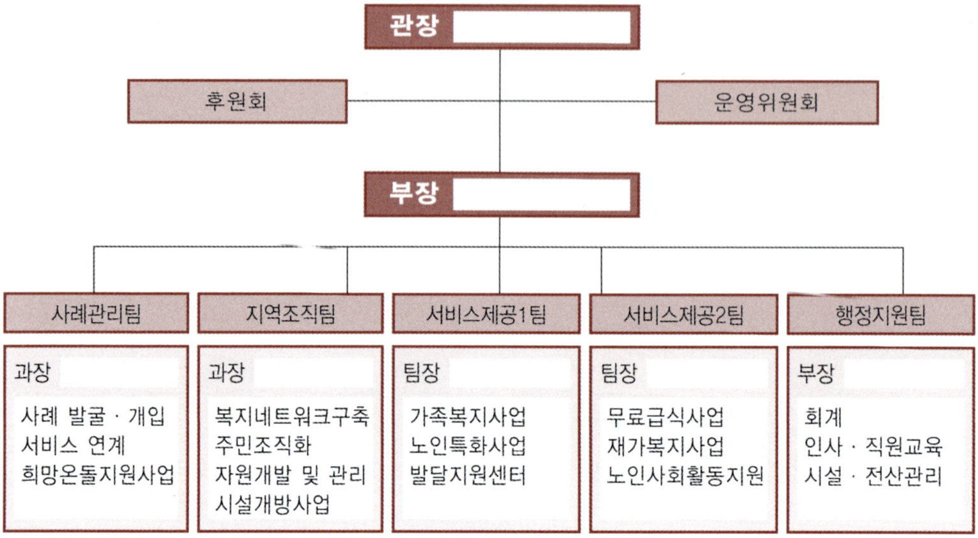

출처: 노원1종합사회복지관(www.nowon.or.kr)

[그림 4-8] 노원1종합사회복지관 조직도

(4) 지역아동센터

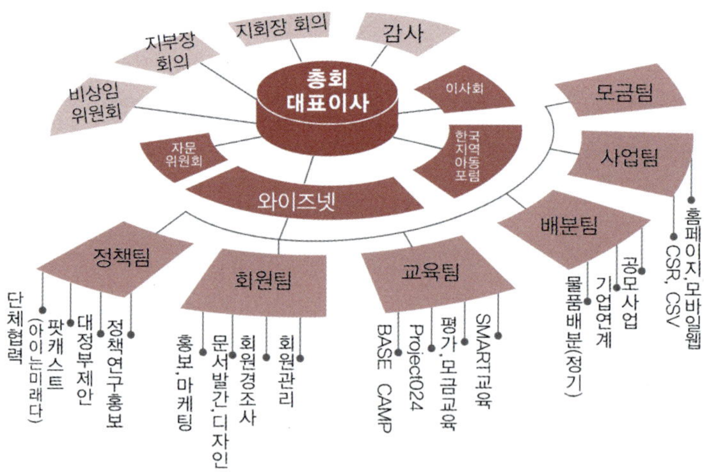

출처: 한국지역아동센터연합회(http://www.hjy.kr)

[그림 4-9] 한국지역아동센터연합회 조직도

지역아동센터는 아동의 건전육성을 위한 종합적인 아동복지서비스 제공을 목적으로 하는 민간지원체계이다. 이를 위하여 지역사회 아동보호와 교육, 건전한 놀이와 오락 제공, 보호자와 지역사회연계를 내용으로 하며, 지역 내 18세 미만의 아동을 대상으로 생활지원프로그램, 학습지도프로그램 놀이 및 특별활동프로그램 등을 운영하고 있다. 그밖에 민간전달체계로 장애아동지원센터, 아동상담소, 아동복지관 등이 있다.

(5) 다함께 돌봄센터

다함께 돌봄센터는 아동복지법 제44조제2항에 근거하여 지역사회 내 설치·운영되는 기관이다. 다함께 돌봄센터는 2019년 173개소가 설치·운영되고 있으며 지역사회중심의 자발적이고 주도적인 아동돌봄 공동체 기반 조성과 지역 내 돌봄수요 및 자원을 고려하여 아동돌봄계획을 수립하고 이를 바탕으로 지역 내 틈새 돌봄기능을 강화하여 돌봄사각지대를 해소하는 것을 목적으로 한다. 다함께 돌봄은 학교돌봄과 마을돌봄으로 구분되며 마을돌봄은 지역아동센터와 청소년방과후 아카데미를 포함한다.

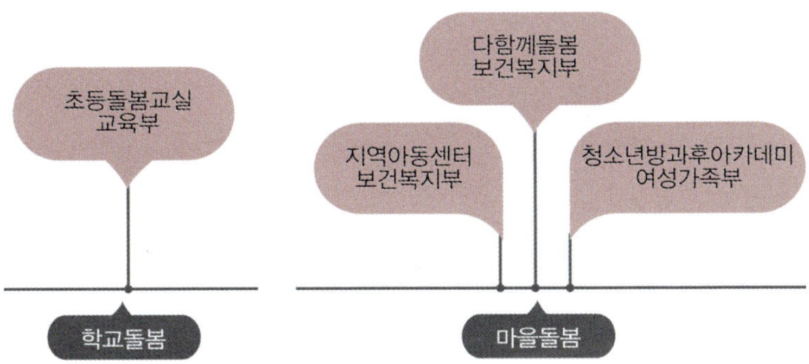

출처: 아동권리보장원 다함께돌봄사업(https://dadoi.or.kr/)

[그림 4-10] 다함께 돌봄센터 조직도

3. 아동복지관련법

아동복지관련법은 아동 및 그 가족의 보호와 직·간접적으로 관련이 있는 법을 의미하며 아동을 직접대상으로 하거나 아동과 그 가족보호와 관련된 조항을 포함한 법을 의미한다. 우리나라의 아동복지와 관련된 법은 기본법인 아동복지법과 아동복지특별법으로 구분되며, 특별법은 직접관련 법률과 간접관련 법률로 구분된다. 아동복지관련 법률체계의 세부내용은 〈표 4-6〉과 같다.

〈표 4-6〉 아동복지 법률체계

구성 체계			주요 내용
아동복지기본법		아동복지법	아동복지에 관한 기본사항
아동복지 특별법	직접 관련 법률	영유아보육법	영유아보육
		한부모가족지원법	모·부자복지
		입양특례법	입양
		모자보건법	모자보건
		실종아동보호지원법	실종아동보호
		저출산고령사회기본법	저출산대책
		장애아동복지지원법	장애아동복지
		아동의 빈곤예방과 지원 등에 관한 법률	빈곤아동
	간접 관련 법률	국민기초생활보장법	빈곤아동, 소년소녀가장
		긴급복지지원법	위기가정아동
		청소년기본법	청소년복지의 기본사항
아동복지 특별법	간접 관련 법률	청소년보호법	청소년보호
		아동·청소년성보호법	아동·청소년 성보호
		사회복지사업법	사회복지사업과 시설 운영
		소년원법	비행소년
		보호관찰법	비행청소년 보호관찰
		장애인복지법	장애아동복지

출처: 오정수 외(2013). 아동복지론. 학지사. p.232.

1) 아동복지법

아동복지법은 1961년 제정된 아동복리법에 대한 대체입법으로 1981년 개정되었다. 아동복지법은 모든 아동이 건강하게 출생하여 행복하고 안전하게 성장할 수 있도록 아동의 복지를 보장하는 것을 목적으로 제정되었으며, 목적과 기본이념, 정의, 아동복지를 위한 국가와 지방자치단체의 책무, 아동복지정책기본계획의 수립, 아동정책조정위원회, 보호조치 등을 내용으로 하고 있다.

〈표 4-7〉 아동복지법 주요내용

구 분	조 항	
목적	1조	이 법은 아동이 건강하게 출생하여 행복하고 안전하게 자랄 수 있도록 아동의 복지를 보장하는 것을 목적으로 한다.
기본이념	2조	① 아동은 자신 또는 부모의 성별, 연령, 종교, 사회적 신분, 재산, 장애유무, 출생지역, 인종 등에 따른 어떠한 종류의 차별도 받지 아니하고 자라나야 한다. ② 아동은 완전하고 조화로운 인격발달을 위하여 안정된 가정환경에서 행복하게 자라나야 한다. ③ 아동에 관한 모든 활동에 있어서 아동의 이익이 최우선적으로 고려되어야 한다. ④ 아동은 아동의 권리보장과 복지증진을 위하여 이 법에 따른 보호와 지원을 받을 권리를 가진다.
정의	3조	이 법에서 사용하는 용어의 뜻은 다음과 같다. 1. “아동”이란 18세 미만인 사람을 말한다. 2. “아동복지”란 아동이 행복한 삶을 누릴 수 있는 기본적인 여건을 조성하고 조화롭게 성장·발달할 수 있도록 하기 위한 경제적·사회적·정서적 지원을 말한다. 3. “보호자”란 친권자, 후견인, 아동을 보호·양육·교육하거나 그러한 의무가 있는 자 또는 업무·고용 등의 관계로 사실상 아동을 보호·감독하는 자를 말한다. 4. “보호대상아동”이란 보호자가 없거나 보호자로부터 이탈된 아동 또는 보호자가 아동을 학대하는 경우 등 그 보호자가 아동을 양육하기에 적당하지 아니하거나 양육할 능력이 없는 경우의 아동을 말한다. 5. “지원대상아동”이란 아동이 조화롭고 건강하게 성장하는 데에 필요한 기초적인 조건이 갖추어지지 아니하여 사회적·경제적·정서적 지원이 필요한

구 분		조 항
		아동을 말한다. 6. “가정위탁”이란 보호대상아동의 보호를 위하여 성범죄, 가정폭력, 아동학대, 정신질환 등의 전력이 없는 보건복지부령으로 정하는 기준에 적합한 가정에 보호대상아동을 일정 기간 위탁하는 것을 말한다. 7. “아동학대”란 보호자를 포함한 성인이 아동의 건강 또는 복지를 해치거나 정상적 발달을 저해할 수 있는 신체적·정신적·성적 폭력이나 가혹행위를 하는 것과 아동의 보호자가 아동을 유기하거나 방임하는 것을 말한다. 7의2. “아동학대관련범죄”란 다음 각 목의 어느 하나에 해당하는 죄를 말한다. 가. 「아동학대범죄의 처벌 등에 관한 특례법」 제2조제4호에 따른 아동학대범죄 나. 아동에 대한 「형법」 제2편제24장 살인의 죄 중 제250조부터 제255조까지의 죄 8. “피해아동”이란 아동학대로 인하여 피해를 입은 아동을 말한다. 9. “아동복지시설”이란 제50조에 따라 설치된 시설을 말한다. 10. “아동복지시설 종사자”란 아동복지시설에서 아동의 상담·지도·치료·양육, 그 밖에 아동의 복지에 관한 업무를 담당하는 사람을 말한다.
책무	4조	① 국가와 지방자치단체는 아동의 안전·건강 및 복지 증진을 위하여 아동과 그 보호자 및 가정을 지원하기 위한 정책을 수립·시행하여야 한다. ② 국가와 지방자치단체는 보호대상아동 및 지원대상아동의 권익을 증진하기 위한 정책을 수립·시행하여야 한다. ③ 국가와 지방자치단체는 아동이 태어난 가정에서 성장할 수 있도록 지원하고, 아동이 태어난 가정에서 성장할 수 없을 때에는 가정과 유사한 환경에서 성장할 수 있도록 조치하며, 아동을 가정에서 분리하여 보호할 경우에는 신속히 가정으로 복귀할 수 있도록 지원하여야 한다. ④ 국가와 지방자치단체는 장애아동의 권익을 보호하기 위하여 필요한 시책을 강구하여야 한다. ⑤ 국가와 지방자치단체는 아동이 자신 또는 부모의 성별, 연령, 종교, 사회적 신분, 재산, 장애유무, 출생지역 또는 인종 등에 따른 어떠한 종류의 차별도 받지 아니하도록 필요한 시책을 강구하여야 한다. ⑥ 국가와 지방자치단체는 「아동의 권리에 관한 협약」에서 규정한 아동의 권리 및 복지 증진 등을 위하여 필요한 시책을 수립·시행하고, 이에 필요한 교육과 홍보를 하여야 한다. ⑦ 국가와 지방자치단체는 아동의 보호자가 아동을 행복하고 안전하게 양육하기 위하여 필요한 교육을 지원하여야 한다.

구 분		조 항
	5조	① 아동의 보호자는 아동을 가정에서 그의 성장시기에 맞추어 건강하고 안전하게 양육하여야 한다. ② 아동의 보호자는 아동에게 신체적 고통이나 폭언 등의 정신적 고통을 가하여서는 아니 된다. ③ 모든 국민은 아동의 권익과 안전을 존중하여야 하며, 아동을 건강하게 양육하여야 한다.
아동정책 기본 계획의 수립	7조	① 보건복지부장관은 아동정책의 효율적인 추진을 위하여 5년마다 아동정책 기본계획(이하 "기본계획"이라 한다)을 수립하여야 한다. ② 기본계획은 다음 각 호의 사항을 포함하여야 한다. 1. 이전의 기본계획에 관한 분석·평가 2. 아동정책에 관한 기본방향 및 추진목표 3. 주요 추진과제 및 추진방법 4. 재원조달방안 5. 그 밖에 아동정책을 시행하기 위하여 특히 필요하다고 인정되는 사항 ③ 보건복지부장관은 기본계획을 수립할 때에는 미리 관계 중앙행정기관의 장과 협의하여야 한다. ④ 기본계획은 제10조에 따른 아동정책조정위원회의 심의를 거쳐 확정한다. 이 경우 보건복지부장관은 확정된 기본계획을 관계 중앙행정기관의 장 및 특별시장·광역시장·도지사·특별자치도지사(이하 "시·도지사"라 한다)에게 알려야 한다.
아동정책 조정 위원회	10조	① 아동의 권리증진과 건강한 출생 및 성장을 위하여 종합적인 아동정책을 수립하고 관계 부처의 의견을 조정하며 그 정책의 이행을 감독하고 평가하기 위하여 국무총리 소속으로 아동정책조정위원회(이하 "위원회"라 한다)를 둔다. ② 위원회는 다음 각 호의 사항을 심의·조정한다. 1. 기본계획의 수립에 관한 사항 2. 아동의 권익 및 복지 증진을 위한 기본방향에 관한 사항 3. 아동정책의 개선과 예산지원에 관한 사항 4. 아동 관련 국제조약의 이행 및 평가·조정에 관한 사항 5. 아동정책에 관한 관련 부처 간 협조에 관한 사항 6. 그 밖에 위원장이 부의하는 사항 ③ 위원회는 위원장을 포함한 25명 이내의 위원으로 구성하되, 위원장은 국무총리가 되고 위원은 다음 각 호의 사람이 된다. 1. 기획재정부장관·교육부장관·법무부장관·행정안전부장관·문화체육관광부

구 분		조 항
		장관·산업통상자원부장관·보건복지부장관·고용노동부장관·여성가족부장관 2. 아동 관련 단체의 장이나 아동에 대한 학식과 경험이 풍부한 사람 중 위원장이 위촉하는 15명 이내의 위원 ④ 위원회는 제2항제4호에 따른 국제조약의 이행확인을 위하여 필요한 업무를 관계 전문기관 또는 단체에게 위탁할 수 있다. ⑤ 위원회는 필요하다고 인정하는 때에는 관계 행정기관에 대하여 그 소속 직원의 출석·설명과 자료의 제출을 요구할 수 있다. ⑥ 제1항부터 제3항까지의 규정에서 정한 것 외에 위원회의 구성 및 운영 등에 필요한 사항은 대통령령으로 정한다.
아동종합 실태조사	11조	① 보건복지부장관은 5년마다 아동의 양육 및 생활환경, 언어 및 인지 발달, 정서적·신체적 건강, 아동안전, 아동학대 등 아동의 종합실태를 조사하여 그 결과를 공표하고, 이를 기본계획과 시행계획에 반영하여야 한다. 다만, 보건복지부장관은 필요한 경우 보건복지부령으로 정하는 바에 따라 분야별 실태조사를 할 수 있다. ② 보건복지부장관은 제1항에 따른 실태조사를 위하여 관계 기관·법인·단체·시설의 장에게 필요한 자료의 제출 또는 의견의 진술을 요청할 수 있다. 이 경우 요청을 받은 자는 정당한 사유가 없으면 이에 협조하여야 한다. ③ 제1항에 따른 아동종합실태조사의 내용과 방법 등에 필요한 사항은 보건복지부령으로 정한다.
아동복지 심의 위원회	12조	① 시·도지사, 시장·군수·구청장(자치구의 구청장을 말한다. 이하 같다)은 다음 각 호의 사항을 심의하기 위하여 그 소속으로 아동복지심의위원회(이하 "심의위원회"라 한다)를 각각 둔다. 이 경우 제2호부터 제7호까지의 사항에 관한 심의 업무를 효율적으로 수행하기 위하여 대통령령으로 정하는 바에 따라 심의위원회 소속으로 사례결정위원회를 두고, 사례결정위원회의 심의를 거친 사항은 심의위원회의 심의를 거친 사항으로 본다. 1. 제8조에 따른 시행계획 수립 및 시행에 관한 사항 2. 제15조에 따른 보호조치에 관한 사항 3. 제16조에 따른 퇴소조치에 관한 사항 4. 제18조에 따른 친권행사의 제한이나 친권상실 선고 청구에 관한 사항 5. 제19조에 따른 아동의 후견인의 선임이나 변경 청구에 관한 사항 6. 지원대상아동의 선정과 그 지원에 관한 사항 7. 그 밖에 아동의 보호 및 지원서비스를 위하여 시·도지사 또는 시장·군수·구청장이 필요하다고 인정하는 사항

구 분		조 항
		② 심의위원회의 조직·구성 및 운영 등에 필요한 사항은 대통령령으로 정하는 기준에 따라 해당 지방자치단체의 조례로 정한다. ③ 시·도지사, 시장·군수·구청장은 대통령령으로 정하는 바에 따라 심의위원회의 구성 및 운영 현황에 관한 사항을 연 1회 보건복지부장관에게 보고하여야 한다.
보호조치	15조	① 시·도지사 또는 시장·군수·구청장은 그 관할 구역에서 보호대상아동을 발견하거나 보호자의 의뢰를 받은 때에는 아동의 최상의 이익을 위하여 대통령령으로 정하는 바에 따라 다음 각 호에 해당하는 보호조치를 하여야 한다. 1. 전담공무원, 민간전문인력 또는 아동위원에게 보호대상아동 또는 그 보호자에 대한 상담·지도를 수행하게 하는 것 2. 「민법」 제777조제1호 및 제2호에 따른 친족에 해당하는 사람의 가정에서 보호·양육할 수 있도록 조치하는 것 3. 보호대상아동을 적합한 유형의 가정에 위탁하여 보호·양육할 수 있도록 조치하는 것 4. 보호대상아동을 그 보호조치에 적합한 아동복지시설에 입소시키는 것 5. 약물 및 알콜 중독, 정서·행동·발달 장애, 성폭력·아동학대 피해 등으로 특수한 치료나 요양 등의 보호를 필요로 하는 아동을 전문치료기관 또는 요양소에 입원 또는 입소시키는 것 6. 「입양특례법」에 따른 입양과 관련하여 필요한 조치를 하는 것 ② 시·도지사 또는 시장·군수·구청장 이외의 자가 보호대상아동을 발견하거나 보호자의 의뢰를 받은 때에는 지체 없이 시·도지사 또는 시장·군수·구청장에게 보호조치를 의뢰하여야 한다. ③ 시·도지사 또는 시장·군수·구청장은 제1항제1호 및 제2호의 보호조치가 적합하지 아니한 보호대상아동에 대하여 제1항제3호부터 제6호까지의 보호조치를 할 수 있다. 이 경우 제1항제3호부터 제6호까지의 보호조치를 하기 전에 보호대상아동에 대한 상담, 건강검진, 심리검사 및 가정환경에 대한 조사를 실시하여야 한다. ④ 시·도지사 또는 시장·군수·구청장은 제1항에 따른 보호조치를 하려는 경우 보호대상아동에 대하여 다음 각 호의 사항이 포함된 개별 보호·관리 계획을 세워 보호하여야 하며, 그 계획을 수립할 때 해당 보호대상아동의 보호자를 참여시킬 수 있다. 1. 제1항에 따른 보호조치 계획 2. 아동 및 보호자에 대한 지원 계획 3. 그 밖에 보건복지부령으로 정하는 사항

구 분	조 항	
		⑤ 시·도지사 또는 시장·군수·구청장은 제1항 제3호부터 제6호까지의 보호조치 및 제6항의 일시보호조치를 함에 있어서 해당 보호대상아동의 의사를 존중하여야 하며, 보호자가 있을 때에는 그 의견을 들어야 한다. 다만, 아동의 보호자가 「아동학대범죄의 처벌 등에 관한 특례법」 제2조제5호의 아동학대행위자(이하 "아동학대행위자"라 한다)인 경우에는 그러하지 아니하다. ⑥ 시·도지사 또는 시장·군수·구청장은 다음 각 호의 어느 하나에 해당하는 경우 제1항 제3호부터 제6호까지의 보호조치를 할 때까지 필요하면 제52조 제1항 제2호에 따른 아동일시보호시설 또는 제53조의2에 따른 학대피해아동쉼터에 보호대상아동을 입소시켜 보호하거나, 적합한 위탁가정 또는 적당하다고 인정하는 자에게 일시 위탁하여 보호(이하 "일시보호조치"라 한다)하게 할 수 있다. 이 경우 보호기간 동안 보호대상아동에 대한 상담, 건강검진, 심리검사 및 가정환경에 대한 조사를 실시하고 그 결과를 보호조치 시에 고려하여야 한다. 1. 1년 이내에 2회 이상 아동학대 신고가 접수된 아동에 대하여 현장조사 과정에서 학대피해가 강하게 의심되고 재학대가 발생할 우려가 있는 경우 2. 제1항에 따른 보호조치 결정이 있을 때까지 아동에 대하여 「아동학대범죄의 처벌 등에 관한 특례법」 제12조에 따른 응급조치 또는 같은 법 제13조에 따른 긴급임시조치가 종료되었으나 같은 법 제15조에 따른 임시조치가 청구되지 아니한 경우 3. 현장조사 과정에서 아동의 보호자가 아동에게 답변을 거부·기피 또는 거짓 답변을 하게 하거나 그 답변을 방해한 경우 4. 그 밖에 제1항 제3호부터 제6호까지의 보호조치를 할 때까지 아동을 일시적으로 보호할 필요가 있다고 시·도지사 또는 시장·군수·구청장이 인정하는 경우 ⑦ 시·도지사 또는 시장·군수·구청장은 그 관할 구역에서 약물 및 알콜 중독, 정서·행동·발달 장애 등의 문제를 일으킬 가능성이 있는 아동의 가정에 대하여 예방차원의 적절한 조치를 강구하여야 한다. ⑧ 누구든지 제1항에 따른 보호조치 및 일시보호조치와 관련하여 그 대상이 되는 아동복지시설의 종사자를 신체적·정신적으로 위협하는 행위를 하여서는 아니 된다. ⑨ 시·도지사 또는 시장·군수·구청장은 아동의 가정위탁보호를 희망하는 사람에 대하여 범죄경력을 확인하여야 한다. 이 경우 본인의 동의를 받아 관계 기관의 장에게 범죄의 경력 조회를 요청하여야 한다. ⑩ 보장원의 장 또는 제48조에 따른 가정위탁지원센터의 장은 위탁아동, 가정위탁보호를 희망하는 사람, 위탁아동의 부모 등의 신원확인 등의 조치를

구 분	조 항	
		시·도지사 또는 시장·군수·구청장에게 협조 요청할 수 있으며, 요청을 받은 시·도지사 또는 시장·군수·구청장은 정당한 사유가 없는 한 이에 응하여야 한다. ⑪ 제3항 및 제6항에 따른 상담, 건강검진, 심리검사 및 가정환경에 대한 조사, 제9항에 따른 범죄경력 조회 및 제10항에 따른 신원확인의 요청 절차·범위 등에 필요한 사항은 대통령령령으로 정한다.

2) 아동복지관련특별법

(1) 영유아보육법

영유아보육법은 영유아의 심신을 보호하고 건전하게 교육하여 건강한 사회구성원으로 육성함과 아울러 보호자의 경제적·사회적 활동을 원활하게 이루어지도록 함으로써 영유아 및 가정의 복지증진에 이바지함을 목적으로 1991년 제정되었다. 주요내용으로는 보육이념과 국가와 지방자치단체의 책임, 보육의 우선제공, 보육과정, 양육수당들을 내용으로 하며 2013. 3. 1.부터 무상보육시행에 관한 내용이 포함되었다.

〈표 4-8〉 영유아보육법 주요내용

구 분	조 항	
목적	1조	이 법은 영유아(嬰幼兒)의 심신을 보호하고 건전하게 교육하여 건강한 사회구성원으로 육성함과 아울러 보호자의 경제적·사회적 활동이 원활하게 이루어지도록 함으로써 영유아 및 가정의 복지 증진에 이바지함을 목적으로 한다.
보육 이념	3조	① 보육은 영유아의 이익을 최우선적으로 고려하여 제공되어야 한다. ② 보육은 영유아가 안전하고 쾌적한 환경에서 건강하게 성장할 수 있도록 하여야 한다. ③ 영유아는 자신이나 보호자의 성, 연령, 종교, 사회적 신분, 재산, 장애, 인종 및 출생지역 등에 따른 어떠한 종류의 차별도 받지 아니하고 보육되어야 한다.

구 분		조 항
책임	4조	① 모든 국민은 영유아를 건전하게 보육할 책임을 진다. ② 국가와 지방자치단체는 보호자와 더불어 영유아를 건전하게 보육할 책임을 지며, 이에 필요한 재원을 안정적으로 확보하도록 노력하여야 한다. ③ 특별자치시장·특별자치도지사·시장·군수·구청장(자치구의 구청장을 말한다. 이하 같다)은 영유아의 보육을 위한 적절한 어린이집을 확보하여야 한다. ④ 국가와 지방자치단체는 보육교직원의 양성, 근로여건 개선 및 권익 보호를 위하여 노력하여야 한다.
보육의 우선 제공	28조	① 국가나 지방자치단체, 사회복지법인, 그 밖의 비영리법인이 설치한 어린이집과 대통령령으로 정하는 어린이집의 원장은 다음 각 호의 어느 하나에 해당하는 자가 우선적으로 어린이집을 이용할 수 있도록 하여야 한다. 다만, 「고용정책 기본법」 제40조제2항에 따라 고용촉진시설의 설치·운영을 위탁받은 공공단체 또는 비영리법인이 설치·운영하는 어린이집의 원장은 근로자의 자녀가 우선적으로 어린이집을 이용하게 할 수 있다. 1. 「국민기초생활 보장법」에 따른 수급자 2. 「한부모가족지원법」 제5조에 따른 보호대상자의 자녀 3. 「국민기초생활 보장법」 제24조에 따른 차상위계층의 자녀 4. 「장애인복지법」 제2조에 따른 장애인 중 보건복지부령으로 정하는 장애 정도에 해당하는 자의 자녀 4의2. 「장애인복지법」 제2조에 따른 장애인 중 보건복지부령으로 정하는 장애 정도에 해당하는 자가 형제자매인 영유아 5. 「다문화가족지원법」 제2조제1호에 따른 다문화가족의 자녀 6. 「국가유공자 등 예우 및 지원에 관한 법률」 제4조제1항에 따른 국가유공자 중 제3호의 전몰군경, 제4호·제6호·제12호·제15호·제17호의 상이자로서 보건복지부령으로 정하는 자, 제5호·제14호·제16호의 순직자의 자녀 7. 제1형 당뇨를 가진 경우로서 의학적 조치가 용이하고 일상생활이 가능하여 보육에 지장이 없는 영유아 8. 그 밖에 소득수준 및 보육수요 등을 고려하여 보건복지부령으로 정하는 자의 자녀 ② 사업주는 사업장 근로자의 자녀가 우선적으로 직장어린이집을 이용할 수 있도록 하여야 한다. ③ 제1항에 따른 보육의 우선제공 대상에 대한 적용 방법·기준 등에 필요한 사항은 보건복지부령으로 정한다.

구 분		조 항
보육 과정	29조	① 보육과정은 영유아의 신체·정서·언어·사회성 및 인지적 발달을 도모할 수 있는 내용을 포함하여야 한다. ② 보건복지부장관은 표준보육과정을 개발·보급하여야 하며 필요하면 그 내용을 검토하여 수정·보완하여야 한다. ③ 어린이집의 원장은 제2항의 표준보육과정에 따라 영유아를 보육하도록 노력하여야 한다. ④ 어린이집의 원장은 보호자의 동의를 받아 일정 연령 이상의 영유아에게 보건복지부령으로 정하는 특정한 시간대에 한정하여 보육과정 외에 어린이집 내외에서 이루어지는 특별활동프로그램(이하 "특별활동"이라 한다)을 실시할 수 있다. 이 경우 어린이집의 원장은 특별활동에 참여하지 아니하는 영유아를 위하여 특별활동을 대체할 수 있는 프로그램을 함께 마련하여야 한다. ⑤ 제1항에 따른 보육과정, 제4항에 따른 특별활동 대상 영유아의 연령 및 특별활동의 내용 등에 필요한 사항은 보건복지부령으로 정한다.
무상 보육	34조	① 국가와 지방자치단체는 영유아에 대한 보육을 무상으로 하되, 그 내용 및 범위는 대통령령으로 정한다. ② 국가와 지방자치단체는 장애아 및 「다문화가족지원법」 제2조제1호에 따른 다문화가족의 자녀의 무상보육에 대하여는 대통령령으로 정하는 바에 따라 그 대상의 여건과 특성을 고려하여 지원할 수 있다. ③ 제1항에 따른 무상보육 실시에 드는 비용은 대통령령으로 정하는 바에 따라 국가나 지방자치단체가 부담하거나 보조하여야 한다. ④ 보건복지부장관은 어린이집 표준보육비용 등을 조사하고 그 결과를 바탕으로 예산의 범위에서 관계 행정기관의 장과 협의하여 제3항에 따른 국가 및 지방자치단체가 부담하는 비용을 정할 수 있다. ⑤ 국가와 지방자치단체는 자녀가 2명 이상인 경우에 대하여 추가적으로 지원할 수 있다. ⑥ 제12조제1항 후단에도 불구하고 국가와 지방자치단체는 제1항 및 제2항에 따른 무상보육을 받으려는 영유아와 장애아 및 다문화가족의 자녀를 보육하기 위하여 필요한 어린이집을 설치·운영하여야 한다. ⑦ 보건복지부장관은 제4항에 따른 표준보육비용을 결정하기 위하여 필요한 조사를 3년마다 실시하며, 조사 결과를 바탕으로 제6조에 따른 중앙보육정책위원회의 심의를 거쳐 표준보육비용을 결정하여야 한다. ⑧ 제7항에 따른 조사의 방법과 내용 등에 필요한 사항은 보건복지부령으로 정한다.

구 분		조 항
양육 수당	34조의 2	① 국가와 지방자치단체는 어린이집이나 「유아교육법」 제2조에 따른 유치원을 이용하지 아니하는 영유아에 대하여 영유아의 연령을 고려하여 양육에 필요한 비용을 지원할 수 있다. ② 제1항에 따른 영유아가 제26조의2에 따른 시간제보육 서비스를 이용하는 경우에도 그 영유아에 대하여는 제1항에 따른 양육에 필요한 비용을 지원할 수 있다. ③ 국가와 지방자치단체는 제1항에 따라 양육에 필요한 비용을 지원받는 영유아가 90일 이상 지속하여 해외에 체류하는 경우에는 그 기간 동안 양육에 필요한 비용의 지원을 정지한다. ④ 보건복지부장관 및 지방자치단체의 장은 제3항에 따라 양육수당의 지급을 정지하는 경우 서면으로 그 이유를 분명하게 밝혀 영유아의 보호자에게 통지하여야 한다. ⑤ 제1항에 따른 비용 지원의 대상·기준 등에 대하여 필요한 사항은 대통령령으로 정한다.

(2) 입양특례법

입양특례법은 1976년에 제정되었으며 입양특례법의 목적, 국가의 책무, 입양기관과 입양기관의 의무 등을 내용으로 하며, 미혼모시설을 운영하는 기관에서는 입양기관을 운영할 수 없도록 규정하고 있다.

〈표 4-9〉 입양특례법의 주요내용

구 분		조 항
목적	1조	이 법은 요보호아동의 입양(入養)에 관한 요건 및 절차 등에 대한 특례와 지원에 필요한 사항을 정함으로써 양자(養子)가 되는 아동의 권익과 복지를 증진하는 것을 목적으로 한다.
국가 등의 책무	3조	① 모든 아동은 그가 태어난 가정에서 건강하게 자라야 한다. ② 국가와 지방자치단체는 아동이 그가 태어난 가정에서 건강하게 자랄 수 있도록 지원하고 태어난 가정에서 자라기 곤란한 아동에게는 건강하게 자랄 수 있는 다른 가정을 제공하기 위하여 필요한 조치와 지원을 하여야 한다. ③ 모든 국민은 입양아동이 건강하게 자랄 수 있도록 협력하여야 한다.

구 분		조 항
		④ 국가와 지방자치단체는 건전한 입양문화를 조성하고 요보호아동의 국내 입양을 활성화하며, 아동이 입양 후의 가정생활에 원만하게 적응할 수 있도록 하는 등 입양아동의 권익과 복지 증진을 위하여 다음 각 호의 사항을 실시하여야 한다. 1. 입양정책의 수립 및 시행 2. 입양에 관한 실태조사 및 연구 3. 입양 및 사후관리 절차의 구축 및 운영 4. 입양아동 및 입양가정에 대한 지원 5. 입양 후 원만한 적응을 위한 상담 및 사회복지서비스 제공 6. 입양에 대한 교육 및 홍보 7. 그밖에 보건복지부령으로 정하는 필요한 사항
입양기관	20조	① 입양기관을 운영하려는 자는 「사회복지사업법」에 따른 사회복지법인으로서 보건복지부장관의 허가를 받아야 한다. 다만, 국내입양만을 알선하려는 자는 시·도지사의 허가를 받아야 한다. ② 제1항에 따라 허가받은 사항 중 대통령령으로 정하는 중요한 사항을 변경하려고 하는 경우에는 신고하여야 한다. ③ 보건복지부장관 및 시·도지사는 제2항에 따른 변경신고를 받은 경우 그 내용을 검토하여 이 법에 적합하면 변경신고를 수리하여야 한다. ④ 외국인은 입양기관의 장이 될 수 없다. ⑤ 입양기관의 장과 그 종사자는 입양아동의 인권을 보호하고 건전한 입양문화를 정착시키기 위하여 정기적으로 보건복지부령으로 정하는 보수교육을 받아야 한다. ⑥ 입양기관의 장이 입양을 원하는 국가나 그 국가의 공인을 받은 입양기관과 입양업무에 관한 협약을 체결하였을 때에는 보건복지부장관에게 보고하여야 한다. 이 경우 입양업무에 관한 협약에 포함되어야 할 사항은 대통령령으로 정한다. ⑦ 입양기관의 시설 및 종사자의 기준과 허가 및 변경신고 등에 필요한 사항은 보건복지부령으로 정한다.
입양 기관의 의무	21조	① 입양기관의 장은 입양의뢰된 사람의 권익을 보호하고, 부모를 알 수 없는 경우에는 부모 등 직계존속을 찾기 위하여 노력을 다하여야 한다. ② 입양기관의 장은 입양을 알선할 때 그 양친이 될 사람에 대하여 제10조에서 정한 사실을 조사하여야 한다. ③ 입양기관의 장은 양친이 될 사람에게 입양 전에 아동양육에 관한 교육을 하여야 하며, 입양이 성립된 후에는 보건복지부령으로 정하는 바에

구 분		조 항
		따라 입양아동과 그에 관한 기록 등을 양친 또는 양친이 될 사람에게 건네주고, 그 결과를 특별자치시장·특별자치도지사·시장·군수·구청장에게 보고하여야 한다. ④ 입양기관의 장은 입양업무의 효율 및 입양기관 간의 협력체계 구축을 위하여 입양아동과 가족에 관한 정보를 보건복지부령으로 정하는 바에 따라 「아동복지법」 제10조의2에 따른 아동권리보장원(이하 "아동권리보장원"이라 한다)에 제공하여야 한다. ⑤ 입양기관의 장은 입양업무에 관한 사항을 보건복지부령으로 정하는 바에 따라 기록하여야 한다. 이 경우 입양기록은 전자문서로서 기록할 수 있다. ⑥ 제5항에서 정한 입양업무에 관한 기록은 입양아동에 대한 사후관리를 위하여 영구보존하여야 하다. ⑦ 제4항에 따른 정보의 범위 및 내용과 제5항에 따른 입양기록 및 전자기록의 보존 등에 필요한 사항은 보건복지부령으로 정한다.

(3) 장애아동 복지지원법

장애아동 복지지원법은 장애아동의 특별한 복지적 욕구에 적합한 지원을 통합적으로 제공하고, 장애아동이 안정된 가정생활 속에서 건강하게 성장하고 사회에 활발하게 참여할 수 있도록 하며, 장애아동가족의 부담을 줄이는 데 이바지하는 것을 목적으로 2011. 8. 4. 제정되었다.

주요내용으로는 장애아동의 권리, 국가 및 지방자치단체의 책무 등을 규정하고 있으며, 장애아동의 복지지원사업 및 그 가족을 지원하기 위하여 지역 내 지역장애아동지원센터를 설치하는 것을 내용으로 하고 있다.

〈표 4-10〉 장애아동 복지지원법의 주요내용

구 분		조 항
목적	1조	이 법은 국가와 지방자치단체가 장애아동의 특별한 복지적 욕구에 적합한 지원을 통합적으로 제공함으로써 장애아동이 안정된 가정생활 속에서 건강하게 성장하고 사회에 활발하게 참여할 수 있도록 하며, 장애아동 가족의 부담을 줄이는 데 이바지함을 목적으로 한다.

구 분		조 항
기본이념	3조	① 장애아동을 위한 모든 활동에 있어서 장애아동의 이익이 최우선적으로 고려되어야 한다. ② 장애아동은 자신에게 영향을 미치는 모든 활동에 대하여 자신의 견해를 자유로이 표현할 권리를 최대한 보장받아야 한다.
장애 아동의 권리	4조	① 장애아동은 모든 형태의 학대 및 유기·착취·감금·폭력 등으로부터 보호받아야 한다. ② 장애아동은 부모에 의하여 양육되고, 안정된 가정환경에서 자라나야 한다. ③ 장애아동은 인성 및 정신적·신체적 능력을 최대한 계발하기 위하여 적절한 교육을 제공받아야 한다. ④ 장애아동은 가능한 최상의 건강상태를 유지하고 행복한 일상생활을 영위하기 위한 의료적·복지적 지원을 받아야 한다. ⑤ 장애아동은 휴식과 여가를 즐기고, 놀이와 문화예술활동에 참여할 수 있는 기회를 제공받아야 한다. ⑥ 장애아동은 의사소통 능력, 자기결정 능력 및 자기권리 옹호 능력을 향상시키기 위한 교육 및 훈련 기회를 제공받아야 한다.
국가와 지방자치 단체의 임무	6조	국가와 지방자치단체는 장애아동에게 적절한 복지지원을 제공하기 위하여 다음 각 호의 업무를 수행하여야 한다. 1. 장애아동과 그 가족을 위한 복지지원대책의 강구 2. 장애아동을 위한 복지지원 사업의 연구·개발 3. 장애의 조기발견을 위한 홍보 4. 복지지원 전달체계의 구축 5. 복지지원 이용권의 수급 및 이용에 대한 관리·감독 6. 그밖에 장애아동과 그 가족의 복지지원을 위하여 필요하다고 인정하는 사항
중앙장애 아동지원 센터	8조	① 보건복지부장관은 다음 각 호의 업무를 수행하기 위하여 중앙장애아동지원센터를 설치·운영할 수 있다. 1. 장애아동의 복지지원에 관한 조사·연구 2. 제9조에 따른 지역장애아동지원센터에 대한 평가 및 운영지원 3. 장애아동의 복지지원 정책에 관한 정보 및 자료 제공 4. 장애아동의 장애유형별 지원 프로그램의 개발 5. 제23조 제2항에 따른 가족지원업무 수행기관에 대한 운영지원 및 평가 6. 지역장애아동지원센터, 복지지원을 제공하는 기관(이하 "복지지원 제공기관"이라 한다) 등 복지지원 관련 기관에 대한 정보의 수집 및 제공 7. 그밖에 보건복지부장관이 필요하다고 인정하는 업무

구 분		조 항
		② 보건복지부장관은 제1항에 따른 중앙장애아동지원센터의 운영을「공공기관의 운영에 관한 법률」제4조에 따른 공공기관 중 대통령령으로 정하는 기관에 위탁할 수 있다. ③ 그밖에 중앙장애아동지원센터의 설치·운영 등에 필요한 사항은 보건복지부령으로 정한다.
지역장애 아동지원 센터	9조	① 특별시장·광역시장·특별자치시장·도지사·특별자치도지사(이하 "시·도지사"라 한다) 및 시장·군수·구청장(자치구의 구청장을 말한다. 이하 같다)은 다음 각 호의 업무를 수행하기 위하여 특별시·광역시·특별자치시·도·특별자치도 및 시·군·구(자치구를 말한다. 이하 같다)에 지역장애아동지원센터(이하 "지역센터"라 한다)를 설치·운영할 수 있다. 1. 장애의 조기발견을 위한 홍보 2. 장애아동의 복지지원 사업에 관한 정보 및 자료 제공 3. 장애아동과 그 가족에 대한 복지지원 제공기관의 연계 4. 장애아동의 사례관리 5. 장애아동 및 그 가족을 지원하기 위한 가족상담 및 교육의 실시 6. 그 밖에 시·도지사 및 시장·군수·구청장이 위탁하거나 필요하다고 인정하는 업무 ② 시·도지사 및 시장·군수·구청장은 지역의 규모 및 장애아동의 수를 고려하여 인근지역과 통합하여 지역센터를 설치·운영할 수 있다. ③ 시·도지사 및 시장·군수·구청장은 지역센터의 원활한 업무 수행을 위하여 필요한 경우 지역센터의 운영비용을 지원할 수 있다. ④ 시·도지사는「공공기관의 운영에 관한 법률」제4조에 따른 공공기관 중 대통령령으로 정하는 기관에, 시장·군수·구청장은「공공기관의 운영에 관한 법률」제4조에 따른 공공기관에 지역센터의 운영을 각각 위탁할 수 있다. ⑤ 그 밖에 지역센터의 설치·운영 등에 필요한 사항은 보건복지부령으로 정한다.

(4) 아동의 빈곤예방 및 지원 등에 대한 관한 법률

이 법은 빈곤아동의 복지, 교육, 문화 등의 분야에서 소외와 차별받지 않고 건강한 사회구성원으로 성장할 수 있는 제도적 기반을 마련하기 위한 것을 목적으로 2011. 7. 14. 제정되었다. 종합적인 빈곤아동정책 수립과 아동빈곤의 예방 및 빈곤아동지원에 관한 중요사항 심의를 위한 지역아동빈곤예방위원회 설치 등을 주요내용으로 하고 있다.

〈표 4-11〉 아동의 빈곤예방과 지원 등에 관한 법률의 주요내용

구 분	조 항	
목적	1조	이 법은 빈곤아동이 복지·교육·문화 등의 분야에서 소외와 차별을 받지 아니하고 한 사회의 구성원으로 건강하게 자랄 수 있도록 제도적 기반을 마련하는 것을 목적으로 한다.
기본이념	2조	이 법은 빈곤아동이 부모의 사회적·경제적 지위와 상관없이 태어나서 자립할 때까지 충분한 역량을 갖출 수 있도록 균형 있고 조화로운 성장과 건강하고 행복한 삶을 누릴 수 있도록 하는 것을 기본이념으로 한다.
정의	3조	1. "아동"이란 「아동복지법」 제3조 제1호에 따른 아동을 말한다. 2. "아동빈곤"이란 아동이 일상적인 생활여건과 자원이 결핍하여 사회적·경제적·문화적 불이익을 받는 빈곤한 상태를 말한다. 3. "빈곤아동"이란 생활여건과 자원의 결핍으로 인한 복지·교육·문화 등의 격차를 해소하기 위하여 지원이 필요한 아동을 말하며, 그 구체적인 기준은 보건복지부령으로 정한다.
국가 및 지방자치 단체의 책무	4조	① 국가 및 지방자치단체는 복지·교육·문화 등의 지원 등 빈곤아동정책의 수행에 필요한 법적·제도적 장치를 마련하고 업무수행에 필요한 재원을 안정적으로 확보하기 위하여 노력하여야 한다. ② 국가 및 지방자치단체는 빈곤아동의 안전·건강 및 복지증진을 위하여 빈곤아동과 그 보호자 및 가정을 지원하기 위한 정책을 수립·시행하여야 한다. ③ 국가 및 지방자치단체는 빈곤아동이 어떠한 종류의 차별도 받지 아니하도록 필요한 시책을 마련하여야 한다.
기본 계획의	6조	① 보건복지부장관은 제5조의2에 따른 실태조사를 하여 다음 각 호의 사항이 포함된 빈곤아동의 복지·교육·문화 등 지원에 관한 기본계획(이하

구 분		조 항
수립		"기본계획"이라 한다)을 5년마다 수립하여야 한다. 이 경우 제8조에 따른 아동빈곤예방위원회의 심의를 거쳐야 한다. 1. 빈곤아동의 복지·교육·문화 등 지원 정책의 기본 방향 2. 빈곤아동 지원 관련 전달체계의 구축 및 제도의 개선 3. 빈곤아동 지원에 관한 부처별 주요 시책과 협조에 관한 사항 4. 그 밖에 빈곤아동 지원을 위하여 대통령령으로 정하는 사항 ② 기본계획의 수립·시행, 그 밖에 필요한 사항은 대통령령으로 정한다.
아동빈곤 예방위원회의 설치	8조	① 종합적인 빈곤아동정책의 수립 및 관계 기관 간의 연계·조정과 상호협력을 위하여 「아동복지법」 제10조 제1항에 따른 아동정책조정위원회의 분과위원회로 아동빈곤예방위원회(이하 "위원회"라 한다)를 둔다. ② 위원회는 다음 각 호의 사항을 심의·조정한다. 1. 빈곤아동정책의 기본방향에 관한 사항 2. 빈곤아동정책 관련 제도 개선과 예산지원에 관한 사항 3. 여러 부처가 협력하여 추진하여야 하는 빈곤아동정책에 관한 사항 4. 빈곤아동 관련 국제조약의 이행·평가 및 조정에 관한 사항 5. 그밖에 위원장이 필요하다고 인정하는 사항 ③ 위원회의 구성·조직, 그밖에 운영에 필요한 사항은 대통령령으로 정한다.
지역아동 빈곤예방 위원회	10조	① 아동빈곤의 예방 및 빈곤아동의 지원에 관한 중요 사항을 심의하기 위하여 특별시·광역시·도·특별자치도(이하 "시·도"라 한다) 및 시·군·구(자치구를 말한다. 이하 같다)에 지역아동빈곤예방위원회(이하 "지역위원회"라 한다)를 둔다. 다만, 지역위원회는 그 기능의 수행에 적합한 다른 위원회가 있는 경우에는 시·도 또는 시·군·구의 조례로 정하는 바에 따라 그 위원회가 지역위원회의 업무를 수행할 수 있다. ② 제1항에 따른 지역위원회 위원은 시·도지사 또는 시장·군수·구청장(자치구의 구청장을 말한다)이 다음 각 호의 어느 하나에 해당하는 사람 중에서 위촉한다. 1. 빈곤아동의 복지 및 지원에 관하여 학식과 경험이 풍부한 사람 2. 빈곤아동 지원시설의 운영자, 학부모 단체, 아동·청소년 단체 또는 비영리민간단체가 추천하는 사람 ③ 그밖에 지역위원회의 구성 및 운영 등에 필요한 사항은 해당 지방자치단체의 조례로 정한다.

(5) 청소년보호법

청소년보호법은 청소년들에게 유해한 매체물이나 약물 등이 유통되는 것과 청소년을 유해한 환경으로부터 보호함으로써 건전한 인격체로 성장할 수 있는 환경조성을 마련하기 위한 목적으로 1997. 3. 7. 제정되었다.

〈표 4-12〉 청소년보호법 주요내용

구 분	조 항	
목적	1조	이 법은 청소년에게 유해한 매체물과 약물 등이 청소년에게 유통되는 것과 청소년이 유해한 업소에 출입하는 것 등을 규제하고 청소년을 유해한 환경으로부터 보호·구제함으로써 청소년이 건전한 인격체로 성장할 수 있도록 함을 목적으로 한다.
가정의 역할과 책임	3조	① 청소년에 대하여 친권을 행사하는 사람 또는 친권자를 대신하여 청소년을 보호하는 사람(이하 "친권자 등"이라 한다)은 청소년이 청소년유해환경에 접촉하거나 출입하지 못하도록 필요한 노력을 하여야 하며, 청소년이 유해한 매체물 또는 유해한 약물 등을 이용하고 있거나 유해한 업소에 출입하려고 하면 즉시 제지하여야 한다. ② 친권자 등은 제1항에 따른 노력이나 제지를 할 때 필요한 경우에는 청소년 보호와 관련된 상담기관과 단체 등에 상담하여야 하고, 해당 청소년이 가출하거나 비행 등을 할 우려가 있다고 인정되면 청소년 보호와 관련된 지도·단속 기관에 협조를 요청하여야 한다.
사회의 책임	4조	① 누구든지 청소년 보호를 위하여 다음 각 호의 조치 등 필요한 노력을 하여야 한다. 1. 청소년이 청소년유해환경에 접할 수 없도록 하거나 출입을 하지 못하도록 할 것 2. 청소년이 유해한 매체물 또는 유해한 약물 등을 이용하고 있거나 청소년폭력·학대 등을 하고 있음을 알게 되었을 때에는 이를 제지하고 선도할 것 3. 청소년에게 유해한 매체물과 유해한 약물 등이 유통되고 있거나 청소년유해업소에 청소년이 고용되어 있거나 출입하고 있음을 알게 되었을 때 또는 청소년이 청소년폭력·학대 등의 피해를 입고 있음을 알게 되었을 때에는 제21조 제3항에 따른 관계기관 등에 신고·고발하는 등의 조치를 할 것

구 분		조 항
사회의 책임	4조	② 매체물과 약물 등의 유통을 업으로 하거나 청소년유해업소의 경영을 업으로 하는 자와 이들로 구성된 단체 및 협회 등은 청소년유해매체물과 청소년유해약물 등이 청소년에게 유통되지 아니하도록 하고 청소년유해업소에 청소년을 고용하거나 청소년이 출입하지 못하도록 하는 등 청소년을 보호하기 위하여 자율적인 노력을 다하여야 한다.
국가와 지방자치 단체의 책무	5조	① 국가는 청소년 보호를 위하여 청소년유해환경의 개선에 필요한 시책을 마련하고 시행하여야 하며, 지방자치단체는 해당 지역의 청소년유해환경으로부터 청소년을 보호하기 위하여 필요한 노력을 하여야 한다. ② 국가와 지방자치단체는 전자·통신기술 및 의약품 등의 발달에 따라 등장하는 새로운 형태의 매체물과 약물 등이 청소년의 정신적·신체적 건강을 해칠 우려가 있음을 인식하고, 이들 매체물과 약물 등으로부터 청소년을 보호하기 위하여 필요한 기술개발과 연구사업의 지원, 국가 간의 협력체제 구축 등 필요한 노력을 하여야 한다. ③ 국가와 지방자치단체는 청소년 관련 단체 등 민간의 자율적인 유해환경 감시·고발 활동을 장려하고 이에 필요한 지원을 할 수 있으며 민간의 건의사항을 관련 시책에 반영할 수 있다. ④ 국가와 지방자치단체는 청소년을 보호하기 위하여 청소년유해환경을 규제할 때 그 의무를 충실히 수행하여야 한다.

연습문제

01 양육 및 보호욕구에 의한 아동복지정책의 범위에 해당되는 것을 모두 고르세요.

① 사회보험 ② 육아휴직 ③ 건강보험
④ 무상보육 ⑤ 모자보건

02 복지국가체계에 따른 아동복지유형 중 조합주의 복지체계에 해당되는 국가를 모두 고르세요.

① 독일 ② 미국 ③ 영국
④ 호주 ⑤ 프랑스

03 중앙에서 아동복지정책을 입안하고 기획하는 대표적 기구에 해당되는 것을 모두 고르세요.

① 교육부 ② 보건복지부 ③ 문화관광부
④ 노동부 ⑤ 여성가족부

04 중앙 혹은 지방자치단체의 아동복지전달체계 안에서 해소되지 않은 사각지대의 아동을 위한 대표적인 민간전달체계에 해당되는 기관을 고르세요.

① 아동상담소 ② 지역아동센터 ③ 종합사회복지관
④ 가정위탁지원센터 ⑤ 건강가정지원센터

05 아동의 건전육성을 위한 종합적인 아동복지서비스제공을 목적으로 하는 민간전달체계에 해당되는 기관을 고르세요.

① 아동상담소 ② 지역아동센터 ③ 종합사회복지관
④ 가정위탁지원센터 ⑤ 건강가정지원센터

06 아동복지 법률체계 중 직접 관련 법률이 아닌 것을 모두 고르세요.

① 국민기초생활보장법 ② 청소년보호법 ③ 영유아보육법
④ 모자보건법 ⑤ 장애인복지법

연습문제

07 아동복지 법률체계 중 간접 관련 법률에 해당되는 것을 모두 고르세요.

① 입양특례법 ② 청소년보호법 ③ 영유아보육법
④ 소년원법 ⑤ 사회복지사업법

08 우리나라 아동복지법이 제정된 연도를 고르세요.

① 1960년 ② 1961년 ③ 1970년
④ 1981년 ⑤ 1995년

09 다음 아동복지관련법이 제정된 연도 순서대로 나열해 보세요.

아동복지법, 영유아보육법, 입양특례법, 장애복지지원법, 청소년보호법, 한부모가족지원법

10 아동의 빈곤예방과 지원에 관한 법률의 목적과 기본이념을 적어 보세요.

- 목적 :

- 기본이념 :

CHAPTER

05 아동복지실천과정과 전문적 접근방법

아동복지서비스의 대상과 유형은 점차 증가하고 있으며 이와 더불어 아동복지서비스의 실천현장에서 다양한 발달적 욕구를 지닌 아동 클라이언트를 대상으로 그들의 욕구충족과 문제해결을 지원하는 전문적인 역할을 할 수 있어야 한다.

최근 사회복지실천분야에서도 전문적인 실천기법이 도입되면서 전문직으로서 사회복지사의 역할을 하기 위한 전문적 지식과 기술이 필요하게 되었다. 일반적으로 아동복지실천과정은 사회복지실천과정에서의 전문적 기술을 포함하면서 클라이언트로서의 아동의 특성을 반영한 전문적 기술을 필요로 한다. 이 책에서는 NASW가 공인한 사회복지실천과정을 토대로 아동복지실천과정과 각 과정에서의 기술에 대하여 살펴보고자 한다.

1. 아동복지실천과정

1) 준비 단계

준비 단계는 아동 클라이언트와 초기의 대면접촉에서부터 전문적인 아동복지서비스를 효과적으로 제공할 수 있게 해주며 이를 통하여 이후 계속되는 상호작용 과정에 전반적으로 영향을 미친다. 준비과정에서 사회복지사는 사전검토 및 탐색, 사전협의와 정리, 사전 공감, 사전적 자기탐색, 집중적 자기관리, 사전계획 및 기록 등을 할 수 있어야 한다.

〈표 5-1〉 준비 단계의 주요기술 및 내용

구 분	주요내용
1. 사전검토 및 탐색	아동과 그 가족을 접촉하기 전에 관련기관의 사례기록자료, 클라이언트에 대한 정보를 검토하고 파악한다. 접수나 인테이크를 한 사회복지사나 클라이언트를 의뢰한 사람에게 클라이언트에 대한 질문을 하여 보다 효과적인 서비스 제공을 위하여 도움이 되는 정보를 탐색한다.
2. 사전협의 및 정리	아동 클라이언트를 포함하여 관련된 사람들을 처음 만나는 것과 관련하여 슈퍼바이저나 동료 사회복지사에게 조언을 구하는 등 사진협의한 후 약속스케줄을 잡고 인터뷰할 방을 정하고 의복과 외모, 위생 등 사전 정리를 한다.
3. 사전적 자기 탐색 집중적 자기관리	클라이언트를 만나기 전에 자기분석의 한 형태로 특정한 아동, 문제, 특정 가족과 상호작용할 때 어떤 영향을 받는지 파악함으로써 전문적 서비스 제공이 방해받지 않도록 한다. 사전적 자기 탐색 후 사회복지사의 개인적 사정이 전문가로서 의무와 서비스 전달에 방해가 되지 않도록 개인의 사고, 느낌, 신체적 감각 등을 조직화하는 것이다. 일반적으로 스트레스관리훈련으로 긍정적 독백, 실현해 보기, 근육이완, 일지쓰기, 명상하기 등을 들 수 있다.
4. 사전계획과 기록	사전계획은 일관성 있는 방식으로 초기면담을 할 수 있도록 하며 임시로 설정한 목표를 효과적으로 클라이언트와 나눌 수 있다. 많은 기관에서 문서형태의 인테이크 양식을 활용한다.

〈표 5-2〉 사전계획 및 기록순서 및 예시

순 서	예 시
1. 소개를 한다.	나와 내 직업, 기관과의 관계 등을 소개한다. 클라이언트를 어떻게 부르는 것이 좋은지 물어본다.
2. 만남의 목적과 방향을 확인한다.	만남의 목적은 정보수집에 둔다. 클라이언트와 아동, 가족관계, 문제영역, 상황과 관련된 정보를 수집한다.
3. 기관, 사회복지사, 목적, 과정, 행동원칙을 강조한다.	아동학대나 방임 등 아동보호의 문제가 있을 경우 관련기관에 신고될 수 있으며 비밀보장의 한계가 있음을 이해시킨다. 사회복지사와의 관계는 상호적이고 적극적으로 참여해야 함을 이해시킨다.
4. 아동이나 가족의 특성을 사정한다.	현재 가족상황과 가족관계에 대하여 탐색한다.

순 서	예 시
5. 인테이크하게 된 현재의 문제가 무엇인지 탐색한다.	가족사건뿐만 아니라 현재 제기되는 아동문제와 그 과정을 탐색한다. 가족갈등내력과 전개과정, 현재의 상태를 탐색한다.
6. 문제의 결과뿐만 아니라 문제가 전개되어온 과정과 양상을 탐색한다.	가족갈등내력과 전개과정, 현재의 상태와의 관련성을 탐색한다.
7. 가족이 어떻게 문제해결을 시도했는지 검토하고 그 노력의 효과를 사정한다.	아동문제에 대하여 어떻게 대처해 왔는지 상세하게 탐색한다. 도움이 되었던 방법은 무엇이고 효과적이지 못했던 접근은 무엇인지 확인한다.
8. 가족체계가 가진 강점을 탐색하고 문제해결에 기여할 수 있는 자원을 확인한다.	가족의 강점을 탐색하고 문제해결에 도움이 될 수 있는 자원을 파악한다.
9. 다음에 무엇을 할 것인지 생각하고 인터뷰를 마무리한다.	다음 인터뷰를 어떻게 할지 논의하고 결정한다. 가족이 함께 할지, 따로 할지, 함께하면 그 범위를 어떻게 할지에 대하여 고려한다.

2) 시작 단계

아동복지실천에서 시작 단계는 사회복지사와 아동 및 가족클라이언트가 처음 만나는 것으로부터 시작된다. 시작 단계에서는 사회복지사와 클라이언트가 첫 만남의 목적을 달성하고 다음단계에 대하여 상호 동의할 수 있도록 하는 데 있다. 클라이언트와 접촉하는 방법은 아동이나 가족, 집단이 해결할 수 없는 문제에 대하여 도움을 요청할 때와 지역사회의 기관, 이웃, 친지 등이 심각한 문제가 있음을 확인하고 사회복지사에게 문제해결을 위한 개입을 요청했을 경우다. 시작 단계에서 사회복지사는 클라이언트에게 관련법과 윤리원칙에 대한 정보, 기관의 방침 등을 설명하며 시작단계의 전 과정에 대한 피드백을 요청한다. 시작 단계에서는 일반적으로 사회복지사 소개하기, 클라이언트에게 소개 권유하기, 첫 만남의 목적 설명하기, 클라이언트의 역할 설명하기, 정책과 윤리적 요인에 대하여 논의하기, 피드백 구하기 등이 이루어진다.

〈표 5-3〉 시작 단계의 순서 및 기법 예시

구 분	예 시
1. 사회복지사 소개하기	이름과 직업, 소속기관과 부서에 대하여 말한다. "안녕하세요? 영수어머니시죠?(손을 내밀어 악수를 청한다), 저는 ○○○입니다. 이곳 아동보호기관의 사회복지사입니다. 저의 전문영역은 학대받은 아동의 문제를 돕는 것입니다."
2. 클라이언트에게 소개 권유하기	초기에 클라이언트로 하여금 각사 자신의 이름을 정확하게 말하도록 한다. 자신이 어떻게 불려지는 것을 좋아하는지 묻고 인터뷰를 하는 동안 주기적으로 클라이언트의 이름을 언급한다.
3. 첫 만남 목적 설명하기	"긴급아동보호지원과는 아동을 학대하거나 방임하는 경우 그것을 조사하는 부서입니다. 저희는 네 살 된 아들이 부당하게 방치되고 있다는 신고를 접수하였습니다. 이 문제에 대하여 어머님과 의논드리고 싶고 아들도 만나보고 싶습니다."
4. 클라이언트의 역할 설명하기	"선생님께서는 지원과정 중 자신의 생각과 감정을 가능한 한 충분히 이야기하면 최상의 도움을 받으실 수 있습니다. 이해가 되지 않거나 잘 모를 때 질문해 주세요. 그리고 더 나은 방법이 있으시면 이야기해주시고 도움이 되는 것과 그렇지 않은 것에 대하여 말씀해주세요. 선생님이 지원과정에서 문제해결과 목표달성을 위하여 우리가 함께 계획을 수립하고 그것을 위하여 서로 노력하는 것이 필요합니다."
5. 기관의 정책과 윤리적 요인에 대하여 논의하기	"예정된 만남을 취소해야 할 경우에 적어도 약속한 날 하루 전에 알려주셔야 합니다. 선생님이 하신 이야기는 비밀을 보장해주는 것이 일반적 규칙이나 예외가 있습니다. 아동학대나 방임이 있을 경우 신고할 수 있고 자해하거나 타인을 해칠 것이라는 증거가 있는 경우 비밀보장이 어렵습니다. 생명이 위협받는 상황에서 인간생명존중의 가치는 비밀보장의 가치보다 우선합니다. 만일 선생님이 받으신 서비스가 불만족할 때나 불편함을 느낄 때는 사회복지사와 의논해주세요(○○부서 담당 전화번호)."
6. 피드백 구하기	목적, 역할, 정책에 대한 피드백을 구한다. "어떻게 생각하십니까? 지금까지 우리가 이야기한 것에 대하여 어떻게 생각하십니까? 질문이 없습니까? 우리가 행동원칙을 이야기했는데 그것에 대하여 어떻게 생각하십니까?"

3) 탐색 단계

시작 단계 다음에는 아동 및 그 가족, 문제, 상황에 대한 탐색을 한다. 탐색 단계를 통하여 사회복지사와 클라이언트는 정보를 수집하며 아동, 문제, 상황에 대한 좀 더 정확하고 실제적인 지식과 정보를 얻게 된다. 이 과정에서는 아동문제의 근원, 문제의 전개과정, 문제유지요인과 문제해결을 위한 자원, 속성, 강점을 이해하고 전문적인 지식과 함께 개입계획과 사정기술을 개발할 수 있다. 이 과정에서 클라이언트와 문제의 현재 상태를 탐색하고 과거에는 어떠했으며, 어떠한 상황으로 발전했는지 추적한다. 또한 문제와 상황이 계속된다면 미래에는 어떻게 될지와 자신과 문제, 상황이 변화된다면 어떻게 될지를 생각해 보게 한다. 문제에 대한 탐색은 문제의 심각성, 반복되는 정도, 지속기간 등 문제의 현재 상태와 문제가 발생하게 된 맥락에 대하여 조사한다. 사람에 대한 탐색은 클라이언트가 아동에 대하여 이야기하도록 도와주는 것을 의미하며 클라이언트의 경험에 대한 생각, 감정, 행동에 관심을 둔다. 클라이언트의 개인적인 강점과 능력 약점과 결점에 대한 정보를 파악한다. 상황에 대한 탐색은 현재 상황과 관련 있는 과거배경을 파악하는 것으로 아동, 표출문제, 상황에 대한 사회적·경제적·문화적 배경에 대한 정보를 수집하고 주요타인, 가족체계, 지역사회, 인종, 종교 활동, 주택, 교육, 고용과 재정 등에 관한 정보도 파악한다. 미래에 대한 탐색은 문제, 아동, 상황이 미래에 어떻게 될 것인지와 능력, 사회적 지지, 성공, 인생교훈영역에서 강점을 탐색한다.

〈표 5-4〉 탐색모형

	현 재	과 거	미 래
문제	1	2	7
아동	3	4	8
상황	5	6	9

출처 : 김인숙 외(2002). 사회복지실천기술연습. 나남.

〈표 5-5〉 탐색모형

	아 동	상 황	문 제
능력			
사회적 지지			
성공			
인생교훈			

출처: 김인숙 외(2002). 사회복지실천기술 연습. 나남.

〈표 5-6〉 탐색 단계의 순서 및 기법 예시

주요기술	예 시
1. 질문하기	질문은 문제의 근원이나 발달, 문제의 현재 상태를 둘러싼 상황을 포함하여 사람-문제-상황의 관련측면을 탐색하는 데 사용된다. • 이러한 어려움이 어떻게 시작되었습니까? • 가족은 누가 있었습니까? • 배우자는 어떻습니까? • 지금은 누구와 살고 있습니까? • 그 문제가 생겼을 때 무엇을 느끼셨습니까? • 어떠한 것이 달라지기를 원했습니까? • 그때 무엇을 했습니까?
2. 명료화하기	명료화하기는 클라이언트가 사고, 감정, 행동, 상황에 대하여 자세히 말하거나 설명할 수 있도록 한다. • ---라고 말할 때 구체적으로 무엇을 의미합니까? • ○○○에 대하여 자세한 이야기를 듣고 싶습니다. • ○○에 대하여 추가적으로 설명해 줄 수 있습니까?
3. 반영하기	내용반영과 감정반영, 의미반영으로 구분되며 적극적인 경청의 형태다. ○○을 의미하는 건가요? • 선생님은 (　　)하게 느끼고 계시군요. • 선생님은 ○○○ 때문에 ○○○ 느끼고 계시군요. (　　)라고 생각하고 계시군요.
4. 세분화하기	클라이언트의 많은 문제나 주제, 근심과 걱정을 한 번에 하나씩 탐색하면서 전체를 부분적으로 나누고 정리하는 것이다. • 한꺼번에 많은 일들이 선생님에게 일어나고 있군요. 문제가 너무 많기 때문에 한 번에 한 가지씩 다루어보는 것이 어떻습니까? • 어떠한 부분의 문제가 선생님을 가장 힘들게 합니까? 그것부터 시작합시다.

4) 사정 단계

사정은 아동복지실천의 가장 기본적인 단계다. 이전의 단계에서 아동－문제－상황에 대한 정보와 클라이언트의 주요문제, 문제원인과 발달을 조사하였고 문제와 관련 있는 요인들을 파악하였다. 사정 단계에서는 이와 같은 정보를 토대로 아동과 상황이 문제에 어떤 영향을 미쳤는지 이해하고 아동과 환경 내의 강점과 자원을 활용하여 아동문제가 어떻게 다루어질 수 있는지 생각해야 한다. 상황 속의 인간이라는 관점에서 아동, 가족, 집단, 지역사회 혹은 환경을 사정한다. 이때 다양한 척도를 사용할 수 있다. 사정 단계에서 사회복지사는 아동문제에 영향을 미치고 문제를 유지시키는 환경 속의 인간과 관련된 다양한 요인을 이해하고 문제해결에 유용한 아동 및 가족의 강점과 능력, 자원을 파악하게 된다. 또한 문제를 정의하고 누가 1차적 클라이언트체계인지 결정하며 개입과정에 포함되는 사람과 체계가 누구인지 결정한다. 또한 클라이언트의 문제해결에 적용될 개입방법, 전략, 과제, 활동과 기법, 평가수단과 개입기간 등을 계획한다. 아동복지실천에서 이루어지는 사정 단계를 구조화하고 기록해야 하는데 전문적 사회복지실천의 사정에서 사용되는 D(description)－A(assessment)－C(contract) 형식이 있다.

〈표 5-7〉 사정 단계의 순서 및 기법 예시

구 분	세부내용
클라이언트 신원확인	상황적 체계파악을 위한 정보 가족성원의 이름과 연령, 생년월일, 주민등록번호, 집 주소, 직장, 전화번호, 응급 시 연락할 사람 등
개인체계, 가족체계, 지역사회체계	개인체계 클라이언트를 설명하는 혹은 관찰로부터 나온 정보 기록 클라이언트의 키와 몸무게, 신체적 외모, 특징적인 생김새, 말투, 복장
	가족체계 클라이언트의 가족 혹은 1차적 사회체계 기술 중요하게 관련된 사람의 이름, 나이, 전화번호와 주소, 가계도

구 분	세부내용
개인체계, 가족체계, 지역사회체계	지역사회체계 학교, 직장, 의료, 여가, 종교, 이웃사회, 문화, 친구, 친척 등과 같은 정보포함 생태도
표출문제와 초기목표	클라이언트와 주변인이 밝힌 문제와 주제에 대하여 기술 정보출처를 밝히고 문제발생원인, 발달, 현 상태를 요약한 문제와 목표를 기술하는 중요한 단어나 문구를 인용한다. 서비스가 왜 필요한지 현재 어떠한 도움이 필요한지 정리한다.
강점과 자원	클라이언트와 상황체계 내에서 활용 가능한 강점, 자산과 자원에 대한 정보를 기록한다. 도움이 될 만한 친척, 충분한 경제적 자산, 긍정적인 태도, 높은 활동력과 문제, 근심, 결함 등도 같이 기술한다.
의뢰출처와 과정	의뢰와 의뢰가 일어난 과정에 대한 정보를 요약한다.
사회력	클라이언트의 사회력과 현재 사회적 환경에 대한 정보를 요약한다. 성장과정에 대한 발달력, 개인과 가족, 위기사건, 성, 알코올과 약물남용, 의료 및 신체건강, 법적기록, 교육(정규교육, 비정교교육), 고용, 취미, 종교, 과거, 심리사회적 서비스, 기타 등

〈표 5-8〉 임시 사정 단계의 순서 및 기법 예시

구 분	세부내용	
개인	자아정체성과 구조	긍정적이거나 부정적인 자존감과 자아개념(본질과 장점)을 상정한다. 클라이언트의 방어기제와 대처과정을 기록하고 욕구와 충동조절능력을 사정한다.
	감정과 정서	클라이언트의 감정과 정서 상태를 사정하고 표현되지 않은 감정과 언어적 감정과 비언어적 감정 간의 일치성을 사정한다.
	생활주기 발달	생활주기발달단계의 문제점을 고려한다. 연령과 발달단계와 일치하는지 사정한다.
	능력	현재 자기보호와 자기통제능력이 있는지 원조과정에 얼마나 참여할 수 있는지 사정한다. 연령과 상황에 적합한 역할과 과제수행능력을 사정한다.
	위험	클라이언트의 삶과 안녕에 대한 위험 정도를 사정한다. 자살, 살인, 범죄, 학대, 태만 등의 위험을 사정한다.
가족/ 가구/ 일차적	자아정체성과 구조	가족력조사, 미래에 대한 기대파악, 가족체계 에너지, 응집력, 적응력 사정, 가족들의 욕구와 바람전달방법, 권력의 분배와 자원 활용성, 역할 분배, 가족성원하위체계, 체계 간의 경계, 의사소통 능력 등

구 분		세부내용
사회체계	감정과 정서	가족 내 지배적인 감정과 관련된 문제 사정, 감춰지거나 간접적으로 표현된 감정을 파악하고 가족 간 주고받는 애정과 지지정도 사정
	생활주기 발달	가족체계의 발달주기와 관련하여 사정, 특정 생활주기의 발달과업과 관련된 문제 사정
환경	자원	의·식·주와 같은 기본적 자원 활용성과 사회적·지적 자극제 결함, 생태체계 내의 결함과 장애물 파악
	사회문화	사회문화적 가치와 전통과 관습맥락에서 문제를 고려하고 표출문제와의 관계파악
	사정의 요약	클라이언트, 가족과 가구, 생태체계의 구체적이고 이론적인 측면과 관련하여 문제 사정·법적·윤리적인 측면사정, 문제가 개인과 상황에 미치는 영향을 사정하고 발생할 수 있는 잠재적 위험과 이익을 예측한다.

5) 계약 단계

계약 단계는 개입을 위한 목표를 명확하게 하고 목표달성 정도를 평가하기 위한 계획을 수립하여야 한다. 계약과정은 사정 단계 후에 시작되는 과정이기보다는 사정과정 동안 혹은 사정 단계가 시작된 직후 시작된다. 이 단계에서는 문제 설정하기, 목표 설정하기, 개입방법 설정하기, 평가계획 세우기 등이 이루어지며 세부내용은 〈표 5-9〉와 같다.

〈표 5-9〉 계약 단계의 순서 및 기법 예시

과 정	주요내용	예 시
문제 설정하기	문제 반영하기	○○도 알고 있는 것 같이, ○○이 다루고 싶은 중요한 2가지 문제가 있습니다. 첫째, 두 번째는 ○○○입니다.
	문제 밝히기	우리가 ○○과 ○○이 처한 상황에 대하여 말하는 동안 저는 ○○에 대하여 궁금해졌습니다. 어떻게 생각하십니까? 우리가 고려해야 할 문제입니까? (피드백 구하기)

과 정	주요내용	예 시
	문제 구체화하기	우리가 앞으로 다룰 문제에 대하여 서로 동의한 것 같습니다. 문제들을 다시 한 번 정리해볼까요? 우리가 함께 하면서 참고할 문제를 기록해 보겠습니다. 첫째, 둘째, 셋째, 라는 문제가 있습니다. 제가 문제를 정확하게 기록했다고 생각하십니까?
목표 설정하기	목표설정 격려하기	구체적으로 ○○은 ○○문제가 정말 해결되었다는 것을 어떻게 알 수 있을 까요? 혹시 이 문제가 과거의 문제라는 것을 무엇을 통하여 알 수 있습니까?
	목표 반영하기	아시다시피 개입행동을 위한 목표 중의 하나는 ○○○하는 것입니다. 맞습니까?
	목표 제안하기	개입행동을 위하여 ○○이라는 목표를 세우는 것이 적당하다고 생각하십니까?
개입방법 설정하기	행동계획 개발하기	우리는 ○○에 걸쳐 일주일에 한 번 한 시간씩 만나기로 하였습니다. 만남의 목적은 ____ 목표달성을 위하여 ○○을 할 것입니다.
	행동단계 밝히기	우리가 취할 첫 번째 단계는 ○○입니다. 우리는 ○○까지 이 과제를 완료할 것이며 다음 만남 때 그것에 대하여 이야기할 것입니다.
	행동단계 제안하기	○○라는 목표를 위한 첫 번째 단계로 ○○○에 대한 과제에 대하여 어떻게 생각하십니까?
평가계획 세우기	다양한 척도를 활용하여 문제해결과 목표달성의 정도를 평가한다.	

6) 개입 및 평가 단계

계약 단계 후에 아동, 문제, 상황 변화를 위한 개입과 평가를 한다. 개입과 평가는 클라이언트의 경험과 상황을 토대로 사회복지사의 전문적인 지식과 기술을 활용하는 것이다. 개입과 평가 단계 동안 사회복지사는 자신의 생각, 느낌, 신념, 의견, 가설, 추론, 결론 등을 표현한다. 개입과 평가 단계에서 활용되는 기법에 대하여는 근거를 분명히 제시해야 하며 이 단계에서는 행동 단계의 연습, 행동 단계의 재검토, 평가, 초점 맞추기, 교육, 조언하기, 대변하기, 즉시 반응하기, 재구성하기, 대처하기, 종결 예고하기, 진행 기록하기 등이 포함된다.

〈표 5-10〉 개입 및 평가 단계의 순서 및 기법 예시

단계별	예 시
행동단계 연습하기	감사합니다. 아들에게 다정하게 이야기한다고 하면 어디가 떠오릅니까? ○○○. 제가 아들의 역할을 하도록 하겠습니다. 제가 아들이라고 생각하시고 말을 건네 보세요.
행동단계 재검토하기	지난 번 만남에서 ○○은 매일 15분씩 공부를 한다고 하였습니다. 우리는 마음의 눈으로 그 모습을 상상하는 과정을 연습했습니다. 어떻게 되었습니까?
평가하기	평가를 한다.
초점 맞추기	이 문제를 이야기하는 과정에 갑자기 ○○에 대한 이야기를 하셨습니다. 지금 그 이야기를 하시는 이유는 무엇입니까?
교육하기	예전에 본 적이 있는 영화가 생각납니다. 첫 번째 장면은 _____ 두 번째 장면은 _______입니다.
조언하기	○○이가 고려했으면 하는 제안이 하나 있습니다. ○○이 ○○○하는 것을 제안(추천)합니다.
대변하기	저는 ○○아동복지시설에서 근무하고 있는 사회복지사입니다. ○○의 문제로 의논드리고자 찾아왔습니다. ○○문제해결을 위하여 어떤 일을 하셨으며 언제 그 문제를 해결해 주실 수 있을지 말씀해 주시기 바랍니다.
즉시 반응하기	○○은 지금 나와 함께 ○○○○하게 생각하고 있다.
직면하기	한편으로는 ○○이는 ○○이라고 말하지만 그 반면에는 ○○○라고 생각합니다.
종결 예고하기	우리의 관계가 종결되는 것을 생각하면 어떤 생각이나 감정이 나타날 수 있습니다. 그것에 대하여 말씀해주시겠습니까? 우리의 관계가 종결되고 나면 어떻게 달라지겠습니까?
진행기록	아동복지실천의 모든 단계를 기록하고 보관해야 한다. 기록은 SOAIGP방식으로 한다.

• SOAIGP방식 기록 예

S (Supplemental)	• 클라이언트나 가족으로부터 얻어진 추가적인 정보 ○○엄마는 우리가 세운 행동단계를 수행했다고 한다. ○○엄마는 그것이 많은 도움이 되었다고 하였으며 기분이 좋아졌다고 한다. 나에게 감사하다고 말했다.
O (Observations)	• 사회복지사와 타 기관 직원의 관찰 ○○엄마는 기분이 좋아보였다. 매우 즐겁고 생동감 있게 말했다. 가족들과 함께 한 여행에 대하여 말할 때 얼굴에 생기가 넘쳤다. 그러나 직장생활에 대하여 이야기할 때는 다소 침울한 모습으로 변하기도 했다.
A (Activities)	• 사회복지사, 클라이언트, 다른 사람이 취한 행동 오늘 만남에서 ○○엄마는 자신의 아동기에 대하여 이야기했다. ○○엄마의 부모님에 대하여 _______.
I (Impressions)	• 사회복지사의 인상, 가설, 사정 또는 평가 ○○엄마는 아들과 말다툼을 줄이고 잠을 편안하게 자는 두 가지 목표에 대한 발전을 보였다. 변화를 위한 프로그램을 계속해도 괜찮을 것 같은 인상을 받았다.
G (Goals)	• 현재 목표 전에 수립한 목표가 아직도 효과적이다.
P (Plans)	• 추가적인 활동 또는 행동단계를 위한 계획 우리는 새로운 행동단계를 말했다. 지난주에 이어 추가적으로 ○○엄마는 오늘부터 2주간 인터넷 중독에 관한 책을 읽기로 합의하였다.

출처 : 이미선 외(2008). 사회복지실천기술론. 창지사.

7) 종결 단계

종결하는 가장 일반적인 형태는 다른 기관의 인계, 의뢰, 종결, 클라이언트에 의한 중단 등이다. 다른 기관으로 연계 및 의뢰, 종결은 종결에 대하여 이야기하고 주어진 상황에서 최선의 방법을 선택하는 것으로 가장 좋은 방법이라고 할 수 있다. 종결한다는 것은 힘들고 고통스러운 경험이기 때문에 클라이언트에게는 힘든 과정일 수 있다. 종결 단계에는 다양한 심리적·정서적·사회적 과정이 있다는 사실을 인식하여야 하며, 종결 단계에서는 과정 재검토, 최종평가, 종결과 관련된 감정을 공유하고 작별하기, 사례종결 요약하기 등의 기법이 활용된다.

〈표 5-11〉 종결 단계의 순서 및 기법 예시

구 분	예 시
과정 재검토하기	지난 몇 달 동안 우리가 함께했던 일들에 대하여 생각해 보았습니다. 우리는 함께 많은 문제들에 대하여 이야기했고 ○○은 많은 변화가 있었습니다. 우리가 함께 한 것을 되돌아볼 때 어떤 기억이 떠오릅니까?
최종 평가하기	우리가 설정한 목표를 향한 변화가 얼마나 있었는지 살펴봅시다. 주된 목표 중 하나는 ○○입니다. 우리가 목표를 어느 정도 달성했다고 생각하십니까?
종결관련 감정 공유 및 작별하기	우리가 함께 했던 과정을 살펴보고 평가했습니다. 하지만 이 과정이 끝난다는 것에 대한 느낌과 생각을 이야기하지 않았습니다. 이것이 우리의 마지막 만남이라는 것에 대하여 어떤 느낌이 듭니까? 우리가 더 이상 만나지 못한다는 사실에 아쉽습니다. 정말 ○○이가 그리울 겁니다.
사례종결 요약하기	과정과 문제, 평가, 지속적인 목표, 현재사정, 종결과정을 간략하게 기록한다.

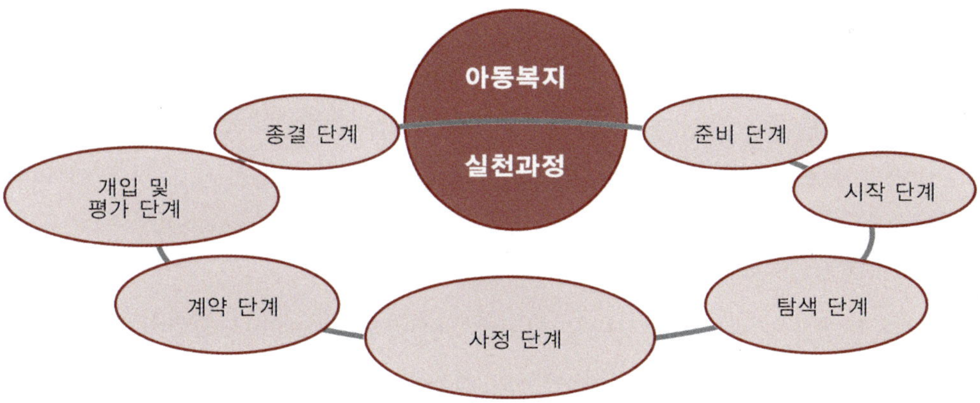

[그림 5-1] 아동복지실천과정

2. 아동복지 전문적 접근방법

1) 아동상담

아동싱담은 상담의 한 유형으로 아동을 대상으로 하는 상담을 의미한다. 아동상담을 이해하기 위하여 상담이란 용어를 이해힐 필요가 있다. 상담이란 용어는 학자에 따라 각기 다르게 정의될 수 있으나 이장호(1995)는 도움이 필요한 사람이 전문적인 훈련을 받은 사람과의 관계에서 자신의 생활과정상의 문제를 해결하고 생각, 감정, 행동 측면의 인간적 성장을 위해 노력하는 학습과정이라고 하였다. 또한 이동렬과 박성희(2003)는 다음과 같이 상담의 전제조건을 제시하였다.

- 상담은 상담자와 내담자의 일대일 인간관계로 구성된다.
- 훈련받은 상담자와 어떤 문제를 해결하기 위하여 찾아온 내담자 간에 맺어지는 전문적인 인간관계이다.
- 내담자는 상담자의 도움을 받아 문제해결을 시도할 의도를 가지고 자발적으로 찾아온 사람이다.
- 상담은 상담자와 내담자 간에 주로 대화를 통해서 이루어지는 행위이다.
- 내담자가 훈련을 받은 새로운 행동이란 생각의 변화, 감정의 변화, 경험의 변화, 행위의 변화 등 인간행동의 모든 것을 포함하는 총괄적인 것이다.

이러한 정의를 토대로 아동상담을 정의하자면 아동상담은 아동상담자와 아동과의 일대일 전문적 인간관계를 통하여 아동의 건강한 성장과 발달을 돕고 환경에 효과적으로 적응할 수 있는 능력을 회복 혹은 향상시키는 전문적인 활동이라고 정의할 수 있다.

특히 아동상담은 아동을 대상으로 하기 때문에 성인상담과 다른 특성을 가지고 있다. 김춘경 등(2002)은 아동은 성장발달하는 과정에 있기 때문에 아동기의 문제를 다룰 때에는 장애(disorder)보다는 성향(tendency), 또는 어려움(difficultiy)에 초점을 두고 지금 현재의 상태를 기준으로 하여 앞으로의 성장발달 정도를 판단하여 장애로 발전하는 것을 예방한다는 입장에서 접근하는 것이 바람직하다고 하였다. 아동문제는 아동이 성장발달하는 과정에서 적응하는 데 어려움이 생길 때 나타나는 증상이 대부분이므로 증상 자체에 초점을 두고 상담하기보다는 아동문제의 근본적 원인을 조사하고 체계적으로 분석하여 아동의 발달수준에 걸맞는 방법을 따라 상담할 필요가 있다. 특히 아동문제의 근본적 원인에 해당하는 아동 개인의 요인, 개인 내적인 요인, 개인 환경적 요인인 부모와 가정, 그리고 지역사회요인 등 외적 요인을 파악하고 감안할 수 있어야 한다.

〈표 5-12〉 아동문제의 원인

아동 개인 생물학적 특성	아동 개인 특성	외적 특성
• 유전 인자 및 기질 • 뇌의 이상 • 신체적 특성(질병, 외모, 체격 및 체력 등)	• 심리사회적 특성(자아존중감, 사회적 능력) • 인지적 특성(인지양식) • 정서적 특성(공격성, 위축, 우울, 애착 정도)	• 인구사회학적 특성(소득, 교육수준, 모의 취업유무) • 가족특성(부모의 양육행동, 형제관계, 부부관계) • 또래관계, 학교생활적응 • 가족관계의 변화(부모의 사망, 이혼, 재혼 등)

자료 : 이숙 외(2004). 아동상담. 양서원.

아동문제는 이러한 요인들 간의 관계를 분석하고 파악하고 포괄적으로 문제해결방법을 모색하고자 하는 체계론적 접근방법이 필요하다. 아동문제는 증상이 어떤 형태로 표출되는가, 어떻게 하면 그 증상을 감소시키는가에 관심을 두고 아동마다 그런 증상이 나타나는 원인이나 과정이 각기 다르기 때문에 근본적인 문제원인을 파악하여 아동 성장발달에 필요한 조건을 만들어줄 수 있도록 도울 수 있어야 한다. 뿐만 아니라 문제증상에 따라 문제를 진단하고 유형화할 수 있어야 한다. Kaufman(1979)은 아동상담이 필요한 아동의 부적응 행동요인을 수행 장애, 부적절한 미성숙함, 인격 장애로 구분하였는데 그 세부적 내용은 〈표 5-13〉과 같다.

〈표 5-13〉 Kaufman의 아동 부적응 행동요인

구 분	범 위	행동 특성
수행 장애	공격적 행동 반사회적 행동	• 아이들에게 공격적·질투(소유적, 이기적) • 아이들을 통제하려고 함. 말을 과도하게 하기 • 소유권의 규칙에 공격적, 울화 • 과도한 주의요구·조소적(불신, 비난) • 건방지고 불복종적, 부정적, 불신임(의심) • 쉼 없이 과잉행동 • 난폭한 언어, 저주, 욕 등
부적절한 미성숙함	와해적 행동 무목적적 행동	• 부주의, 과제 미완성, 주의산만 • 잊기, 기억하지 못함, 동기결여, 무감각적 • 지시를 따르지 않음, 듣기에 문제 • 과제이행능력 결핍·이해의 어려움 • 짧은 주의력
인격 장애	불안 행동 철회 행동	• 까다로움, 지나치게 민감함 • 감정을 적절하게 표현하지 못함 • 슬픔, 성마름, 아이들과 함께 어울리기를 기피 • 자신감 결여 • 새로운 일 혹은 어려운 일 회피 • 실패를 두려워함

출처: 안영진 외(2005). 아동심리의 발달과 이해. 정일. 재인용.

아동복지실천현장에서의 상담을 필요로 하는 대부분의 아동들은 부모의 이혼이나 사망, 가장의 실직, 빈곤 등으로 인한 문제를 지니고 있으며 이러한 문제들로 인하여 아동 개인의 문제와 증상을 유발시키고 있다. 이러한 점을 감안하여 사회복지사는 아동상담을 함에 있어 다음과 같은 사항을 고려하여 전문적 상담기법을 활용하거나 아동상담을 위한 지원을 요청할 수 있어야 한다.

- 아동은 성인에 비하여 인지적·언어적 기술이 부족하기 때문에 비언어적 의사소통 기술이 중요하다.
- 아동의 발달수준에 맞는 상담기법을 활용할 수 있어야 한다.
- 효과적인 아동상담을 위하여 발달적 접근을 해야 한다.

- 아동상담은 부모상담이나 부모교육과 병행하여 실시할 수 있어야 한다.
- 아동상담을 할 때 상담자는 자신의 역할한계를 인식하고 필요한 지원을 요청할 수 있어야 한다.

2) 아동상담의 주요기법

아동개별상담을 위하여 아동복지실천현장에서는 놀이치료와 미술치료, 음악치료, 동작치료 등의 전문적 기법이 주로 활용된다.

(1) 놀이치료

언어적 표현이 미숙하거나 언어로 자신을 표현하려고 하지 않는 경우, 혹은 어떠한 이유에서든지 언어적 표현을 신뢰할 수 없는 경우에 그 진단과 치료적 방법으로 놀이를 활용한다(Jennings, 1993).

놀이치료는 다양한 이론적 토대에 따라 접근방법의 차이가 있을 수 있다. 정신분석적 관점에서 놀이치료는 심리적 갈등과 적응문제를 가진 아동에게 놀이를 매개로 활용하여 아동과 의사소통하는 것이다. 이 과정에서 아동은 자신의 희망, 불안, 갈등 등을 놀이치료시간에 표현하게 되고, 치료자는 아동의 문제에 대한 해석을 하며, 아동은 자신의 문제와 갈등에 대한 통찰을 통하여 문제를 해결하게 된다. 대부분의 아동문제를 다룰 때 놀이치료가 효과적이라고 알려져 있지만 놀이치료는 학령기 아동이나 청소년보다는 초등학교 입학 전의 영·유아를 대상으로 하는 것이 보다 효과적인 것으로 나타났다.

Schaefer(1993)는 놀이의 14가지 치료적 요인을 다음과 같이 설명하고 있다.

- 저항을 극복하도록 함으로써 작업동맹을 쉽게 맺도록 한다.
- 의사소통의 매체가 됨으로써 아동이 자신을 표현할 수 있도록 돕는다.
- 숙달감을 통하여 자아존중감을 형성하게 한다.

- 창조적 사고를 하도록 함으로써 새로운 방법으로 문제를 해결하게 한다.
- 정화와 함께 정서적 이완을 하도록 돕는다.
- 소산작용을 통하여 외상에 적응할 수 있도록 한다.
- 역할놀이를 통하여 새로운 행동을 연습하여 습득하고 타인을 공감하게 된다.
- 상상/시각화를 촉진시킴으로써 상상 속에서 보상을 받게 한다.
- 암시적 교훈을 통하여 통찰력을 갖게 한다.
- 애착형성을 촉진한다.
- 관계증진을 통해 자아실현을 돕고 타인과 친밀해지는 능력을 촉진시킨다.
- 긍정적 정서를 갖게 함으로써 스트레스를 해소한다.
- 발달상의 두려움을 극복하게 함으로써 성장과 발달을 촉진한다.
- 게임놀이를 통하여 자아강화와 사회화를 촉진한다.

놀이치료기법 중 역할극의 접근방법은 다음과 같다.

㉠ 목표

- 역할극을 통해 자신이 느끼는 감정에 대해 이해하도록 한다.
- 역할극을 통해 아동들이 느끼는 분노의 상황에 대해 실제적이고 구체적인 대처방법 및 습득폭력에 대해 직면하고 객관적인 폭력 상황에 대해 인지하도록 한다.

㉡ 준비물

- 감정가면, 의자, 회초리(다양한 종류 - 아동이 선택하도록 한다.)

㉢ 내용 및 진행방법

- 프로그램 도입(소요시간 : 약 5분)
  - 프로그램 소개 및 규칙 설명
  - 느낌일기를 통하여 프로그램 시작 전 아동들의 감정 상태를 알고 한 주간 아동들의 주요 일상생활 내용을 관찰하도록 한다.

- 역할극(소요시간 : 30분)
  - 본 프로그램 시작 전에 여러 가지 감정의 가면을 만들어 놓는다(화나는 표정, 슬픈 표정, 우는 표정, 무표정, 기쁜 표정 등).
  - 집단 성원들은 원을 만들도록 한다.
  - 화가 날 때, 슬플 때의 상황들에 대해 물어보고 아동들이 자연스럽게 대답하도록 한다.
  - 미리 준비해 온 장면을 아동들에게 제시하고 집단 성원 중 역할을 맡을 아동들을 선별하여 역할을 부여하고 역할극을 하도록 한다.
  - 각 장면 및 상황에서 아동이 선택한 감정의 가면을 쓰고 자신의 감정을 표현할 때 이중자아를 만들어 더욱 강하게 자기표현을 하는 데 도움을 주도록 한다. 역할극이 매끄럽지 않게 진행될 때 진행자가 개입하여 끼어 원활히 이루어질 수 있도록 한다.

(장면1 : 여러 명의 아동들이 한 명의 아동을 왕따시키는 장면)

질문 : 1. 왜 왕따 당하고 있나요? (가해아동과 피해아동 모두에게 묻는다.)
2. 지금 - 여기에서의 느낌이 어떤가요? (가해아동과 피해아동 모두에게 묻는다.)
3. 만약 여러분이 왕따 당하는 아동이라면 기분이 어떨까요? (관람하고 있는 아동과 가해아동에게 묻는다.)

(장면2 : 아버지로부터 매 맞는 장면)

질문 : 1. 어떤 일로 매 맞고 있나요? (아버지의 역할을 맡은 아동과 피해아동 모두에게 묻는다.)
2. 지금 - 여기에서의 느낌이 어떤가요? (아버지의 역할을 맡은 아동과 매 맞고 있는 아동 모두에게 묻는다.)
3. 아버지에게 해주고 싶은 말이 있다면 어떤 것일까요? (피해아동에게 묻는다. 또는 집단 구성원 중 진행자가 판단하여 이 질문이 필요하다고 생각하는 아동에게 묻는다.) 이 외에도 아동의 감정(정서)에 초점을 맞춰 진행자가 필요하다고 생각되는 질문을 한다.

• 나누기(소요시간 : 10분)

– 집단 프로그램에 대한 느낌을 나눈다. 이때 아동 자신들의 느낌을 말하도록 하며, 아동들이 선뜻 나서지 않을 때는 아래의 질문을 통해 자연스럽게 느낌을 나누도록 유도한다.

질문1) 역할극에 참여할 때 또는 역할극을 관람할 때의 느낌은 어떠했는가?

질문2) 오늘 역할극에서 어떤 장면이 가장 인상적이었나요?

질문3) 그 장면에 대한 느낌은 어떠했나요?

– 느낌 나누기를 할 때 진행자는 정확한 목표를 갖고 프로그램을 정리함으로써 참여한 아동들이 상처받지 않도록 한다. 또한 아동이 폭력을 당했을 경우 생기는 부정적 감정은 당연히 생길 수 있는 감정임을 알려주고 건강한 방법으로 표현하는 것이 좋다는 것을 인지시켜 줌으로써 다음 회기와 자연스럽게 연결시킨다.

예1) 폭력의 피해자가 되면 누구나 슬픔이나 화나는 감정을 갖게 되는 것은 아주 자연스러운 일이란다.

예2) 너의 잘못으로 그런 일이 생긴 것이 아니라 주변 상황이나 환경적 이유로 그런 일들이 생길 수 있단다.

아동 자신의 문제만이 아니라는 것을 인식시키도록 한다.

㉣ 정리하기(소요시간 : 5분)

• 느낌일기를 통하여 프로그램의 대한 느낌을 표현하도록 하며, 프로그램 전의 느낌과 후의 느낌을 비교해본다.

• 다음 회기에 대한 공지 및 정리의 시간을 갖는다.

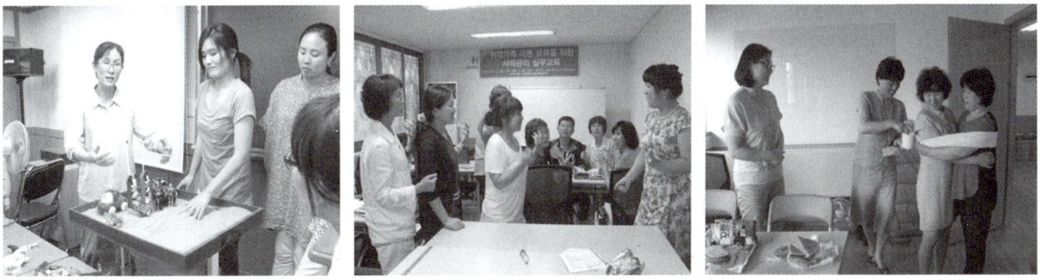

[그림 5-2] 아동 관련 기관 실무자를 위한 놀이치료 및 치료놀이 전문교육

(2) 미술치료

미술치료란 아동의 욕구와 감정을 그림이라고 하는 비언어적 표현활동을 통하여 사회복지사나 상담자가 이해하고 상담해가는 심리상담기법 중의 하나이다. 미술치료기법은 놀이치료나 아동상담 장면에서도 필요에 따라 적용할 수 있으며 자신의 내면세계를 충분히 표현할 수 없는 유아나 아동에서 성인에 이르기까지 아동복지실천현장에서 유용하게 활용되는 기법 중 하나이다.

미술활동을 통하여 아동의 불안이나 갈등 등 내적세계를 파악할 수 있기 때문에 아동의 성격과 문제의 원인을 진단하는 방법으로 널리 활용되고 있다. 결론적으로 미술치료는 심신 및 발달상의 어려움을 겪고 있는 아동들을 대상으로 미술활동을 통하여 아동의 심리를 진단하고 치료하는 데 그 목적이 있으며 미술치료의 주된 적용대상이 되는 아동을 제시하면 다음과 같다.

- 심신장애아동(시각장애, 청각장애, 지체부자유, 정신지체, 정서장애 및 행동장애, 자폐성장애, 학습장애, 중복장애, 언어장애 등)
- 주의력결핍과잉행동장애아동
- 비행아동, 청소년(폭력, 절도, 약물남용 등)
- 근친상간, 성폭력을 당한 아동
- 섭식장애아동(폭식증, 신경성 식욕부진 등)
- 학업부진, 입시 및 시험불안, 등교거부 등 학교부적응

- 교우 관계 및 친구관계 개선, 가족관계 개선
- 기타 성장발달을 원하는 일반아동

아동을 대상으로 하는 미술치료는 다른 상담기법에 비하여 활용하기 용이하고 그 효과도 매우 크다고 볼 수 있다. 특히 언어적 기술이 부족한 아동들에게는 미술활동을 통하여 자연스럽게 자신을 표현할 수 있기 때문이다. 일반적으로 미술치료를 통하여 아동은 다음과 같은 도움을 받을 수 있다(이재연 외, 1990).

- 미술활동은 아동의 인지적 능력을 활성화시킨다.
- 직접적으로 관찰하기 어려운 아동의 자기행동에 대한 인식을 파악할 수 있다.
- 미술활동은 정화의 기능을 갖는다. 즉, 아동에게 사회적으로 수용되며 해롭지 않은 방식으로 분노, 적대감 등을 표현하게 된다.
- 미술활동은 아동 스스로 주도하고 조절하는 활동이다. 미술작품은 아동 자신의 활동과 결과로서 아동의 자아를 고양시켜 준다.
- 미술재료를 선택하고 미술활동과정과 완성된 작품을 통하여 아동은 성취감, 개인적인 만족감과 가치감을 느낄 수 있다.
- 미술활동은 주저하거나 말이 없는 내성적인 아동과 친밀감을 형성하여 치료관계를 이루는 한 방법이므로 유용하다.
- 미술은 치료사로 하여금 아동의 마음을 다치지 않고 아동의 방어기제를 허물어트리지 않으면서 아동의 무의식 세계를 파악할 수 있다.
- 미술활동은 아동에 대한 보충적 자료로 아동을 진단하는 데 도움이 된다.

이와 같이 미술치료는 아동에게 선택과 표현의 자유를 주므로 아동내면의 소망, 적개심, 충동을 표현하고 경험할 수 있게 한다. 또한 미술을 통하여 표현의 자유를 경험하면서 아동은 점차 자신을 신뢰하게 되고 통제하며 상담자와의 치료적 관계형성에 도움이 되는 구조와 조직을 제공할 수 있다. 아동복지실천현장에서는 집-나무-사람 그림검사(HTP), 동작성 가족화검사(KFD) 등 다양한 도구가 활용되고 있다. 이 중 집-나무-사람 그림검사(House-Tree-Person, HTP)의 과정을 살펴보면 다음과 같다.

① 검사준비 단계

- 준비물 : 백지(A4), 지우개, 연필, 초시계
- 시행순서 : 집-나무-사람(남/여) → 동작성 가족화(KFD) → 동작성 학교화(KSD)
- 심리적 어려움을 가장 적게 유발시키는 대상부터 그리기 시작함

② 실시 단계

• 그리기 단계 : 종이를 나누어 주고 다음과 같이 지시한다. 지우개 사용이나 소요 시간 등은 아동이 원하는 대로 하며 그림의 모양, 크기, 위치, 방법에 대한 어떠한 단서도 제공하지 않는다.

> "여기 흰 종이가 있습니다. 여기에 집 그림을 그려보세요. 그리고 싶은 대로 그려보세요." 만일 아동이 못 그린다면 이 검사는 "너의 그림솜씨를 보려고 하는 것이 아니라 어떻게 그리는지 보려고 하는 것이니까 편하게 그리세요."라고 안심시킨다. 동작성 가족화의 경우에는 "여기에 가족들과 함께 무엇인가 하고 있는 것을 그려보세요." 라고 지시한다.

• 질문 단계 : 그림검사에서 그림을 그린 후의 질문은 아동이 표현한 것의 의미와 문제를 파악하는 데 매우 중요한 역할을 한다. 질문에 일정한 형식은 없으며 필요에 따라 질문하도록 한다. 다음은 HTP검사를 한 후 아동들에게 일반적으로 사용되는 주요 질문이다.

〈표 5-14〉 그림에 대한 주요 질문

구분	주요 질문
집	• 이 집은 어디에 있습니까? • 이 집에 살고 있는 가족은 몇 사람이며, 어떤 사람입니까? • 이 집에서 누구와 살고 싶습니까? • 당신의 집은 이 집보다 큽니까? 작습니까? • 이것은 누구의 집입니까? • 이 그림에 추가하여 더 그리고 싶은 것이 있습니까? • 이 집을 보면 무엇이 생각납니까?
나무	• 이 나무는 어떤 나무입니까? • 이 나무는 어디에 있는 나무입니까? • 이 나무는 누구를 생각나게 합니까? • 이 나무에게 필요한 것은 무엇입니까? • 이 나무는 그리고자 한 만큼 잘 그려졌습니까? 어떤 부분이 어려웠고 마음에 들지 않습니까? • 이 나무는 살아 있나요? 말라 죽었다면 언제 어떻게 말라 죽었나요?
사람	• 이 사람의 나이, 직업은? • 이 사람은 지금 무엇을 하고 있습니까? • 이 사람의 성격은 어떠합니까? 장·단점은 무엇입니까? • 이 사람에게는 무엇이 필요합니까? • 이 사람을 그릴 때 누구를 생각하고 있었습니까? • 이 그림에 첨가하여 그리고 싶은 것이 있습니까? • 이 사람에 대하여 어떻게 생각하십니까?

③ 그림 해석

가. 전체적 평가

전체적인 인상, 조화, 구조, 이상한 곳은 없는가에 주목하여 어떤 모양의 사람을 그렸는가 생각하고 전체적 평가에서 아동의 적응수준, 성숙도, 신체상의 혼란 정도, 자기와 외계에 대한 인지방법 등을 파악한다.

나. 그림의미 해석

〈표 5-15〉 그림의 상징적 의미 진단 및 해석표

그림내용		진단 및 해석
집	지붕	• 정신생활, 특히 생활의 공상영역 상징 • 지붕의 손상: 정신적 기능의 손상 • 크기: 환상적 생활의 정도를 나타냄 예) 지나치게 큰 지붕: 환상, 대인관계에서 철수
	벽	• 자아강도 • 무너지는 벽: 통합되지 못한 붕괴되는 자아 • 희미하고 약한 벽: 성격이 붕괴되려는 위기감, 약한 자아통제
	문	• 환경과의 직접적 접촉의 성질과 정도 • 작은 문: 환경과의 접촉을 꺼림 • 지나치게 큰 문: 지나치게 의존적인 성격
	창문	• 문 다음으로 환경과의 접촉을 상징 • 잠금장치의 강조: 외부의 위험을 지나치게 방어적으로 두려워함
	굴뚝	• 보다 친밀한 인간관계로서의 따뜻함과 성적인 상징 • 여러 개의 굴뚝: 남성으로서 부적절감을 경험
	연기	• 내적으로 상당한 긴장, 갈등
	관점	• 위에서 내려다 본 그림: 가정에서 지켜지는 가치를 거부함 • 밑에서 올려다 본 그림: 거부되고 열등감을 가짐 • 멀리서 그린 그림: 내성적이고 접근을 꺼리며 자기를 감춤
	기초선	• 현실과의 접촉 정도(경계선 성격장애자는 기초선이 없는 그림을 그린다.)
	부수물	• 지나치게 많은 장식이나 부수물은 안정감의 결여를 뜻함 • 담이나 울타리: 방어적 경향, 가정 혹은 자신에 대한 적개심 • 길고 구불구불한 길: 대인관계에서 조심스럽고 소극적인 사람
나무	기둥	• 자아강도와 내적인 힘 • 기둥의 구멍: 통제 상실, 강박적 죄책감 • 가늘거나 점선: 성격 또는 정체감 붕괴에 대한 불안
	뿌리	• 내적으로 느끼는 자기 자신에 대한 안정감 • 뿌리가 없음: 현실에서의 불안정감 • 투명성: 현실 검증력의 손상 • 종이 밑면까지 이어진 나무: 외적인 자원을 통해 안정감을 얻으려는 욕구

그림내용		진단 및 해석
	가지	• 가지를 그리지 않음: 사회적으로 위축 또는 억제되어 있음 • 길이가 길고 위로 향함: 환상을 통해 만족을 얻음 • 끝이 뾰족한 가지: 적대감, 공격적 충동 • 부러져 있거나 끝이 갈라짐: 부적절감, 무력감, 수동성 • 작은 기둥에 큰 가지: 지나친 즉각적 충동적 만족의 추구 • 큰 기둥에 작은 가지: 욕구충족 능력의 결여로 인한 좌절 • 나무열매: 사랑과 관심을 받고 싶거나 주고 싶어 함
	기타	• 버드나무: 우울감 반영 • 사과나무: 애정욕구와 의존 욕구, 임산부의 출산에 대한 기대 • 죽은 나무: 철수적, 정신분열적, 우울함, 심각하게 신경증적 • 갈라진 나무: 성격와해를 반영하며 정신분열증의 강력한 지표 • 비바람이나 폭풍우에 부러진 나무: 치명적인 환경의 압력 반영
사람	크기	• 자아존중감과 그것을 다루는 방식, 자신감과 관련 • 작은 경우: 부절적감, 철수, 열등감 • 큰 경우: 공격적 행동화, 과잉행동, 부적절감을 감추기 위한 과대감
	연필 압력	• 에너지 수준 • 진한 그림: 극단적인 긴장이나 불안, 주장성, 공격성 • 흐린 그림: 주저하고, 우유부단, 소심, 두려움, 불안정한 성격
	위치	• 가운데가 정상 • 오른쪽: 안정되고 통제된 행동, 내성적 • 왼쪽: 충동적 행동화, 외향적 • 위: 에너지와 욕구수준이 높음 • 아래: 불안전감, 부적절감과 우울감
	명암	• 지나친 명암은 갈등, 우울을 나타냄
	성별	• 같은 성을 그린 것이 정상. 동성애자의 경우 반대 성을 그리기도 함
	머리	• 지성과 환상을 상징 또한 충동과 정서적 통제의 상징 • 큰 머리: 공격적 확장적 경향, 환상을 통해 만족을 추구함 • 작은 머리: 지적으로 부적절감, 약한 자아 • 머리카락의 강조: 성적 집착, 성적 무력감에 대한 보상
	얼굴 특징	• 생략된 경우: 피상적 대인관계, 철수경향, 정신병의 가능성 • 얼굴이 강조된 경우: 외모에 대한 관심 • 큰 눈: 의심, 망상적 특징, 지나친 예민성 • 작거나 감은 눈: 내성적, 자기에 대한 지나친 관심

그림내용		진단 및 해석
	코	• 성기의 상징 또는 권력 욕구의 상징 • 큰 코: 성적 장애, 심리성적 미성숙, 공격성 • 생략된 코: 수줍음, 철수, 우울한 성격 • 뾰족한 코: 행동화 경향
	입	• 퇴행적 방어를 상징 • 입의 강조: 언어적 공격성, 의존적, 미성숙한 성격 • 작은 입: 의존욕구의 부인 • 입의 생략: 구강적 공격성, 우울, 아동의 경우는 강박과 불안 또는 수줍음
	귀	• 큰 귀는 비판에 지나치게 예민함, 관계망상이나 환청이 있는 경우
	목	• 지성과 정서의 연결을 상징, 자아통제와 충동의 연결 • 강조된 목: 충동통제의 필요성에 대한 관심 • 짧고 굵은 목: 고집스러움, 융통성 없음, 충동성 • 긴 목: 지적인 생각과 감정을 분리하려는 경향
	팔	• 대인관계의 특징, 환경과의 접촉 방식 • 팔짱 낀 자세: 의심, 적대적 태도, 수동적, 주장성 결여 • 가늘고 약하며 작은 팔: 부적절감, 비효율감 • 길고 강한 팔: 성취욕구, 육체적 힘의 필요성을 느낌 • 팔의 생략: 죄책감, 우울감, 부적절, 비효율, 수동적, 퇴행
	손	• 등 뒤로 숨김: 회피적 대인관계, 죄책감 • 작은 손: 무력감 • 큰 손: 부적절감에 대한 보상 • 주먹 쥔 손: 공격성, 반항심, 분노의 억제 • 손가락의 생략: 대인관계의 어려움
	다리	• 안정감의 상징 • 긴 다리: 자율에 대한 강한 욕구와 추구 • 짧은 다리: 제약된 행동
	발	• 긴 발 또는 큰 발: 안정감에 대한 욕구가 강함 • 발의 생략: 제약감, 독립감 결여 자율성 상실

[그림 5-3] 사회복지사를 위한 미술치료교육

• 다음 집단미술치료기법을 실시해 보고 토론해 봅시다.

기법 유형	준비물	방 법
별칭 짓기	종이, 크레파스, 색연필, 사인펜	• 도입단계로 자신의 긍정적인 미래상을 생각하면서 자신이 불리고 싶거나 되고 싶은 별칭을 짓는다. • 별칭이 가지고 있는 의미를 생각해 보거나 별칭을 예쁘게 꾸며주고 별칭을 상징적으로 표현한다. • 그림이 완성되었으면 각각 별칭에 대하여 이야기를 나누고 자신을 소개한다.
나의 자랑거리	종이, 크레파스, 파스텔, 사인펜, 색연필	• 종이의 위쪽 가운데 나 자신의 좋은 점을 쓰게 한다. • 종이의 가운데 자신의 모습을 그리게 한다. • 자신이 할 수 있는 것, 좋아하는 것, 잘하는 것, 자신의 자랑거리, 외모 중에서 좋아하는 것 등을 자신의 모습 주변에 글이나 그림으로 표현하게 한다. • 작품이 완성되면 자신의 좋은 점, 자랑거리에 대하여 이야기를 나눈다.

기법 유형	준비물	방 법
인생 계단	도화지, 색연필, 사인펜, 크레파스	• 미래에 가장 바라는 것이 무엇인지 생각하게 한다. • 목표를 실현하기 위하여 제일 아래 칸에 지금 할 수 있는 것, 그 다음 단계에 할 수 있는 것을 그 다음 칸에 그 다음 단계에 할 수 있는 것을 그 다음 칸에 그리거나 글로 쓰게 한다. • 아동이 그린 그림이나 글에 대하여 서로 이야기를 나눈다.
감정 꾸러미	충분한 양의 신문지, 잡지, 에어캡, 다양한 색의 한지, 끈, 리본, 테이프	• 신문지와 잡지를 찢으며 에어캡을 손으로 터뜨리거나 밟으며 자신의 스트레스를 푼다. • 신문지가 산처럼 쌓일 때까지 찢고 구기며 마음속의 감정을 마음껏 발산한다. • 신문지가 산처럼 쌓이면 그 위에 누워보고 일어날 때 "축복합니다." 라고 말하며 아동을 축복해 준다. • 평소에 느끼는 감정을 생각한 후 그 감정의 양만큼 쌓인 종이를 가져온다. • 각각의 감정을 그 감정에 어울리는 색깔의 한지를 골라 묶는다. • 크기가 너무 크면 테이프로 고정해주고 다시 한지를 묶는다. • 각각의 감정을 담은 꾸러미에 이름을 붙여주고 이야기를 나눈다.
신체 본뜨기	사람 크기 전지, 크레파스, 파스텔, 풍선, 기타 장식재료	• 전지를 바닥에 깔거나 벽에다 붙여 놓는다. • 아동에게 자유로운 자세를 취하게 하고 상담사나 다른 집단원이 신체를 그대로 본떠 준다(이 신체는 바로 당신입니다. 당신에게 어떤 일이 일어나기를 원하는지 당신의 신체상에 표현해 보세요). • 아동으로 하여금 자신의 신체상에 그림을 그리거나 장식 재료를 붙이거나 자유롭게 표현하도록 한다.
희망 나무	우드락(종이) 칼, 색종이, 풀 가위, 사인펜, 장식재료, 접착제	• 자신의 장점과 진로, 희망에 대하여 생각해 보게 한다. • 우드락에 자신의 나무를 그리고 잎에는 자신의 장점을, 꽃이나 열매에는 자신의 희망과 꿈을 적어 붙이도록 한다. • 작업을 한 후 질문과 이야기를 통하여 희망과 꿈을 구체화시킨다.

• 프로그램 후 다음 내용을 토론해 봅시다.

주요 토론사항	토론내용 정리
1. 프로그램의 목적은 무엇일까요?	
2. 프로그램은 어떤 아동을 대상으로 할까요?	
3. 프로그램의 좋은 점은 무엇인가요?	
4. 프로그램의 변경하거나 보완해야 할 점은 무엇인가요?	
5. 프로그램을 하면서 힘든 점은 무엇인가요?	
6. 프로그램을 통하여 배운 점은 무엇인가요?	
7. 프로그램을 운영하기 위하여 무엇을 더 배워야 할까요?	

• 다음 대상아동에 대한 상담계획을 세워 봅시다.

1. 주 호소문제

K는 만 5세 된 여자아이로 어머니가 비디오가게를 운영하면서 외할머니에 의하여 양육되었다. 그러나 어머니가 아버지와 부부싸움 한 후 가출을 하였고 고모가 K를 양육하였다. 그러나 고모가 결혼을 하게 되면서 K와 떨어져 살게 되었고 이것을 K는 엄마가 가출할 때보다 더 힘들어 했다. K의 아버지는 유흥업소에서 일하고 있어 저녁 6시에 출근하여 아침 7시에야 집에 돌아온다고 한다. K의 아버지와 어머니는 서로 대화할 시간도 없고 성격이 상반되어 심하게 다투는 시간이 많았다. K의 아버지는 냉정하고 계산적이며 책임감이 강한 편이다. 다른 사람의 시선을 중요시하며 완벽주의적인 성향을 가지고 있다.

그러나 K의 어머니는 정이 많고 눈물이 많으며 감정의 기복이 심한 편이다. 자신의 감정에 따라 아이를 양육하는 편이며 다른 사람들과 어울리는 것을 좋아하고 자신의 욕구를 우선시하는 경향이 있다고 하였다.

종합사회복지관에 의뢰한 사람은 어린이집 교사다. 어린이집에서 또래아이들과 잘 지내는 것 같지만 산만하고 감정기복이 심하고 대인기피증상이 있으며 불안정애착증세가 있다고 하였다. 지나치게 적극적인 것 같으면서도 지나치게 소심한 면을 오고간다고 하였다.

2. 대상아동 특성

- 정서적으로 불안하다.
- 대인기피증상을 보인다.
- 우울해 보인다.
- 인사를 하지 않는다.
- 자신의 감정을 표현하지 못한다.
- 고집이 세다.
- 화가 나면 자신의 머리를 벽에 박는다.

3. 상담목표 및 계획

3) 아동집단상담 및 활동기법

집단상담기법은 아동복지실천현장에서 가장 많이 활용되고 있는 상담형태 중 하나이다. 집단상담이 아동복지실천현장에서 많이 활용되는 이유는 인적·물적 측면의 경제적 요인과 인간은 사회적 존재라는 점을 감안하여 집단형태로 상담하거나 활동하는 것이 아동개인상담을 통하여 얻기 어려운 경험을 할 수 있게 하기 때문이다. 집단경험을 통하여 아동은 또래집단과 하나되는 경험, 자신도 남을 돕고 배려할 수 있다는 경험, 다른 아동을 보면서 배울 수 있는 간접학습, 그리고 가족 재경험의 체험 등을 할 수 있다.

(1) 집단상담이란

집단상담이란 비교적 정상범위에 속한 아동들이 전문적인 집단지도자와 함께 안전하고 허용적인 분위기 속에서 자기이해와 자기수용을 촉진하고 집단 구성원들 간 상호작용을 통하여 아동의 태도와 행동 변화를 통한 문제를 해결할 수 있도록 돕고 더 나아가 아동의 잠재능력을 극대화하고자 하는 활동이다.

인간의 발달단계에 있어 매우 중요한 시기라고 할 수 있는 아동기는 일반적으로 영·유아기와 학령기, 청소년기를 포함하고 있다. 아동기는 의존심과 독립심 사이에 투쟁, 수용과 거부 사이에 갈등, 안전의 추구, 또래집단에의 동조에 대한 압력, 인정의 욕구가 존재하는 시기이며 이로 인하여 외로움, 소외감, 고립감을 느낄 수 있는 시기이다. 아동을 위한 집단상담은 아동들에게 그들이 경험하고 있는 갈등에 대한 느낌과 생각을 자유로이 표현하게 하고 자신에 대하여 탐구하며 또래의 아동들과 관심사를 함께 나눌 수 있는 기회를 제공한다는 점에서 아동들에게는 특히 유용하다고 할 수 있다. 왜냐하면 집단이라는 상황은 아동들로 하여금 자신의 가치관에 대하여 공개적으로 의문을 제기하고 필요에 따라 가치관의 변화를 추구할 수 있는 기회를 제공하기 때문이다. 집단 속에서 아동들은 자기 또래들과 의사소통하는 방법을 배울 수 있고 집단지도자와 구성원들을 모델링할 수도 있으며 안전한 분위기 속에서 새로운 행동을 실험해 봄으로써 건강하게 성장발달할 수 있는 기반을 마련할 수 있다.

집단상담을 통하여 아동은 도움을 받을 수 있을 뿐만 아니라 다른 아동의 성장을 위하여 도움을 줄 수 있다. 이와 같이 집단상황에서 가능해지는 상호교류기회를 통하여 아동들이 자신의 관심사를 표현할 뿐만 아니라 이러한 관심사를 들어주고 반응하며 다른 집단원의 느낌과 생각에 공감해주고 지지해줌으로써 자기이해와 자기수용을 도와줄 수 있다. 이러한 체험적 학습을 통하여 아동들의 자긍심과 자아존중감 향상과 건강한 성장발달을 위한 견인차 역할을 할 수 있다. 집단의 초점은 아동의 성격적 문제를 다루기보다는 아동의 발달과정 및 가정과 학교의 적응과정에서 경험하게 되는 개인적인 갈등을 탐색하는 것이다.

아동집단상담은 아동상담자가 지도하는 것이 일반적이지만 어떤 경우에는 사회복지사가 지도할 수도 있다. 누가 지도를 하든 집단과정에 대한 훈련과 교육지도가 필수적이다. 그러므로 상호작용을 촉진하는 지식과 기술이 없는 지도자가 상담을 하는 집단은 효과적이지 못하다. 집단상담은 아동에게 적합한 지지적인 환경을 인위적으로 조직·구성하고 그 속에서 또래 구성원들과의 긍정적인 상호작용을 통하여 다음과 같은 5가지를 얻을 수 있게 한다.

- 나뿐만 아니라 다른 아동들도 비슷한 문제를 가지고 있다는 사실을 알 수 있다.
- 자기의 단점에도 불구하고 집단 내 다른 아동들로부터 배척당하지 않는다는 사실을 경험한다.
- 다른 아동들이 이해하지 못해도 적어도 한 사람(지도자)만은 자신을 이해하고 수용해준다는 사실을 경험하게 된다.
- 자신과 다른 아동에 대한 솔직한 느낌과 생각을 말하고 들음으로써 타인을 이해하고 수용할 수 있게 된다는 것을 알 수 있다.

이와 같은 경험을 통하여 획득할 수 있는 아동을 위한 집단상담의 장점은 다음과 같다.

- 집단상담에 참여하는 것만으로도 참여자의 성장·발달이 촉진될 수 있다.
- 집단상담은 소속감, 부정적 감정의 발산, 자아탐색을 통하여 아동의 특정한 심

리적 욕구를 충족시킬 수 있다.

- 집단상담에 참여한 아동들이 경험하고 있는 문제가 아님을 아는 것으로도 큰 위안이 되며 문제에 대하여 객관적으로 대처할 수 있게 된다.
- 집단상담을 통하여 자신과 타인에 대한 책임감을 발달시킬 수 있으며 책임감의 인정은 집단 밖의 실제 생활에까지 연장될 수 있다.

또한 집단상담은 서로 동질감을 느끼고 아동의 문제를 보편적인 것으로 받아들일 수 있기 때문에 참여아동의 심적 부담이 개인상담보다 적다. 또한 개인상담과 병행하여 실시할 수 있고 개인상담에 거부적인 아동들은 집단상담을 통하여 개인상담에 참여할 수 있다. 아동이 개인상담과 집단상담이 필요한 경우는 〈표 5-16〉과 같다.

〈표 5-16〉 집단상담과 개인상담이 필요한 경우

집단상담이 필요한 경우	개인상담이 필요한 경우
• 여러 아동들을 보다 잘 이해하고 다른 사람이 자신을 어떻게 보는가를 알아야 할 아동 • 다른 사람들에 대한 배려, 대화기술, 사회적 기술 습득이 필요한 아동 • 자신의 관심사나 문제에 대하여 다른 사람의 조언, 반응이 필요한 아동 • 자기 문제에 관한 검토, 분석을 기피하거나 유보, 필요 이상의 위험을 느끼는 아동 • 다른 사람과의 유대감, 소속감 및 협동심 향상이 필요한 아동	• 문제가 위급하고 원인과 해결방법이 복잡한 아동 • 집단상담에서 수용될 수 없을 정도로 의심증, 우울증, 대인관계가 좋지 않은 아동 • 자신에 대한 탐색, 이해, 통찰력이 적거나 극히 제한되어 있는 아동 • 타인들로부터 관심, 인정을 지나치게 요구하거나 비정상적 행동 가능성이 있는 아동 • 집단에서 공개적으로 발언하는 것에 대하여 심한 불안, 공포가 있는 아동 • 폭력이나 비정상적인 행동을 취할 가능성이 있는 아동

아동을 위한 집단상담의 목표는 다음과 같다.

- 집단에 참여하는 아동들이 긍정적인 태도와 대인관계기술을 개발하도록 돕는다.
- 참가 아동들의 성격 변화를 촉진하는 수단으로서 집단과정을 활용할 수 있도록 한다.

- 아동들이 집단에서 새로 습득한 기술과 행동을 일상생활에서 적용할 수 있도록 한다.
- 아동 자신과 타인을 신뢰하는 방법의 습득, 아동 자신의 올바른 이해와 자기탐색 및 자기계발, 자기수용과 자기존중을 통하여 성장·발달할 수 있도록 한다.
- 집단구성원들의 욕구와 문제점에 있어서 공통점 파악, 새로운 자기상을 형성하기 위한 자기수용을 통하여 자신감과 자긍심을 함앙할 수 있도록 한다.
- 효과적이고 성숙한 대인관계기술의 습득, 가치관 명료화 및 인생관 재검토, 효과적인 의사결정방법의 터득, 자율성 및 자신과 타인에 대한 책임감을 함양할 수 있다.

(2) 아동집단상담의 운영방법

아동집단상담은 주로 초등학생 이상의 연령에 속하는 아동들에게 적합하다고 할 수 있다.

① 집단구성

집단상담자는 집단구성원 수가 너무 많거나 적으면 집단원들 간의 상호작용 기회가 충분하지 않거나 집단의 역동이 약해질 수 있다는 점을 감안하여 집단을 구성해야 한다. 일반적으로 아동을 위한 집단을 구성할 경우 대상이 아동이라는 점을 감안하여 구조화할 필요가 있다. 이 경우 8~15명 내외의 아동으로 구성하는 것이 바람직하며 필요에 따라 공동상담자와 함께 운영할 수도 있다.

② 집단의 형태와 기간

집단은 참여아동의 특성에 따라 공개집단과 폐쇄집단으로 구분하여 운영될 수 있으나 공개집단 형태는 아동들로 하여금 주의를 집중하지 못하게 할 수 있어서 집단상담 운영에 실패할 수 있기 때문에 가능하면 폐쇄집단으로 운영하는 것이 바람직하다. 폐쇄집단 형태로 운영할 경우 시간이 제한되어 있고 집단이 끝날 때까지 남아 있기를 기대하므로 비교적 안정된 분위기 속에서 집단 활동에 참여할 수 있다는 장점을 가지고 있다.

집단상담회기의 기간과 빈도는 성인집단의 경우, 일주일에 1회 실시하며 1회기에 2시간~3시간 정도 진행하는 것이 바람직하나 아동의 경우 성인보다 주의집중시간이 짧기 때문에 집단상담회기의 빈도는 짧게 자주 만나는 것이 보다 효과적이다. 구조화된 아동집단상담의 경우 참가아동의 활동시간을 고려하여 1회기 60분 내지 90분(1시간~1시간 30분) 정도로 주 2회 상담을 하는 것이 효과적이다.

③ 구조화된 집단상담 운영

집단상담에서 아동들의 긍정적인 변화를 효율적으로 이끌어내기 위하여는 집단원의 자기탐색, 자기이해가 필수적이다. 이를 위하여 집단목적, 집단원들의 특성, 지도자의 이론적 관점에 따라 지도자에 의하여 통제되는 구조화된 집단과 지도자보다는 집단원들이 중심이 되는 비구조화된 집단으로 구분된다. 구조화된 집단상담이란 프로그램 내용은 무엇을 할 것인가를 미리 정해 놓고 프로그램 순서에 따라 지도자가 진행한다. 초보자의 경우 구조화된 프로그램을 진행할 경우 집단상담 성과면에서 실패할 확률을 줄일 수 있으며 워크북 등 지도지침을 사용한다. 구조화된 집단상담 형태는 지도자에 의하여 사전에 정해진 절차에 따라 진행되므로 보다 더 체계적이다. 구조화된 집단상담은 초기과정부터 구조화된 역할연습 등을 경험하게 되므로 아동들 간 상호친밀관계를 형성하는 데 도움을 줄 수 있다.

④ 구조화된 집단상담 과정

구조화된 집단상담은 집단의 성격과 목적에 따라 그 과정이 다르게 진행될 수 있으나 일반적으로 초기에는 집단원들 간의 이해와 신뢰감을 향상시키는 활동을 중심으로 진행되며 실행 단계에서는 집단의 목표를 성취하는 데 필요한 활동, 즉 문제해결을 위한 경험적 활동을 주로 하고 종결 단계에서는 집단의 성과를 실제 생활에 적용하는 데 초점을 두고 진행된다.

가. 계획 및 준비 단계

이 단계에서는 먼저 지도자가 자신의 주변에 두드러지게 나타나고 있는 문제들을 발견하고(예 : 학교폭력, 따돌림, 10대 성문제 등) 그 문제에 적합한 집단상담 프로그램을 구성하는 단계다. 이 단계에서는 먼저 문제를 파악하고 정의하며 문제에 대한 이론과 기존 프로그램을 조사, 수집, 분석하여 문제해결에 적합한 프로그램을 구성한다. 프로그램이 구성되면 집단원을 모집하고 집단장소, 시간 등 사전에 준비해야 할 사항 등을 결정하고 실행한다.

- 주요준비사항

기관 의뢰, 집단지도자 자격증 및 배경경험 프로필 준비, 집단프로그램 목표 선정
지도자의 집단프로그램 역할 규정, 집단원 모집

나. 실행 단계

실제로 집단상담을 실행하는 단계로, 집단상담 운영의 목표 제시, 강의, 활동, 토의 및 평가의 과정으로 실시하며 각 과정에서 다음과 같은 점을 고려하여 실행한다.

〈표 5-17〉 집단상담 실행 단계 고려사항

실행 단계	고려할 점
목표 제시	• 프로그램이 목표하는 바를 분명하게 제시함으로써 집단원들이 목표지향적인 행동을 하도록 하고 집단목표에 빨리 도달하도록 한다.
강 의	• 목표달성을 위하여 어떤 점을 주의해야 하는지 구체적으로 설명하는 지적 이해의 과정이다. 여기서 주의할 점은 강의시간이 너무 길어서는 안 된다. • 집단상담은 경험적 이해를 주요목표로 하고 있기 때문에 집단경험에 방해가 될 정도의 시간을 배정해서는 안 된다.
활 동	• 목표달성을 위한 직접적 활동을 의미하며 먼저 활동을 어떻게 해야 하는지 설명을 한 후 구체적인 활동을 하게 된다. 이때 지도자는 한 회기에 마무리할 수 있는 과제를 제시해야 하고 과도한 개입이나 지시를 하지 않는다. • 활동은 개별적, 2인, 3인, 몇 개 그룹 또는 전체 그룹 등으로 진행할 수 있으며 모든 구성원들이 적극적으로 참여할 수 있는 분위기를 조성한다.

실행 단계	고려할 점
토의 및 평가	• 모든 활동이 끝나면 전체 그룹이 모여 활동한 결과를 전체적으로 나누는 작업을 한다. 이때 활동한 내용을 전 참여자가 돌아가면서 발표하고 활동을 통하여 배운 점, 자신을 이해한 점, 느낀 점을 나누도록 한다. • 이 과정은 지금까지의 활동을 요약하고 활동에서 느끼고 배운 점을 자신의 문제를 해결하는 데 이용할 수 있다는 점에서 매우 중요하다.

다. 종결 단계

실행 단계가 끝나고 집단상담이 종결되는 단계에서는 그동안 활동에서 배운 것들을 실생활에서 활용할 수 있도록 전체적인 토론과 평가하는 시간을 마련한다. 집단 종결 시에는 이별의 감정을 표현하고 나누는 시간을 갖는다.

집단상담 프로그램은 집단형성 단계, 자아발견 단계, 자아수용 단계, 자아존중 단계, 자아행동촉진화 단계, 종결 단계로 구분되기도 하는데 각 단계의 목적과 기대효과 사회복지사의 역할을 살펴보면 〈표 5-18〉과 같다.

〈표 5-18〉 자아성장집단상담 프로그램에서의 사회복지사의 역할

단계	목적	프로그램명	기대효과	사회복지사의 역할
1. 집단 형성 단계	집단 및 구성원 간의 이해	자기소개	• 집단에 대한 이해 • 저항감 완화 및 선입견 배제	• 사전 자아개념검사 실시 • 프로그램 및 집단규칙에 관한 설명 • 온화하고 수용적 분위기 조성 • 안내자, 격려자
2. 자아 발견 단계	수용적 분위기 속에서의 자연스런 자기노출로 자신의 문제, 욕구, 갈등 탐색	원 뚫고 들어가기 및 인정자극 주기	• ice breaking • 성취감을 통한 자신감 • 구성원들 간의 협동심 고양 • skinship을 통한 친근감, 소속감 증대 • 수용적·비언어적 교류를 통한 긍정적 자아탐색	• 협동의 즐거움과 공동체의식 강조 • 타인에 대한 배려의 중요성을 강조 • 긍정적 자극의 수용성 강조

단계	목적	프로그램명	기대효과	사회복지사의 역할
		미완성 문장 완성하기	• 자연스런 자기노출 • 자기가치에 대한 탐색	• 구성원 개개인 및 가족, 지지체계에 대한 정보탐색 • 자기인식의 명료화를 촉진 • 바람직한 가치관에 대한 지지
		콜라쥬 게임	• 감추어진 자신의 욕구 갈등, 대인관계에서의 문제점을 노출하여 자기인식의 제고 • 그림을 통한 간접적인 투시로서 기제의 완화	• 창의력과 상상력, 독창성에 대한 지지 및 격려 • 작품 속에 드러난 표현되지 않은 갈등에 대한 이해 및 분석
3. 자아 수용 단계	인식하지 못한 또 다른 자신 및 가능성 발견	나 혼자만의 시간	• 과거 경험에 대한 현재적 조명을 통해 현재의 발달준거를 확인	• 자기노출에 대한 저항, 불안감에 직면시켜 현재의 자기에 대한 인식 제고
		묵언등산	• 자연과의 교감을 통한 정서 순화 및 분위기 전환 • 집단연대감, 인내심, 성취감 고취	• 안전사고 대비 • 사색을 위한 조용한 분위기 • 내면의 성찰기회 강조
		죽음에 직면한 나의 모습	• 자신의 삶의 역사를 총정리, 반성 • 현재와 미래의 삶의 태도에 있어 진지함과 적극성의 강화	• 진지한 분위기 조성 • 적극적인 자기노출 촉진
4. 자아 존중 단계	집단성원의 동감과 수용을 통한 긍정적 자기인식	나의 자랑 100가지	• 자기애 고양 • 숨겨진 자기 가능성의 각인	• 긍정적인 자아인식의 기회제공 • 표현된 내용에 대해 집단성원들의 인정, 지지, 격려를 촉진
		상장 주기	• 자신의 장점 발견 • 긍정적인 자아정체감 고양	• 장점을 발견하도록 지지, 격려 • 자유롭게 발표할 수 있는 분위기 조성

단계	목적	프로그램명	기대효과	사회복지사의 역할
		선물 주기	• 가치관의 명료화 • 타인에 대한 긍정적인 마음 강화	• 긍정적인 상호작용 촉진 • 적극적인 감정표현 유도
		맑은 물 붓기	• 자기정화를 통한 새로운 삶에 대한 기대 및 각오	• 부정적 감정의 발산을 적극적으로 돕고 환기, 격려, 지지
5. 자아 행동 촉진화 단계	변화된 자아 개념의 내면화 및 행동화	1년간 약속이행표 작성	• 발전적 행동목표의 구체화 • 공개약속을 통한 실현 촉진	• 개별화되고 고양된 피드백으로 긍정적 자아행동의 촉진
6. 종결 단계	집단경험의 정리 및 다짐의 시간	소감문 작성	• 집단경험의 정리	• 집단 종결에 대한 저항 처리 • 개인 및 가족상담으로의 연결 및 after-care 계획 수립 • 사후 자아개념검사 실시

집단상담 프로그램 사례

□ 프로그램명 : (   ) 프로그램

□ 대 상 : 중학교 1~2학년생

□ 프로그램 목표

학교에서 따돌림을 당하고 있거나 따돌림을 당할 가능성이 있는 학생들을 대상으로 그동안 억눌러 왔던 정서적 어려움을 표현할 기회를 제공하고 또래관계에서 보이는 자신의 반응양식을 조망해 봄으로써 객관적인 자기인식을 할 수 있도록 돕고 효율적인 대인관계 기술을 익힐 수 있도록 돕는다.

□ 프로그램 내용 및 구성

회기	제목	활동내용	소요시간	비 고
1회기	친밀감 형성	① 프로그램 소개 ② 자기소개 ③ 우리의 약속	60분	SCT 검사지, 스케치북, 크레파스, 워크북
2회기	친밀감 형성 및 공동작업	① 당신의 이웃을 사랑하십니까? ② 찰흙을 가지고 공동 작업하기 (찰흙 스퀴글)	60분	찰흙, 찰흙도구
3회기	나 바라보기	① 몸짓 따라하기 ② 나의 자화상	60분	찰흙, 찰흙도구, 음악CD
4회기	대인관계 인식하기	① 달라진 점 알아차리기 ② 대인관계 지도 그리기 ③ 관계 만들기 수준 알기	60분	워크북
5회기	자기개방 및 장점 찾기	① 풍선을 던지며 서로에 대해 질문하고 답하기 ② 자신의 장점과 단점 소개하기	60분	풍선
6회기	감정 표현하기	① 감정게임 ② 감정 표현하기	60분	
7회기	표현방법 배우기	① 주장적/공격적/수동적 표현에 대해 배우기 ② 역할 연습하기	60분	워크북

회기	제목	활동내용	소요시간	비 고
8회기	친구 사귀는 방법 찾기	① 새로 찾은 방법 ② 이렇게 할래요 ③ 도움을 주는 관계 찾기	60분	워크북
9회기	친구와 함께하기	① 믿음 게임 ② 우정 만들기	60분	도화지, 잡지, 가위, 풀
10회기	새롭게 출발하기	① 칭찬 칵테일 ② 마음 선물하기	60분	워크북

□ 프로그램 1회기 진행과정 사례

◎ 1회기 : 친밀감 형성하기

제 목	소 요	활동내용	비 고
프로그램 소개 및 심리검사 실시	20분	• 집단원들을 둥글게 앉힌 후, 프로그램에 대한 소개와 목적을 간단히 얘기하고 집단원들의 현재 느낌에 대해 나눈다. • SCT 검사 실시	SCT 검사 시 필기도구
자기소개	30분	• 집단원들에게 도화지를 나누어 준 후, 자기 모습을 전체적으로 그리게 한다. 신체부위와 관련지어 자신을 소개하도록 한다(예 : 눈－내가 보고 싶은 것, 보기 싫은 것 등).	전지 크레파스
우리의 약속 정하기 및 한 회기 마무리	10분	• 집단을 하면서 지켜야 할 규칙들을 함께 정하고 소감을 이야기하며 마무리한다.	워크북

4) 통합사례관리기법

(1) 사례관리의 필요성과 목적

최근 사회복지서비스의 실천방향은 통합사례관리와 개별적 맞춤서비스에 초점을 두고 있다. 특히 사회복지서비스를 전달함에 있어 관련 서비스들 간의 중복과 단절을 최소화하면서 생애주기별 지속적인 서비스를 제공하는 데 관심을 두고 있다. 이러한 관심의 사회복지서비스 전달방법이 필요하게 된 원인은 다음과 같다.

첫째, 클라이언트의 욕구와 원하는 서비스 수준이 높아졌다는 것이다. 종전의 단순보호차원에 단순보호를 포함한 심리 정서적·사회적 욕구충족을 통하여 삶의 질 향상을 추구하고 있다.

둘째, 이와 같이 증가된 클라이언트의 욕구에 보다 효율적으로 대처하고, 중복되는 사회복지서비스 제공을 위한 막대한 비용을 적절하게 관리하기 위하여 새로운 서비스 전달방식이 필요하게 되었다.

셋째, 전문직으로서 사회복지사의 유사전문직과 차별화된 역할에 대한 필요성이 제기되고 있기 때문이다.

초기에 사례관리는 만성질환이 있는 노인이나 중증 장애인들을 대상으로 다양한 서비스를 효과적으로 전달하고 관리하기 위한 방법으로 도입되었으며 이후에 사회복지실천현장에서 사례관리적용 대상과 분야가 폭넓게 확대되고 있다. 아동복지실천분야에서는 저소득가정아동을 위한 위스타트사업, 드림스타트사업, 학교사회사업, 교육복지우선지원사업 등에서 사례관리실천기법이 적용되고 있다.

(2) 사례관리 대상으로서 아동

아동은 발달단계에 따라 성장과 발달특성의 차이가 있으나 일반적으로 아동은 미성숙한 존재로서 가정과 사회 안에서 성장·발달에 필요한 보호와 교육을 필요로 하는 존재다. 아동의 기본적 혹은 발달적 욕구가 통합적으로 이루어질 때 건강한 성장

·발달을 할 수 있게 되는 것이다. 이러한 측면에서 아동의 발달적 특성과 개별적 특성을 기반으로 한 통합적 접근방법 모색이 필요한 것이다. 아동복지실천현장에서 경험하게 되는 아동의 문제는 단지 정서적·행동적 문제뿐만 아니라 가정환경, 가족구조문제와 부모로부터의 학대, 방임, 폭력 등의 문제를 동시에 가지고 있는 경우가 많다. 즉 아동을 위한 사례관리는 아동의 문제를 가정과 학교 등 사회환경 즉, "상황 속의 아동"이라는 관점에서 접근하며 환경 속에서 아동의 발달적 욕구를 충족시켜 건강한 성장발달할 수 있도록 하는 데 그 목적이 있다.

아동대상 사례관리의 대상자는 사회복지대상아동, 즉 요보호대상 아동과 복합적인 욕구를 가진 아동으로 구분된다. 아동사례관리 대상은 사회복지시설이나 기관을 이용하는 아동일 수도 있지만 주민자치센터, 시청, 보건소, 경찰서, 고용안정센터 등 공공기관과 지역 내 학교, 지역아동센터, 어린이집, 건강가정지원센터, 다문화가족지원센터, 자원봉사센터 및 단체의 협조를 통해 발굴될 수 있다.

① 사례관리 자원 활용방법

사회복지사는 지역사회 내의 다양한 기관과의 협력적 관계 유지와 지역사회 내의 공식적·비공식적 활동에 적극적으로 참여함으로써 사례관리 자원을 적극적으로 활용할 수 있어야 한다. 사례관리 자원 활용을 위한 방법으로는 대상자·의뢰자를 통한 공식·비공식 자원 활용방법, 외부자원과 연계를 통한 활용방법으로 구분될 수 있다.

가. 의뢰를 통한 공식·비공식적 자원 활용방법

사례가 다음과 같은 통로를 통하여 의뢰되어 이루어질 경우 대상아동에게 의뢰한 사람이나 기관이 중요한 비공식적 자원이 되기 때문에 기관들과 협력적 관계 형성과 유지는 매우 중요하다.

〈표 5-19〉 공식, 비공식적 자원 활용방법

의뢰자	대 상	역 할
스스로 도움을 요청하는 아동과 가족	대상자, 혈연집단 및 가족	• 서비스에 관한 정보 제공, 서비스획득을 위한 지지 제공 역할분담 • 문제이해와 해결방안 추구, 변화계획 수행과 평가를 위한 상담 • 문제 악화 요인과 직면하며 서비스 감소 혹은 종결 준비 • 대상자에 대한 정보를 제공하고 서비스과정의 협력 • 사회관계망 구축을 지원하기 위한 혈연집단의 노력 필요
아동 및 가족과 함께 일하는 사회복지사 및 실무자	지역아동센터, 종합사회복지관, 건강가정지원센터 등 사회복지기관 내 사회복지사	• 아동과 가족에게 사례관리업무, 서비스 안내 • 서비스 조정, 공급자와 수급자의 갈등 중재 및 자원 동원 • 실질적 수행을 위한 자원목록, 서비스연계기관 발굴 • 욕구해결을 위한 서비스 개발, 전달과정의 장애요인 파악 및 개선 • 서비스 의뢰를 통한 간접서비스 제공 및 공공기관 간의 서비스 조정 • 아동의 능력 배양 및 사회참여 강화를 위한 정보 및 서비스 제공
교육을 담당하는 교사	초·중·고등학교 교사, 어린이집 교사, 사설학원강사 등 교육전문가	• 발달과업에 따른 학습과 심리·정서적 지원에 대한 아동관리 • 다른 전문가와의 협력활동을 통한 아동보호체계 확립 • 적절한 학습방법 개발 • 아동이 또래 및 성인집단과 어울리도록 관찰 및 지도 • 아동이해, 지지, 참여
지역사회 기관의 사람	시청, 동사무소, 경찰, 종교기관, 의료기관 등 실무자	• 서비스강화를 위한 정보 제공 및 서비스과정 협력 • 아동의 능력 배양 및 사회참여 강화를 위한 정보 및 서비스 제공 • 아동과의 상호작용을 통한 협력적 관계 형성과 권익옹호 활동 • 공공부조정보 제공 및 지원을 통한 자원 지지체계 확립
지역사회 내 이웃	학교 앞 분식점, 문구점, 슈퍼상인, 노래방, 기관이웃주민	• 서비스과정에 필요한 정보 제공 및 정서적 지지체계 지원 • 대상아동 이해, 참여, 지역사회관계망 구축 • 서비스 획득을 위한 지지자 및 서비스 제공자 • 서비스 강화를 위한 자원정보 제공

출처: 대전광역시사회복지사협회(2012). 사례관리실천매뉴얼. pp.167-169. 재구성.

나. 외부자원 연계를 통한 서비스 제공방법

대상아동의 발달특성과 욕구에 따라 공식적·비공식적 자원을 모두 포함하여 연계할 수 있다. 자원연계방법으로는 먼저 자원목록을 작성 후, 자원을 접촉하고 연계한다. 자원을 연계한 후 지속적으로 자원을 관리한다.

a. 자원목록 작성

서비스 제공에 필요한 자원이 무엇인지 조사하고 목록을 작성한다. 자원목록은 〈표 5-20〉과 같이 자원개요, 자원특성, 접근방법 및 기준, 주요접촉대상 등을 파악할 수 있도록 작성한다.

〈표 5-20〉 자원목록

기관명	주소	연락처	제공 서비스	서비스 대상	자격 요건	서류	비용	담당자

출처: 대전광역시사회복지사협회(2012). 사례관리실천매뉴얼.

b. 자원접촉

자원접촉방법은 행정기관, 비공식자원, 지역사회기관으로 구분되며 행정기관과의 자원접촉은 공식적 행사참여를 통하여 이루어지지만 이용신청이 필요하고 무엇보다 정책 변화에 대한 민감성을 기를 수 있다. 비공식적 자원접촉은 개별적으로 접촉하는데 주로 눈덩이 접촉방법을 사용하며 종교자원을 통하여 종교 밖 자원과 접촉하는 방법이 있다. 지역사회기관과의 자원접촉은 교육기관, 종교단체, 직능단체, 친목단체 등을 통한 홍보나 초청행사에 참여하는 것을 통하여 접촉하고 비영리단체와는 서로 승-승하는 전략적 방법이 필요하다.

c. 자원연계와 관리

자원목록 작성과 자원접촉이 되면 아동 및 가족과 충분한 의사소통을 통하여 아동의 욕구해결을 위한 자원을 연계한다. 자원연계 후에도 정기적인 안부전화, 자원에 대한 정보 제공, 자원관리일지작성 등을 통하여 지속적으로 자원이 연계될 수 있도록 관리한다. 특히 담당자의 교체 등으로 인하여 자원연계가 단절되지 않도록 해야 한다. 자원관리를 위하여 기관과 협력연계를 할 경우 기초적 연계, 지속적 연계, 조직적 연계로 구분하여 기관협력 연계에 대한 내용을 기록한다.

〈표 5-21〉 자원연계관리

연계 기관명	일자	내용	기초적 연계								지속적 연계				조직적 연계	
			정보 교환		자금 교환		시설 기자재 교환		교육프로그램 교환		대상자 의뢰		공동 사례 관리		사업 공동 기획	
			共	受	共	受	共	受	共	受	共	受	共	受	共	受

출처 : 대전광역시사회복지사협회(2012). 사례관리실천매뉴얼.

[그림 5-4] 대학교 연구소와 지역교육지원청과 연계한 통합사례관리사업

② 아동복지실천영역 사례관리 과정

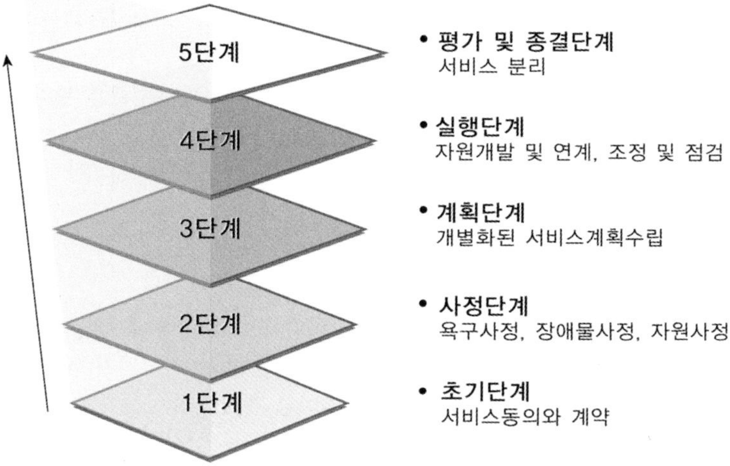

[그림 5-5] 사례관리 실천과정

아동복지실천영역에서의 사례관리실천은 일반적으로 초기·사정단계(욕구사정, 장애물사정, 자원사정), 계획단계, 실행단계(자원개발 및 연계, 조정 및 점검), 평가 및 종결단계로 구분되어 이루어진다. 아동복지실천영역에서의 사례관리 실천과정은 [그림 5-5]와 같다.

가. 초기 단계

초기 단계는 아동이 경험하고 있는 문제욕구에 대한 정보와 가족과 아동을 둘러싼 환경에 대한 정보를 파악하는 단계다. 정보를 파악한 후 사례관리가 필요한지 스크리닝을 하고 사례관리 개입수준을 결정한다. 이 단계에서는 아동과 면담하고 면담결과와 수집된 자료를 토대로 인테이크지를 작성하고 보호자의 사례관리 동의서를 작성한다. 아동을 면담할 때 아동을 존중하는 마음으로 발달단계에 따라 접근하는 전문적 방법을 활용할 수 있어야 한다. 발달단계에 따른 면담방법은 〈표 5-22〉와 같다.

〈표 5-22〉 발달단계별 아동과의 면담방법

발달단계	연 령	면담방법
취학 전 아동	0~6세	• 6세 이전 아동은 부모나 보호자와 함께 놀이실 등 편안한 분위기 속에서 면담을 실시한다. • 부모와 아동과의 관계와 다양한 분야의 발달수준을 평가한다(운동발달, 활동수준, 언어발달, 문제해결능력, 사회성 수준 등). • 놀이는 아동의 내면세계를 평가하는 데 매우 중요하기 때문에 놀이를 통한 기법을 활용한다. • 놀이실은 인형모형과 인형집, 장난감, 이외 다양한 놀이 도구를 구비하여 아동의 내면세계를 평가할 수 있도록 한다.
취학아동	7~12세	• 부모면담 전에 아동과 먼저 면담하는 것이 좋다. 상황에 대한 생각을 물어보고 면담이 나쁜 행동으로 인한 벌로 인식되지 않도록 한다. • 일반적으로 45분 면담이 가능하고 개방형 질문을 통하여 표현하게 한다. • 아동은 부모로부터 거부당하는 것으로 생각하여 협조하지 않거나 사실을 말하지 않을 수도 있고 비밀을 지켜주기를 원할 수도 있다는 것을 존중해야 한다.
청소년	13~18세	• 청소년은 면담자를 잘 믿지 않고 반항적 태도로 면담자를 자극할 수 있다. • 청소년의 입장에서 공간한다는 태도를 모이고 청소년 문화나 청소년들의 언어사용에 대한 이해가 필요하다. • 청소년은 부모로부터 독립, 기존가치관에 대한 도전, 학업 성취, 열등감, 미래에 대한 기대, 친구관계, 이성 관계 등의 중요한 질문대상이 된다. • 자살 의도나 약물남용, 게임중독에 대하여 구체적으로 직접질문하며 부모보다 청소년을 먼저 면담하는 것이 좋고 비밀을 유지한다.

출처: 대전광역시사회복지사협회(2012). 사례관리실천매뉴얼. 재구성.

나. 사정 단계

사례관리대상자로 선정되면 사정 척도지를 활용하여 사정을 실시한다. 사정을 통하여 사례관리 개입수준의 정도를 결정하며 사정영역으로는 발달력, 개인기능, 가족기능, 환경기능, 사회기능으로 구분되어 사정이 이루어지며 아동과 주 양육자를 대상으로 실시한다. 아동을 위한 사례관리 사정영역의 구체적 내용은 〈표 5-23〉과 같다.

〈표 5-23〉 아동을 위한 사례관리 사정영역

구 분	내 용	
발달력	출생상태	만숙아, 미숙아, 과숙아, 선천성기형, 질환 등
	초기애착	아동과 모의 초기애착정도
	현재상태	건강상태, 영양상태, 장애 및 질병유무
개인기능	신체발달	운동발달, 언어발달, 지적발달 등
	심리발달	정서상태 및 대인관계
	문제증상	행동증상(결석, 도벽, 거짓말 등), 신체증상
	강 점	잘하는 것, 가지고 있는 꿈, 친밀한 사람 등
가족기능	경제기능	주 양육자 취업상태, 기초해결능력, 자산관리 등
	자녀양육	양육형태 및 태도
	가족사항	가정폭력유형과 위급정도
	비공식지지체계	친인척, 종교기관, 이웃주민, 복지기관 등
	강점	가족의 친밀성, 근로의욕, 양육, 교육관심 등
환경적응 기능	주거환경	거주하는 곳의 침실/놀이 공간 및 주변 환경
	학교적응상태	학교적응, 학업성취도, 학업욕구 등
	방과 후 활동	프로그램 참여 여부, 주 활동장소, 참여유형, 학습지도, 저녁식사 등
	관계	또래와의 관계, 가족과의 관계, 성인과의 관계
사회적 지원망	공식적 자원	아동을 둘러싼 사회적 장점과 자원
	비공식적 자원	개인, 가족을 둘러싼 자원(종교기관, 친인척, 이웃 등)

출처: 대전광역시사회복지사협회(2012). 사례관리실천매뉴얼.

일반적으로 활용되는 아동을 위한 사정척도는 자아개념, 심리 및 정신건강, 사회적 기능, 가족관련 기능, 사회관계망 등이며 구체적 내용은 〈표 5-24〉와 같다.

〈표 5-24〉 아동을 위한 사정척도유형

구분	척도명	활용대상	목 적	문항수	소요시간
자아개념	자아정체성	아동, 청소년	• 자기이해, 자기인식과 자기수용 능력 수준 측정	27	20분
	자아존중감	자아존중감에 어려움이 있는 아동·청소년	• 자아존중감에 대한 측정	10	15분
심리 및 정신건강	아동용 우울척도	6~17세 아동·청소년	• 총점 13점 이상일 경우 임상적으로 유의미한 수준의 우울을 경험하는 것으로 측정	27	40분
	ADHD척도	주의집중에 어려움이 있는 아동·청소년	• 과잉행동, 충동성 수준을 측정	18	20분
	한국형 인터넷 자가 중독	인터넷 사용에 문제가 있는 아동·청소년	• 인터넷 중독 여부와 그 수준을 측정	40	50분
	정서적 및 사회적 고립	학교폭력 피해자 및 가해 아동·청소년	• 사회적 관점과 정서적 관점에서의 고립과 소외의 수준을 측정	15	30분
사회적 기능	사회성 척도	자립성이 약한 아동	• 아동의 사회성 및 사회성발달정도측정	17	20분
	아동비행 행동	초등 4~6학년	• 초등생의 비행행동에 대한 정도와 부적응행동측정	13	15분
	청소년 대처행동	중·고등생	• 학교영역의 계획성, 학교또래영역, 통제감 측정	17	20분
	학교적응 유연성	〃	• 학교생활의 흥미, 학업태도, 학교규범준수 등을 측정	22	25분
가족관련	가족관계 척도	가족관계에 문제가 있는 13세 이상 아동	• 가족관계상의 문제를 파악, 전반적인 가정환경을 파악 측정함	25	40분
	갈등전술 척도	가출일반아동	• 가족 내의 이성적 방법, 언어적 공격성, 폭력을 측정함	17	30분

구분	척도명	활용대상	목 적	문항수	소요시간
	부모유대 척도	12세 이상 중·고등학생	• 부모와의 유대감을 측정함	18	20분
사회관계망	사회적 지지 지각척도	아동청소년	• 주의사람들로부터 받는 도움, 인정, 관심 등에 대한 인지적 평가측정	24	40분

출처 : 대전광역시사회복지사협회(2012). 사례관리실천매뉴얼.

이와 같이 다양한 방법에 의한 사정이 이루어지면 사례관리 사정결과표를 작성하는데 사례관리 사정결과표에는 욕구에 대한 기초사정, 우선순위, 현재상황이나 문제, 요구사항과 욕구, 자원, 강점, 이용서비스를 포함한 공식·비공식 자원, 전문가의견, 척도를 활용한 사정 등이 포함된다.

다. 계획수립 단계

사정단계에서 조사된 아동과 가족상황, 욕구, 자원과 강점을 종합적으로 고려하여 아동에게 적합한 서비스 제공 및 계획을 수립한다. 사례계획표에 의하여 기본적 사항, 욕구에 기반한 목표설정과 계획을 수립하고 서비스 계획이 수립된 후 아동과 보호자, 사례관리자와의 서비스 동의를 함으로써 아동과 보호자의 참여를 높이고 계획단계부터 함께 참여하여 협조할 수 있도록 한다.

효과적인 계획수립을 위하여는 다음과 같은 전제조건이 갖추어질 필요가 있다.

첫째, 사정과정을 통하여 아동의 다양한 욕구를 충분히 이해한다.

둘째, 개인, 가족, 조직, 지역수준의 욕구들에 우선순위를 정하고 이를 세분화한다.

셋째, 욕구충족을 위한 내·외적 자원파악 및 이에 걸림돌이 되는 장애물을 파악한다.

넷째, 아동과의 협력적 관계 형성 및 변화를 위한 동기를 강화한다.

사례관리 계획은 욕구사정내용에 대한 숙고, 장·단기 변화목표 수립, 서비스 제공자 및 기관의 선정, 시간계획 수립, 계약 수립, 서비스 계약표 공유 등의 6단계 과정을 통하여 수립된다.

1. 욕구사정 내용에 대한 숙고
   사정 단계에서 이루어진 내용을 종합적으로 정리, 분석하여 욕구사정 평가내용 최종 검토
2. 장 · 단기 변화목표 수립
   계획 수립은 1년 단위로 하되, 여건에 따라 장기목표는 6개월 이상, 단기계획은 3개월 소요
3. 서비스제공자/기관선정
   목표달성을 위하여 누가 어떻게 참여하고 협력할 것인지 선정
4. 시간계획 수립
   정해진 서비스를 어느정도 기간동안 어떤 주기로 받을지 계획 수립
5. 계획 수립
   장 · 단기 목표 및 서비스제공기관, 시간계획 확정 후 대상자와 계약
6. 서비스 계약표 공유
   서비스 계약표가 완성되면 대상자에게 사본을 주고 전체 일정을 쉽게 알도록 함

[그림 5-6] 서비스계획수립 과정

라. 실행 단계

수립된 서비스 계획을 실행하는 단계이며 이 단계에서는 자원개발 및 연계, 조정 및 점검을 주요내용으로 하고 있다. 이 단계에서 사례관리과정을 기록하고 서비스를 의뢰하며 사례관리를 점검한다. 사례관리와 슈퍼비전을 위한 회의를 하고 기록해야 하며 이것을 토대로 사례보고서를 작성한다. 실행 단계에서 사례관리자는 클라이언트로 하여금 스스로 서비스에 접근하고 이용할 있는 능력과 기술 향상을 돕는 과정인 직접적 개입과 클라이언트를 대신하여 관련 체계에 영향을 주고 변화를 유도하기 위한 간접적 개입을 할 수 있다. 직접적 개입과 간접적 개입의 주된 내용과 역할은 〈표 5-25〉와 같다.

〈표 5-25〉 직 · 간접적 개입의 내용과 기술

개입유형	내 용	사례관리자 역할	구체적 기술
직접적 개입	• 클라이언트에게 자기표현기술을 가르치는 것 • 자기옹호기술을 가르치는 것 • 위기 시 대처하는 것	상담자, 치료자, 교육자, 안내자, 실행자, 정보제공자	의사소통기술, 상담기술, 집단상담기술, 갈등대처기술, 분노조절기술 등 기타 임상적 기술
간접적 개입	• 대인서비스 제공자와 클라이언트와 연결하는 것 • 서비스를 중개하는 것 • 클라이언트를 옹호하는 것 • 사회적 지원이나 혜택을 증가시키는 것	중개자, 옹호자, 사회적 망 구성자	연계기술, 옹호기술, 협력과 조정기술

• 자원개발과 연계: 서비스 계획을 실행하기 위하여 다양한 자원을 필요로 한다. 사례관리자는 지역사회자원을 개발하고 대상아동과 연결하기 위하여 지역 내 자원목록을 체계적으로 작성하여 활용할 수 있어야 한다. 공식적·비공식적 사회적 지원망을 포함하는 실행 단계의 자원개발과 연계는 사례관리 과정 중 가장 핵심적인 기능이라고 할 수 있다. 대상아동의 사회지원망을 측면에서 지원할 수 있는 사례관리자의 역할수행이 필요하며 구체적 역할은 다음과 같다.

〈표 5-26〉 사회지원망 지원을 위한 사례관리자의 역할

역 할	주요내용
교육적 활동	• 대상아동에 대한 이해를 증진시킴 • 대상아동의 욕구에 대응하는 방법을 가르침 • 자조집단으로 발전시키기
이차적 지원활동	• 일차적 지원망이 지치지 않도록 쉬는 시간을 제공해줌 • 일차적 지원망(가족, 주부양자 등)이 이차적 지원을 활용하도록 돕기 • 일차적 지원망의 스트레스 해소, 긴장 완화를 위한 지지망 증가시키기 • 사회망을 위한 위기개입상담과 실제서비스 제공
기술적 지지/협상을 제공하는 활동	• 사례관리자가 서비스제공기관에 새로운 지식, 정보, 전략을 소개하여 서비스 대상자에 대한 서비스수준과 내용을 향상시키는 것 • 필요한 자문과 교육에 응하는 것 • 서비스 제공자에게 격려와 지지를 해주는 것

- 점검과 조정: 대상아동과 사례관리자, 그리고 관련 지원망이 계획 단계에서 합의한 목표를 계속적으로 공유하면서 잘 진행되고 있는지 혹은 협력관계에 갈등이 발생하거나 위기가 나타나지 않은지를 확인하고 조정한다. 전반적인 사례관리과정에 대한 점검은 최소 3개월 단위로 하되 단위별 하위목표 점검활동은 필요시 수시로 할 수 있다. 점검과 조정을 위한 세부지침 내용은 다음과 같다.

〈표 5-27〉 점검과 조정을 위한 세부지침 내용

점검을 위한 질문	조정을 위한 질문
• 대상아동의 상황이 변화하고 있는가? • 서비스의뢰는 적절한가? • 서비스지원기관의 협력 정도는 어떠한가? • 희망하는 결과가 달성되고 있는가? • 현시점에서 서비스계획은 수정되어야 하는가? • 재사정이 필요한 상황인가? • 대상아동의 참여 정도와 서비스 만족수준은 어떠한가?	• 사례관리자는 클라이언트와 함께 수립한 상호목표와 실천방법을 위해 지원망 속의 개인들과 함께 일하고 있는가? • 각자의 노력의 상대방의 작업에 어떤 영향을 미치고 있는가? • 각자는 이 영향관계를 인식하고 있는가? • 각각의 노력을 통합하고 갈등을 줄여나가고 있는가? • 성공을 평가하기 위하여 사례관리자는 경계확장자로서 기능을 수행하고 있는가?

- 평가 및 종결 단계: 평가와 종결 단계는 대상자에게 제공된 서비스에 대한 변화와 그 성과에 대한 평가를 실시하는 단계다. 일반적으로 사례관리평가는 사례관리 체계 및 기관의 역량에 대한 평가인 구조평가와 서비스가 어떻게 제공되었는가에 대한 과정평가, 사례관리 전반에 대한 효과성과 효율성을 평가하는 결과평가 등으로 구분된다. 또한 사례관리의 종결은 개입의 완전한 종결이기보다는 서비스 제공기간이 만료되는 시점에 이루어지며 목표를 달성했을 때, 의뢰가 효과적일 때, 대상자가 서비스 중단을 원할 때 이루어지며 이 단계에서 다음 지침에 의거, 종결보고서를 작성한다.

〈표 5-28〉 종결보고서 작성지침

- 종결보고서에는 크게 네 가지를 기록한다. 목표달성평가, 대상자만족도, 사회관계망이나 지지망의 변화, 추후계획을 포함한 사례관리자의 의견을 포함한다.
- 목표달성평가는 합의된 단기(3개월 전후), 장기목표(6개월 이상)에 대한 달성 정도를 성과평가란에 5점 만점으로 기록한다.
- 대상자의 사례관리자의 대한 신뢰 및 서비스에 대한 충분한 고지, 전문가로서의 책임성을 포함하여 대상자의 사례관리서비스를 통한 삶의 변화를 5점 척도로 측정한다.
- 사회관계망 및 지지망의 변화는 개입초기와 종결시점의 전/후 상태를 제시하며 사례관리자의 의견에는 사후관리계획을 비롯하여 종결과 관련된 기타 사항을 기록한다.
- 척도를 활용했던 경우에는 그 결과를 초기와 비교하여 제시한다.
- 종결에 대한 심사는 종결과 재심사로 구분되며 종결의 유형을 기록한다.

연습문제

01 아동복지실천과정 순서가 바르게 나열된 것을 고르세요.

① 준비 - 시작 - 사정 - 탐색 - 계약 - 개입 및 평가 - 종결
② 준비 - 계약 - 시작 - 사정 - 탐색 - 개입 및 평가 - 종결
③ 시작 - 계약 - 준비 - 사정 - 탐색 - 개입 및 평가 - 종결
④ 시작 - 준비 - 계약 - 탐색 - 사정 - 개입 및 평가 - 종결
⑤ 준비 - 시작 - 탐색 - 사정 - 계약 - 개입 및 평가 - 종결

02 아동복지실천과정 중 준비과정의 주요기술에 해당되지 않는 것을 모두 고르세요.

① 설명하기 ② 사전검토 및 탐색 ③ 사전협의 및 정리
④ 사전계획과 기록 ⑤ 세분화하기

03 아동복지실천과정 중 탐색 단계의 주요기술에 해당되는 것을 모두 고르세요.

① 설명하기 ② 질문하기 ③ 명료화하기
④ 세분화하기 ⑤ 기록하기

04 아동복지실천의 가장 기본적인 단계에 해당되는 것을 고르세요.

① 준비 단계 ② 시작 단계 ③ 탐색 단계
④ 사정 단계 ⑤ 계약 단계

05 다음 설명 중 빈칸에 해당되는 개념을 적어 보세요.

아동문제는 아동문제원인이 되는 요인들 간의 관계를 분석하고 파악하여 포괄적으로 문제해결방법을 모색하고자 하는 (　　　　　　　) 접근방법이 필요하다.

06 Kaufman의 아동부적응행동요인 중 수행장애 특성에 해당되는 것을 모두 고르세요.

① 부주의 ② 쉼 없이 과잉행동 ③ 지나치게 민감함
④ 난폭한 언어 ⑤ 공격적

07 Kaufman의 아동부적응행동 중 인격장애 특성에 해당되는 것을 모두 고르세요.

① 자신감 결여 ② 짧은 주의력 ③ 지나치게 민감함
④ 슬픔 ⑤ 공격적

08 아동상담 시 고려하여야 할 내용이 아닌 것을 모두 고르세요.

① 아동상담은 부모상담과 병행하여 실시하여야 한다.
② 언어적 의사소통이 중요하다.
③ 아동의 발달수준에 맞는 상담기법을 활용할 수 있어야 한다.
④ 효과적 아동상담을 위하여 행동적 접근을 해야 한다.
⑤ 상담자는 자신의 역할한계를 인식하고 지원을 요청할 수 있어야 한다.

※ (9–13) 놀이의 14가지 치료적 요인 중 5가지를 적어 보세요.

09

10

11

12

13

※ (14–17) 아동을 위한 미술치료 시 다음에 해당되는 그림의 상징적 의미를 적어 보세요.

14 뿌리가 없는 나무 :

연습문제

15 나무열매 :

16 큰 머리 :

17 지나치게 큰 문 :

18 아동집단상담의 운영방법에 대한 설명 중 바르지 않은 것을 모두 고르세요.

① 아동집단상담은 주로 초등학생 이상의 연령에 속하는 아동에게 적합하다.
② 집단구성 시 8~15명 내외가 바람직하다.
③ 집단상담회기의 기간과 빈도는 일주일에 1회, 1회기에 2~3시간 진행이 바람직하다.
④ 아동은 주의집중시간이 짧기 때문에 빈도는 짧게 자주 만나는 것이 효과적이다.
⑤ 없다.

19 아동사례관리실천과정 중 실행 단계 내용이 아닌 것을 모두 고르세요.

① 욕구사정 ② 평가 ③ 조정 및 점검
④ 계획 ⑤ 자원개발 및 연계

20 사례관리과정 중 사정영역에 해당되지 않는 것을 모두 고르세요.

① 발달력 ② 개인기능 ③ 사회적 지원망
④ 가족기능 ⑤ 지적기능

PART 03

분야별 아동복지서비스

CHAPTER

06 빈곤가정아동보호서비스

1. 빈곤의 개념

빈곤은 사회와 시대에 따라서 다양하게 정의되어 왔으며 학자들에 따라 다양하게 제시되고 있다. 즉, 빈곤은 궁핍이나 가난의 개념으로 이해되기도 하며 기본적 욕구를 충족시킬 수 있는 능력이 부족한 상태로 궁핍으로서의 빈곤, 불평등으로서의 빈곤, 문화로서의 빈곤, 착취로서의 빈곤 등으로 구분되기도 한다. 일반적으로 궁핍으로서의 빈곤은 절대적 빈곤과 동일한 의미이며 불평등으로서의 빈곤은 상대적 빈곤의 의미를 포함하고 있다.

1) 절대적 빈곤

절대적 빈곤이란 인간이 살아가는 데 필요한 최소한의 자원을 충족시키지 못하는 상태를 의미하는데, 개인 및 가족이 최소한의 건강유지와 인간으로서의 문화적인 생활유지에 필요한 의식주 및 생활상의 필요한 자원이 결핍되어 인간다운 삶을 사는데 위협을 받는 상황이라고 할 수 있다. 절대적 빈곤을 측정하는 방법에는 최저생계비방식과 엥겔방식이 있는데 최저생계비방식은 의식주의 기본적인 욕구를 해결하는데 드는 비용을 계산하는 방법이며, 엥겔방식은 음식비가 소득에서 차지하는 일정한 비율을 빈곤선으로 책정하는 방법이다. 절대적 빈곤 측정방법은 비교적 단순하게 빈곤의 수준을 결정할 수 있고 인간의 절대적 욕구충족을 기준으로 빈곤을 정의한다는 점, 공식적인 빈곤선으로 빈곤층 산출이 가능하다는 장점이 있다. 그러나 가계소득의 1/3을 음식비로 추정한다는 것은 산업화, 정보화 사회에서는 적합하지 않으며 빈곤선은 단지 현금소득만 포함하고 의료보호 등과 같은 현물소득은 포함되지 않는다는 점, 사회구성원의 전반적인 생활수준을 고려하지 않았다는 단점을 지닌다.

2) 상대적 빈곤

상대적 빈곤은 특정 사회의 전반적인 생활수준을 고려한 상대적 박탈감과 불평등의 개념으로 특정 사회 구성원 다수가 누리는 생활수준에 미치지 못한 불평등으로서의 빈곤을 의미한다. 상대적 빈곤은 개인의 상황을 사회의 평균소득수준 혹은 표준 생활수준과 비교하여 정한다. 상대적 빈곤을 측정하는 방법으로 평균 또는 주위소득의 비율로 정하는 방법과 소득분배상의 일정 비율에 해당하는 사람을 빈곤자로 규정하는 방법, Townsend 측정도구를 이용한 빈곤측정방법 등이 있다. 상대적 빈곤의 관점에서 빈곤을 측정할 경우 특정 사회의 전반적인 생활수준을 고려할 수 있으며 비물질적인 욕구까지도 포함시킬 수 있다는 장점을 지닌다. 그러나 구체적인 빈곤선을 결정하기 어려우며 현실적으로 소득에 관계없이 개인의 취향과 선호에 따라 생활하는 경우가 많기 때문에 일반적이고 객관적인 생활 형태를 측정하는 지표를 구성하기 어려운 단점이 있다. 보건복지부의 지침에 의하면 2021년 최저생계비는 1인 가구 1,096,699원, 3인 가구의 경우 2,390,370원, 6인 가구의 경우 3,997,821원으로 책정되었으며, 최저생계비는 2020년 대비 평균 3% 정도 증가하였다.

〈표 6-1〉 년도별 최저생계비

(단위: 원)

구분	1인 가구	2인 가구	3인 가구	4인 가구	5인 가구	6인 가구
2020	1,054,317	1,795,188	2,322,347	2,849,505	3,377,321	3,903,821
2021	1,096,699	1,852,847	2,390,370	2,925,774	3,454,424	3,997,162

출처 : 보건복지부(2020, 2021). 내부자료.

또한 최저생계비에서 현물로 지급되는 교육비와 의료비 등 타 법령에 의하여 지원되는 금액을 제외한 금액에 해당되는 것을 생계급여라고 하는데 2021년 생계급여기준은 1인 가구의 경우 548,349원, 4인 가구의 경우 1,426,887원, 7인 가구의 경우 2,249,159원으로 책정하였다. 8인 이상 가구 생계급여기준은 1인이 증가할 때마다 260,578원 증가된다.

〈표 6-2〉 년도별 현금급여기준

(단위: 원)

	1인 가구	2인 가구	3인 가구	4인 가구	5인 가구	6인 가구	7인 가구
2020	527,158	897,594	1,424,752	1,427,752	1,688,313	1,951,910	2,216,915
2021	548,349	926,424	1,195,185	1,426,887	1,727,212	1,988,581	2,249,159

출처: 보건복지부(2020, 2021). 내부자료.

3) 빈곤문화

빈곤문제는 표면적으로는 경제적인 문제로 보이지만 인간의 영혼, 가치, 태도 등의 문제이기도 하며 내면적으로는 가족역기능 문제, 심리적 문제, 사회관계 문제가 복합적으로 얽혀 있다. 특히 빈곤문제는 개인의 심리적인 측면부터 문화와 인간관계, 계층이나 계급구조, 정치·행정적 요소, 사회변화수준, 역사적인 측면까지도 복합적으로 작용되는 특성이 있다. 특히 빈곤문제는 한 세대에서 다음 세대로 전승되는 빈곤의 재생산, 혹은 빈곤의 악순환이 반복될 수 있는데 이는 바로 빈곤문화의 개념으로 설명될 수 있다.

빈곤문화는 일단 형성되면 지속되는 특성이 있다. 오스카 루이스(1997)는 빈곤문화의 특성을 다음과 같이 제시하였다.

첫째, 일반사회(지배문화)와 하위문화와의 관계에 있어서 빈민들이 주요한 사회제도에 통합되지 못하고 이탈되어 있다. 하위문화 내의 빈곤한 사람들은 노동조합이나 정당에 가입되어 있지 않으며 은행, 종합병원, 백화점, 박물관 등도 거의 이용하지 않는다. 빈곤한 사람들은 만성적인 실업과 저임금, 자산과 저축의 부족, 불충분한 음식, 현금 부족으로 소량의 식품을 비싼 가격에 구입한다. 또, 빈번하게 개인물품을 저당 잡히고 고리대의 사채와 이웃과의 비공식적인 신용제도를 이용하며 의류와 가구는 중고품을 이용한다. 기존 제도에 대한 적대감과 경찰에 대한 적대감, 정부 및 공무원에 대한 불신, 종교기관에 대한 불신과 냉소를 나타낸다.

"오스카 루이스"(산체스네 아이들 : 1997)

가난을 이해하기 위하여 문화의 개념을 적용하는 데 있어 나는 현대국가의 가난은 경제적 핍박이나 무질서나 그 밖의 어떤 결여상태를 가리키는 것이 아니라는 점을 강조하고 싶다. 가난이란 어떤 적극적인 의미까지 가지고 있어서 빈곤한 사람들이 살아가는 데 없어서는 안 되는 구조이자 근거이고 방어기제다.

가난문화는 유난히 견고하고 지속적이며 대대로 전수하는 하나의 생활양식이다. 가난문화는 그 자체가 양상을 가지고 있으며 그 구성원에 대하여 현저한 사회적 심리적 영향력을 발휘한다. 그것은 좀 더 큰 민족문화의 일부를 구성하도록 하며 그 나름대로의 민족문화 내부에서 하나의 특수문화를 형성하는 역동적 요인이 됨을 밝힌다.

둘째, 빈곤한 사람들이 거주하는 지역특성과 관련하여 이들은 열악한 거주상태와 과밀한 집단거주형태를 나타내며 주위의 이웃과 경계가 뚜렷한 격리된 생활을 하고 집값이 싼 특징을 가지고 있다. 일시적인 비공식조직에 가담하기도 하며 동네의 폭력집단으로 발전되기도 한다.

셋째, 가족의 특성으로 가족의 생활주기 중 아동기에 대하여 보호받으며 머물고 싶은 시기라고 생각하지 않는다. 또한 조기에 성경험을 하고 결혼생활의 불안정으로 인하여 모계중심의 가족생활을 하며 형식적으로는 가족유대를 강조하지만 형제간의 갈등이 많고 자녀에 대한 학대 및 폭력 등이 빈번하게 나타난다.

넷째, 개인의 태도 및 성격, 가치와 관련하여 빈곤문화에서 성장한 개인들은 운명주의, 무력감, 의타심, 열등감, 연약한 자아구조, 성적정체감 부족, 강한 현실지향성, 남성우월주의, 병리현상에 대한 높은 관용, 역사의식의 부재, 계급의식의 부재 등의 특성을 지니고 있으며, 이와 같이 빈곤한 사람들이 가지는 생활양식과 가치관 등에서 발견되는 독특한 문화를 빈곤문화라고 한다.

2. 빈곤의 원인과 영향

1) 빈곤의 원인

빈곤의 원인에 대하여는 학자마다 다양하게 제시하고 있지만 기능주의적 관점, 갈등주의적 관점, 낙인주의적 관점을 중심으로 살펴보고자 한다.

(1) 기능주의적 관점

빈곤의 원인을 개인적 능력 결함에서 찾는 관점이며 가구주의 사망, 질병, 불구나 장애, 노령, 낮은 교육수준 등을 빈곤의 한 요인으로 본다. 빈곤이 사회문제가 되는 것은 사회체계의 기능에 기여하기 때문에 존재하는 것으로 빈곤층이 사회에 적응하지 못하고 적절한 기능을 수행하지 못함으로 인하여 발생하는 이탈행위의 한 유형이라고 보는 관점이다.

(2) 갈등주의적 관점

빈곤의 원인을 한 집단이 다른 집단에 비하여 더 적은 경제적 자원을 가지게 될 때 빈곤이 존재하게 된다고 보는 관점이다. 재산, 지식 자원, 기회 등의 무소유와 종속상태, 즉 사회적 불평 등의 관점에서 빈곤의 원인을 설명하고 있다.

(3) 낙인주의적 관점

빈곤의 원인을 개인적 요인 즉 동기의 결여, 낮은 열망수준, 무절제, 게으름, 의타심, 과다한 출산, 부적응과 같은 개인의 결함과 책임을 강조한다. 따라서 낙인주의적 관점에서는 단지 경제적 박탈의 문제가 아니라 인격체의 자아개념과 관련되어 있음을 강조한다.

2) 빈곤이 아동에게 미치는 영향

아동은 국가의 소득수준과 상관없이 우리 사회에서 가장 취약한 존재라고 볼 수 있다. 특히 저소득층 가정의 아동들은 적절한 교육기회를 얻지 못하고 성인이 된 후에도 생산성이 저하되어 실업이나 저임금 근로자로 살아갈 가능성이 높기 때문이다. 저소득층 가정은 경제적·신체적·정신적 박탈 등 다양한 문제가 발생될 가능성이 높고 심각한 사회적 문제를 유발시킬 수도 있으며 아동의 정상적인 성장발달에 심각한 손상을 초래하기도 한다.

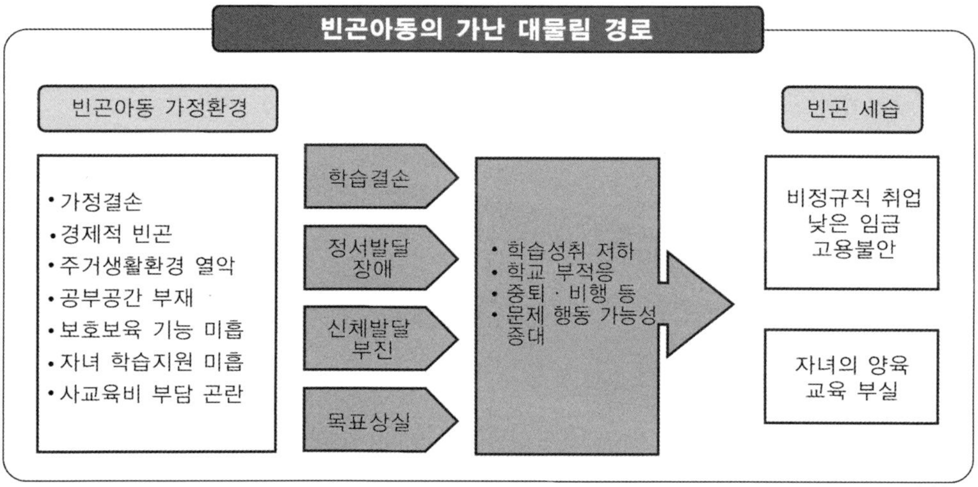

출처: 빈부격차·차별시정위원회(2004). 빈곤아동의 가난 대물림 경로.

[그림 6-1] 빈곤아동의 가난 대물림 경로

김미숙(2006)에 의하면 부모가 취업을 하고 있거나 부재할 경우 돌보아 줄 양육자가 없는 저소득층 아동들은 방임되거나 사회적으로 방치된 상태에서 성장하게 될 위험을 안고 있고, 자존감 저하나 인간관계에서 어려움을 느끼고, 비행청소년이 될 위험이 높다고 하였다. 또한 아동기 때 가정의 빈곤은 한 개인의 전 생애에 걸쳐 부정적인 영향을 미치고 다음 세대까지 대물림되는 빈곤의 세습화 경향이 있다. 저소득층 아동은 일반아동에 비하여 질병 발생률 1.4배, 학력부진 2.2배, 술, 담배 등 비행행동 2배, 가출은 2배가 높은 것으로 나타나고 있다(최선희·김희수, 2004). 빈곤은 아동이 정상적인 발달과업을 성취하는 데 어려움을 초래할 뿐만 아니라 그것이 누적되어 성인이 되어서도 부정적인 영향을 미치게 된다. 빈곤가정아동은 기본권의 침해, 미래성장잠재력의 훼손, 가난의 대물림, 빈곤세습으로 인한 사회통합저해 등으로 요약될 수 있다(빈부격차·차별시정위원회, 2004).

3. 빈곤가정아동의 주요문제

1) 신체적 발달

빈곤은 태내기부터 아동의 성장발달에 필요한 영양섭취를 어렵게 하여 저체중아 출생, 출생 후 발육부진 등과 같은 신체발달문제를 가져올 수 있다.

또한 영아기의 부실한 영양공급과 아동기 결식문제에서 비롯한 영양불균형은 성인기의 골다공증, 위암, 뇌졸중, 당뇨 등의 문제를 일으킬 수 있으며, 특히 철분결핍성 빈혈로 인하여 적응력이 저하되거나(허남순 외, 2005), 열악한 주거환경 등으로 인한 중금속 중독과 아토피 등 피부병, 천식 등 기관지염 등의 문제를 갖기 쉽다.

2) 정서 및 행동발달

빈곤가정아동의 심리적 특성으로는 성취동기가 낮고, 비난과 승인에 대하여 다소 민감한 반응을 보인다(민경화, 2000). 즉, 간단한 과제수행에 대한 승인이나 비난을 받았을 때 중류층 아동에 비하여 하락했고 승인을 받았을 때는 보다 향상을 보인다는 것이다. 빈곤층 아동들은 중류층 아동들에 비하여 충동적인 성향을 가지고 있으며 이것이 또래관계에 부정적 영향을 미치기도 한다. 빈곤아동들은 사회적 상징, 권위에 무조건 반응하며 부모의 보호와 지지가 부족하여 공격적·파괴적 성향을 더 많이 보인다. 또한 심리적으로 개별화가 억제되어 자아존중의식이 부족하고 소극적 성향, 열등감 등 부적절한 자아개념을 형성하기 쉽다.

초록우산어린이재단 아동복지연구소(2012)의 아동빈곤가구복지사각지대 현황분석 보고서에 의하면 빈곤계층이나 차상위계층의 아동이 비빈곤아동보다 부모로부터 신체적·정신적 학대를 더 심하게 받는 것으로 나타났으며 특히 신체적 학대가 높은 것으로 나타나 이러한 요인이 아동의 정서 및 행동발달에 부정적 영향을 미친다고 볼 수 있다.

〈표 6-3〉 계층별 아동학대 노출심각도

구 분	수급 및 빈곤지위(5점에 가까울수록 심각)		
	수급빈곤아동	차상위계층아동	비빈곤아동
신체적 학대	2.12	3.08	1.33
정서적 학대	1.33	2.23	0.88

출처: 초록우산어린이재단 아동복지연구소(2012). 아동빈곤가구복지사각지대 현황분석 보고서.

또한, 최선희(2004)는 충동성과 우울감에서 빈곤아동이 비빈곤아동보다 높으며 지위비행, 도피비행, 재산비행에 있어서도 비행경험률이 높은 것으로 나타났다. 특히 가출하거나 무단조퇴를 하는 도피비행에 있어서 빈곤아동은 비빈곤아동에 비하여 3배 정도 높은 발생률을 보인다고 하였다.

3) 학습 및 학교적응

빈곤한 가정은 아동을 위하여 공부방 등 학습공간을 마련해주지 못하고 학업에 필요한 물품이나 교육자료 등의 결핍을 초래하여 학업성취를 저해한다. 또한 빈곤가정의 부모들은 밤늦게까지 일을 하므로 자녀들과 함께 보낼 시간이 없거나 자녀들과 접촉할 기회가 많지 않아 아동을 지도 감독하는 데 어려움을 겪는 경우가 많다(한국여성복지연구회, 2005). 이러한 요인들로 인하여 빈곤가정아동들은 학업성취도가 저하되고 학교에서 부적응의 문제를 초래하고 있다. 또한 빈곤지역의 학교는 교육청과 지역사회로부터 지원이 낮고 교사들이 기피하는 경향이 있으며 빈곤아동은 학업성취도가 낮을 것이라는 교사의 편견이 아동의 성취를 방해하기도 한다. 또래집단으로부터의 지지 부족이나 소외는 아동의 자존감을 저하시키고 비행을 초래하기도 하여 학교로부터 징계를 받게 되고 이는 다시 비행집단과 동일시하게 되는 촉발요인이 되기도 한다.

4) 빈곤아동의 강점

(1) 빈곤아동의 회복탄력성

빈곤아동은 성장가정에서 신체적·심리정서적·인지적·사회적 문제가 있을 가능성이 있지만 모든 빈곤아동이 문제를 경험하는 것은 아니다. 빈곤아동이라고 해도 상황을 잘 극복하고 오히려 긍정적인 측면을 발달시킬 수도 있다. 이러한 차이는 탄력성의 개념으로 설명될 수 있는데, 탄력성(resilience)의 사전적 의미는 "다시 되돌아오는 경향성, 회복력, 탄성" 등이다.

즉, 개인이 어떠한 어려움을 경험하면서 자신의 능력과 힘은 잃었지만 이전의 적응수준으로 회복할 수 있는 능력의 수준을 의미한다. 즉, 환경적 스트레스의 부정적 영향에 대하여 잘 대처하며 심각한 위험에 처하게 될 때도 현실적으로 적응할 수 있는 능력을 지닌 사람을 탄력성이 있는 사람으로 정의하고 있다. 흔히 회복탄력성(resilience quotient)으로 정의되는 이 개념은 물체마다 탄성이 다르듯 사람마다 삶의 탄력성, 인생의 바닥에서 치고 올라올 수 있는 정도가 다르며, 이 회복탄력성은 성별 차이, 특정 역할에 좌우되는 것이 아니라 개개인의 내재된 성향이나 잠재력에 따라 다르다고 할 수 있다.

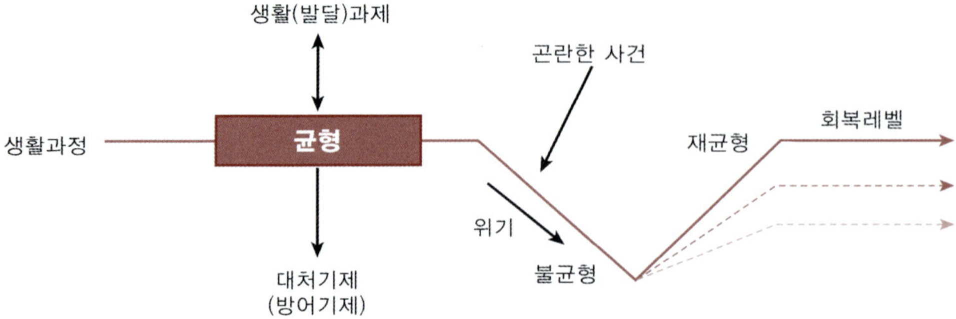

[그림 6-2] 회복탄력성 과정

즉, 역경에 처하면 쉽사리 좌절하는 사람이 있고 역경을 헤치고 다시 도약하는 사람이 있는데, 그 차이는 회복탄력성 지수가 다르기 때문이다. 회복탄력성의 구성요소는 다음과 같다.

〈표 6-4〉 회복탄력성의 구성요소

요 인	내 용
감정 통제력	감정통제력은 압박과 스트레스 상황에도 평온함을 유지할 수 있는 능력이다. 회복탄력성이 높은 사람들은 자신의 감정과 행동을 통제할 수 있는 능력을 갖고 있다. 감정통제는 분노나 짜증, 불안감이나 슬픔 등의 부정적인 감정을 억누르는 것이 아니라 기분 좋고 신나는 느낌, 즐거운 마음 등의 긍정적인 감정을 불러일으키는 능력도 포함된다.
충동 통제력	다니엘 골만이 주장하는 감정지능에 해당되는 개념으로 훗날의 보상을 위하여 현재의 욕구나 충동을 참아낼 수 있는 인내력을 의미한다. 새로운 일이나 대상에 급작스런 흥미를 느끼다가도 쉽게 싫증을 잘 느끼는 사람, 머릿속에 떠오르는 자신의 생각을 참지 못하고 모두 다 쏟아내는 사람들은 충동통제력이 부족한 경우이다.
낙관성	자기 신뢰에 기초하며 낙관성이 높은 사람들은 주어진 상황이 언젠가 나아질 것이라는 믿음을 가지고 있다. 낙관성 지수가 높은 사람들은 신체적으로 더 건강하고 불행을 잘 넘길 뿐만 아니라 우울증에도 덜 걸리나 객관적인 위험성을 과도하게 평가절하하는 비현실적인 낙천주의자하고는 차이가 있다.
원인 분석력	문제를 제대로 직면하고 그 원인을 정확하게 진단하고 해결할 수 있는 방안을 생각하는 능력으로 좋지 않은 일이 생겼을 때 지나치게 좌절하거나 자신을 비하하는 사람들의 경우 원인분석력이 부족하다고 볼 수 있다.

공감 능력	타인의 심리나 감정 상태를 알아채는 능력을 의미하며 다른 사람의 표정이나 목소리톤, 몸짓, 자세 등을 통하여 그 사람이 어떤 생각을 하고 있고 어떤 감정을 느끼는지 알 수 있는 능력으로 이는 인간관계 형성과 유지 발전에 필요한 기본적 자질에 해당된다.
자기 효능감	자신이 스스로 무엇인가를 해낼 수 있다는 믿음으로 자신과 세상의 관계에 어떠한 의미를 부여하고 자신의 능력을 스스로 어떻게 평가하느냐의 수준을 의미한다. 자기효능감이 낮은 사람들은 어떤 문제가 생기면 스스로 해결할 수 없다고 단정 짓고 포기하는 성향이 있다.
적극적 도전성	자신의 한계, 이상으로 나아가려는 삶에 대한 능동적인 태도를 의미하며 익숙한 일상에 안주하지 않고 끊임없이 새로운 도전과 모험을 할 수 있는 마음과 자세를 의미한다.

출처: 김주환(2012). 회복탄력성. 위즈덤하우스. 재구성.

(2) 빈곤아동의 가족탄력성

가족탄력성은 가족이 위기와 스트레스에 직면했을 때 이를 극복하고 회복하는 능력으로 가족이 역경에 처했을 때 긍정적인 적응을 이루는 역동적인 과정을 의미한다. 즉, 가족탄력성은 고위험에 직면한 상황 속에서도 성공적으로 적응하는 가족을 의미한다. 가족탄력성의 요소로는 가족의 신념체계, 정서개방, 명료성, 사회적 자원, 보호지지, 예방적 자세 등을 들 수 있으며 탄력적인 가족체계를 주도하려면 가족구성원 개개인 간의 개인적 이해가 전제되어야 한다.

- 가족의 신념체계: 역경에 대한 의미부여와 긍정적인 시각의 융통성을 가진 협력적인 문제해결임.
- 정서개방: 가족 간의 개방적인 정서표현을 의미.
- 사회적 자원: 사회경제적 자원으로서의 가족 간의 공유된 위기를 대처하는 응집력을 가져야 함.
- 보호지지: 서로에게 보호지지를 하고 낙관적인 관점 유지에 주력함.
- 예방적 자세: 문제를 예방하기, 위기를 전환하기, 미래도전을 준비하기 등이 필요함.

탄력적인 가족체계를 주도하려면 가족개별 간의 개인적 이해가 중요하다.

개인이 병리적 요인이나 약점을 가졌다면 그것은 보통사람이나 일반적인 사람들에 비하여 약한 것이고 병리적인 측면이라고 볼 수 있으나 강점관점으로 탄력적 사고를 가지게 되면 보편적인 기준으로 특별한 자아 효능감을 성취하게 하는 역동성을 이끌어내고 삶의 목표지향성을 가지게 될 수 있다.

아동기 때의 외상이나 빈곤은 성인이 되어 병리의 전조증상이 될 수 있으나 강점관점에서 보면 탄력적인 사고를 가질 수 있고 가족과 보호자 누구라도 강점관점에 함께 지지하고 공감하며 온화한 관계를 유지한다면 희망적이 될 수 있다는 것이다. 가족의 보호적 역할이란 사회로부터 갖는 병리적 요소나 위험에 대하여 부정적인 관점, 패배주의적 사고를 초월하여 새로운 사고를 갖게 하며 문제의 시점을 계기로 역동적으로 그 개인만이 특별한 재능을 발휘할 기회를 위해 가족들 간의 방향을 제시해주고 문제에 개입하여 동등한 파트너십을 갖도록 도와줄 수 있어야 하는 것이다. 위기에 처한 가족에게 필요한 회복탄력성의 요소들은 다음과 같다.

〈표 6-5〉 가족 위기상황별 회복탄력성 요소

상황별	회복탄력성 요소
위기상황을 예방하기 위한 가족관계 유지	공감능력, 감정통제력
경제위기	자기효능감, 적극적 도전성, 충동통제력
이미 위기에 봉착하여 어려움을 겪고 있는 가족	낙관성, 원인분석력

<사례실습>

• 역경을 극복한 사람들이 그 과정을 강연하는 한 방송국의 프로그램에 소개된 다음 사례자의 회복탄력성에 대하여 토론해 봅시다.

• 사례 1

우정훈(힙합댄서)은 올해 스물아홉 살이며 힙합계에서 상당히 영향력 있는 인물이다. 그는 2006년 1월 14일 돌이킬 수 없는 사고를 당했다. 지방공연을 마치고 서울로 올라오던 중 불의의 교통사고를 당하고 차량이 전복되면서 폐가 찢어지고 갈비뼈가 부러지는 중상을 입었고 척추손상으로 하반신이 마비되었다.

사고 직후 중환자실에서 힘겹게 의식을 찾았을 때 가장 먼저 떠오른 사람은 그의 아내였다. 그날 이후 순식간에 모든 것은 달라졌지만 2년이 지난 지금 그는 라디오 DJ 국내에서 열리는 비보이 경연대회의 촉망받는 사회자로 활동 중이다.

그는 자신의 성공에 대하여 자신의 상황에서 할 수 없는 일로 절망하기보다는 할 수 있는 일을 먼저 찾아보려고 했을 뿐이라고 하였다. 그의 이러한 태도로 추측해볼 수 있는 회복탄력성의 요소는 무엇일까?

• 사례 2

김동남 씨는 현재 두부공장 사장이다. 그는 20대부터 기도원, 부랑인수용소, 알코올 중독자 노숙자 쉼터를 전전한 사람이었다. 그러나 노숙자쉼터의 쉼터장 권유로 2002년 4월 수원 희망자활후견기관에서 세운 두부공장에서 일을 시작하게 되었다. 처음에는 한 번도 만들어 본적 없는 두부를 만든다는 것이 너무 힘들고 어려웠다고 한다.

그러나 두부를 잘 만들어보겠다는 생각으로 재래시장, 리어카, 어묵트럭 등 모든 사람들에게 "도대체 어떻게 하면 두부를 잘 만들 수 있는지"에 대한 방법을 질문했고 대답을 들었다. 그 결과 그는 현재 경기도 안양에서 100% 우리 콩으로 두부를 제조하는 (주)짜로사랑의 대표가 되었다. 그는 자신의 이야기를 하면서 지구는 무대이며 인생은 연기라면서 나 자신을 사랑하고 서로를 사랑하자 강조하였다. 노숙자에서 두부공장사장으로 변신한 김동남씨의 삶 속에서 발견할 수 있는 회복탄력성의 요소는 무엇일까?

빈곤가정아동에게 빈곤이 부정적인 영향을 미치는 것을 최소화하기 위하여는 빈곤아동들을 대상으로 위기도를 조사하고 빈곤아동가족과 아동들에게 지원서비스를 제공할 수 있어야 할 것이다. 빈곤아동적응에 영향을 미치는 보호요인과 위험요인은 〈표 6-6〉과 같다.

〈표 6-6〉 빈곤아동적응에 영향을 미치는 보호요인과 위험요인

구 분	위험요인		보호요인
아동특성	• 연령 • 성별 • 지능	• 기질적 특성 • 내적통제소재 • 대인관계기술	• 자아존중감 • 현재의 양호한 발달수준과 적응수준
가족특성	• 가족구조, 미혼모, 이혼, 조손, 다문화가정 • 부모의 병리, 우울, 물질남용, 의존 • 가족 스트레스 • 부모의 부정적 양육행동 • 학대/방임		• 온정적이고 수용적인 부모－자녀관계
지역사회 요인	• 학교의 열악한 물리적 환경		• 지원 가능한 친척, 이웃 • 종교생활과 신앙 • 교사로부터 지지 • 학교로부터 받는 지적 자극

출처: 보건가족부(2009). 드림스타트 대상아동 위기도 판정도구 매뉴얼.

4. 빈곤가정아동복지정책과 서비스

1) 빈곤가정아동복지정책

빈곤가정아동지원정책은 아동복지법, 국민기초생활보장법, 한부모가족지원법, 건강가정지원법, 다문화가족지원법, 영유아보육법 등을 근거로 추진되고 있다. 국민기초생활보장법에서는 만 18세 미만의 아동이 수급대상에 포함될 경우 교육급여, 의료급여를 지급하며 한부모가족지원법에서 학자금 및 교육비 지원, 교복 및 학용품비 지원이 있다. 건강가정지원법에서는 국민기초생활수급권자, 한부모가족, 다문화가족, 조손가족 등을 취약가족으로 보고 필요한 지원서비스를 우선적으로 제공하도록 하고 있다.

2) 빈곤가정아동복지서비스

(1) 아동급식서비스

우리나라의 아동급식사업은 2000년부터 실시되었으며 2001년에는 조식지원이 실시되었고, 2004년부터 방학이나 토, 일요일 중 취학아동 중식지원이 교육부에서 보건복지부로 이관되었다. 그리고 2004년 말 겨울방학부터 방학 중 중식 지원 대상을 확대하여 지원하게 되었다. 2005년부터는 아동급식지원사업이 지방으로 이양되었고 2009년과 2010년에는 경제위기로 인한 결식아동이 증가함에 따라 한시적으로 국비를 지원하였다. 아동급식서비스는 아동이 빈곤, 가족해체, 부모(보호자)의 실직, 질병, 가출 및 직업적 특성, 아동학대, 방임, 유기, 부양기피 및 거부, 가정위탁아동, 소년소녀가정, 그밖에 여러 가지 사유로 가정에서 제대로 보살핌을 받지 못해 끼니를 거르거나 먹는다고 해도 필요한 영양을 충분히 공급받지 못하는 경우에 아동의 건전한 성장을 위하여 식사를 제공하거나 식사를 할 수 있도록 관련식품 등을 지원하는 일체의 행위를 의미한다.

아동급식서비스의 목적은 첫째, 저소득가정의 아동들이 건강하고 행복하게 자랄 수 있도록 민·관이 협조체계를 구축하여 지역실정과 아동의 가정환경 및 욕구에 맞는 급식을 효율적으로 제공하는 데 있다. 둘째, 아동들은 신체적·정신적으로 성숙하지 않아 스스로 급식능력이 부족하므로 급식이 필요한 아동들에게 적극적인 급식을 지원하고자 하는 데 있다.

① 급식지원 대상

지원 대상으로는 18세 미만의 취학 및 미취학아동(아동복지법 제2조)으로 다만 18세 이상인 경우에도 고등학교에 재학 중인 아동을 포함하며 18세 미만인 학교탈락아동의 경우에도 지원할 수 있다.

② 급식지원 내용

보건복지부에서는 결식아동을 위하여 결식아동신고센터를 설치·운영하고 있으며 결식아동을 발견한 사람이나 결식이 필요한 아동이나 부모가 국번 없이 1366－1377에 신고하면 현장 확인 후 급식지원을 받을 수 있도록 지원체계를 마련하고 있다. 아동 급식지원 내용은 다음과 같다.

- 미취학아동은 조·중·석식 중 아동별 특성에 따라 급식형태 선택지원
- 취학아동: 조·중·석식 중 아동별 특성에 따라 급식형태 선택지원
- 조·석식 연중지원: 지방자치단체
- 중식지원

  학기 중 중식지원: 교육청(학교)

  학기 중 토·일·공휴일 중식지원: 지방자치단체

  방학 중 중식지원: 지방자치단체

급식단가는 지자체별로 상이하나 정부에서는 1식당 6천원 이상 지원을 권고하고 있으며, 급식전달은 아동여건에 따라 급식소 급식, 일반음식점 급식, 도시락 배달, 부식지원 등의 방법으로 지원한다.

급식지원유형은 단체급식소, 음식점, 도시락 배달, 부식지원, 식품권 등이 있으며 각 유형의 장·단점은 다음과 같다.

〈표 6-7〉 급식지원유형별 장 · 단점

구 분	장 점	단 점
급식소·식당	직접식사 제공, 전달용이	낙인현상 인식으로 급식률 저하
도시락 배달	주변 노출 방지 및 편한 급식방법	배달비용 추가 소요, 보온·보냉 유지 어려움, 급식내용물 부실 가능
부식 배달	구미에 맞도록 조리하여 급식가능	조리 가능자 없을 경우 문제, 급식내용물 부실 가능
식품권 등	자유로운 방법으로 취식가능	식품 외 물품구입 등 전용우려

(2) 지역아동센터사업

지역아동센터사업은 1970년대 도시빈곤층의 문제해결을 위한 방안으로 학령기아동을 위한 활동의 일환으로 시작되었다. 이후 1980년대 빈민·노동운동을 위한 방안으로 빈민, 노동계층의 주거지역에 탁아소를 설치하고 이후 공부방활동으로 전개되었고 1990년대 공부방 설립을 확대, 빈민지역 내에 통합적인 사회복지를 바탕으로 지역운동을 전개하였다. 2000년대 공부방이 법제화로 되면서 다수의 공부방이 지역아동센터로 전환되었다. 보건복지부에 의하면 2008년 3,013개소에서 2018년 4,211개소로 10년간 약 39.7% 증가하였다.

① 지역아동센터의 목적과 기능

아동복지법 제52조에 의하면 지역아동센터는 지역사회아동의 보호·교육·건전한 놀이와 오락의 제공, 보호자와 지역사회 연계 등 아동의 건전육성을 위하여 종합적인 복지서비스를 제공하는 것을 목적으로 하고 있다. 이러한 목적을 달성하기 위한 지역아동센터의 주요기능은 다음과 같다.

- 취약계층 아동 지역사회보호개념실현 : 지역사회 내에서 아동의 권리보장과 안전한 보호·급식지원으로 결식 예방
- 교육적 기능 : 아동의 학습능력 제고, 학교부적응 해소, 일상생활지도, 학교생활유지 및 적응력 강화
- 정서적 지원 : 아동의 심리·정서적 안정 및 건강한 신체발달 기능 강화
- 문화서비스 제공 : 문화적으로 소외되어 있는 아동에 대하여 문화체험 및 다양한 문화경험의 장 제공
- 지역사회연계 : 지역사회 자원 발굴 및 지원강화, 지역사회 내 아동문제에 대한 사전 예방적 기능 및 사후 연계

② 지역아동센터 보호서비스

지역아동센터 보호서비스 기본프로그램은 크게 이론과 프로그램, 기술로 구분하

여 구성할 수 있다. 프로그램은 아동안전, 아동건강, 일상생활프로그램을 포함하고, 이러한 프로그램을 운영하는 데 적용되는 기술은 아동을 만나는 기술, 아동관찰 면담기술, 가족지원기술 등이 있다.

〈표 6-8〉 지역아동센터 보호서비스 기본프로그램 표준안(예시)

내 용		세부내용
이 론		생태체계이론, 강점관점, 야간보호교사 가치와 원칙, 지역아동센터의 이해, 이용아동·가족의 이해, 아동발달의 이해, 아동학대의 개념 및 유형, 야간보호의 필요성
프로그램	아동안전	안전한 공간 만들기, 센터 내 외부의 안전 확보, 비상연결 체계 구축, 귀가지도
	아동건강	건강상태 파악하고 돌보기, 건강한 먹거리 제공(식사 및 간식), 식사예절지도
	일상생활	청결지도, 놀이를 통한 긍정적 또래관계 및 실무자 관계 가지기, 사회적 기술, 자연스런 대화를 통한 의사소통, 일기쓰기, 하루정리 및 내일을 위한 준비(알림장, 숙제, 준비물 확인 등)
기술	아동을 만나는 기술	아동이 참여하고 함께 하는 규칙 만들기, 아동이 잘하는 것 격려해주기, 아동의 이야기를 잘 들어주기 등
	아동 관찰, 면담 기술	아동개별카드, 아동성장기록, 교사회의
	가족 지원 기술	가족과 함께 야간보호협력 약속하기, 유지하기

출처: 한국청소년정책연구원(2010). 취약가정·시설아동·청소년자원을 위한 종단연구. p.66.

(3) 드림스타트사업(아동통합서비스지원사업)

기존의 아동복지서비스는 문제가 발생한 이후 단편적으로 개입하는 사후 관리적 서비스로 구성되었다. 특히 가족해체와 사회양극화 등에 따라 아동빈곤문제가 심각하게 되었고 이러한 빈곤가정의 문제는 아동에게 부적절한 양육환경으로 이어지고 아동발달에 부정적인 영향을 미치게 되었다. 이러한 문제로 인하여 아동과 가족에 초점을 둔 지원서비스가 필요하게 되었다.

① 드림스타트사업의 목적과 대상

드림스타트사업은 취약계층아동에게 맞춤형 통합서비스 제공을 통하여 아동의 건전한 성장과 발달을 지원하고 공평한 출발기회를 제공함으로써 빈곤의 대물림을 벗어날 수 있도록 지원하는 데 그 목적을 두고 있다(보건복지부, 2013 아동복지사업안내). 드림스타트사업은 2007년 전국 16개 시·군·구에 드림스타트센터를 설치·운영하기 시작하였으며 2012년 전국 181개소에서 드림스타트센터를 설치하여 사업을 추진하고 있으며, 2020년 5월 기준 약 26% 증가한 229개소가 설치·운영 중이다. 드림스타트사업 대상아동은 아동의 성장 및 복지여건이 취약한 가정의 만 12세 이하 아동 및 가족, 임산부이며 국민기초수급 및 차상위 계층아동, 결손가정, 성폭력피해아동, 한부모가정, 다문화가정, 조손가정 등에 대하여 우선지원을 원칙으로 하고 있다.

② 서비스지원방법

서비스지원은 가정방문을 통하여 아동, 가구현황조사, 위기도를 검사한 후 사례관리 대상아동과 그 가족에게 지역자원과 연계한 맞춤형 서비스를 지원하고 정기적인 위기도 검사와 지속적인 모니터링 및 통합사례관리를 실시한다. 특히 보건, 복지, 보호, 교육, 치료 등 종합적으로 지원하고 건강증진, 기초학습, 사회성·정서 발달, 부모의 양육지도, 그밖에 아동의 성장과 발달을 도모하기 위하여 필요한 서비스를 제공한다.

③ 드림스타트서비스 유형

드림스타트서비스는 신체/건강, 인지/언어, 정서/행동, 부모지원 등을 주제로 필수서비스와 선택서비스로 구분되어 제공된다. 필수서비스와 선택서비스의 세부적 내용은 〈표 6-9〉와 같다.

〈표 6-9〉 드림스타트서비스 유형

영 역	필수서비스	선택서비스
신체/건강	• 건강검진 및 예방: 신체 및 건강검진, 예방접종, 치과검진 및 관련교육, 건강교육/클리닉, 응급처치 관련교육, 영양 교육	• 건강관리: 방역서비스, 질병관련 치료지원, 기타
인지/언어	• 기초학습: 기초학력검사, 기초학력배양, 독서지도, 경제교육	• 학습지원: 교구재활용학습, 공부방, 도서관 운영, 보충학습, 예체능, 학습지지원 기타
정서/행동	• 사회정서: 사회성 발달, 정서 발달, 아동권리교육, 학대 및 폭력예방, 다문화관련 교육, 소방 및 안전관련, 진로지도 • 심리행동: 심리상담 및 행동, 심리상담 및 치료, 인터넷중독상담 및 치료 • 보호(필요한 경우): 돌봄기관 연계, 야간보호 및 교육	• 문화체험: 체험학습, 영화 및 공연관람, 자매드림스타트교류, 캠프, 기타
부모	• 부모교육: 부모자녀관계 상담 및 교육, 자녀 발달, 양육, 자조모임 • 부모지원: 부모취업지원, 양육환경지원	• 양육지원: 다문화가정지원, 취미, 여가, 안전 및 건강지원, 기타 • 가족지원

출처: 보건복지부(2013). 2013 아동복지사업안내.

(4) 디딤씨앗통장(CDA)

2007년부터 미래 성장동력인 아동에 대한 사회투자로 빈곤의 대물림을 방지하고 저소득층 아동의 사회진출 시 학자금, 취업, 창업, 주거마련에 소요되는 초기비용 마련을 위하여 아동발달지원계좌(Child Development account, CDA) 사업을 시작하였고 2011년 국민기초수급가정아동에 대한 지원을 확대하였다. 2019년 지원아동수는 80,700명에 적립금 4,000억 원을 달성하였다.

① 지원 대상 및 기간

지원대상은 만 18세 미만의 아동복지시설, 공동생활가정, 장애인시설아동, 가정위탁, 소년소녀가정아동, 국민기초생활수급자가정아동, 가정복귀아동 등이다. 기간은 요보호아동은 0세부터 만 18세 미만까지, 기초생활수급아동은 가입 시부터 18세 미만까지 지원한다.

② 적립방법 및 적립금 사용용도

아동이 후원자 또는 보호자의 도움으로 적립 시 국가(지방자치단체)가 월 5만 원 내에서 1 : 1 매칭으로 지원하고 기본매칭 최고한도 5만 원을 적립한 아동은 월 60만 원 내에서 추가 적립 가능하며 추가 적립에 대한 국가매칭은 없다. 적립금은 만 18세 이후 학자금, 기술자격 및 취업훈련비용, 창업지원금, 주거마련 지원 등 자립을 위한 용도에 한하여 사용 가능하다. 만 24세까지 사용용도가 발생하지 않을 경우 사용용도 제한 없이 아동적립금 및 정부매칭지원금 지급이 가능하다.

소자(64x53)

출처 : 아동발달지원계좌 디딤씨앗통장(www.adongcda.or.kr)

연습문제

※ (1-3) 빈곤과 관련된 다음 설명에 해당되는 개념을 적어 보세요.

01

> 인간이 살아가는 데 필요한 최소한의 자원을 충족시키지 못하는 상태를 의미하며 개인 및 가족이 최소한의 건강유지와 인간으로서의 문화적인 생활유지에 필요한 의식주 및 생활상의 필요한 자원이 결핍되어 인간다운 삶을 사는 데 위협을 받는 상황이다.

02

> 특정 사회의 전반적인 생활수준을 고려한 상대적 박탈감과 불평등의 개념으로 특정 사회 다수가 누리는 생활수준에 미치는 못하는 불평등으로서의 빈곤을 의미한다.

03

> 표면적으로는 경제적인 문제로 보이지만 인간의 영혼, 가치, 태도 등의 문제이기도 하며 내면적으로는 가족역기능 문제, 심리적 문제, 사회관계 문제가 복합적으로 얽혀 있다.

04 빈곤문화의 특성에 대한 설명 중 맞지 않는 것을 모두 고르세요.

① 빈곤한 사람들은 기존제도에 대한 적대감을 갖는다.
② 빈곤한 사람들의 거주 지역은 열악하다.
③ 빈곤한 사람들은 노동조합이나 정당에 가입되어 있다.
④ 빈곤한 사람들의 가족관계는 불안정하다.
⑤ 빈곤문화에서 성장한 개인들은 강한 자아구조, 약한 현실지향성 등의 특성을 지니고 있다.

05 빈곤의 원인에 대한 다음 설명에 해당되는 관점을 고르세요.

> 빈곤의 원인은 개인적 능력결함에 있으며 빈곤한 것은 빈곤층이 사회에 적응하지 못하고 적절한 기능을 수행하지 못함으로써 발생하는 이탈행위의 한 유형이라고 본다.

① 갈등주의적 관점　② 능력주의적 관점　③ 기능주의적 관점
④ 낙인주의적 관점　⑤ 발달론적 관점

06 다음 중 회복탄력성의 요소가 아닌 것을 고르세요.

① 감정표현력 ② 충동억제력 ③ 낙관성
④ 원인분석력 ⑤ 자기효능감

07 다음 설명에 해당되는 회복탄력성 요소에 해당하는 것을 고르세요.

자신의 한계, 이상으로 나아가려는 삶에 대한 능동적인 태도를 의미하며 익숙한 일상에 안주하지 않고 새로운 모험을 할 수 있는 마음과 자세를 의미한다.

① 원인분석력 ② 자기효능감 ③ 적극적 도전성
④ 낙관성 ⑤ 충동억제력

08 가족탄력성의 요소가 아닌 것을 고르세요.

① 예방적 자세 ② 보호지지 ③ 사회적 자원
④ 정서개방 ⑤ 가족의 경제수준

09 빈곤아동적응에 영향을 미치는 요인 중 아동특성의 위험요인이 아닌 것을 고르세요.

① 가족구조 ② 연령 ③ 성별
④ 지능 ⑤ 학대

10 건강가정지원법에서 규정하는 취약가족에 해당되지 않는 것을 고르세요.

① 국민기초수급권자 ② 한부모가족 ③ 다문화가족
④ 장애가족 ⑤ 조손가족

11 아동급식지원유형 중 자유로운 방법으로 취식이 가능하나 식품 외 물품 구입 등 전용이 우려되는 단점을 지닌 급식지원유형을 고르세요.

① 급식소·식당 ② 식품권 ③ 도시락 배달
④ 부식 배달 ⑤ 자율이용

연습문제

12 지역아동센터의 주요기능에 해당되지 않는 것을 모두 고르세요.

① 취약계층아동 국가적 보호 개념 실현
② 치료적 기능
③ 교육적 기능
④ 정서적 지원
⑤ 지역사회연계

※ (13–14) 빈곤아동복지서비스 중 다음 사업의 목적을 간략하게 적어 보세요.

13 드림스타트사업 :

14 디딤씨앗통장(CDA) :

15 CDA적립금 사용용도에 해당되지 않는 것을 고르세요.

① 18세 이전 학자금
② 기술자격 및 취업훈련비용
③ 창업지원금
④ 주거마련지원
⑤ 결혼비용

CHAPTER 07

장애아동복지서비스

1. 장애아동의 개념 및 유형

1) 장애아동의 개념

장애아동이란 신체, 정서, 인식, 언어, 학습능력 등의 장애로 인해 보호와 양육, 교육과 재활 및 사회 적응에 있어 특별한 보호를 필요로 하는 아동을 말한다. 장애인복지법에 따르면 장애인이란 신체적·정신적 장애로 오랫동안 일상생활이나 사회생활에서 상당한 제약을 받는 자를 말한다. 이때 '신체적 장애'란 주요 외부 신체 기능의 장애, 내부기관의 장애 등을 말한다. '정신적 장애'란 발달장애 또는 정신질환으로 발생하는 장애를 의미한다. 즉, 장애아동은 신체적·정신적 장애로 인하여 보호와 양육, 교육 및 재활 및 사회적응을 위한 서비스가 필요한 아동이라고 할 수 있다.

2) 장애아동의 유형

(1) 발달장애

보그스(Boggs, 1972)에 의하면 발달장애란 병원학적 근거가 없으며 아동기에 발생하여 지속되는 장애를 지닌 아동과 성인을 포함한다고 정의하였다.

또한 PL(미국의 장애아동을 위한 교육법)에 의하면 발달장애란 다음 조건을 가진 심하고 만성적인 장애를 가진 자를 의미한다고 정의하였다.

즉, 정신적·신체적 손상을 지니고 있거나 이들 두 장애조건을 동시에 지니는 경우로 22세 이전에 명확하게 나타나 일생동안 지속되며 다음과 같은 생활의 주요영역에서 2~3가지 이상의 기능적 제한을 가져온다.

- 자기보호
- 수용 및 표현 언어
- 학습
- 이동능력
- 자기지시
- 경제적 자립
- 독립생활능력

이와 같은 문제로 특별하거나 학제적이거나 일반적인 보호 및 처치를 받거나 아니면 일생 동안 혹은 장기간 동안 기타 개별 및 협력서비스를 받거나 이들 서비스를 조합하여 받을 필요가 있는 자로 규정하고 있다.

DSM-IV(1994)에서 전반적 발달장애는 발달의 여러 분야, 즉 사회적 상호작용과 의사소통기술에 있어서 심각하고 전반적으로 장애가 있거나 반복적인 행동 및 관심, 활동을 보는 특징이 있다. 이 장애에는 자폐성장애, 레트장애, 소아기 붕괴성장애, 아스퍼거장애, 달리 분류되지 않는 전반적 발달장애가 있다.

(2) 학습장애

학습장애는 언어, 즉 구어와 문어의 이해와 사용과 관련된 기본심리과정상에 나타나는 1가지 이상의 장애를 의미한다. 즉, 기본적 심리과정의 문제로 인한 학습선수기능의 제한, 기초학습과 교과학습에서의 현저히 낮은 성취, 사회적 문제 등을 일생동안 나타내는 경우를 의미한다(정대영, 2006). 학습장애는 지각장애, 뇌손상, 난독증 및 발달실어증이 포함되며 시각장애, 청각장애, 운동장애, 정신지체, 정서장애 및 환경적·문화적 실조로 인한 학습문제가 있는 아동은 학습장애에 포함되지 않는다. 학습장애는 주로 후천적 뇌손상, 유전적 뇌기능, 생화학적 이상 및 정상적인 대뇌발달에 영향을 미치는 영양결핍이나 기타 환경요인 등의 원인으로 인하여 발생된다.

〈표 7-1〉 학습장애의 원인

영 역		요 인
후천적 뇌손상	태아기	산모의 영양결핍, 풍진, 알코올 남용, 약물오남용
	출생 시	산소결핍(무산소증), 출생 시 뇌손상, 조산
	출생 후	뇌진탕, 뇌염, 뇌막염, 홍역, 성홍열
유전성		염색체이상, 단어맹
생화학		미확인 생화학적 요인 의심
환경과 영양		발달초기 환경 및 영양실조, 이상체질

학습장애는 발달기 동안 일어나는 발달상장애와 취학아동들이 겪는 학업상장애로 구분되며 발달상 학습장애는 주의집중장애, 기억장애, 지각장애, 사고장애, 구어장애, 협응장애, 사회성장애가 있다. 학업상장애에는 읽기장애, 쓰기장애, 수학장애 등이 있다.

(3) 정신지체장애

정신지체장애란 18세 이전에 지적기능과 개념적·사회적·실제적 적응기술로서 표현되는 적응행동영역에서 유의미한 제한을 가지는 장애이며, 장애인복지법시행규칙에서는 IQ 70 이하로 지능, 일상생활, 사회생활, 직업을 동시에 고려해야 한다고 하였다. 미국정신지체협회에서는 정신지체란 18세 이전에 시작되며 지적기능과 개념적·사회적·실제적 적응기술에서 발휘하게 되는 적응행동에 유의할 정도의 제한성을 특징으로 보이는 장애이며 다음과 같은 5가지의 기본적인 가정을 기초로 한다고 하였다(AAMR Ad Hoc Committee on Terminology and Classification, 2002 : 1).

① 기능상의 제한성은 일반적으로 개인의 연령 또래와 문화로 형성된 지역사회환경이라는 맥락에서 판단되어야 한다.

② 타당성 있는 평가는 의사소통, 감각, 운동 및 행동요소뿐만 아니라 문화적 및 언어적 다양성을 고려하여야 한다.

③ 제한성은 흔히 개인의 내부의 강점과 동시에 존재한다.

④ 장기간 동안 적절한 개별지원이 이루어지면 일반적으로 정신지체의 생활기능이 향상될 것이다.

미국정신지체협회에서의 정신지체에는 지적기능문제뿐만 아니라 적응행동의 문제를 포함하고 있으며 정신지체아동의 지적기능과 적응행동문제는 개선될 수 있다고 보고 있다. 적응행동이란 사람들이 학습을 통하여 자신의 일상생활에서 기능을 발휘할 수 있는 기능의 수준을 의미하며 이 적응행동에 문제가 생기게 되면 개인이 일상생활을 영위하는 데 어려워지거나 반응하는 능력에 영향을 미치게 된다. 적응행동에 포함되는 개념은 [그림 7-1]과 같다.

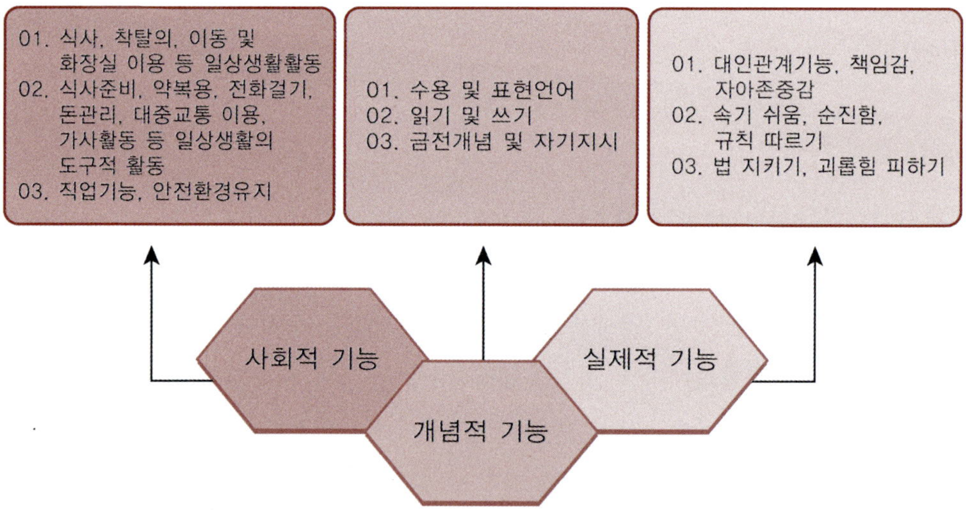

[그림 7-1] 적응행동의 기능

미국정신지체협회에서는 정신지체의 원인을 출생 전과 출생 중, 출생 후로 구분하여 생의학적·사회적·행동적·교육적 측면에서 제시하고 있다.

〈표 7-2〉 정신지체의 원인

시기	내용별			
	생의학적 원인	사회적 원인	행동적 원인	교육적 원인
출생 전	• 염색체이상 • 단일유전자장애증후군 • 대사장애, 뇌발생장애 • 산모질환, 연령	• 빈곤, 산모 영양실조, 가정폭력, 출생 전 관리결여	• 부모 약물사용, 부모 음주, 흡연 • 부모 미성숙	•지원 없는 부모의 인지적 장애 •부모 준비결여
출생 중	• 조산, 출생 시 뇌손상 • 신생아질환	• 출산관리부족	• 부모의 양육거부, 부모의 자식포기	• 중재서비스를 위한 의료적 의뢰결여
출생 후	• 외상성뇌손상 • 영양실조, 뇌막염 • 발작장애, 퇴행성장애	• 장애를 가진 보호자의 적절한 자극결여 • 가정의 빈곤 • 가정 내 만성적 질환, 시설수용	• 아동학대 및 유기, 가정폭력 • 부적절한 안전조치, 사회적 박탈, 다루기 힘든 아동행동	• 손상된 부모기능, 지체된 진단, 부적절한 조기중재 서비스, 부적절한 특수교육서비스, 부적절한 가족지원

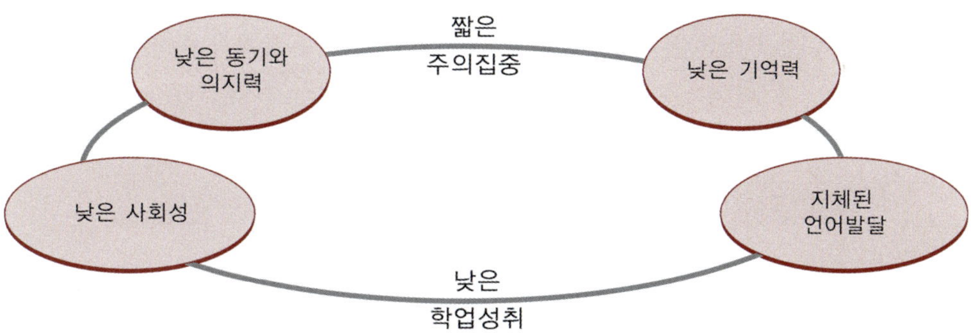

[그림 7-2] 정신지체장애아동의 특성

정신지체장애아동은 낮은 지능지수와 함께 주의집중, 기억, 언어발달 등에 있어서 장애를 가지고 있으며 다양한 심리행동특성을 가지고 있다.

(4) 정서행동장애

미국장애인교육법이나 우리나라 특수교육진흥법에 의하면 정서행동장애란 지적·신체적·지각적인 면에서 이상이 없음에도 불구하고 다음 중 한 가지 이상의 특성을 장기간 동안 다양한 환경에서 지속적으로 나타내는 경우를 의미한다고 정의하고 있다.

- 지적, 신체적 또는 지각적인 면에 이상이 없음에도 불구하고 학습 성적이 극히 부진함
- 친구나 교사와의 관계에서 부정적인 문제를 지님
- 정상적인 환경에서 부적절한 행동이나 감정을 나타냄
- 늘 불행하거나 우울한 기분으로 생활함
- 학교나 개인문제와 관련된 정상적인 장애로 인하여 신체적인 통증이나 공포를 느낌

정서행동장애는 내면화장애와 외현화장애로 구분된다. 내면화장애에는 우울증과 불안장애 등이 있으며 외현화장애에는 주의력결핍과잉행동장애와 품행장애, 적대적 반항장애 등을 들 수 있다.

[그림 7-3] 정서행동장애의 유형

(5) 자폐성장애

자폐성장애는 만 3세 이전에 전형적으로 발생되며 일생 동안 지속되는 무능력한 발달장애라고 할 수 있다. 자폐성장애는 행동적·발달적 특성에 의하여 정의되는 신경생리학적 원인에 의하여 발생하며 사회적 상호작용, 의사소통능력, 상상, 인간관계 형성에 영향을 미친다. 특히 언어발달이 지연되고 반향어로 말하여 의사소통에 어려움이 있으며 이로 인하여 사회적으로 고립되기 쉽다. 행동적인 측면에서는 반복적 행동, 자해행동, 공격성 등을 지니고 있다. DSM-IV에서는 자폐성장애의 필수 증상으로 사회적 상호작용과 의사소통이 현저하게 비정상적이거나 발달에 장애가 있고 활동과 관심의 종류가 현저하게 제한되어 있다고 하였다. 미국장애인교육법에서는 독립된 장애영역으로 분류하고 있지만 우리나라에서는 자폐성장애를 정서장애의 한 유형으로 분류하고 있다.

2007년부터 발달장애가 자폐성장애로 명칭이 변경되었다. 이러한 자폐성장애는 정상발달의 단계가 나타나지 않고 기능 및 능력 장애로 인하여 주위의 도움이 필요한 것을 말한다.

자폐성장애의 원인에 대하여는 주로 생물학적 이론과 정신역동적 이론에 의하여 설명되고 있는데 생물학적 이론에 의한 원인으로는 손상 받기 쉬운 X증후군, 유전적 원인, 소뇌기능장애, 중추신경계의 신경학적 손상을 들고 있으며 산모의 알코올 중독, 감염, 출산 중 신경학적 손상 등을 원인으로 들고 있다. 정신역동적 이론에 의한 원인으로는 양육과정에서 어머니의 냉담한 심리적 반응, 신생아의 불안이나 공포 등을 원인으로 들고 있다. 자폐성장애의 유형은 장애정도, 발생 시기, 다른 장애와의 관련성에 따라 자폐증, 자폐 범주성 장애, 전반적 발달장애, 아스퍼거증후군, 레트장애, 소아분열장애 등으로 분류할 수 있으며 유형에 따라 특성의 차이가 있다.

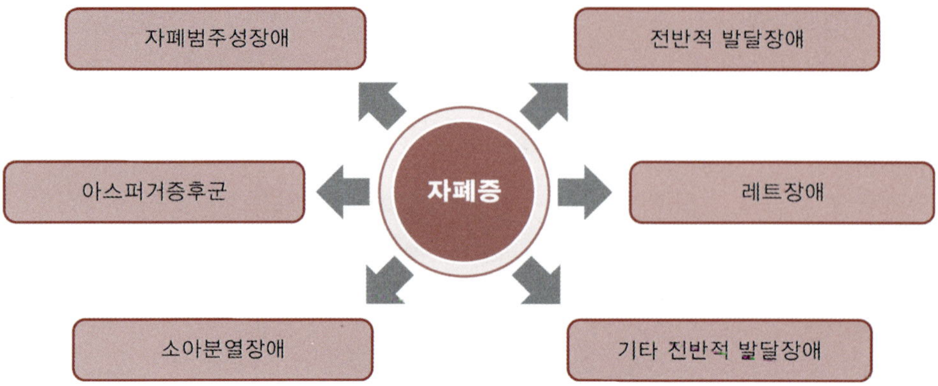

[그림 7-4] 자폐성장애의 유형

의학적으로 생후 18~24개월이면 자폐증 조기진단이 가능하지만 말을 잘하는 아스퍼거장애의 경우 발견과 진단이 늦어질 수 있다. 일반적으로 부모가 아이에게 문제가 있다고 생각되는 시기는 평균적으로 생후 30개월 정도라고 할 수 있지만 병원으로 아이를 데리고 진단하러 오는 시기는 만 3세나 4세가 되어서라고 한다. 특히 음악이나 문학 등 특별한 재능이 있는 아이의 경우는 발견시기가 더 늦어질 수 있다. 그러나 자폐증 조기진단과 치료가 이루어진다면 아이들의 사회성을 어느 정도 키울 수 있고 아이에게 적합한 직업도 일찍 선택하여 훈련이 가능하다는 데 전문가들은 의견을 같이하고 있다.

2. 장애아동의 현황 및 주요문제

1) 장애아동의 현황

한국보건사회연구원이 실시한 2020년 장애인실태조사에 의하면 우리나라 추정 장애인수는 262.2만 명이고, 등록 장애인 수의 비율은 전체 인구 대비 5.1%로 나타났다. 특히 장애인 등록률은 2017년 기준 96.7%로 나타났다. 우리나라 장애인 증가율은 2008년 2,137,226명에서 2014년까지 지속적으로 증가하다가 2017년까지 소폭 감소하였으나, 2020년까지 또 다시 증가하고 있는 것으로 나타났다. 2020년의 우리나라 장애인수는 2008년 장애인수에 비하여 약 1.24배 증가한 것으로 나타났다.

〈표 7-3〉 장애인 증가율(2008~2020)

(단위 : 명)

구분	2008	2011	2014	2017	2020
인원	2,137,226	2,611,126	2,646,064	2,580,340	2,622,950

출처 : 보건복지부, 한국보건사회연구원(2020). 장애인실태조사

2020년 연령별 장애인 비율 중 0~19세 연령에 해당하는 아동은 약 32,000명으로 전체 장애인의 약 3.4%에 해당하는 것으로 나타났다. 특히 아동기에 발견되는 장애의 경우 선천성 장애보다 사고나 질병으로 인한 후천성 장애가 더 높은 비율을 차지하고 있고 부모가 장애등록을 하지 않는 경우가 있어 실제적으로는 장애아동의 수가 보다 많을 것으로 추정하고 있다.

〈표 7-4〉 2020년 장애인 연령별 비율

(단위 : 명)

구분	0~9	10~19	20~29	30~39	40~49	50~59	60~69	70~79	80 이상
인원	32,000	59,000	98,000	122,000	243,000	452,000	603,000	585,000	440,000

출처 : 보건복지부(2020). 장애인등록현황.

또한 장애 발생원인은 후천적 원인이 90.5%로 나타나 장애 조기발견과 치료적 개입 등으로 장애예방을 위한 건강관리 및 예방적 지원체계 마련이 무엇보다 필요하다는 것을 알 수 있다. 장애인의 일상생활에 대한 주 도움제공자는 친척을 포함한 가족이 82.4%로 가장 많았고 활동보조인, 가사도우미 등 공적 돌봄서비스 제공자의 비율은 2.8%로, 기타 간병인 및 요양보호사의 비율은 13.5%로 나타났다. 2017년 장애인실태조사 보고서에 따르면 장애인이 국가 및 사회에 대하여 가장 우선적으로

요구하는 사항은 소득보장(41.0%), 의료보장(27.6%), 고용보장(9.2%) 순으로 나타났으며 장애아동에 대하여 미래에 대한 막연한 불안감(36.9%), 장애아동 보호에 대한 지식 부족(10.7%), 자녀의 직업 및 취업문제(10.2%), 사회적 차별과 인식부족의 문제(10.2%)인 것으로 나타났다. 여성장애인은 임신·출산관련 교육 및 정보제공(16.0%), 자녀양육지원서비스(13.2%), 활동보조인(10.1%), 출산병원지원(9.1%)인 것으로 나타났다.

2) 장애아동의 주요문제

(1) 장애아동 간병 문제

장애아동에 대한 간병 및 수발에 대한 1차적 책임이 가족에게 있으므로 간병과 수발의 장기화에 따른 가족의 개인적 희생이 강요되고 있다. 가족의 개인적 희생이 강요되는 가운데 장애아동은 개인의 죄책감과 가족으로부터 거부 혹은 버림받을 것에 대한 두려움을 느끼기도 한다. 또한 장애아동과 주된 간병을 하는 가족원과의 심리·정서적 갈등을 겪기도 한다. 무엇보다 장애아동을 간병하는 부모나 가족의 과중한 역할부담과 그로 인한 스트레스나 소진 등으로 간병을 하는 가족이 질병을 얻기도 하고 가족기능과 상호작용이 상실되어 가족해체로 이어지기도 한다.

(2) 경제적 문제

장애아동가족의 소득수준은 일반아동가족의 소득과 비교했을 때 46.4%에 불과하며 실업률 또한 우리나라 실업률의 7배가 넘는 것으로 나타났다. 이는 장애아동의 보호와 수발, 혹은 치료에 따른 비용부담과 이로 인하여 수입이 감소하기 때문이며, 가족 전체의 빈곤화를 초래하여 극단적인 선택을 하는 경우까지 발생한다.

10대 외손자와 함께 살고 있던 70대 할아버지가 함께 목매 숨진 채 발견되어 경찰이 수사에 나섰다는 뉴스가 방영되었다. 경찰서의 조사에 의하면 할아버지는 태어날 때부터 선천성 뇌성마비 1급 중증장애를 앓고 있는 손자를 줄곧 보살펴왔다는 것이다. 손자의 어머니인 할아버지의 딸은 주말이면 손자를 데리고 친정아버지인 할아버지를 찾아 함께 시간을 보냈으며 주중에는 할아버지가 손주의 집에서 지내기도 하였다. 그러나 무엇보다 할아버지는 자신의 딸이 장애를 가진 외손자를 돌보느라고 고생하는 것을 안타까워했다는 것이다. 결국 할아버지는 딸을 위하여 자신과 외손자가 함께 목숨을 끊는 극단적인 선택을 하게 된 것이라는 것이다. 요즘 들어 부쩍 생활이나 상황을 비관하여 가족이 동반자살하는 사례가 증가하고 있는 것을 보면서 안타까운 마음을 금할 수가 없다. 늘 그랬다. 어떤 일이 생기고 나면 우리는 원인과 우리 사회의 문제를 이야기하곤 한다. 극단적 선택을 하지 않도록 우리 모두 장애를 가진 사람들 혹은 그들의 가족을 위하여 할 수 있는 일, 해야 될 일이 무엇인지 생각해 볼 필요가 있다.

(3) 사회적 편견과 고립 문제

장애에 대한 인식이 많이 개선되었다고 하나 일부에서는 장애인에 대한 그릇된 인식과 거부감으로 인해 장애아동과 가족들이 학교 및 지역사회로부터 정서적으로 고립되는 경우가 있다. 이러한 그릇된 인식은 장애아동을 가족으로 둔 경우 형제아의 결혼에까지 부정적 영향을 미치기도 한다. 장애인, 노인, 임산부들의 편의증진보장에 관한 법률에 의거, 장애인을 위한 편의시설을 설치하도록 하고 있으나 아직까지 장애아동과 외출할 때 대중 교통수단이나 편의시설, 음식점 이용의 어려움이 있다.

이러한 어려움들은 장애인들이 사회에 참여하는 것을 제한하게 하고 장애인이 가족 내에 머물고 가족들에게 의존하는 정도가 높을 수밖에 없음을 의미한다.

(4) 장애아동과 가족의 심리적 문제

장애인들은 신체적 손상과 기능상실로 인한 부정적 자아개념 형성 및 우울증, 고립감 등을 경험하기도 하고, 장애인 가족은 일반가족에 비해서 가족관계에서의 정서적 여유가 부족하여 가족성원 간의 관계가 원만하지 않을 수 있으며 장애에 대한 분노, 죄의식, 부정적 감정이 불안으로 이어지는 반응을 보이기도 한다.

장애아동의 형제아들은 자기비하, 수치감과 죄책감, 분노, 부담감과 걱정 등으로 인한 심리적 문제를 지니고 있다.

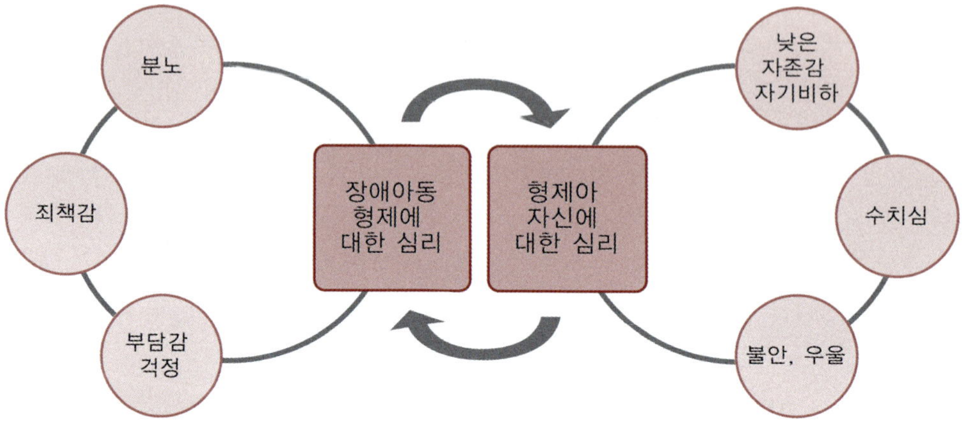

[그림 7-5] 장애아동 형제아의 부정적 심리특성

2012년 인터넷과 뉴스에서 장애가 있는 동생을 돌보는 누나의 이야기를 들었다.

경기도 파주에 거주하고 있는 뇌병변 1급 장애를 지닌 남동생(11)과 두 살 위 누나가 항상 같이 다녔다고 한다. 동생은 어려서부터 누나의 등에 업혀 지내왔으며 듣지도 못하는데다 대소변조차 홀로 해결하지 못하는 동생을 누나는 어린 나이에도 돌보아왔다는 것이다.

심지어 3~4년 전부터는 동생이 스스로 걸을 수 있을 만큼 호전되었지만 누나는 동생을 돌보는 일을 그만두지 않았다. 언제나 가난했던 집안형편으로 부모님은 맞벌이해야 겨우 먹고 살 수 있기 때문에 동생을 돌보는 일은 언제나 누나가 해야 했던 것이다. 누나는 동생을 돌보면서도 단 한 번도 불만을 표현하지 않았다고 한다. 일반중학교에 진학할 수 있었지만 동생을 위하여 통학버스로 1시간 걸리는 특수학교에 동생과 함께 다녔다.

그러던 중 남매만 남아 있던 아파트에 화재가 났고 피신하지 못한 채 동생을 지키기 위하여 심한 화상을 입게 된 것이다. 이후 화재를 진압하고 병원으로 옮겼으나 사흘째 의식을 회복하지 못하다가 마침내 숨을 거두게 된 것이다.

이 사례의 원인과 이러한 사례를 예방하기 위한 방안은 무엇인지 생각해 봅시다.

3. 장애아동의 정책 및 복지서비스

1) 장애아동정책

(1) 장애인복지관련법

장애아동정책은 장애인복지법, 장애아동복지지원법, 장애인에 대한 특수교육법을 근거로 추진된다. 장애인복지법은 장애유형과 범위, 국가와 지방자치단체의 책임, 장애아동에게 보호자의 경제적 생활수준 및 장애아동의 장애 정도를 고려하여 장애로 인한 추가적 비용을 보전하게 하기 위한 장애아동수당지급 등과 관련된 내용을 명시하고 있다.

(2) 장애아동복지지원법

우리나라는 장애아동복지지원법을 제정하고 2012년 9월 1일부터 시행하고 있다.

장애아동복지지원법은 국가와 지방자치단체가 장애아동의 특별한 복지욕구에 적합한 자원을 통합적으로 제공함으로써 장애아동이 안정된 가정생활 속에서 건강하게 성장하고 사회에 활발하게 참여할 수 있도록 하며 장애아동가족의 부담을 줄이는 데 이바지함을 목적으로 하고 있다.

장애아동복지지원법에 의하여 장애아동의 건전한 성장발달을 위한 발달재활서비스뿐만 아니라 의료, 보육, 문화예술 등에 대한 공적 서비스체계를 구축하고 장애아동을 양육하는 가족지원서비스를 포함하고 있다. 특히 장애아동양육에 대한 가족의 돌봄 및 일시적 휴식지원서비스를 지원하도록 함으로써 양육부담을 경감하고 가족의 기능을 회복·강화할 수 있도록 하였다. 또한 보육지원에 있어서도 보육료 등의 현물지원과 장애영유아어린이집에 특수교사와 장애영유아를 위한 보육교사 등의 배치를 규정함으로써 체계적인 보육서비스가 이루어지도록 하였다. 뿐만 아니라 아동이 18세가 되거나 학교를 졸업한 후에도 주거, 직업체험 등을 할 수 있도록 지역사회전환서비스지원을 포함하여 아동에서 성인기로의 원활한 전환을 지원하도록 명시하고 있다.

〈표 7-5〉 장애아동복지지원법의 주요지원내용

지원구분	내 용
의료비	장애아동의 의료적 욕구에 따라 적절한 의료비지원(제4장 제19조)
보조기구지원	장애아동의 학습과 일상생활에 필요한 보조기구를 교부, 대여 또는 수리하거나 구입 또는 수리에 필요한 비용지급(제4장 제20조)
발달재활서비스	장애아동의 인지, 의사소통, 적응행동, 감각·운동 등의 기능향상과 행동발달을 위하여 적절한 발달재활서비스 지원(제4장 제21조)
보육	어린이집 이용대상이 되는 장애아동에게 보육료 등을 지원하고 이용하지 않는 장애영유아에게 양육수당 지급(제4장 제22조)
가족	가족상담, 교육 등 제공 및 가족의 양육부담 감소를 위한 돌봄 및 일시적 휴식지원서비스 제공(제4장 제22조)
문화·예술 등 복지	문화, 예술, 스포츠, 교육, 주거 등의 영역에서 장애아동에게 필요한 서비스가 지원되도록 최대한 노력(제4장 제26조)

2) 장애아동복지서비스

장애아동복지서비스의 대상은 장애아동이다. 장애아동복지서비스란 장애아동을 대상으로 하여 치료, 교육, 중복장애예방, 사회복귀 등의 문제를 해결하도록 국가와 지방자치단체, 지역사회가 지원하는 서비스라고 할 수 있다. 장애아동복지서비스의 기본방향은 보호와 재활중심이다. 보호와 재활중심의 서비스를 제공함에 있어 장애아동의 참여권, 보호권과 더불어 교육, 훈련, 건강관리, 재활, 취업 및 오락기회를 효과적으로 이용할 수 있도록 고려되어야 한다. 장애아동복지서비스는 시설서비스와 장애아동복지지원서비스로 구분할 수 있다.

(1) 장애아동 복지시설서비스

장애인복지시설은 장애인의 성, 연령, 및 장애의 유형과 정도를 고려하여 보호, 의료, 생활지도, 재활훈련과 자립생활지원 등의 서비스를 제공함으로써 장애인의 기능회복과 사회성 향상을 도모하고지 설립된 시설을 의미한다. 장애인복지법 제58조에 의한 장애인복지시설의 종류는 거주시설, 지역사회재활시설, 직업재활시설, 생산품판매시설, 의료재활시설로 구분된다. 장애아동복지지원법에서는 장애아 전담, 통합보육시설지원을 포함하고 있다.

〈표 7-6〉 장애인복지시설의 종류

거주시설	지역사회재활시설	직업재활시설	생산품판매시설	의료재활시설
• 장애유형별 생활시설 • 중증장애인 요양시설 • 장애영유아시설 • 장애인단기거주시설 • 장애인공동생활가정	• 복지관 • 주간보호시설 • 체육시설 • 수련시설 • 생활이동지원센터 • 수어통역센터 • 점자도서관 • 점자도서 및 녹음서 출판시설 • 재활치료시설	• 보호작업장 • 근로사업장 • 직업적응 훈련시설	• 생산품판매 시설	• 의료재활 시설

출처: 장애인복지법 시행규칙 [별표 4](2019)

직업재활시설의 경우 2010년 452개소에서 2019년 1,557개소로 지속적으로 증가하고 있다. 장애아어린이집은 지속적으로 증가하고 있으며, 장애아동 통합시설의 경우 2011년 815개소였으나 2019년 1,100개소로 증가하였다. 2020년 보건복지부의 보육통계자료에 의하면 2019년 장애아어린이집은 1,276개소(장애아전문어린이집 176개소, 장애아동 통합어린이집 1,100개소)인 것으로 나타났으며, 장애아를 보육하는 일반어린이집은 1,109개소인 것으로 나타났다.

〈표 7-7〉 장애인복지시설 현황

(단위 : 개소)

유형 \ 연도	2011	2012	2013	2014	2015	2016	2017	2018	2019
거주시설	490	1,348	1,397	1,457	1,484	1,505	1,517	1,527	1,557
직업재활시설	456	478	511	541	560	582	625	651	683
지역사회재활시설	1,820	1,140	1,184	1,213	1,248	1,303	1,333	1,373	1,486
장애인생산품판매시설	16	16	16	17	17	17	17	17	17
장애인의료재활시설	17	17	18	18	18	20	19	19	19

출처 : 보건복지부(2020). 2020 보건복지통계연보.

장애인지역사회재활시설은 2011년 1,820개소였으나 2019년 1,486개소로 감소하였으며 2019년 기준 공동생활가정이 770개소로 가장 많았고 지적장애인시설 313개소, 중증장애인시설이 251개소인 것으로 나타났다. 이 중 장애영유아시설은 9개소에 불과하며 장애아동을 위한 재활시설은 매우 적은 것으로 나타났다.

〈표 7-8〉 장애인거주시설 현황

(단위 : 개소)

유형 \ 연도	2011	2012	2013	2014	2015	2016	2017	2018	2019
지체장애인시설	39	40	39	44	39	40	39	33	33
시각장애인시설	15	16	16	15	16	17	17	16	15
청각언어장애인시설	9	8	8	7	7	7	7	7	7
지적장애인시설	226	278	293	309	321	317	313	320	313
중증장애인시설	191	201	216	223	233	233	233	239	251
장애영유아시설	10	10	9	9	10	9	9	9	9
단기거주시설	-	128	131	137	141	146	147	150	159
공동생활가정	-	667	685	713	717	736	752	753	770
합 계	490	1,348	1,397	1,457	1,484	1,505	1,517	1,527	1,557

출처 : 보건복지부(2020). 2020 보건복지통계연보.

(2) 장애아동 복지지원서비스

① 장애아동수당

장애아동수당은 18세 미만의 등록된 장애아동을 대상으로 하며 국민기초생활수급자(일반재가) 및 차상위계층에 속하는 아동에게 지급된다. 장애아동수당은 장애등급 1~6급에 해당되며 중증장애인은 1~3급 또는 3급 중복장애인을 의미하며 경증장애인은 3~6급에 해당된다. 장애아동수당지급 대상자 선정기준으로 부양의무자기준은 적용하지 않으며 국민기초생활보장제도에 의한 소득인정액 산정방식을 적용한다. 소득의 범위 중 사적이전소득과 추정소득, 부양비는 적용하지 않도록 하고 있다. 장애아동수당은 중증과 경증으로 구분하여 다음과 같이 지급된다.

〈표 7-9〉 장애아동수당지급액

구 분	생계 · 의료급여수급자	주거 · 교육급여수급자	차상위계층	보장시설 수급자 (생계, 의료)
중증장애아동	월 20만원	월 15만원	월 15만원	월 7만원
경증장애아동	월 10만원	월 10만원	월 10만원	월 2만원

출처: 보건복지부(2021). 2021년 장애인연금 사업 안내.

② 장애아동발달서비스

장애아동복지지원법에 의하면 장애아동의 건전한 성장발달을 위한 발달재활서비스뿐만 아니라 의료, 보육, 문화예술 등에 대한 공적 서비스체계를 구축하고 장애아동의 특별한 복지욕구에 적합한 자원을 통합적으로 제공하도록 하고 있다. 장애아동이 안정된 가정생활 속에서 건강하게 성장하고 사회에 활발하게 참여할 수 있도록 장애아동발달지원서비스(장애아동발달재활서비스와 언어발달지원서비스)를 제공하고 있다. 장애아동발달재활서비스는 성장기의 정신적·감각적 장애아동의 인지, 의사소통, 적응행동, 감각운동 등 기능향상과 행동발달을 위한 적절한 발달재활서비스지원 및 정보제공을 내용으로 한다. 언어발달지원서비스는 감각적 장애부모의 자녀에게 필요한 언어발달지원서비스를 제공하여 아동의 건강한 성장지원 및 장애가족의 자체역량강화를 내용으로 하고 있다. 서비스 제공방식은 재가방문형과 기관방문형으로 구분되어 제공되며 서비스대상자의 소득수준에 따라 바우처 지원액 및 본인 부담금을 차등화하는 방식으로 제공된다. 1회 서비스 제공시간은 50분을 기본으로 하며 도서 벽지지역 거주 아동에 대한 방문서비스 제공 시에는 원거리교통지원금이 추가적으로 지원된다.

〈표 7-10〉 장애아동 발달지원서비스

서비스 구분	대 상	기 준	서비스 내용
발달재활 서비스	만 18세 미만 장애아동 (뇌병변, 지적, 자폐성, 청각, 언어, 시각장애아동)	기준 중위소득 180% 이하	• 언어, 청능, 미술음악, 행동놀이, 감각운동 및 발달재활서비스 • 장애조기발견 및 발달진단서비스, 중재를 위한 부모상담서비스
언어발달 지원서비스	만 12세 미만 비장애아동 (양쪽 부모가 시각, 청각, 지적, 자폐성, 뇌병변 등 록장애인 우선 자원)	기준 중위소득 120% 이하	• 언어발달진단서비스 및 심리상담서비스 • 언어치료, 청능 치료 등 언어재활서비스 및 독서지도, 놀이지도, 수화 지도 등

"장애아동 발달지원서비스 제공 가능인력범위"

• 발달재활서비스 관련 분야 자격증 소지자
  - 국가자격증 소지자
  - 국가공인 민간자격증 소지자
  - 자격기준법에 등록된 민간자격발급기관에서 발급한 자격증 소지자
• 발달재활서비스관련 학과를 전공하여 고등교육법에 따른 전문학사 이상의 학위를 취득한 사람으로서 발달재활서비스관련분야 경력이 1,200시간 이상인 사람
  - 다만, 고등교육법에 따른 학사학위 이상의 학위를 취득한 사람은 초과 이수한 수업 연한을 경력으로 인정한다. 다만 1년을 300시간으로 하여 계산한다.

③ 장애아동가족 양육지원서비스

그동안의 장애인 정책은 장애당사자의 자립, 생활안정, 사회활동지원을 중심으로

이루어져 왔으며 장애아동가족을 위한 지원은 거의 없는 상황이었다. 그러나 장애아동을 양육하는 주된 책임을 맡아왔던 양육자나 가족들의 질병, 경조사 등 긴급한 상황이 발생하였을 경우 장애자녀를 맡길 곳이 없고 상시적인 장애아동 돌봄으로 인하여 비장애 형제아 등 장애아동 가족들 간의 갈등 등이 증가하게 되었다.

이에 상시적인 돌봄이 요구되는 장애아동 가정의 돌봄부담 경감 및 이를 통한 가족안정성을 강화하고 지역사회 내 자원봉사자 등을 돌보미로 활용함으로써 가족돌봄문화 정착 및 장애아동에 대한 사회적 인식을 전환할 수 있는 장애아가족 양육지원서비스가 제공되고 있다. 장애아가족 양육지원서비스는 돌봄서비스와 휴식지원서비스로 구분되어 지원된다.

〈표 7-11〉 장애아동 가족지원서비스

구 분	대 상	서비스 내용
돌봄 서비스	만 18세 미만의 「장애인복지법」 상 등록 장애정도가 심한 장애아와 생계·주거를 같이하는 기준 중위소득 120% 이하 가정	• 양육자의 질병, 사회 활동 등 일시적 돌봄서비스 필요시 돌보미를 파견하여 장애아동 보호 및 휴식 지원 • 1아동 당 연 720시간 범위 내(월 120시간 이내)
휴식 지원 서비스	소득기준 상관없이 만 18세 미만의 모든 장애아 가족 (돌봄서비스를 받지 않는 가정도 참여 가능, 돌봄서비스를 받는 가정을 우선 지원)	• 가족관계 회복 및 돌봄노동 분담을 위해 장애아가족 문화·교육프로그램, 휴식 박람회, 가족 캠프 등 휴식지원 프로그램 운영(비대면 포함) • 돌보미를 통한 장애아가족 상담서비스, 생활지도 등 제공 및 자조모임 결성지원 등을 통해 양육의 어려움 경감, 정보 공유 등 • 가족휴식지원 및 가족역량강화 프로그램 확대: 가족상담(치료)프로그램, 가족교육 프로그램 (부모, 비장애형제자매교육, 가족관계개선 등)

또한 기타 장애아동지원서비스로 의료비지원, 최저생계비 130% 이하인 가구에 1~3급 초·중·고등학생 장애인이나 1~3급 장애인의 자녀를 대상으로 장애인 자녀교육비를 지원하고 있다. 그밖에 청각장애아동 인공달팽이관 수술비와 저소득 청각장애인의 수술비 및 재활치료비 등을 지원하고 있다.

<사례실습>

• 다음 사례에 대하여 실습해 봅시다.

- 12세인 현석이는 상습적으로 집안물건을 부수고 같이 살고 있는 외할머니와 동생에게 폭력을 휘둘러 할머니가 지역아동센터 사회복지사에게 도움을 요청하게 되었다.
- 현석이는 3년 전 부모의 이혼으로 보육원에서 생활하였으며 그때 외할머니에게 자신을 보육원에서 데려갈 것을 울면서 호소해서 할머니가 맡아 양육하게 되었다고 한다.
- 3년 전 부모가 이혼한 후 아버지는 한 번도 만난 적이 없으며 어머니는 아이들을 할머니에게 맡긴 채 연락두절 상태이며 가끔씩 전화통화가 되면 외할머니에게 아이들을 보육원에 다시 맡기라고 말한다고 한다.
- 현석이는 특별한 이유 없이 동생을 때리고 할머니에게 폭력을 행사한다. 학교에서도 위험한 행동을 자주 하며 친구때리기, 꼬집기 등 공격행동이 심하고 인터넷게임을 밤늦게까지 하고 늦게 일어나 학교를 가지 않는 등 규칙적인 생활을 하지 못하고 있다.

(1) 위 사례아동의 주요문제를 적어 보세요.

(2) 위 사례아동에게 예측되는 장애유형을 탐색해 보세요.

(3) 위 사례에 대한 정책적 · 전문적 접근방법을 탐색해 보세요.

(4) 위 사례에 대한 사회복지사의 의견을 적어 보세요.

01 발달상 학습장애에 해당되지 않는 것을 모두 고르세요.

① 읽기장애 ② 주의집중장애
③ 쓰기장애 ④ 기억장애
⑤ 사고장애

02 학습장애의 원인 중 출생 후 후천적 뇌손상의 요인에 해당되는 것을 모두 고르세요.

① 풍진 ② 조산
③ 뇌염 ④ 홍역
⑤ 성홍열

03 정신지체의 적응행동에 포함되는 개념 중 개념적 기능에 해당되는 것을 모두 고르세요.

① 수용 및 표현언어 ② 대중교통이용
③ 읽기 및 쓰기 ④ 자아존중감
⑤ 금전개념 및 자기지시

04 정신지체장애아동의 특성이 아닌 것을 고르세요.

① 낮은 기억력 ② 낮은 충동조절
③ 지체된 언어발달 ④ 낮은 사회성
⑤ 낮은 학업성취

05 정서행동장애 중 외현화장애에 속하지 않는 것을 모두 고르세요.

① 우울증 ② 반항장애
③ 불안장애 ④ 과잉행동장애
⑤ 품행장애

연습문제

※ (6-7) 다음 설명 중 빈칸에 해당되는 개념을 적어 보세요.

DSM-IV에서는 자폐성장애의 필수증상으로 (6)과 (7)이 현저하게 비정상적이거나 발달에 장애가 있고 활동과 관심의 종류가 현저하게 제한되어 있다고 하였다.

06

07

08 장애아동의 형제아의 부정적 심리특성에 해당되지 않는 것을 고르세요.

① 슬픔 ② 자기비하
③ 수치심 ④ 분노
⑤ 죄책감

09 다음 중 우리나라 장애아동복지지원법이 제정된 연도를 고르세요.

① 2009년 ② 2010년
③ 2011년 ④ 2012년
⑤ 2013년

10 다음 장애인복지시설 중 지역사회재활시설에 해당되지 않는 것을 모두 고르세요.

① 장애영유아시설 ② 장애인복지관
③ 주간보호시설 ④ 의료재활시설
⑤ 수화통역센터

※ (11–13) 다음 장애아동수당지급표 중 빈칸에 해당되는 내용을 적어 보세요.

구 분	국민기초생활보장수급자	차상위계층	보장시설수급자
중증 장애아동	(11)	월 15만 원	(13)
경증 장애아동	월 10만 원	(12)	월 2만 원

11

12

13

14 다음 장애아동발달지원서비스에 대한 설명 중 틀린 것을 고르세요.

① 발달재활서비스의 대상은 만 18세 미만 장애아동이다.
② 발달재활서비스는 전국가구 월평균소득 150% 이하다.
③ 언어발달지원서비스는 전국가구 월평균소득 100% 이하다.
④ 발달재활서비스내용은 언어, 청능, 미술, 음악, 행동놀이, 감각운동 등 재활서비스다.
⑤ 언어발달지원서비스대상은 양쪽 부모가 장애인인 만 18세 미만 장애아동이다.

15 의학적으로 자폐증 조기진단이 가능한 시기에 해당하는 것을 고르세요.

① 생후 10~15개월 ② 생후 18~24개월
③ 생후 24~30개월 ④ 생후 30~36개월
⑤ 생후 36~60개월

CHAPTER

08 요보호아동복지서비스

요보호아동이란 보호자가 없거나 보호자로부터 이탈된 아동 또는 보호자가 아동을 학대하는 경우 등 보호자가 아동을 양육하기에 부적당하거나 양육할 능력이 없는 경우에 처한 아동을 의미한다(아동복지법 제3조제4호).

우리나라 요보호 대상아동은 1990년 이후 꾸준히 증가하였고 2011년 7,483명에서 점진적으로 감소하여 2019년 기준 4,047명까지 줄어들었다. 요보호아동 발생유형을 살펴보면 빈곤, 실직, 학대 등으로 인한 경우가 가장 많았고 이후 미혼부모 및 혼외자, 비행, 가출, 부랑아, 유기, 미아 등의 유형인 것으로 나타났다. 이후 요보호아동은 결혼과 성에 대한 가치관의 변화로 지속적으로 증가할 것으로 예측되고 있다. 요보호아동은 연고자 가정대리양육, 가정위탁, 아동복지시설입소, 전문치료기관 혹은 요양원에 입수, 입양 등의 보호서비스를 받도록 하고 있다(아동복지법 제15조제1항).

〈표 8-1〉 발생유형별 요보호아동 현황(연도별)

구 분	2011	2012	2013	2014	2015	2016	2017	2018	2019
계	7,483	6,926	6,020	4,994	4,503	4,583	4,125	3,918	4,047
유기	218	235	285	282	321	264	261	320	237
미혼부모, 혼외자	2,515	1,989	1,534	1,226	930	855	847	623	464
미아	81	50	21	13	26	11	12	18	8
비행, 가출, 부랑아	741	708	512	508	360	314	227	231	473
빈곤, 실직, 학대 등 기타	3,928	3,944	3,668	2,965	2,866	3,139	2,778	2,726	2,865

출처 : 보건복지부(2020). 2020년 보호대상아동 현황보고 통계

요보호아동의 보호형태는 시설보호와 가정보호로 구분되는데 2000년에는 가정보호가 시설보호보다 높게 나타났으나 2011년부터 지속적으로 가정보호가 시설보호보다 적은 것으로 나타났다. 가정보호로는 위탁보호가 가장 높은 것으로 나타났다.

〈표 8-2〉 보호형태별 요보호아동현황(연도별)

구분		2011	2012	2013	2014	2015	2016	2017	2018	2019
계		7,483	6,926	6,020	4,994	4,503	4,583	4,125	3,918	4,047
시설보호		3,752	3,748	3,257	2,900	2,682	2,887	2,421	2,449	2,739
가정보호	계	3,731	3,178	2,763	2,094	1,821	1,696	1,704	1,469	1,308
	위탁보호	2,350	2,289	2,265	1,688	1,582	1,447	1,417	1,294	1,199
	입양	1,253	772	478	393	239	243	285	174	104
	소년소녀가정	128	117	20	13	0	6	2	1	5

출처: 보건복지부. 보건복지통계연보. 각 연도.

아동보호서비스 유형 중 부모가 아동을 양육 보호할 능력을 상실하였거나 그 역할을 회피할 때 제공되는 서비스를 대리적 서비스라고 한다. 요보호아동을 대상으로 하는 대리적 서비스는 입양서비스와 가정위탁서비스, 시설복지서비스로 구분된다. 시설복지서비스 중 그룹홈서비스는 가정위탁서비스와 시설복지서비스의 중간형태라고 할 수 있으나 가정위탁서비스보다는 시설복지서비스에 보다 가깝다고 보는 경향이 지배적이다(신정숙, 2005). 본 장에서는 요보호아동을 위한 대리적 서비스의 유형인 가정위탁서비스, 입양서비스, 그룹홈서비스에 대하여 살펴보고자 한다.

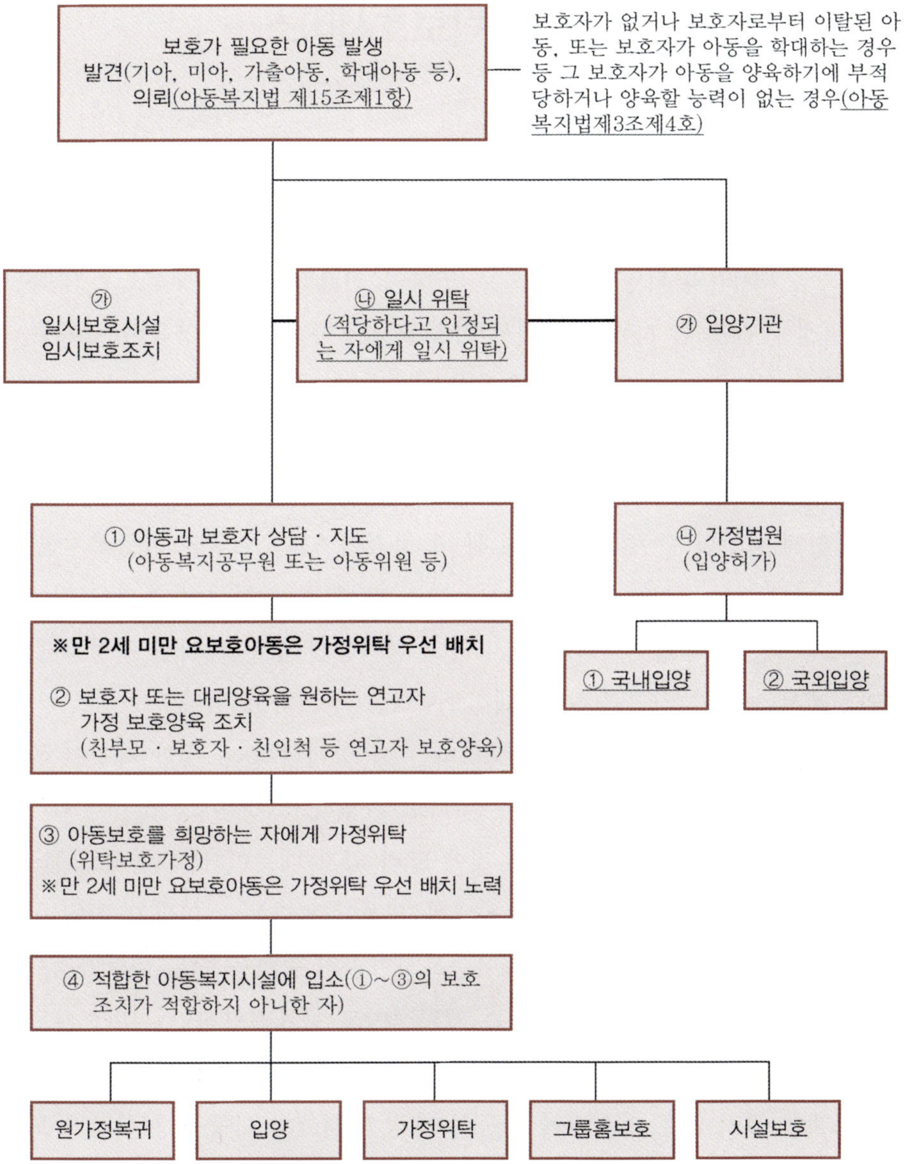

출처: 보건복지부(2016). 2016 아동분야사업안내

[그림 8-1] 보호아동 발생 시 업무처리 흐름도

1. 가정위탁보호서비스

1) 가정위탁서비스의 개념

가정위탁이란 아동이 부모의 사망, 실직, 질병, 학대, 방임, 알코올중독, 약물중독, 수감 등 가정 내·외의 다양한 요인으로 인하여 친가정에서 정상적으로 양육될 수 없을 때 일정 기간 동안 다른 가정에서 아동을 안진하게 보호, 양육하는 아동·가족복지서비스를 의미한다. 가정위탁보호서비스는 우리 사회에서 부득이하게 발생하는 요보호아동을 가능하면 시설에서 보호하는 것을 예방하고 국내의 건전한 가정에서 위탁, 대리양육할 수 있도록 함으로써 가족적 분위기 속에서 안정적인 정서를 함양하고 건전하게 성장할 수 있도록 하는 데 그 목적이 있다. 미국의 아동복지연맹(The Child Welfare League of America)에 의하면 가정위탁보호란 아동이 자기 가정에서 양육될 수 없을 때, 또 입양이 바람직하지 않고 불가능할 경우 계획된 일정 기간 동안 다른 가정에서 보호와 양육을 받는 대리보호라고 정의하고 있다.

John Triseliotis 외(1997)는 아동을 양육하는 데 있어서 좋지 못한 가정이 좋은 보호시설보다 낫다고는 아무도 단언할 수 없다고 하였다. 그것은 그 가정이 얼마나 나쁜가, 보호시설이 얼마나 좋은가 하는 것에 달려 있기 때문이다. 그럼에도 불구하고 나쁜 가정보다 더 나쁜 것은 바로 아동에게 가정이 없다는 것이다고 하였다.

미국의 아동복지연맹은 가정위탁이 아동복지기관의 승인을 받은 위탁가정에서 아동의 일시적 보호와 양육이 이루어지는 계획적이고 목표지향적인 서비스라고 정의하고 있다. 또한 사회사업사전에 의하면 위탁보호는 아동의 친부모 이외의 친척 또는 친척관계에 있지 않은 양육자가 아동의 가정 이외에서 아동을 24시간 돌보는 대리적 양육으로 정의하고 있다. 보건복지부(2013)에 의하면 가정위탁이란 보호대상아동의 보호를 위하여 성범죄, 가정폭력, 아동학대, 정신질환 등의 전력이 없으며 법이 정하는 기준에 적합한 가정에 보호대상아동을 일정 기간 위탁하는 것을 의미한다고 정의하고 있다. 이와 같은 가정위탁서비스의 개념정의를 요약하자면 가정위탁서비스는 자신의 원가정에서 일시적으로 혹은 장기적으로 보호·양육될 수 없는 아동을 대상으로 다른 가정에 의하여 계획된 기간 동안 주어지는 보호서비스라고 할 수 있다.

- 아동 원가족이 아닌 다른 가정에 의하여 주어지는 보호
- 영구적 보호가 아닌 계획된 보호기간 설정 필요
- 국가 및 사회기관에 의한 보호

2) 가정위탁서비스의 목적과 실천원칙

(1) 가정위탁서비스의 목적

최근 부모의 이혼이나 사망, 질병, 실업으로 인한 가족해체, 학대, 유기 등으로 일시적 혹은 장기적으로 가족으로부터 일탈되어 사회의 보호가 필요한 아동수가 증가하고 있으며 이를 위한 대안으로서 가정위탁보호서비스가 마련되었다. 가정위탁보호가 필요한 아동은 아동이 신체적·정서적·정신적으로 장애가 있거나 사회적 탈선행위가 있는 경우, 부모가 사망, 이혼, 별거했을 때, 신체적·정신적 질병이 있거나 가정을 이탈했을 때, 아동을 유기·학대할 때, 가정경제가 어려울 때이다. 이외에도 부모와 아동 간의 갈등이 있으며 충족되지 못한 욕구로 인한 문제가 있을 경우이다.

보편적으로 아동의 성장발달에 필요한 정상적 가정이 어떤 가정이며 정상적 가정의 조건이 무엇이냐를 한두 마디로 명확하게 말하는 것은 매우 어렵다. 그러나 대체적으로 아동을 위한 정상적 가정이란 신체적 건강과 정서적 안정, 사회적으로 성장발달할 수 있도록 지원할 수 있는 정상적 인성을 지닌 부모와 형제 등 건강한 가족관계와 건강한 가족기능, 가족역할, 가정환경 등 가족분위기의 조건을 지닌 가정이라고 할 수 있다. 특히 친부모에게 양육될 수 없는 아동에 대하여는 시설보호보다는 가정적 분위기에서 보호되어야 하는 것이다. 보건복지부(2013)의 아동복지사업지침에 의하면 가정위탁보호는 일시적으로 대리보호가 필요한 아동들에게 대리가정을

제공하며 보호아동들의 생활시설 입소를 예방하고 그들이 안정된 가정에서 건강하게 성장할 수 있도록 지원하며 미숙한 부모나 아동학대가 심각한 부모로부터 일정 기간 동안 아동을 분리하거나 해외입양정책의 변화로 보호아동을 위한 대안책으로 보고 있다. 뿐만 아니라 외둥이나 2명 이하 자녀를 둔 가정들에게 가정위탁보호사업을 통하여 가족기능 향상 및 사회적 기여를 통한 보람과 성장을 기대할 수 있다는 것이다. 위탁가정은 입양과는 달리 위탁아동에 대한 법적인 권리나 책임이 없으며 아동보호도 장기보다는 단기를 목적으로 한다. 특히 보호대상아동이 발생할 때 가정보호를 우선하도록 하며 2세 미만의 영아의 경우는 가정보호를 우선적으로 실시하여야 한다.

가정위탁이 어려운 아동

- 아동이 지역사회에서 인정될 수 없는 행동문제를 가지고 있는 경우
- 아동이 자신의 가족구성원의 삶에 위험이 될 수 있는 문제를 가지고 있는 경우
- 아동의 장애가 그 가정이나 지역사회가 제공할 수 없는 특수한 보호나 훈련이 요구되는 경우
- 본래의 아동부모가 가정위탁에 반대하고 그 반대가 아동의 위탁가정에 파괴적인 요인이 있다고 판단될 경우
- 위탁가정에 생길 수 있는 부모에 대한 영상과 자기 본래 부모에 대한 영상이 분리됨으로써 혼란이 일어날 위험이 있는 경우
- 많은 아동들 사이에 아동을 두는 것도 좋지만 그와 같은 상황이 있는 가정을 찾기 어려운 경우
- 매우 짧은 기간 동안 대리적 보호가 필요한 경우

(2) 가정위탁서비스의 기본 실천원칙

가정위탁보호서비스의 목적을 달성하기 위하여 가정위탁보호는 일시적인 대리보호서비스의 한 형태로 제공되며 다음과 같은 6가지 기본 실천원칙을 토대로 제공되어야 한다.

① 아동중심의 원칙

아동은 건강한 가정에서 성장·발달할 권리가 있으며 부모와 국가는 이를 보장할 책임이 있다. 즉, 아동의 신체적 안전과 안정을 보장하고 그들의 가족기능을 회복하도록 하여 가족이 재결합할 수 있는 사회적 지원체계를 구축해야 하는 것이다. 아동은 부모-자녀관계와 부모에 의하여 적절하게 양육되는 것이 가장 중요하며 사회의 1차적 책임은 건강한 원가정에서 건전한 인격을 형성하는 것을 최우선으로 고려하여야 한다는 것이다.

② 원가족 보존의 원칙

아동의 원가정이 아동을 보호할 수 없는 최소한의 양육수준도 회복할 수 없는 상황이라면 아동에게 영구적인 양육환경을 제공하기 이전까지 일반적으로 가정 안에서 이루어지는 양육 및 사회와 경험을 대신해서 제공할 수 있어야 한다. 가정위탁서비스의 대상은 아동의 가족이며 서비스의 목표는 가족이 재결합할 수 있도록 하는 것이다.

다시 말하자면 원가족의 가족기능을 회복시켜 원가족으로 복귀하는 것을 돕고 원가족 유지가 어려운 경우에는 원가족의 기능을 대리할 가정을 발굴하여 아동이 건강한 위탁가정에서 성장할 수 있도록 해야 한다.

③ 친·인척가정 우선배치의 원칙

가정위탁서비스가 필요한 대상아동의 위탁가정에 대한 문화적·정서적 충격을 최소화하기 위하여 위탁가정 선정 시 아동의 의사를 최대한 고려하여야 한다. 이 경우 특별한 결격사유가 없는 한 아동의 친인척가정에 우선적으로 배치하고 친·인척가정에 필요한 지원을 할 수 있어야 한다.

④ 적절성의 원칙

아동에게 어떤 형태의 대리보호를 제공할 것인가의 결정은 아동의 특수한 욕구뿐만 아니라 이용 가능한 대리보호의 특성과 아동의 욕구충족능력을 고려하여 선택할 수 있어야 한다. 아동 및 위탁가정의 특성을 최대한 고려하여 적절한 위탁가정에 배치하고 적절한 보호서비스가 제공될 수 있도록 지원하여야 한다.

⑤ 연계성의 원칙

대리보호의 제공자인 위탁가정은 아동을 위한 서비스 제공 체계의 핵심적인 역할자라고 할 수 있다. 바람직한 아동위탁보호를 위하여 아동보호계획을 수립하는 과정에 참여할 수 있도록 해야 하며 아동과 친가족과 연계하여 가족의 재결합을 도울 수 있어야 한다. 위탁가정이 아동의 건강한 성장과 원가족의 기능회복을 위하여 가정위탁서비스기관 혹은 지역 내 협력기관과 네트워크를 구축하여 적절한 서비스를 제공할 수 있도록 한다.

⑥ 진문성의 원칙

위탁보호서비스를 결정하고 제공하는 과성 혹은 종결하는 과정에서 발생하는 다양한 원인과 문제에 효과적으로 대처하기 위하여 필요한 분야의 전문가와 협력하고 보다 전문적인 가정위탁보호서비스 제공을 위하여 관련업무 종사자 및 관련자들의 전문적인 업무수행능력을 지속적으로 함양한다.

(3) 가정위탁서비스의 유형

가정위탁서비스의 유형은 위탁보호기간에 따라, 보호대상아동의 상황과 욕구에 따라, 위탁가정의 특성에 따라 구분할 수 있다. 우리나라는 위탁가정에 따라 대리양육가정위탁과 친인척 가정위탁, 일반 가정위탁 등으로 구분하여 서비스를 제공하고 있으며 지방자치단체별로 전문가정위탁, 일시가정위탁 등 추가적인 유형의 서비스와 예산지원을 할 수 있도록 하고 있다.

〈표 8-3〉 가정위탁의 유형

구 분	유 형	내 용
위탁기간	일시위탁	일반적으로 6개월에서 1년 동안 원가정이나 입양되기 전에 일시적으로 위탁가정에 보호되는 유형
	장기위탁	심각한 법적인 문제 또는 장기적인 자립대책이 요구되는 가정의 아동 및 학대받는 아동을 대상으로 보호기간이 장기적인 유형
위탁가정	대리양육 가정	부모가 아닌 부양의무자인 친조부모, 외조부모에 의한 양육유형
	친·인척 가정	부양의무자인 친조부모, 외조부모를 제외한 친인척에 의한 양육유형(민법에 의한 8촌 이내의 혈족에 의한 양육)
	일반가정	아동과 관련이 없는 일반가정에 의한 양육유형
대상아동 및 위탁가정 특성	치료위탁	12~18세까지의 행동적·정서적 문제가 있어서 치료시설에 배치되게 될 10대들에게 6개월 정도 제공되는 치료위탁 양육유형
	특별의료	질병이나 상해 혹은 만성적, 영구적인 의료적 보살핌이 필요한 조건에 있는 아동에게 제공되는 양육유형
	레스핏 서비스	위탁부모들이 잠깐 동안 휴식을 취할 수 있도록 다른 위탁가정에서 돌봐주는 유형으로 위탁부모의 소진을 예방하고 양육의지를 유지할 수 있도록 마련된 제도. 한 아동당 2개의 위탁가정을 지정해 주는데 제1 위탁가정이 위급한 상황이나 문제가 발생할 때 제2 위탁가정으로 아동을 보내 일시 배치하는 양육유형

3) 외국의 가정위탁보호제도

(1) 미국

미국의 가정위탁제도는 19세기 초 대규모시설에 수용보호되어 있는 아동들을 구제하는 방법의 하나로서 시작되었다. 1886년 보스톤아동구호협회(Boston Children's Aid Society)의 책임자였던 찰스 버트웰(Charles Birtwell)은 아동을 위탁가정에 위탁보호할 때는 아동의 욕구를 먼저 고려하고 위탁가정의 가정환경조사, 사후관리, 아동과 친부모의 재결합 등을 고려하여 위탁하도록 하여야 한다고 강조하였는데 이것이 현대적 의미의 가정위탁제도의 시작이라고 할 수 있다. 미국의 사회복지서비스는 대부분 민간기관이나 단체를 중심으로 제공되고 있는데 가정위탁보호제도도 민간단체나 기관이 운영하는 경우가 많으며 각 주의 법에 의하여 지원과 감독을 받고 있다. 미국보건성의 통계에 의하면 2000년 3월말 기준으로 588,000명의 보호가 필요한 아동 중에 427,480명인 73%가 가정위탁보호를 받고 있으며 나머지 27%가 시설이나 그룹홈에서 보호를 받고 있다. 이와 같이 미국의 아동보호서비스는 위탁보호를 중심으로 이루어지고 있다. 가정위탁보호의 유형은 크게 친·인척위탁과 일반가정위탁으로 구분되며 일반가정위탁은 응급가정위탁(emergency care), 집단가정위탁(family group care), 전문화된 위탁가정(specialized foster home care) 등으로 나누어지며 이 중 전문화된 위탁가정은 비행청소년, 정서 및 행동장애가 있는 아동에 대한 치료적 위탁제공 및 보호를 요하는 아동을 위탁 보호하는 가정, 친부모와 아동을 모두 위탁하여 보호하는 가정이 포함된다. 미국의 가정위탁보호제도 중 특이점은 위탁부모의 자격을 철저하게 관리한다는 것이다. 친인척이라고 해도 위탁보호자로서 승인을 받기 위하여는 위탁부모 자격심사와 가정방문을 받으며 위탁가정 선정 이후에도 철저한 지도감독과 정기적인 재심사로 아동의 권리와 복지가 최우선이 될 수 있도록 지원한다는 것이다.

(2) 영국

19세기 이후 영국에서는 요보호아동을 빈민이나 부랑아 시설에서 분리하여 수용보호하기 시작하였다. 1872년 가정위탁에 대한 최초의 법이라고 할 수 있는 유아생명보호법(The infant life protection act)을 제정하였으며 1984년 현대적 의미의 가정위탁제도는 아동법(The children Act)의 기초가 된 커티스위원회(The curtis committee) 보고서로부터 시작되었다고 할 수 있다.

커티스보고서는 요보호아동을 위한 서비스로서 가정위탁보호가 시설보호보다 우월하다고 주장함으로써 아동을 위한 정상적인 가정생활과 환경의 조건이 중요함을 강조하였다. 이후 1948년 아동법이 제정되면서 요보호아동의 보호는 정부의 책임으로 규정되었고 보호방법으로 시설보호보다는 지역사회 내의 가정위탁보호를 강조하였다. 이러한 국가의 정책으로 아동들은 대규모 시설에서 퇴소하여 위탁가정에 배치되어 보호되었다. 영국은 1950년대 요보호아동 중 약 35%가 위탁가정에서 보호받고 있었으나 1995년 약 65%로 증가하였으며 위탁보호를 받고 있는 아동은 점차 증가하고 있다. 특히 연령이 어린 10세 미만 아동의 경우는 약 90%가 위탁가정에서 보호받고 있다. 영국의 가정위탁보호제도는 지방정부가 아동에 대한 위탁보호계획을 수립하여 체계적인 위탁보호서비스를 제공하도록 하며 점차 친족위탁보호에 대한 관심이 증가하고 있다.

(3) 일본

일본은 전후 길거리에 버려진 전쟁고아들을 더 이상 시설에서 수용할 수 없게 되자 지역 내 유지의 집에 의뢰하여 양육하도록 한 것이 가정위탁보호의 시초가 되었다. 이것을 기초로 1947년 제정된 아동복지법에 의하여 가정에서 혜택을 받지 못하는 아동을 위한 시책으로 제도화되었다.

일본은 1960년대가 가정위탁이 가장 활발한 시기였으며 1970년대를 기점으로 점차 감소하고 있으며 1999년에는 약 6%, 2005년에는 7.4%로 감소하였다. 2002년 일본은 가정위탁제도를 개선하여 2009년까지 가정위탁비율을 요보호아동의 10%로 상향하려고 노력하고 있지만 아직도 요보호아동의 90% 이상이 평균 60여 명이 생활하는 집단시설에서 보호받고 있는 실정이다. 이와 같이 일본의 가정위탁보호제도가 발전되지 않는 배경으로는 혈연을 중시하는 문화, 행정이나 사회복지사의 소극적 자세, 행정이 위탁부모의 자원봉사정신에 의존하여 충분한 수당이나 연수지원 태만을 들고 있다.

"우쓰노비야 수양자 살해사건"

2002년 2월 일본의 우쓰노비야 시(市)에서 가정위탁을 받고 있는 여자아동이 한국 국적의 위탁양육모로부터 신체적 학대를 받아 사망한 사건이 발생했다. 이 사건으로 한국인 위탁모는 4년의 징역형을 선고 받았고 일파만파로 확장되어 일본사회에 큰 충격을 주었다. 일본사회는 극히 일부분의 문제를 모든 위탁부모에게 뒤집어 씌웠으나 사건의 핵심은 아동들을 위탁부모에게 귀찮은 짐을 떠안기듯 투매하고 그 후에는 수수방관하는 일본의 가정위탁제도의 문제였던 것이다.

(4) 우리나라

우리나라에서는 1999년도 최초로 가정위탁전문 비영리사단법인이 보건복지부의 인가를 받아서 가정해체, 학대, 방임 등의 이유로 유기되고 버려져 보호가 필요한 아동을 시설에 수용되거나 해외에 입양되는 것을 지양하고 일반가정에 위탁되어 양육되도록 도와주는 무료가정위탁업무를 실시하게 되었다. 1990년 후반에 들어와서 소년소녀가장제도와 시설보호에 대한 비판이 생기면서 정부에서는 보호가 필요한 아동의 보호방법을 시설보호나 소년소녀가정세대의 보호형태에서 그룹홈이나 가정위탁보호형태로 전환하였다.

1999년 가정위탁보호사업과 관련된 법적 근거가 마련되었고, 2002년 친·인척과 동거하는 소년소녀가정을 친·인척위탁가정으로 분류하여 지원하였다.

2020년에는 전국 16개 광역시·도에 아동권리보장원을 포함하여 19개소 가정위탁지원센터를 설치·운영하면서 위탁가정을 발굴하고 위탁부모교육 등 다양한 가정위탁지원서비스를 제공하고 있다.

4) 가정위탁보호아동의 현황

가정위탁보호아동은 2009년 14,465명에서 2010년 16,359명으로 증가하였으나 2011년 15,486명을 시작으로, 2018년 11,141명으로 점진적으로 감소하였다. 이와 같이 가정위탁보호아동이 감소하게 된 원인은 전체적으로 요보호아동이 감소하였기 때문인 것으로 볼 수 있다. 가정위탁유형별로는 대리양육가정 보호아동은 2016년 9,127명에서 2020년 6,905명으로 감소하였고 친·인척위탁가정 아동은 2016년 3,556명에서 2020년 2,572명으로 다소 감소하였다. 일반위탁가정 아동의 경우 2016년 1,045명에서 2020년 907명으로 감소추세를 보이고 있다.

5) 가정위탁보호 정책과 서비스

(1) 가정위탁보호정책

① UN아동권리협약

UN아동권리협약은 1989년 11월 20일 UN총회에서 만장일치로 채택되어 1990년 10월 2일부터 국제법으로 효력을 발생하게 되었다. 이는 UN아동권리선언에서 명시한 아동의 권리를 지속적으로 보장하기 위하여 채택된 최초의 국제협약으로 1991년 가입한 우리나라를 위시하여 세계 193개국이 비준한 국제협약이다. 협약에 비준한 국가는 협약에 명시된 모든 아동의 권리를 보장할 의무를 갖는다. UN아동권리협약에서는 가정위탁보호를 위한 회원당사국 국가의 책임을 분명하게 명시하고 있다.

> 당사국 정부는 가족이 없는 아동에게 양부모나 보호시설 등을 제공해서 특별히 보호해야 하며, 시설을 선택할 때는 아동의 인종이나 종교, 문화적인 배경을 충분히 고려해야 한다(UN아동권리협약, 제20조).

또한 2003년 제출한 우리나라의 아동권리협약 이행에 관한 2차 보고서에 대하여 UN아동권리위원회에서는 위탁가정에 대한 재정지원과 상담지원제도 증대, 취약가정아동을 지원하는 사회복지사의 역량을 강화할 것을 권고하였다.

> 위원회는 위탁양육이 여전히 제한적으로 시행됨을 우려하며 특히 위탁양육가정에 대한 재정지원과 상담지원제도를 증대함으로써 위탁양육을 확장할 것과 대안양육이 되고 있거나 취약가정에 있는 아동들을 지원할 수 있는 사회복지사의 역량강화를 권고한다(UN아동권리위원회 862차 회의: 2003. 1. 31).

이와 같이 우리나라는 아동권리협약 회원국이 되면서 세계적 기준에 맞는 아동복지정책을 추진하게 되었으며 보호가 필요한 아동에 대한 탈 시설화와 가정위탁으로 전환하게 되었다.

② 아동복지법

아동복지법에서는 가정위탁의 정의, 보호조치, 가정위탁지원센터의 설치, 가정위탁지원센터의 업무와 비용보조 등에 관한 사항을 규정하고 있다.

아동복지법 제3조 6호에 의하면 "가정위탁"이란 보호대상아동의 보호를 위하여 성범죄, 가정폭력, 아동학대, 정신질환 등의 전력이 없는 보건복지부령으로 정하는 기준에 적합한 가정에 보호대상아동을 일정 기간 위탁하는 것을 말한다고 명시하고 있다. 또한 시·도지사 또는 시장·군수·구청장은 그 관할 구역에서 보호대상아동을 발견하거나 보호자의 의뢰를 받은 때에는 아동의 최상의 이익을 위하여 대통령령으로 정하는 바에 따라 다음 각 호에 해당하는 보호조치를 하여야 한다고 규정하고 있다(제15조 제1항 제2호, 3호).

뿐만 아니라 지방자치단체는 보호대상아동에 대한 가정위탁사업을 활성화하기 위하여 시·도 및 시·군·구에 지역가정위탁지원센터를 두며 가정위탁지원센터의 업무를 규정(제48조의 2항, 제49조의 2항)함으로써 효과적인 가정위탁업무를 위한 국가와 지역사회의 책임을 분명히 하고 있다.

③ 국민기초생활보장법

국민기초생활보장법에서는 아동 급여의 기준, 수급권자의 범위, 급여의 종류, 생계급여를 실시할 장소, 급여 등과 관련하여 가정위탁대상아동의 지원과 관련된 내용을 포함하고 있다.

(2) 위탁가정 선정기준

① 기본적 기준

아동복지법 시행규칙 제2조에 의한 위탁가정은 다음과 같은 기본적 조건을 갖추어야 한다.

가. 위탁아동을 양육하기에 적합한 수준의 소득이 있는 가정

나. 위탁아동에 대해 종교의 자유를 인정, 건전한 사회구성원으로 자랄 수 있도록 양육과 교육이 가능한 가정

다. 위탁부모의 나이가 25세 이상(부부인 경우 부부 모두)으로 위탁아동과의 나이 차이가 60세 미만인 경우(특별시장·광역시장·도지사·특별자치도지사 또는 시장·군수·구청장이 위탁아동을 건전하게 양육하기에 적합한 환경이라고 인정하는 경우에는 그러하지 않음)

라. 자녀가 없거나 자녀(18세 이상 친자녀 제외)의 수가 위탁아동을 포함하여 4명 이내

마. 가정에 성범죄, 가정폭력, 아동학대, 정신질환 등의 전력이 있는 사람이 없을 것(본인의 동의를 받아 위탁가정을 희망하는 사람이 거주하는 경찰서에 범죄경력조회를 요청하고 회신 결과를 반영하여 위탁가정 선정)

그밖에 위탁가정 선정 시 추가로 검토할 사항으로 다음과 같은 내용을 제시하고 있다.

가. 위탁아동을 자기 자녀처럼 양육하기에 필요한 성품, 경험, 지식을 갖춘 자를 위탁부모로 선정 : 혼인관계를 유지하고 자신의 아이를 키워본 경험이 있는 자를 우선으로 하되, 시장, 군수, 구청장, 가정위탁지원센터의 장이 위탁아동을 건강하게 양육하기에 적합하다고 인정되는 경우 양육경험이 없는 자도 선정가능

나. 가정이 화목하고 정신적·신체적으로 위탁아동을 양육함에 현저한 장애가 없을 것

다. 위탁아동을 건강하게 부양하기에 어려움이 없을 정도의 재산이 있을 것 : 기초수급권자의 경우 충분한 재산이 있다고 볼 수 없으며 경제적인 목적이 아

닌 선의의 동기로 위탁아동양육을 결정한 것에 대한 확인이 필요함

라. 위탁가정으로 적합한지 여부를 가정 조사 시 이웃 등을 통하여 확인 : 공립아동상담소 혹은 이웃주민의 추천

마. 위탁부모가 될 자가 대한민국 국민이 아닐 경우 해당 국가의 법에 따라 위탁부모가 될 자격이 있을 것

② 충족조건기준(교육적 기준)

가정위탁을 희망하는 사람은 반드시 기본 4시간의 위탁부모양성교육을 이수하여야 하지만 대리가정 및 친인척 위탁가정의 경우 가정 위탁 후 6개월 이내에 교육을 이수하여야 한다. 뿐만 아니라 가정위탁을 하고 있는 일반위탁부모, 대리양육, 친인척 위탁부모는 매년 4시간 이상의 보수교육(위탁양육의 이해와 절차, 위탁 아동의 특성, 좋은 부모 역할 등)을 받아야 한다(아동복지법 시행규칙 제2조).

③ 가정위탁보호서비스 절차

대리양육, 친인척 가정위탁과 일반가정위탁의 가정위탁보호서비스 절차는 다음과 같다.

가. 대리양육·친인척 가정위탁

신청	아동 및 위탁가정 환경조사	가정위탁보호 결정·통보	사례관리	가정위탁보호 종결
아동&위탁보호 희망자	읍·면·동	시·군·구	읍·면·동 시·군·구 가정위탁지원센터	시·군·구 & 가정위탁지원센터
신청	조사상담 서식작성 및 제출	위탁보호 결정 센터 통보 아동카드 발송	아동카드 관리 상담 및 관리 업무지원 공무원, 종사자 위탁부모교육	종결 또는 연장 통보 및 사후관리

출처 : 중앙아동보호 전문기관(www.korea1391.org)

[그림 8-2] 대리양육·친인척 가정위탁보호서비스 절차

나. 일반가정위탁

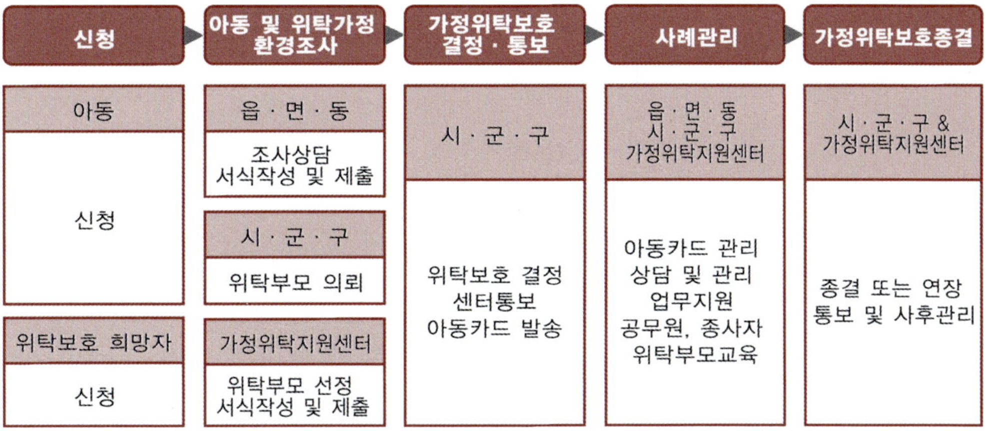

출처 : 중앙아동보호 전문기관(www.korea1391.org)

[그림 8-3] 일반가정위탁 보호서비스 절차

④ 지원내용

가. 국민기초생활보장법에 의한 생계비 지원

요보호아동으로 분류된 가정위탁대상아동은 아동복지법 제15조에 의거, 보호 조치된 경우(시설보호, 가정위탁보호 등)는 실질적인 가족관계의 단절로 볼 수 있다. 가정위탁보호 아동의 국민기초생활수급자 선정기준으로서 부양의무자 기준은 보장시설 생활자에 대한 수급권자 범위의 특례적용을 받는다. 특히 부모로부터 학대받은 아동의 경우 부양능력이 있는 부양의무자가 있어도 부양을 거부하거나 기피하는 것으로 인정하여 기초생활수급자로 보호하도록 하고 있다. 국민기초생활보장법에 의한 수급자로 결정되면 생계, 의료, 교육 등 해당급여를 받게 된다.

나. 양육보조금 지원

양육보조금은 아동 1인당 월 300,000원 이상 지원하도록 하며 위탁가정보호 결정일 개시달의 15일 이전인 경우 전액 지급하고 16일 이후인 경우 반액 지급하되 기초생활보장생계비와 같은 일자에 지급하는 것을 원칙으로 하고 있다. 또한 가정위탁보호 중인 아동이 군입대 등의 사유가 발생하여 위탁가정에 거주하지 않을 경우에는 입대일 등 거주지 변경일자를 기준으로 양육보조금지급을 중지하여야 한다.

다. 기타 지원

위탁아동 종결 시 아동복지시설 퇴소아동에 준하는 자립지원정착금(아동 1인당 5,000,000원 이상 지급)의 지원과 대학진학자금(1인당 5,000,000원 이상)을 지원할 수 있도록 하고 있다. 그밖에 가정위탁아동 상해보험료, 위탁아동 심리치료비, 검사비, 교통비를 지원하고 있다. 가구당 월 평균 소득이 도시근로자 가구당 월 평균 이하로서 무주택자인 대리양육, 친인척위탁가정에 대하여 최대 임차전용면적 85m² 이하의 주택전세자금(2억 원 이하)을 지원하고 있다.

<사례실습>

• 다음 사례를 읽고 위탁가정의 문제와 대책을 토론해 봅시다.

경기도의 한 비닐하우스에서 초등학교 3학년 권모 군이 집에서 기르던 도사견에 물려 숨졌다는 소식이 저녁뉴스를 통하여 전해졌다. 죽어 있는 권군을 담임선생님이 발견하여 경찰에 신고했는데 담임선생님은 권군이 학교에 등교하지 않은 것을 이상하게 생각하고 동료교사와 함께 권군의 집을 방문하게 되었다는 것이다. 그리고 권군이 거주하는 비닐하우스 문 앞에 권군이 쓰러져 숨져 있는 것을 발견하게 되었다는 것이다.

발견당시 권군의 시신 주변에는 1m도 넘는 도사견 한 마리가 목줄이 풀려 사납게 덤벼들었다고 한다. 발견당시 권군의 옷 대부분이 찢겨 있었으며 도사견에 물려 온몸이 상처투성이였다. 소식을 전하는 아나운서는 권군에 대한 안타까운 사연을 같이 전했는데 권군은 서울에서 학교에 다니다가 부모의 이혼으로 외갓집에 왔다고 한다.

평일에는 외조부모가 농사일로 시골에 머물고 이모와 단둘이 지내왔으나 이모가 집을 옮긴 후 혼자 지내왔다는 것이다. 그래도 아이는 주말마다 집에 오는 외할머니가 해놓은 밥을 스스로 챙겨먹고 개밥도 주면서 혼자 잘 지내왔다고 하였다.

이 소식을 듣고 아이가 살아 있을 때는 물론 끔찍한 죽음 후에도 선생님이 방문하지 않았다면 더 오랜시간을 방치되었을지도 모를 우리 사회와 이웃의 무관심이 부끄럽게 생각되었다. 점점 증가하는 이혼으로 인하여 조부모에 의하여 양육되는 조손가족아동이 증가하고 있다. 조손가족아동의 문제와 대책에 대하여 생각해 봅시다.

(1) 이 사례의 문제는 무엇일까요?

(2) 이 사례의 문제원인은 무엇일까요?

(3) 이러한 사례를 지원할 수 있는 방안은 무엇일까요?

(4) 이 사례에 대한 사회복지사의 의견을 적어 보세요.

2. 입양서비스

1) 입양의 개념과 현황

(1) 입양의 개념

입양은 부모가 아동을 보호양육하기 어려울 때 사회적으로 아동을 보호하는 방법 중의 하나로 발전되어 왔다. Kadushin은 아동과 그의 친부모가 아닌 사람 사이에 친자관계를 맺게 하는 법적·사회적 과정이라고 하였으며 Meezan은 아동과 친부모 간의 관계를 단절하고 혈연관계가 없는 사람들 사이에 새로운 부모-자녀관계를 법적으로 설정함으로써 또 하나의 새로운 가정을 창출하는 법적인 과정이라고 정의하였다. H. Fredericksen은 입양을 아동의 복지권으로 보고 아동은 건전하게 키워질 권리가 있고 정상적인 가정생활을 누릴 수 있는 권리와 부모의 보호를 받을 권리가 있으며 아동들에게도 이들 권리를 누리게 하여야 한다고 하였다. 이와 같이 입양은 부모가 보호, 양육할 수 없는 아동에게 영구적인 가정을 제공하여 아동에게 건전한 성장발달의 기회를 제공하고 출산이 불가능하거나 출산을 통하지 않고 부모-자녀관계를 갖고 싶어 하는 입양부모들에게 생물학적이 아닌 법적·사회적 친자관계를 형성할 수 있도록 하는 제도라고 할 수 있다. 보건복지부(2013)에서는 입양의 목적을 보호자가 없거나 보호자로부터 이탈된 아동들에게 건전한 가정을 영구적으로 제공하여 신체적·정서적·사회적으로 건강하게 성장할 수 있도록 함에 두고 있다.

(2) 입양제도 발달과정

우리나라의 입양제도의 발달과정은 3단계로 구분할 수 있다. 첫째, 1950년대 한국전쟁 이후 고아입양특례법 이전 시기로 전쟁고아와 혼혈아에 대한 시설보호의 필요성과 보육시설 동의 없이 정부가 시설아동의 해외입양을 허용할 수 있도록 고아양자특별조치법을 제정한 시기이다. 둘째, 1960년대 고아입양특례법시기로 외국인이 대한민국 고아를 양자로 함에 있어 필요한 조치와 고아의 복지증진을 목적으로 한 고아특례법 제정시기이다. 셋째, 1970년부터 현재까지 입양촉진 및 절차에 관한 특례법시기로 요보호아동이 국내 및 해외로 입양됨에 있어 절차를 간소화하고 국내입양 활성화의 기반을 마련한 시기이다.

2011년까지 해외로 입양한 아동 수는 약 16만 명으로 우리나라는 아동을 해외로 수출하는 국가로 국가 이미지가 크게 실추되었으며 이를 계기로 정부는 1996년 해외입양 전면중단계획을 발표하여 국외입양을 단계적으로 축소하도록 하였다. 2000년 입양촉진 및 절차에 관한 특례법을 개정하여 국내입양규제조치를 완화하고 입양업무에 관한 절차를 간소화하였다. 2006~2010년 동안 국내입양된 아동 수는 6,802명으로 전체 입양아동 중 41.2~59.1%로 증가하기 시작하였다.

〈표 8-4〉 입양제도의 발전과정

단계별	주요내용
1. 한국전쟁 이후 • 고아입양특례법 이전 시기(1950년대)	• 1950년 한국전쟁을 통하여 전쟁고아와 혼혈아가 다수 발생함에 따라 전쟁고아 및 미망인 등을 위한 시설보호의 필요성이 부각되면서 후생시설 설치기준 제정 • 1955년 이승만대통령은 대통령령으로 고아양자특별조치법을 제정하여 보육시설의 동의 없이 정부가 시설아동의 해외입양을 허용할 수 있도록 함

단계별	주요내용
2. 고아입양특례법 시기 (1960년대)	• 외국인이 대한민국 국민인 고아를 양자로 함에 있어 간이한 조치를 취하도록 함으로써 고아의 복리증진을 도모함을 목적으로 함 • 1977년 입양특례법이 제정되면서 고아입양특례법은 폐지
3. 입양촉진 및 절차에 관한 특례법 시기 (1970년~현재)	• 입양특례법은 요보호아동이 국내 및 해외로 쉽게 입양될 수 있도록 입양절차를 간소화하고 입양아동의 안전과 복지를 증진 • 1995년 입양특례법을 입양촉진 및 절차에 관한 특례법으로 전면 개정하여 국내입양활성화 기반 마련 • 입양촉진 및 절차에 관한 특례법은 2011년 다시 입양특례법으로 전면개정 및 시행되어 현재까지 약 4차에 걸쳐 개정됨

정부에서는 해외입양 줄이기 대책으로 미혼모발생예방체계구축, 미혼모의 자립 및 양육강화, 국내입양제도의 선진화방안, 요보호아동예방 및 연대책임인식 등의 영역을 토대로 12개 과제와 세부추진과제를 선정하여 추진하였다.

〈표 8-5〉 해외입양 줄이기 종합대책

영 역	과 제	세부과제
미혼모 발생예방 체계구축	예방교육체계의 네트워크 구축	• 학교중심의 예방교육 내실화 • 지역사회중심의 예방교육 내실화 • 학교와 지역사회 간 유기적 네트워크 구축
	상담의 내실화 및 접근성 제고	• 종합적, 체계적인 예방, 치료적 상담서비스 • 다양한 통로의 상담 활성화
	미혼모예방·치료의 통합적 접근 강화	• Wee프로젝트를 활용한 학생미혼모 발생 예방 • 지역사회 청소년 사회안전망확충으로 미혼모 발생 예방, 통합적 조치 강화
미혼모의 자립 및 양육강화	미혼모의 연령 통합형 자립자활 프로그램 확충	• 미혼모의 기본생활 보장 • 미혼모의 심리·정서적 지원 • 미혼모의 종합적인 정보접근성 제고
	미혼모의 연령 맞춤형 자립자활 프로그램 확충	• 학생미혼모의 학습권 보장 • 맞춤형 취업, 창업지원
	미혼모자녀양육의 사회적 책임강화	• 양육미혼모의 자녀양육비 실효성 확보 • 양육미혼모의 자녀양육서비스 확대

영 역	과 제	세부과제
국내입양 제도의 선진화 방안	입양아동 권익보호를 위한 법, 제도적 기반 마련	• 입양부모의 자격 및 입양파양절차 강화 • 입양 사후관리 기간확대 및 입양인의 정보접근성 보장 • 입양숙려제 도입 및 국내입양우선추진제 법제화
	입양가정의 경제적 부담완화 및 건강성 제고	• 입양가족의 양육비 지원 확대 • 입양부모의 자질 강화 • 입양인 사후관리서비스의 체계적·통합적 관리
	입양발굴 및 입양이 어려운 아동의 인센티브 도입 확대	• 남아, 연장아 및 장애아의 인센티브 도입 확대 • 입양가족 발굴
	입양서비스의 효율성 제고를 위한 인프라 강화	• 입양수행허브기관으로서 중앙입양정보원 기능 강화 • 입양기관의 재정지원 현실화 • 입양실무자의 전문성 강화 및 처우 개선
요보호 아동예방 및 연대책임 인식증대	미혼모 예방 및 편견 해소를 위한 사회적 인식 개선	• 사전·사후적 단계별 홍보 및 캠페인 전개 • 대중매체를 활용한 미혼모의 자립양육 롤모델 사례 발굴 홍보
	입양에 대한 인식 개선 및 수용성 제고방안	• 생애주기별 입양교육과 홍보 실시 • 입양관련 전문가 집단중심의 인식 개선 • 체계적·지속적 홍보를 위한 인프라 구축 운영

출처: 김유경 외(2008). 해외입양 줄이기 종합대책연구. 한국보건사회연구원.

(3) 입양현황

다양한 이유로 증가하고 있는 요보호아동에 대한 가정보호서비스 중 하나인 입양현황은 2020년 보건복지부 입양통계에 따르면, 국내입양은 52.9%, 국외입양은 47.1%인 것으로 나타났다. 2019년 국내 입양 55.0%, 국외입양 45.0%로 전년도에 비해 국외입양이 소폭 상승하였다.

국내입양의 경우 83.1%가 미혼모아동 입양, 14.6%가 유기아동, 가족해체로 인한 입양이 2.3%이며, 국외입양의 경우 미혼모아동 입양이 99.6%, 가족해체로 인한 입양이 0.4%인 것으로 나타났다. 입양국가별현황은 미국이 67.2%로 가장 많았고 그 다음으로는 캐나다, 스웨덴, 호주 순으로 입양한 것으로 나타났다.

2) 입양 목적과 조건

(1) 입양의 목적과 기본방향

입양은 보호자가 없거나 보호자로부터 이탈된 아동들에게 건전한 가정을 영구적으로 제공하여 신체적·정서적·사회적으로 건강하게 성장할 수 있도록 하는 데 그 목적이 있다. Kadushin은 입양이 다음과 같은 목적과 기능을 갖는다고 하였다.

- 아동에게 영구적인 가정과 가족관계를 갖게 한다.
- 불임부모에게 부모가 될 수 있는 기회를 제공한다.
- 가문계승의 수단이 된다.
- 유산을 물려주는 수단이 된다.
- 자녀를 원하지 않거나 보호할 능력이 없는 부모를 위한 대체수단이 된다.
- 자녀가 있는 사람이 아동을 더 양육하려는 욕구와 능력이 있을 때 이를 만족시키는 제도가 된다.

이러한 목적과 기능을 달성하기 위한 입양서비스를 제공함에 있어 기본방향은 다음과 같다.

- 태어난 가정에서 양육하기 어려운 경우 아동의 최상의 이익을 위하여 입양·가정위탁 등 가정보호를 지원하여야 한다.
- 보호가 필요한 아동에 대하여 시설보호보다는 가정보호(입양 등) 조치가 우선될 수 있도록 지방자치단체가 협조할 필요가 있다.
- 국내입양을 우선으로 하며 국외입양은 차선책으로 추진한다.
- 입양가정 및 아동에 대한 사례관리를 강화한다.
- 입양가정에 대한 경제적·제도적 지원을 통한 국내입양 활성화를 도모한다.
- 혈연중심의 가족문화, 비밀입양문화 개선을 위한 대국민 홍보를 강화한다.

(2) 입양의 조건

입양특례법과 동법시행령, 시행규칙에 의하여 양자가 될 자격과 양친이 될 자격, 입양숙려제 및 입양동의 등 입양조건을 명시하고 있다. 입양특례법 제9조에 의하면 양자가 될 자격은 보호자로부터 이탈된 자로서 시·도지사 혹은 시장·군수·구청장이 부양의무자를 확인할 수 없어 국민기초생활보장법에 따른 보장시설에 보호를 의뢰한 사람, 부모 또는 후견인이 입양에 동의하여 보장시설 또는 입양기관에 보호의뢰한 사람, 법원에 의하여 친권상실의 선고를 받은 사람의 자녀로서 시·도지사 또는 시장·군수·구청장이 보장시설에 보호의뢰한 사람 중 하나에 해당되는 사람을 양자가 될 사람의 자격으로 명시하고 있으며 양친이 될 자격은 다음 조건을 모두 갖추어야 한다.

- 양자를 부양함에 있어 충분한 재산이 있을 것
- 양자에 대하여 종교의 자유를 인정하고 사회의 구성원으로서 그에 상응한 양육과 교육을 할 수 있을 것
- 양친이 될 자가 대한민국 국민이 아닌 경우 해당 국가의 법에 의하여 양친이 될 수 있는 자격이 있을 것
- 양자가 될 아동이 복리에 반하는 직업이나 그밖에 인권침해의 우려가 있는 직업에 종사하지 아니할 것
- 그밖에 양자가 될 자의 복지를 위하여 다음 필요한 요건을 갖출 것
  - 25세 이상으로서 양자될 자와의 연령 차이가 60세 이하인 자(양친될 자가 대한민국 국민이 아닌 경우에는 25세 이상 45세 미만)

그밖에 양자가 될 자의 친생부모의 동의가 있어야 하며 13세 이상인 자를 양자로 할 경우에는 양자가 될 자의 동의도 필요하다. 친부모의 입양동의는 아동출생일로부터 1주일이 지난 후에 이루어져야 하고 입양숙려 기간 동안 친생부모가 아동을 보호하는 것을 원칙으로 하고 있다.

서울에 소재하고 있는 한 교회에서 운영하는 "베이비박스"는 버려지는 아기를 돌보아주는 곳이다. 2012년 8월 5일 개정 입양특례법이 시행되면서 이전에는 버려지는 아기가 월 1~2건이었던 것이 시행 이후 월 10건이 넘는다고 한다. 이와 같이 버려지는 아기가 증가하고 있는 것은 친부모가 입양 보낼 아기를 본인의 친생자로 출생신고를 해야 하고 예비입양부모는 가정법원으로부터 입양허가를 받아야 하기 때문이다. 가정법원은 허가에 앞서 친생부모의 의견을 듣고 가사조사관 등으로 하여금 조사관이 가사조사를 할 수 있도록 하는 등 그 절차가 매우 까다로워졌다. 이 때문에 불법낙태 및 불법입양이 증가하고 아기가 버려지는 사례가 증가하는 등의 문제점을 지적하고 있다.

이러한 문제를 해결하기 위한 방안에 대하여 생각해 봅시다.

3) 입양아동 및 가족을 위한 지원서비스

(1) 입양비용지원

입양특례법상 허가를 받은 입양기관에 의하여 아동을 국내 입양한 가정에 대하여 입양 알선 비용을 지원하고 있다. 입양비용 지원내용은 입양 알선에 소요되는 인건비, 아동양육비(위탁모비용 포함), 입양 알선 절차에 소요되는 비용, 입양기관의 운영비 및 홍보비, 사후관리비 등 입양 알선에 실제로 드는 비용으로 전문기관은 270만 원, 지정기관 100만 원을 정액지원하고 있다. 또한, 이 외에도 국내 입양가정에 대한 경제적 지원으로는 **양육수당**(만 16세 이전, 월 15만 원)과 **입양양육보조금**(중증 월 62만 7천 원, 경증 및 기타 월 55만 1천 원), **의료비**(연 260만 원), **심리치료지원**(만 18세 이전, 월 20만 원 한도) 등이 있으며, 장애아동의 경우 만 18세 이전인 경우 입양양육보조금 및 의료비는 별도로 지원하고 있다.

(2) 입양아동 수당 지원

① 입양아동 양육수당

입양특례법상 허가를 받은 입양기관에 의하여 국내입양하고 양육수당을 신청한 경우 아동이 만 13세가 될 때까지 1인당 월 15만 원의 입양아동 양육수당을 지원하고 있다.

② 장애아동 양육보조금 및 의료비 지원

입양특례법상 허가를 받은 입양기관에 의하여 장애아동을 국내입양하고 입양당시 장애인복지법 제32조제1항에 의거, 장애인등록을 한 아동을 대상으로 중증장애인(장애등급 1~2급, 3급 장애인으로 다른 장애가 중복된 자)인 경우 월 627천 원, 경증장애인 등 그 외 지원대상은 551천 원의 양육보조금을 지원하고 있다.

또한 연간 260만 원 한도 내에서 본인이 부담한 진료, 상담, 재활 등 치료에 소요되는 비용을 지원하며 장애인보조기구에 대한 의료비 청구도 포함하도록 하고 있다. 의료급여법에 의거 국내에 입양된 만 18세 미만 아동을 대상으로 1종 의료급여를 실시하고 있다.

(3) 요보호아동의 입양활성화 추진

2005년 입양촉진 및 절차에 관한 특례법을 일부 개정하면서 정부에서는 매년 5월 11일을 입양의 날로 정하고 입양의 날로부터 1주일을 입양 주간으로 제정하여 입양활성화를 추진하고 있다. 또한 국가와 지방자치단체는 입양의 날 취지에 적합한 사업을 실시하도록 노력하여야 함을 명시함으로써 입양활성화를 위한 국가와 지방자치단체의 책임을 구체화하였다. 지방자치단체는 태어난 가정에서 아동이 건전하게 양육될 수 있도록 지원하고 가정에서 양육이 곤란한 아동에게는 건전하게 양육될 수 있는 다른 가정을 제공하기 위하여 필요한 조치와 지원을 하여야 한다는 지방자치단체의 책임을 다음과 같이 구체적으로 명시하고 있다. 뿐만 아니라 지방자치단체는 요보호아동의 입양활성화 및 입양 후 가정생활의 원만한 적응과 국내입양기관 운영지원을 위한 예산을 확보하여야 한다고 명시하고 있다.

- 입양정책의 수립과 시행
- 입양에 관한 실태조사 및 연구

- 입양 및 사후관리절차의 구축과 운영
- 입양 및 가족지원
- 입양 후 원만한 적응을 위한 상담 및 사회복지서비스 제공
- 입양에 대한 교육 및 홍보
- 입양모범사례 발굴

<사례실습>

① 문답을 통한 사례실습

2020년 12월 개정된 입양특례법 내용을 토대로 입양관련 정책에 관한 다음 질문에 대한 답변을 통하여 입양서비스에 대하여 입양기관 실무자와 클라이언트가 되어 실습해 봅시다.

〈표 8-6〉 입양제도에 대한 Q & A

질 문	답 변
1. 입양특례법의 주요 내용은?	• 기존에는 입양을 촉진하고 절차를 간소하게 하는 것이 의도였다면 향후 아동의 권익과 복지를 증진하는 데 그 목적이 있음 • 입양특례법의 핵심은 최소한 일주일간 아이와 함께 지내면서 입양에 대하여 생각해 보는 입양숙려제 도입이 있음. 입양숙려제에 따라 미혼모 등 친생부모는 아이를 낳은 후 7일이 지나기 전에 입양에 동의할 수 없고 이 기간 동안 직접 양육할 경우 어떤 지원을 받을 수 있는지 상담을 받게 됨. 입양부모의 경우 아동학대나 성폭력 등 범죄경력을 의무적으로 조회 받게 되며, 입양 전 아동양육에 대한 교육을 반드시 이수해야 하고, 입양 후 1년 동안 입양기관으로부터 적응을 위한 상담과 교육을 받아야 함 • 입양을 신고제에서 허가제로 변경, 입양 의뢰 후 5개월간 국내입양을 우선 추진하는 국내입양우선추진제를 실시함
2. 현재 국내입양을 원하는 사람입니다. 입양자격은 어떻게 되는지?	• 예비 양부모는 25세 이상으로 아동과 연령 차이가 60세 미만이어야 한다. 자녀유무는 관계없다. 독신자의 경우 35세 이상이어야 하고 연령 차이는 50세 이하이어야 함 • 가정이 화목하고 정신적·신체적으로 건강해야 하며 사회적·경제적으

질 문	답 변
	로 안정된 직업에 종사해 아동양육에 필요한 경제력이 있어야 함. 아동을 충분한 경제적·정서적 지원과 사랑으로 양육할 수 있어야 함. 만약 양부모의 주변 환경 및 정서적 환경이 아동양육환경으로 적합하지 않다고 인정되면 진행과정에서 입양신청을 취소할 수 있음
3. 아이를 입양하려면 어떠한 절차가 필요한지?	• 아동입양을 위해서는 가능하면 예비양부모가 현재 거주하고 있는 인근의 입양기관으로 입양신청을 해야 하며 입양절차는 보통 부부, 가족 간의 충분한 입양합의 ⇒ 입양문의(내방상담) ⇒ 입양 신청(서류접수) ⇒ 양부모교육 ⇒ 개별면접 및 가정조사 ⇒ 아동선정 ⇒ 입양 ⇒ 입양 후 가정방문 ⇒ 사후관리로 이루어짐
4. 입양에 필요한 서류는?	• 구비서류는 기혼가정의 경우 가족관계증명서, 혼인관계증명서, 주민 등록등본, 건강진단서(부부 각각), 가족사진이 필요함. 독신가정의 경우 가족관계증명서, 주민등록등본, 건강진단서, 가족사진, 입양적격추천서, 자녀양육계획서, 소득관련수준관련증명 등이 필요함
5. 입양과 관련된 제반비용은?	• 기존입양부모가 부담하던 입양수수료를 국내입양활성화를 위하여 2007년 1월 1일부터 정부에서 지원하고 있음. 입양특례법상 입양기관 등을 통하여 입양한 국내입양가정이 지원대상이므로 입양기관은 입양부모에게 일체수수료를 받지 않음 • 입양기관은 아동의 양육비 및 의료비, 친생부모지원, 위탁가정의 아동양육지원, 기타 아동복지사업 등에 입양수수료를 사용하고 있음
6. 입양기관에서 아이를 입양할 경우 받을 수 있는 지원은?	• 국가 및 지방자치단체는 입양기관의 알선을 받아 입양된 장애아동 등 입양아동의 건전한 양육을 위하여 필요한 경우에는 입양가정 등에 대하여 양육수당, 의료비 그밖의 양육보조금을 지원하고 있음 • 신체적·정신적 장애로 오랫동안 일상생활이나 사회생활에 상당한 제약을 받는 아동, 분만 시 조산, 체중미달, 분만장애, 유전 등으로 질환을 앓고 있는 아동, 그밖에 생활이 어려운 입양가정으로 보건복지부장관이 양육지원이 필요하다고 인정되는 가정에 입양된 아동에 대하여 양육수당, 의료비 그밖에 필요한 양육보조금이 지급됨 • 이 외 종합소득공제, 공무원의 입양휴가제, 입양정보센터이용 등의 지원을 받을 수 있음 입양관련지원: 입양아동양육수당지급(만 13세까지 월 15만 원), 의료급여 1종지정, 장애아동의 경우 만 18세까지 장애아동입양 양육보조금(중증 62만 7,000원, 경증 및 기타(월 55만 1,000원) 및 의료비(년 260만 원 한도예정) 별도지원

질 문	답 변
7. 입양특례법 이외 입양관련법은 무엇이 있나요?	• 우리나라에서의 입양은 민법상의 입양과 정부가 허가한 입양기관을 통한 입양으로 구분되며 모두 입양당사자의 의사표시에 의하여 이루어짐 • 2005년 3월 개정민법에 친양자 제도를 도입했는데 친양자 제도는 법원의 허가에 의하여 성립되고 친생부모 및 그 혈족의 친족관계는 종료되어 입양아동이 친생자와 동일한 법적지위를 갖게 됨 • 일반적인 입양제도 및 친양자 제도를 규정한 민법과 아동의 권익과 복지를 증진하기 위하여 입양요건과 절차, 사후관리를 규정한 입양특례법, 가족관계증명서나 입양관계증명서 등 증명서양식과 기재사항, 입양 및 파양신고서 등을 규정한 가족관계의 등록 등에 관한 법률이 있음
8. 도저히 아이를 키울 수 없어 입양 보내고자 합니다. 어떻게 해야 할까요?	• 많은 고심 끝에 어렵게 결정하신 것으로 생각됨. 그러나 아동은 원가정 속에서 부모의 사랑과 보호, 양육을 받을 수 있는 환경에서 자라는 것이 이상적임. 따라서 입양은 본인과 아이의 평생이 달린 문제임으로 힘들더라도 아동의 입장에서 신중하게 더 생각하고 입양을 결정할 것을 권고함 • 그럼에도 불구하고 입양하기로 결정했다면 관련된 상담을 받을 수 있도록 도와드릴 수 있음을 통보함
9. 해외로 입양 보낸 아이의 안부가 궁금할 경우는?	• 문의하신 분과 입양인과의 관계를 확인하기 위한 신원확인 이후 입양인의 이름, 생년월일, 성별, 입양의뢰인의 성명 등 입양의뢰 당시 배경정보를 토대로 중앙입양정보원의 입양정보통합관리시스템조회를 통하여 입양을 진행한 입양기관, 입양국가, 입양조치일자 등에 대한 정보를 확인할 수 있음 • 입양서류원본을 확인하고 싶다면 해당입양기관에 문의하여 입양서류열람을 통하여 입양인에 관한 구체적인 정보를 확인할 수 있음

출처 : 대한사회복지회(www.sws.or.kr)

② 파양사례 토의 실습

입양기관인 대한사회복지회를 통하여 입양하고 파양된 다음 사례들을 통하여 파양의 원인과 문제, 개선점을 토론해 봅시다.

〈표 8-7〉 입양아동 파양사례

연번	입양 당시 연령	파양 당시 연령	입양동기	파양사유	친자녀 유무
1	6개월	3세	10년간 불임	입양부 사우디 취업 중 부부관계문제로 이혼	무
2	2개월	6세	불임	입양 후 사우디 취업 중 입양모 가출	무
3	1개월	3세	자연유산 후 불임	입양부 사망 후 입양모 재혼 예정으로 입양부 친척들 파양종용	무
4	13개월	4세	불임	입양부가 아동을 귀여워하는 것을 입양모가 못 받아들여 아동학대로 이혼	무
5	1개월	2개월	불임	아동생김새가 입양부모와 달라 양육 자신을 잃음	무
6	2세	6세	불임	양부모이혼	무
7	3세	4세	죽은 친자의 대체/불임수술한 부부	아동의 부정적 행동을 받아들이지 못함	첫아들 사망
8	1개월 미만	7세	임신 안 되고 남편 방황하여 남편 마음을 잡기 위해	입양부 가출로 입양부모 이혼함	입양 후 2년 후 친자 낳음
9	1세	7세	신문에서 해외입양 폐단에 대한 기사를 읽고 결심함	입양아동의 학업부진	78년생 남아
10	1개월 미만	1개월	불임	우유 알레르기로 인한 아동의 장기설사로	무
11	2세	2세	사망한 친딸대체 입양모불임수술	입양부가 아동을 예뻐하자 입양모는 입양부가 자신의 자식을 낳아 입양기관을 통해 입양시킨 것으로 오해함	첫딸 사망 87년생 남아
12	1개월 미만	1개월	불임	입양부가 장남이라 집안친척들 입양 반대	무
13	1세	2세	불임	입양모가 부부문제로 가출	무
14	1세	7세	불임	아동의 부정적 행동 받아들이지 못함	무

출처 : 대한사회복지회(www.sws.or.kr)

3. 공동생활가정(그룹홈) 보호

그룹홈은 20세기 들어서면서 등장한 아동복지의 새로운 흐름인 주류화, 정상화, 탈시설화, 사회적 통합에 기반을 두고 발전된 모형으로서 대표적인 지역사회서비스라고 할 수 있다(김배현, 2000). 그룹홈은 1945년 미국아동복지연맹에서 공식적으로 정의되었고, 1960년대 후반부터 설립·운영되기 시작하였다.

1) 공동생활가정(그룹홈) 개념과 발전과정

미국아동복지연맹은 그룹홈은 16세 이하의 사춘기 아동 6명 이하의 집단으로 구성된 지역사회 안의 개인적 가정이라고 할 수 있다고 하였다. 또한 그룹홈서비스는 부모가 돌볼 수 없는 아동이나 청소년들을 대상으로 시설에서 계획된 집단생활과 프로그램, 특별한 서비스가 결합하여 지역사회경험의 기회, 지속적인 보호를 보장하기 위하여 보호와 치료를 제공하는 것이라고 하였다.

Kadushin(1989)은 그룹홈을 대규모 위탁가정 또는 소규모시설의 형태로서 지역사회 내에서 서로 관련이 없는 아동들로 구성된 가정형태의 주거시설이라고 정의하였다. 정진영(1996)은 그룹홈은 소집단으로 가정생활과 같은 환경에서 5~6명의 아이들이 자유롭게 생활할 수 있도록 직원을 어머니, 아버지라고 부르고 그들의 아이들을 전적으로 보살펴주고 사랑해주고 부모의 역할을 해주는 것이라고 정의하였다. 일반적으로 그룹홈은 가정이나 위탁가정에서 생활하기 어렵고 공동주거시설이나 일시적인 보호가 필요한 사람을 위한 서비스로 발전되어 왔으며 아동, 임신 중이거나 양육 중인 개인, 발달장애나 신체장애, 중증 혹은 만성적인 정신질환을 가진 성인, 약물남용성인, 집단거주 상황이 필요한 노인을 대상으로 한다(전혜옥, 2004). 이와 같이 소규모 주거시설의 대표적 형태인 그룹홈은 아동이나 청소년기에 가정으로부터 벗어나 사회보호서비스체계 안으로 들어왔으나 위탁가정이나 입양이 현실적으로 어려운 아동이나 청소년들에게 가장 우선적으로 선택되는 서비스로 평가받고 있다(Pecoraetal 외 1992; Thoburn, 1994).

그룹홈서비스는 가정보호가 불가능한 아동과 청소년을 위한 서비스의 한 방법이며 우리나라의 문화적인 특수성과 아동복지적 관점에서 볼 때 가정위탁과 시설보호의 중간 형태로 현시점에서 요보호아동을 보호하기 위한 최선의 대안(노혜련, 1998)으로 보고 있다. 요약하자면 그룹홈서비스는 부모가 아동을 양육, 보호할 능력을 상실하였거나 그 역할을 수행할 수 없는 중대한 사유가 발생한 요보호아동을 대상으로 지역사회 내에 위치한 일반가정과 유사한 소규모 시설에서 계획된 생활과 프로그램, 서비스를 제공하여 아동의 건강한 성장발달을 지원하는 것이라고 할 수 있다.

우리나라는 그동안의 대규모 집단시설위주의 아동보호에서 소규모 가정형태 보호로의 전환과 지역사회중심의 아동보호에 대한 새로운 보호형태의 필요성이 대두됨에 따라 1996년 12월 그룹홈 제도를 결정하고 1997년부터 시범적으로 실시하게 되었다. 2004년 1월 아동복지법상 아동복지시설 종류에 공동생활가정(그룹홈)을 추가하여 요보호아동을 위한 보호서비스를 제공하게 되었다. 공동생활가정은 정상화, 탈시설화, 생태학적 관점의 특징을 지닌다.

2) 공동생활가정 목적과 기능

공동생활가정의 보호를 필요로 하는 아동에게 가정과 같은 주거여건과 보호를 제공하여 건전한 사회인으로 성장하도록 지원하는 것과 지역사회 내에서 가정적인 양육과 다양한 지원, 교육활동 기회를 제공함으로써 아동의 원가족 복귀와 자립을 지원하는 것을 목적으로 하고 있다.

공동생활가정은 대안가정, 대안복지시설, 치료공간 제공을 위하여 다음과 같은 기능을 수행한다(보건복지부, 2013년도 아동분야사업안내).

- 안정적인 공간으로서의 기능
- 방임, 학대, 비행으로부터의 보호 기능

• 생활지도와 다양한 교육의 기회 제공을 통한 사회화 기능
• 가정생활에 대한 경험을 통한 가정과 부모–자녀의 관계에 대한 모델링 기능
• 건전한 놀이, 문화의 형성을 돕는 기능
• 방임, 학대 등으로 인한 심리·정서적 치료의 기능
• 아동의 원가족 복귀를 돕는 기능
• 아동과 원가족의 자립능력 향상을 돕는 기능
• 지역사회 내 아동보호를 위한 인식을 확산시키는 기능

3) 시설 및 그룹홈 아동, 청소년의 특성

그룹홈은 빈곤이나 이혼, 학대에 의하여 가정에서 양육할 수 없는 아동, 청소년을 대상으로 한다. 아동을 양육할 수 없는 가정의 아동들이 일반가정아동에 비하여 반드시 문제가 보다 더 많다고 할 수는 없지만 일반가정아동에 비하여 양육환경이 취약할 가능성은 높다고 볼 수 있다. 표갑수(1994)는 시설의 특수한 구조적 환경으로 인하여 시설아동에게는 게으름, 주의산만, 거짓말, 고마움을 모름, 정서불안, 창의력 부족, 파괴적 행동, 사고의 단순, 물품낭비, 도벽 등 부정적 습관이 형성될 수 있다고 하였다. 장병림(1982)은 시설아동의 성격적 특성으로 비동정적 혼란, 악착스러움, 부주의와 주의산만, 파괴적, 싫증을 잘 내는 소극적·충동적 태도, 거짓말, 고집 등이 있으며 부모와의 격리로 인한 장기적 영향으로 감정통제의 결핍, 공격적 행동, 죄의식의 결여, 초자아의 미발달, 인내심의 부족, 대인관계의 미숙을 지적하였다.

Norton(1981, 재인용 ; 이혜진, 2006)은 그룹홈에서 생활하게 되는 아동은 초기에 부모와의 이전 생활에 대한 상실을 부정하나 점차적으로 현실을 직면하고 현실을 극복함으로써 삶을 재통합하는 단계를 밟게 된다고 하면서 각 단계에서 나타나는 아동들의 감정과 문제행동을 다음과 같이 제시하고 있다.

이순형(2001)은 그룹홈 아동의 인지적 특성으로 시설보호아동은 일반가정아동에 비하여 학습능력 내지는 학업성적이 떨어져 학업과 관련된 스트레스로 심리적인 영

향을 받는다고 하였다. 박현숙(1998)은 시설보호아동이 생각하는 학교생활에서 가장 큰 문제점은 성적에 관한 것이며 친구와의 관계, 재정적인 문제, 열등감, 선생님과의 관계의 어려움이 있다고 하였다.

1. 충격단계	표면상 잘 적응하고 있는 것 같지만 이 단계의 아동들은 정서적인 관여가 전혀 없는 반사적인 반응을 나타낸다.
2. 항의단계	분리경험에 의해 불안, 분노, 무력감, 비탄의 감정을 경험하며 주로 자신, 타인, 그룹홈에 들어오기전에 알게 된 사람을 향하여 표출된다.
3. 절망단계	무감각상태와 내적인 고통, 우울, 절망감의 표현으로 새로운 활동과 새로운 관계를 형성하고자 하는 동기가 거의 없는 퇴행현상이 나타난다.
4. 분리, 이탈단계	그룹홈의 적응단계로 과거의 무력감과 절망감이 미래에 대한 희망감으로 대치된다.

[그림 8-4] 그룹홈 아동의 적응단계

그룹홈 아동의 특성을 요약하자면 부모로부터 분리되어 그룹홈에서 생활하게 되면서 적응상의 어려움을 경험하게 되며 부모와의 분리과정에서의 부정적 경험에 의한 부정적 정서와 행동 등이 적응상의 어려움을 초래한다고 볼 수 있다. 이러한 그룹홈 아동의 심리·정서적 특성을 토대로 적절한 그룹홈서비스를 제공한다면 아동의 부적응적 행동을 적응적 행동으로 변화시킬 수 있을 것이다.

4) 공동생활가정(그룹홈) 현황

우리나라 그룹홈은 2003년 12월 개정된 아동복지법에 근거하여 아동복지시설의 종류로 구분되다가 2004년 아동복지법 개정으로 공동생활가정이라는 명칭으로 법적인 아동복지시설로 운영되기 시작하였다(아동복지사업법, 2008). 우리나라 아동 그룹홈 현황을 살펴보면 2004년 100여 개에 2011년 현재 약 460개소로 지속적으로 증가하고 있다.

5) 공동생활가정(그룹홈) 보호서비스 내용

(1) 기준 및 보호인원

시설설치기준은 전용면적 82.5m² 이상의 주택형 숙사를 갖추어야 하고 화장실 및 목욕실은 2곳 이상 확보하여 아동이 생활하는 데 불편함이 없도록 하여야 한다. 또한 그룹홈 50m 주위에 청소년보호법 제2조제5호에 의한 청소년유해업소가 없어야 한다. 보호인원은 5인을 기준으로 하되 7인 이내이어야 하며 최대한 보호아동이 5인 이상을 유지하도록 한다.

종사자배치기준은 시설장 1인 및 보육사 1인을 배치하고 0~2세의 아동은 아동 2명당 1인, 3~6세 아동은 아동 5명당 1인, 7세 이상은 아동 7명당 1인의 종사자를 배치하여야 한다.

(2) 공동생활가정 서비스

공동생활가정 서비스의 핵심적 요소는 아동양육과 보호프로그램이라고 할 수 있다. 그룹홈서비스를 제공하는 사회복지사는 아동양육과 보호프로그램을 위한 계획과 필요한 역할을 수행할 수 있어야 한다.

① 아동양육

사회복지사(보육사)는 아동양육을 책임지는 사람으로서 아동이 가정에서와 같은 경험을 할 수 있도록 하며 아동의 의존욕구와 보호받을 욕구를 충족시키면서 점차적으로 독립하고 스스로를 책임질 수 있는 능력을 함양할 수 있도록 해야 한다. 공동생활가정의 아동양육을 위한 내용은 다음과 같다.

또한 아동에 대한 훈육, 치료사의 역할을 하여야 하며 아동을 관찰하고 집단생활의 경험을 제공하여야 한다. 뿐만 아니라 아동과 부모의 관계유지를 할 수 있도록 하며 아동의 부적응행동 위기상황에 대한 대처를 할 수 있어야 한다.

〈표 8-8〉 아동양육서비스 내용

영 역	내 용
신체적 보호	음식, 식사와 간식 제공, 식사시간, 충분한 수면, 간호, 청결유지, 정리정돈
습관의 발달	연령과 발달수준에 맞는 사회적 기대, 즉 청결, 식사습관, 배변습관, 외모관리, 성 관리법, 예절, 사회적으로 인정된 생활양식, 일상생활규칙과 절차
의복손질	옷감에 따른 세탁방법, 계절에 따른 의복관리 및 보관, 옷 구매 방법
금전관리	용돈관리, 저축의 종류, 저축습관(통장만들기, 저축하기), 보험, 세금 정산 등
학교공부 지원	학교적응, 학업성적지원(멘토), 학교생활지원(교사), 지역자원연계(예능계지원)
가치·윤리 원칙	아동중심서비스, 존엄성, 발달, 아동권리기반, 비밀보장, 개별화, 비차별성, 기회균등

출처: 보건복지부(2011). 아동공동생활가정 운영매뉴얼.

② 공동생활가정 프로그램

공동생활가정 프로그램은 가정적 보호라는 공동생활가정의 특성상 사회복지사(보육사)의 양육활동과 아동의 일상생활자체가 프로그램이라고 할 수 있다. 공동생활가정의 프로그램은 개별화를 기초로 낙인을 예방하고 아동의 발달이라는 장기적인 관점에서 계획되고 진행되어야 한다. 이에 프로그램을 아동 양육 및 보호·교육, 가족역량강화, 사례관리, 자립준비, 지역연계, 5대 의무교육으로 구성하여 공동생활가정에서 쉽게 계획 및 수행할 수 있도록 하는 데 그 목적이 있다(보건복지부, 2013). 프로그램의 구성내용은 다음과 같다.

〈표 8-9〉 공동생활가정 프로그램의 구성

구 분	내 용
아동양육 및 보호	위생지도, 생활지도, 안전지도
교육	경제교육, 학습 및 숙제지도, 특기적성 함양, 컴퓨터교육
가족역량강화	문화체험, 가족여행 및 가족나들이, 가족친화
사례관리	사례관리
자립준비	일상생활기술, 자기보호기술, 지역사회자원 활용기술, 돈 관리 기술, 사회적 기술, 진로탐색 및 취업기술, 직장생활기술, 다시 집 떠나기
지역연계	운영위원회 활동, 자원 활동가 모집 및 관리, 후원자모집 및 관리, 주치의 확보
5대의무교육	교통안전교육, 실종, 유괴의 예방·방지교육, 약물 오·남용 예방교육, 재난대비안전교육, 성폭력예방교육

출처: 보건복지부(2011). 아동공동생활가정 운영매뉴얼.

<사례실습>

공동생활가정에서 발생할 수 있는 다음과 같은 위기상황을 상황극으로 구성해 보고 대처할 수 있는 방안에 대하여 토론해 봅시다.

구 분	위기상황 사례
상황1	공동생활가정에서 6개월째 생활 중인 민수(중2)가 어느 날 집에 들어오지 않았다. 학교를 마친 후 친구와 놀다가 조금 늦게 오겠지라고 생각했는데 아무런 연락도 없이 집에 들어오지 않았다. 핸드폰도 받지 않고 친구들에게 연락하니 모두 모른다고 해서 걱정이다.
상황2	수철이(중3)와 민수(초4)는 공동생활가정에서 함께 생활하고 있다. 그러나 언제부터 수철이는 민수가 말을 듣지 않는다는 이유로 자주 폭력을 행사하는 것이 목격되곤 한다. 수철에게 민수를 때리지 말라고 이야기하면 남자들끼리 일이니까 간섭하지 말라고 신경질을 부린다.

구 분	위기상황 사례
상황3	영미(고1)는 말이 없고 비교적 착한 아이이다. 집에 와서는 동생들도 잘 돌보고 집안일도 잘 도와준다. 학교성적이 다소 떨어지기는 하지만 그런대로 공동생활가정에 잘 적응하고 장래에 빵집을 운영하는 것을 목표로 학원에 다니고 있다. 그런데 학원에서 남자친구를 사귀게 되고 얼마 되지 않아 임신을 하게 되었다.
상황4	인철(초5)이는 공동생활가정에 들어온 지 3개월째 된 아이이다. 인철이는 부모님의 이혼과 할머니의 양육거부로 입소하게 되었다. 인철이는 부모와 할머니에 대한 적대감이 강하고 사회복지사에게도 반항적인 행동을 서슴지 않는다. 최근 인철이 학교에서 아이들과 싸우다가 화를 참지 못하고 자신의 손목을 칼로 긋는 등 자해를 했고 그날 집에서 목을 매어 자살을 시도했다.
상황5	민정(초6)이는 공동생활가정에 들어온 지 5개월째 되는 여자아이이다. 인정이는 비교적 공동생활에 잘 적응하는 아이였지만 최근 다른 아이들의 지갑과 사회복지사의 물건을 훔치는 등 도벽이 심해졌고 거짓말하는 횟수가 늘어났다.

01 보호아동발생 시 아동보호기관에서 조치할 수 있는 내용에 해당되지 않는 것을 고르세요.

① 원가정복귀 ② 입양 ③ 일시가정보호
④ 가정위탁 ⑤ 시설보호

02 가정위탁보호서비스의 특성이 아닌 것을 모두 고르세요.

① 아동에게 영구적인 가족관계 기회 제공
② 아동 원가족이 아닌 다른 가정에 의하여 주어지는 보호
③ 불임부모에게 부모가 될 수 있는 기회 제공
④ 영구적 보호가 아닌 계획된 보호기간 필요
⑤ 국가 및 사회기관에 의한 보호

03 가정위탁이 어려운 아동에 해당되는 것을 모두 고르세요.

① 지역사회에서 인정될 수 없는 행동문제를 가지고 있는 경우
② 부모가 사망, 이혼, 별거한 경우
③ 부모가 아동을 유기, 학대할 경우
④ 매우 짧은 기간 동안 대리적 보호가 필요한 경우
⑤ 아동의 장애가 특수한 보호나 훈련이 요구되는 경우

04 가정위탁서비스의 기본실천원칙에 해당되지 않는 것을 고르세요.

① 아동중심의 원칙 ② 원가족분리의 원칙
③ 친·인척가정 우선배치원칙 ④ 적절성의 원칙
⑤ 전문성의 원칙

05 가정위탁유형 중 위탁가정에 의한 유형에 해당되지 않는 것을 모두 고르세요.

① 대리양육가정 ② 친인척가정 ③ 장기위탁
④ 일반가정 ⑤ 치료위탁가정

연습문제

06 위탁부모들이 잠깐 동안 휴식을 취할 수 있도록 다른 위탁가정에서 돌봐주는 위탁유형을 적어 보세요.

07 위탁가정의 기본적 조건이 아닌 것을 모두 고르세요.

① 위탁아동을 양육하기에 적합한 수준의 소득이 있는 가정
② 위탁부모의 나이가 25세 이상으로 아동과 60세 미만일 것
③ 위탁아동을 양육하기에 적합한 교육수준을 갖출 것
④ 가정에 성범죄, 가정폭력, 아동학대, 정신질환의 전력이 있는 사람이 없을 것
⑤ 자녀가 없거나 자녀수가 위탁아동 포함 3명 이내일 것

08 우리나라의 해외입양 줄이기 종합대책의 주요영역에 해당되지 않는 것을 고르세요.

① 미혼모 발생 예방체계 구축
② 미혼모의 자립 및 양육 강화
③ 국내입양제도 선진화방안
④ 해외입양을 위한 지원체계 구축
⑤ 요보호아동예방 및 연대책임 인식증대

09 우리나라 국외입양 중 가장 많은 국외입양을 한 국가를 고르세요.

① 스웨덴
② 미국
③ 덴마크
④ 노르웨이
⑤ 프랑스

10 Kadushin의 입양의 목적과 기능에 대한 설명 중 틀린 것을 모두 고르세요.

① 아동에게 일시적인 가정과 가족관계를 갖게 한다.
② 불임부모에게 부모가 될 수 있는 기회를 제공한다.
③ 가문계승의 수단이 된다.
④ 유산을 물려주는 수단이 된다.
⑤ 아동의 원가정에 복귀할 수 있도록 한다.

11 아동입양절차를 간단하게 적어 보세요.

12 공동생활가정의 기능에 해당되지 않는 것을 모두 고르세요.

① 안정적인 공간으로서의 기능
② 아동과 원가족의 역기능적 관계를 치료하는 기능
③ 방임, 학대, 비행으로부터의 보호기능
④ 건전한 놀이, 문화형성을 돕는 기능
⑤ 아동의 원가족 분리를 돕는 기능

13 다음 그룹홈 아동의 적응단계 중 빈칸에 해당되는 것을 적어 보세요.

충격단계 – 항의단계 – (   ) – 분리·이탈단계

14 다음 설명에 해당되는 그룹홈 아동의 적응단계를 적어 보세요.

> 철수는 그룹홈에 들어온 지 일주일 된 초등학교 2학년 남자아이이다.
> 철수는 그룹홈에 들어와서 별 문제없이 잘 지내고 있으나 잘 웃지도 않고 다른 아이들에 대한 관심을 보이지 않고 있다. 자신의 부모에 대하여는 한마디도 하지 않고 있으며 애써 무덤덤한 것처럼 보이려고 노력하고 있는 것처럼 보인다.

15 다음 중 그룹홈 프로그램 구성요소가 아닌 것을 고르세요.

① 아동양육과 보호 ② 교육 ③ 상담과 치료
④ 사례관리 ⑤ 지역연계

09 학대아동보호서비스

1. 아동학대의 개념 및 유형

1) 아동학대의 개념

최근 사회적으로 충격을 주는 다양한 아동학대에 대한 관심이 높아지고 있다. 종전의 아동학대는 부모의 자녀에 대한 아동학대가 주를 이루었으나 최근에는 학교, 어린이집, 사회복지시설에서 교사나 종사자에 의한 체벌, 폭행, 폭언 등 아동학대사례가 빈번해지면서 아동학대에 대한 사회적 관심이 높아지고 있다. 아동학대라는 용어는 1961년 미국에서 신체적 학대에 한정된 개념으로 최초로 사용되었으며 시대와 사회, 그리고 목적에 따라 다양하게 정의되고 있다. Kempe(1962)는 부모나 양육자의 행위 또는 태만에 의하여 초래되는 비우발적인 신체적 상처라고 정의하였으며 Gil(1970)은 아동의 평등한 권리와 자유를 박탈하거나 아동의 적절한 발달을 저해하는 행위나 방임상태, 그리고 제도, 사회의 행위나 태만을 모두 아동학대라고 정의하였다.

Fontana(1970)는 아동의 건강한 발달에 필요한 정서적·물질적 요구의 결손은 소극적 형태의 학대이며 언어적 학대나 구타는 적극적인 형태의 학대로 구분하여 정의하였다. 정진영(1992)은 아동학대 개념정의와 관련된 논점에 대하여 아동학대를 광의로 해석할 것인지 협의로 해석할 것인지의 문제가 첫 번째 논점이며 가정 내의 학대에 국한시킬 것인지, 가정 밖으로 확대시킬 것인지를 두 번째 논점으로 하고 있다. 세 번째 논점은 학대를 개인의 차원으로 볼 것인지, 사회나 제도의 문제로 확대할 것인지를 논점으로 설명하고 있다. 일반적으로 아동학대의 개념은 학대의 범위에 따라 협의적 개념과 광의적 개념으로 구분되어 정의되고 있다. 협의적 개념은 아동학대를 신체적 학대에 한정하여 설명하는 것으로서 비우발적이고 객관적으로 관찰 가능한 상처를 초래하는 행위를 의미한다. 이러한 관점으로 아동학대를 정의할 경우 아동학대에 대한 판정이 분명하여 아동보호체계 운용이 보다 단순화될 수 있으나 상처를 남기지 않는 신체적 학대와 비신체적 학대를 포괄하지 못하고 고의적인 것과 우발적인 것의 구분이 모호한 단점이 있다.

광의적 관점의 아동학대는 아동발달상의 욕구를 충족시키는 데 실패한 모든 환경을 아동학대로 보고 있으며 아동 방치와 냉대까지도 아동학대에 포함시키고 있다. 광의적 관점의 아동학대 개념은 모든 아동의 정상적 성장발달을 보장하고 보다 심각한 아동학대 발생을 예방할 수 있다는 장점은 있지만 특정 사회의 가치나 문화에서 쉽게 합의점을 찾기 어려워 구체적인 정의가 이루어지기 전까지는 사실상 아동학대문제에 대응하는 데 큰 도움이 되기 어렵다는 단점이 있다. 미국연방정부의 아동학대 방지 및 치료법에서 아동학대는 어린이의 복지에 책임이 있는 사람으로부터 건강과 복지에 해를 입거나 이를 위협하는 환경 아래 신체적·정신적 손상, 성적 학대, 방임 혹은 냉대를 받는 것이라고 명확하게 정의하고 있다.

우리나라 아동복지법 제2조제4호에 의한 아동학대의 개념은 보호자를 포함한 성인에 의하여 아동의 건강, 복지를 해치거나 정상적 발달을 저해할 수 있는 신체적·정신적·성적 폭력 또는 가혹행위 및 아동의 보호자에 의하여 이루어지는 유기와 방임을 의미한다고 정의하고 있다.

최근 아동학대의 개념은 신체적 학대뿐만 아니라 소극적 보호의 부작위로 인한 방임과 성적 학대, 정서적 학대까지 모두 포함하며 아동의 기본적 권리가 보장되지 않는 모든 환경을 의미하는 개념으로 확대되고 있다. 즉, 아동학대를 방지하기 위하여 UN아동권리협약(Convention on the Rights of the Child, CRC)에 의한 4가지 기본원칙을 토대로 규정된 4가지의 아동권리가 보장되어야 함을 의미한다.

아동권리의 기본원칙으로는 첫째, 무차별의 원칙으로 모든 아동은 어떤 인종이든,

어떤 종교를 믿든, 어떤 언어를 사용하든, 부모님이 어떤 사람이든, 부자든 가난하든, 장애가 있든 없든, 모두 동등한 권리를 누려야 한다. 둘째, 아동에게 영향을 미치는 모든 것을 결정할 때는 아동의 이익을 최우선으로 고려해야 한다는 아동이익 최우선의 원칙, 셋째, 생존과 보호, 발달의 원칙으로 아동은 생존과 발달을 위해 다양한 보호와 지원을 받아야 한다. 넷째, 아동은 책임감 있는 어른이 되기 위해 자신의 능력에 맞는 적절한 사회활동에 참여할 기회를 갖고, 자신의 생활에 영향을 주는 일에 대해 의견을 말할 수 있어야 하며 그 의견을 존중받아야 한다는 아동의견 존중의 원칙이다. 이러한 기본원칙을 토대로 아동이라면 누구나 마땅히 누려야 할 권리, 즉, 생존할 권리, 보호받을 권리, 발달할 권리, 참여할 권리의 4가지 기본 권리를 누려야 함을 규정하고 있으며 이러한 권리가 침해당하거나 보장되지 않음으로 인하여 아동의 정상적 성장발달이 보장되지 않는 가정적·사회적·국가적 환경을 아동학대라고 정의하고 있다.

2) 아동학대의 유형

(1) 신체학대(Physical Abuse)

보호자를 포함한 성인이 아동에게 우발적인 사고가 아닌 상황에서 신체적 손상을 입히거나 또는 신체손상을 입도록 허용한 모든 행위를 말하며 생후 36개월 이하의 영아에게 가해진 체벌은 어떠한 상황에서도 심각한 신체학대다.

〈표 9-1〉 신체관련 구체적 학대행위

관련법	구체적 학대행위
아동의 신체에 손상을 주거나 신체의 건강 및 발달을 해치는	• 멍, 화상, 찢김, 장기파열, 기능손상의 원인이 되는 행위 – 물건을 던지는 행위 – 떠밀고 움켜잡는 행위 – 뺨을 때리는 행위

관련법	구체적 학대행위
신체적 학대행위 (아동복지법 제17조제3호)	– 물건을 사용하여 때리는 행위 – 발로 차거나 물어뜯고 주먹으로 치는 행위 – 두들겨 패는 행위 – 총, 칼 등의 흉기, 화학물질, 혹은 약물 등을 사용하여 신체에 상해를 입히는 행위 – 반복적으로 꼬집는 행위 – 전기충격 – 물에 빠트리는 행위 – 뾰족한 도구(바늘, 포크, 이쑤시개)를 이용하여 찌르는 행위 – 할퀴는 행위 – 몸을 거꾸로 매다는 행위 • 36개월 이하의 영아에게 가해진 체벌 등

(2) 정서학대(Emotional Abuse)

보호자를 포함한 성인이 아동에게 행하는 언어적 모욕, 정서적 위협, 감금이나 억제, 기타 가학적인 행위를 말하며 언어적·정신적·심리적 학대라고 한다. 정서학대는 눈에 두드러지게 보이는 것이 아니고 당장 그 결과가 심각하게 나타나지 않기 때문에 그냥 지나칠 수도 있다는 점에서 더욱 유의해야 한다.

〈표 9-2〉 정서관련 구체적 학대행위

관련법	구체적 학대행위
아동의 정신건강 및 발달에 해를 끼치는 정서적 학대행위 (아동복지법 제17조제5호)	• 원망적, 거부적, 적대적 또는 경멸적 언어폭력 등 • 잠을 재우지 않는 것 • 벌거벗겨 내쫓는 행위 • 삭발을 시키거나 강제적으로 머리를 자르는 행위 • 형제나 친구들과 비교하는 행위, 차별, 편애 • 가족 내에서 왕따시키는 행위 • 아동이 가정폭력을 목격하도록 하는 행위(아동이 보는 앞에서 자주 부부싸움을 하거나 배우자를 폭행하는 행위 등)

관련법	구체적 학대행위
아동의 정신건강 및 발달에 해를 끼치는 정서적 학대행위 (아동복지법 제17조제5호)	• 아동을 시설 등에 버리겠다고 반복적으로 위협하거나 짐을 싸서 내보내는 행위 • 미성년자출입금지업소에 지속적으로 아동을 데리고 다니는 행위 • 돈을 벌어오라고 위협하거나 아동의 나이에 적절하지 않는 과도한 일을 시키는 행위 • 보호자의 종교행위 강요 • 다른 아동을 학대하도록 강요하는 행위

(3) 성학대(Sexual Abuse)

성학대란 보호자를 포함한 성인이 자신의 성적 충족을 목적으로 18세 미만의 아동과 함께 하는 모든 성적 행위를 말한다. 가족 내 성학대는 가족과 친·인척 사이에서 발생하는 형태를 말하며 가족 외부 성학대는 아동과 안면 있는 사람 혹은 낯선 사람에게서 발생하는 형태를 말한다. 일반적으로 강간은 두려움이나 강압적인 힘으로 성적 행위를 하는 것을 의미한다. 아동 성학대 역시 두려움이나 힘을 이용하지만 다른 방법도 사용한다. 놀이를 통해 착각하게 하거나 아동을 사랑하는 사람들로부터 심리적으로 고립되도록 조정하고 성인의 권위로 강요하며 움직일 수 없도록 물리적인 억압을 하며 위협이나 공포를 조성한다.

〈표 9-3〉 성관련 구체적 학대행위

관련법	구체적 학대행위
아동에게 음란한 행위를 시키거나 이를 매개하는 행위 또는 아동에게 성적 수치심을 주는 성희롱 등의 성적 학대행위 (아동복지법 제17조제2호) 아동에게 음란한 행위를 시키거나 이를 매개하는 행위	• 성적 유희, 성기 및 자위행위 장면의 노출, 포르노비디오를 아동에게 보여주거나 포르노물을 판매하는 행위, 관음증 등의 행위 • 성기 삽입, 성적 접촉(성인이 아동에게 자신의 성기나 신체를 만지도록 하거나 아동의 성기를 만지는 행위, 아동의 옷을 강제로 벗기거나 키스를 하는 행위, 드라이성교, 디지털섹스, 구강성교, 항문성교, 애무 등), 강간 등과 같은 접촉 행위 • 아동매춘이나 매매 등의 행위

관련법	구체적 학대행위
또는 아동에게 성적 수치심을 주는 성희롱 등의 성적 학대행위 (아동복지법 제17조제2호)	• 보호자의 부부관계 및 자위행위 목격 등으로 아동이 부적절하게 성에 노출되는 것 등 • 성매매업소에 아동을 데리고 가는 행위 등

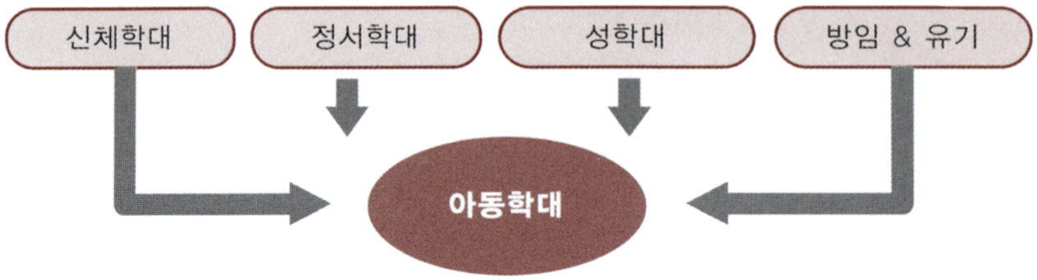

[그림 9-1] 아동학대 유형

(4) 방임 및 유기(Neglect and Abandon)

방임으로 인하여 아동이 위험한 환경에 처하거나 충분한 영양을 공급받지 못해 발육부진이 되는 경우가 많으며 특히, 나이 어린 아동에게는 치명적인 결과(장애)를 가져오거나 사망에까지 이르게 한다. 또한 발달상황에 놓여 있는 아동에게 다양한 측면에서 잠재되어 있는 파생적인 문제들이 발견될 수 있다. 예를 들면 청결하지 않은 외모에서 오는 집단 따돌림, 사회문제행동의 피해자 혹은 가해자가 되기도 한다. 유기란 보호자가 아동을 보호하지 않고 버리는 행위를 말한다.

〈표 9-4〉 방임 및 유기관련 구체적 학대행위

관련법	구체적 학대행위
자신의 보호·감독을 받는 아동을 유기하거나 의식주를 포함한 기본적 보호·양육·치료 및 교육을	• 물리적 방임 – 기본적인 의식주를 제공하지 않는 행위 – 상해와 위험으로부터 아동을 보호하지 않는 행위 – 불결한 환경이나 위험한 상태에 아동을 방치하는 행위 – 아동의 출생신고를 하지 않는 행위 – 보호자가 아동들을 가정 내 두고 가출하는 경우

관련법	구체적 학대행위
소홀히 하는 방임행위(아동복지법 제17조제6호)	– 보호자가 아동을 병원에 입원시키고 사라진 경우 – 보호자가 아동을 시설근처에 두고 사라진 경우 – 보호자가 친족에게 연락하지 않고 무작정 아동을 친족집 근처에 두고 사라진 경우 등 •교육적 방임 – 보호자가 아동을 학교(의무교육)에 보내지 않거나 아동의 무단결석을 허용하는 행위 – 학교준비물을 챙겨주지 않는 행위 – 특별한 교육적 욕구를 소홀히 하는 행위 * 의무교육은 6년의 초등교육 및 3년의 중등교육을 의미함. * 무단결석이란 정당한 사유 없이 계속하여 7일 이상 결석을 하는 경우(초·중등교육법시행령 제25조제1항) • 의료적 방임 – 아동에게 필요한 의료적 처치를 하지 않는 행위 – 예방접종이 필요한 아동에게 예방접종을 실시하지 않는 행위 – 장애아동에 대한 치료적 개입을 거부하는 경우 등

2. 학대아동의 현황 및 학대 발생원인

1) 아동학대 유형별 발생현황

2015년 아동학대 신고건수는 11,715건이었으나 2020년 신고건수는 30,905건으로 2002년 대비 약 2.6배 증가하였다. 특히 중복학대는 14,934건(48%)으로 가장 많이 발생하고 있는 것으로 나타났다. 중복학대를 제외하고 가장 많은 학대유형은 방임이었으나 2015년을 기점으로 정서학대가 가장 많은 비율을 차지하고 있으며, 점진적으로 계속 그 비율이 높아지고 있다. 2020년 아동학대 30,905건 중 신체학대는 3,807건(12.3%), 성 학대는 695건(2.2%), 방임은 2,737건(8.9%)으로 전년 대비 감소하였으나, 중복학대(48%)와 정서학대(28.3%)는 매년 꾸준히 증가하고 있다.

〈표 9-5〉 유형별 아동학대 현황

구 분	계	아동학대 유형				
		신체학대	정서학대	성학대	방 임	중복학대
2015	11,715	1,884	2,046	428	2,010	5,347
2016	18,700	2,715	3,588	493	2,924	8,980
2017	22,367	3,285	4,728	692	2,787	10,875
2018	24,604	3,436	5,862	910	2,604	11,792
2019	30,045	4,179	7,622	883	2,885	14,476
2020	30,905	3,807	8,732	695	2,737	14,934

※ 2012년부터 유기는 방임에 포함하여 집계
출처: 보건복지부(2020), 전국아동학대현황보고서.

2) 아동학대 발생원인

아동학대 발생원인에 대한 이론적 관점으로는 개인발달론적 관점과 정신병리적 관점, 사회·심리적 관점과 사회문화적 관점으로 구분할 수 있다.

개인발달론적 관점으로는 아동 개인의 특성으로 까다로운 기질, 어린 나이, 신체적 또는 정신적 장애 등을 들 수 있으며 부모특성으로 자녀에 대한 부정적 태도, 자녀양육에 대한 기술부족, 자녀관리 능력의 부족, 부모역할로 인한 과도한 스트레스를 요인으로 들 수 있다. 정신병리적 관점에서의 원인은 가해자의 병리적 특성, 즉 자기 표현적 분노와 우울증, 좌절통제력의 부족과 낮은 자존감, 완고함과 분노조절상의 문제, 감정이입능력의 결함과 약물의존과 남용, 신체건강상의 문제로 인한 신체적 반응 등을 들 수 있다. 사회·심리적 관점으로는 가정의 특성으로 현재 가정 내의 아동학대 행위, 세대 간 아동학대 행위, 부부간의 불화, 가족 간 긍정적 상호작용의 부족, 가정의 경제적 스트레스 등을 들 수 있다. 사회문화적 관점으로는 상황적 요인으로 낮은 사회경제적 지위, 실직 혹은 불안정한 직업, 사회적 고립감 등을 들 수 있고 사회문화적 요인으로는 사회전반의 폭력 묵인분위기, 신체적 처벌 허용분위기, 사회 내 권력 혹은 계층 차이 등의 요인 등을 학대의 원인으로 들 수 있다.

〈표 9-6〉 아동학대 발생요인

이론적 관점	관련 요인	
개인발달론적 관점	아동특성	까다로운 기질, 어린 나이, 신체적·정신적 장애
	부모특성	자녀에 대한 거부적 태도, 자녀양육기술 부족, 부모역할로 인한 과도한 스트레스
정신병리적 관점	가해자 병리적 특성	우울증, 낮은 자존감으로 인한 좌절통제력 부족, 분노조절문제, 감정이입능력 부족, 약물의존 및 남용, 신체건강상의 문제
사회·심리적 관점	가정특성	가정 내 학대행위, 세대 간 학대행위, 부부간의 갈등, 가족 간 긍정적 상호작용 부족, 경제적 스트레스
사회문화적 관점	상황적 요인	낮은 사회경제적 지위, 실직 혹은 불안정한 직업으로 인한 사회적 스트레스, 사회적 고립으로 인한 사회적 박탈감
	사회 문화적 요인	사회전반의 폭력, 신체적 처벌 묵인 분위기, 사회 내 권력 또는 계층 차이

출처: 한미현(2006). 아동보호서비스의 실제. p.44. 재구성.

아동학대 발생요인은 학대를 받는 아동요인, 학대가해자인 부모 혹은 학대행위자 요인, 학대가 발생하는 가정 및 지역사회요인, 사회문화적 요인 등으로 구분할 수 있다.

(1) 아동요인

발달론적 관점은 아동학대 발생원인을 아동의 개인적 특성에서 설명하고 있다. 발달론적 관점에서는 발달시기별로 학대의 차이가 있다. 영유아기와 걸음마시기에는 주 양육자와의 애착형성 실패가 중요한 영향을 미친다. 학령기에는 자신감 결여, 적대적 행위, 경계심, 충동성, 의기소침, 무반응, 고집, 소심, 둔감, 언어장애 등의 특성이 영향을 미치며 청소년기에는 과도한 자기주장과 극단적인 반항행동 등 학대발생요인과 관련이 있다고 보고 있다(한미현, 2006). 학대받을 가능성이 높은 아동의 특성을 살펴보면 다음과 같다.

- 미숙아, 기형아
- 만성 또는 급성질환아
- 신체적·정신적·기질적으로 특이하거나 장애를 가진 아동
- 운동 및 언어 등 발달이 늦은 아동
- 심하게 보채거나 밤에 잘 안 자는 아동
- 문제행동을 보이는 아동
- 음식을 먹거나 잠을 자는 데 어려움을 나타내는 아동
- 사회적 반응의 결핍, 고집스러운 울음과 외모
- 수유의 어려움
- 자신감 결여, 지나친 경계, 무반응, 겁이 많음
- 적대적 행위, 충동적 특성, 폭력적 행동, 고집이 셈
- 대인관계에서 둔감하고 매력이 없음, 운동조절 결함

(2) 부모요인

정신병리적 관점에서는 아동학대발생 주요원인을 부모요인으로 보고 있다. Merrill은 학대부모의 심리적·성격적 특성을 다음과 같이 유형화하여 설명하였다.

① 세상에 대한 잠재적 혐오감과 공격성을 가지고 있다. ⇒ 어린 시절 거부당한 경험에 근거하며 일상생활의 어려움과 고통에 대한 불만에서 야기된다.

② 완고하고 충동적이며 온정의 결핍, 합리성 부족, 사고의 신념의 융통성이 부족하다. ⇒ 이 유형의 부모는 자녀를 사랑하고 보호할 능력이 없으며 자녀를 고통을 주는 대상으로 생각하는 경향이 있다.

③ 감정과 욕구표현에 소심하고 자신의 일에 대한 결정을 타인에게 맡기는 등 의존적이다. ⇒ 배우자의 애정을 얻기 위해 자녀와 경쟁할 정도로 미성숙하다.

④ 지능은 높으나 신체적 무능력으로 가족부양은 못한다. ⇒ 배우자가 일하러 나

간 동안 가정에서 자녀를 돌보면서 자신의 좌절감을 자녀에게 공격성이나 지나친 처벌, 엄격한 훈련으로 표출한다.

부모가 이와 같은 특성을 가지게 된 주요원인은 어린 시절 성장경험에서부터 비롯되며, 학대부모들은 자신의 심리적 압박감을 발산하거나 그동안 상처받은 감정들로 인하여 삶의 의미를 상실하고 우울증, 무력증, 무반응 등이 고착된 결과로 자녀를 학대하게 된다는 것이다. Hetherington과 Park(2003)는 성적으로 만족하지 못한 결혼생활과 어린 시절 부모로부터 학대받은 경험을 아동학대의 가장 영향력 있는 부모요인으로 들고 있다.

또한 학대부모들은 부모-자녀관계에 있어서 비현실적인 믿음(신화)을 가지고 있어서, 자녀의 능력에 비하여 높은 성취도를 보이기를 기대하거나 나이에 비하여 독립적이고 자기통제를 잘하기를 요구하며 자녀의 행동에 적절하게 반응하지 못하는 특성을 가지고 있다(Trickett, Aber, Carlson & Cicchetti, 1991).

(3) 사회심리학적 요인

사회심리학적인 측면에서는 부모양육태도, 가정의 경제적 수준 등과 같은 가정환경의 특성으로 아동학대의 원인을 설명한다. 구체적으로 부모의 양육지식이나 기술부족, 양육능력의 부족, 양육거부 및 포기, 정신적·심리적 불안, 부부갈등, 이혼, 부모의 사회적 고립, 대인관계 결함 등을 들고 있다. 일반적으로 부모의 양육태도가 적대적·통제적·비합리적일 경우 학대 발생률이 높으며 안일한 양육태도는 방임으로 나타날 수 있는데 이는 주로 맞벌이 가정에서 많이 발생할 수 있다. 또한 낮은 경제적 수준, 실직으로 인한 무력감, 실패로 인한 좌절감, 스트레스 등은 아동학대를 유발하는 가족요인이 된다.

(4) 사회문화적 요인

사회문화적 측면에서는 아동이 속한 사회 및 지역사회환경으로 그 원인을 설명하고 있다. 이를테면 이웃과의 관계, 폭력에 대한 사회의 용납수준, 아동에 대한 인식과 태도 등이 아동학대 발생요인이다. 즉, 이웃과 고립되거나 지지적인 사회관계망이 없는 가정에서 아동학대가 발생할 수 있으며 아동을 존중하지 않고 소유물로 보는 인식, 체벌을 허용하는 경우 아동학대 발생 가능성이 높다.

3. 학대아동의 주요문제

학대를 받은 아동들에게 나타나는 신체적·행동적 증후가 있으며 이러한 증후는 신체학대, 정서학대, 성학대, 방임 및 유기 등 학대유형에 따라 차이가 있다.

1) 신체학대아동의 문제

신체학대를 당한 아동은 부모와의 관계에서 의심이 많고 부모의 요구를 두려워하는 경향이 있다. 또한 다른 성인들과의 관계에서도 긍정적으로 반응하지 않고 의심하며 신체적인 접촉을 피하고 규칙을 지키지 않는 경향이 있다. 신체학대아동은 아버지의 양육태도와 부모와의 애착에 대하여 부정적으로 지각하고 있으며 가정 내 부모의 부부간 갈등을 더 많이 지각하고 있는 것으로 나타났다.

2) 성학대아동의 문제

성적 학대를 받은 아동들의 가장 빈번한 증상은 공포, 외상 후 스트레스 장애, 행동문제, 성적 행동, 그리고 낮은 자기존중감이다. 또한 성적 학대를 받은 아동의 우울은 학령전기부터 청소년기까지의 집단에서 발견되었으며 학교문제와 학습문제도 나타났다. 위축, 자살, 자해행동, 신체불편, 불법적 행동, 가출, 물질남용은 청소년기에 특정적으로 나타났다. 학령전기에는 성적 행동이 빈번하나 아동기 중기에는 감소하였다가 사춘기 때 난잡하게 다시 나타난다.

성적 학대를 받은 아동의 20~52%는 다양한 종류의 정신병(대개 신경증) 문제를 가지고 있다. 갈리아노(Gagliano)에 의하면 성학대아동은 손상된 물건 신드롬을 가진다고 하였는데, 이는 아동이 자신의 신체가 오염되고 더럽혀져 매력이 상실되었다고 느끼는 것이다. 또한 성적 행위에 대한 책임감, 폭로에 대한 두려움, 가족해체에 대한 죄의식을 가지고 있고 어둠과 낯선 사람에 대한 두려움과 공포, 수면장애, 특히 악몽 등을 자주 보인다.

성학대아동은 외형적으로 위축되고 가라앉은 분위기를 보일 수 있으며 우울증이 위장되어 피곤하다는 불평 혹은 신체적 질병으로 나타나고 심한 경우 절망감으로 인해 자해 혹은 자살을 시도하기도 한다.

3) 정서적 학대 아동문제

정서적 학대를 받은 아동은 정신적으로 불안해하며 비활동적이고 비사회적이며 불안 우울성향이 높게 나타난다. 또한 자아존중감이 매우 낮으며 몸을 흔들거나 손가락을 빨아 스스로를 위로하고 분노, 적대적이거나 수동적인 모습을 보인다. 뿐만 아니라 손가락을 빨거나 손톱을 물어뜯는 것, 몸을 흔드는 것과 같은 습관장애와 품행장애를 나타내기도 한다. 극도로 공격적인 행동을 하거나 움츠러들고 부적절하게 어른스런 혹은 유아기적 행동을 보이며 자신의 행동에 대하여 자기비하적 이야기를 자주 한다. 또래 친구를 사귀는 데 어려움을 느끼고 소외되며 다른 사람에 대한 공감을 하지 못한다. 부모의 요구를 지나치게 만족시키려고 노력하고 어른스러운 행동을 하며 다른 성인들의 인정과 관심을 끌려고 노력한다.

4) 방임아동문제

방임된 아동은 낮은 자아존중감, 부정적인 자아상, 자신감 부족, 열등감, 비판적 태도를 나타내며 쉽게 실망하고 좌절하는 특성을 보인다. 신뢰 있는 인간관계 형성을 못하며 자기파괴적인 행동, 집중력 장애, 공격적 행동, 좌절과 분노를 조절하지 못한다. 또래 친구관계 형성이 어려우며 희생양이 되기도 한다. 부모의 도움이나 인정을 얻으려는 노력을 하지 않고 학교에 일찍 오고 방과 후에도 집에 가려하지 않으면서 친구들과 놀지도 않는다. 늘 위축된 모습으로 조용하거나 통제되지 않는 과잉행동을 보이기도 한다. 이와 같은 신체적·행동적 문제를 나타내는 아동에 대하여 학대관련 정보를 수집하고 신고 조치하여야 한다. 학대유형별 신체 및 행동상 징후는 다음과 같다.

〈표 9-7〉 아동학대 유형별 징후

학대유형	징 후	
	신체적	행동적
신체학대	• 설명하기 어려운 상처 – 발생 및 회복에 시간차가 있는 상처 – 사용된 도구의 모양이 그대로 나타나는 상처 • 설명하기 어려운 화상 – 담뱃불자국, 뜨거운 물에 잠겨 생긴 화상자국 • 설명하기 어려운 골절 – 시간차가 있는 골절, 복합 및 나선형 골절 • 설명하기 어려운 절상 – 입, 입술, 치음, 눈, 외음부 상처 – 머리카락이 없어진 부분, 스트레스로 인한 원형탈모 – Shaken Baby Syndrome – 두뇌손상 – 사망 등	• 어른과의 접촉 회피 • 다른 아동이 울 때 공포를 나타냄 • 공격적이거나 위축된 극단적인 행동 • 부모에 대한 두려움 • 집에 가는 것을 두려워함 • 위험에 대한 지속적인 경계

<table>
<tr><th rowspan="2">학대
유형</th><th colspan="2">징 후</th></tr>
<tr><th>신체적</th><th>행동적</th></tr>
<tr><td>정서
학대</td><td>• 성장장애
• 신체발달저하
• 언어장애</td><td>• 특정물건을 계속 빨거나 물어뜯음
• 행동장애(반사회적·파괴적 행동장애)
• 신경성기질장애(수면장애, 놀이장애)
• 정신신경성반응(히스테리, 강박, 공포)
• 극단행동, 과잉행동, 발달지연, 자살시도</td></tr>
<tr><td>성
학대</td><td>• 신체적 지표
- 학령 전 아동의 성병감염
– 임신
– 걷거나 앉는 데 어려움
– 입천장의 손실
– 인두의 임질
• 생식기
– 아동의 질에 정액
– 찢기거나 손실된 처녀막
– 질에 생긴 상처나 긁힌 자국
– 질의 홍진
• 항문증후
– 항문 괄약근 손상
– 항문주변의 멍이나 찰과상
– 항문내장이 짧아지거나 뒤집힘
– 항문이 좁아짐
– 회음부의 동통과 가려움</td><td>• 성적지표
– 나이에 맞지 않는 성적행동
– 해박하고 조숙한 성지식
– 명백하게 성적인 묘사를 한 그림
– 타인과의 성적인 상호작용
– 동물이나 장난감을 대상으로 한 성적인 상호관계
• 비성적지표
– 수면장애
– 유뇨증/유분증
– 위축, 환상, 유아적 행동(퇴행행동)
– 충동성, 산만함 및 주의집중장애
– 혼자 남아 있기를 거부
– 특정 유형의 사람들 또는 성에 대한 두려움
– 방화/동물에게 잔혹함(남아의 경우)
– 섭식장애(폭식증/거식증)
– 비행, 가출
– 자기 파괴적 행동(자살시도)
– 범죄행위
– 우울, 사회관계의 단절
– 늘 외톨이로 친한 친구가 없음</td></tr>
<tr><td>방임</td><td>• 지속적인 배고픔
• 열악한 위생상태
• 계절에 맞지 않은 부적절한 옷차림
• 의학적인 치료와 치과치료의 불이행
• 지속적인 피로, 불안정감</td><td>• 수업 중 조는 태도
• 음식을 구걸하거나 훔침
• 비행 또는 도둑질
• 학교(보육시설, 지역아동센터 등) 일찍 등교하고 집에 늦게 귀가함</td></tr>
</table>

4. 학대아동을 위한 지원정책 및 서비스

1) 아동학대 신고의무

아동학대범죄의 처벌 등에 관한 특례법 제10조제1항에 의하면 누구든지 아동학대범죄를 알게 된 경우나 그 의심이 있는 경우에는 특별시·광역시·특별자치시·도·특별자치도(이하 "시·도"라 한다), 시·군·구(자치구를 말한다. 이하 같다) 또는 수사기관에 신고할 수 있다고 규정하고 있다.

또한 아동학대범죄의 처벌 등에 관한 특례법 제10조제2항에 신고의무자를 지정하고 있으며, 아동복지법 제26조에서도 신고의무자에 대한 교육을 규정하여 신고의무 인식을 고양시키기 위하여 아동학대 신고의무자의 자격취득교육과정을 실시함에 있어서 아동학대예방 및 신고의무와 관련된 교육내용을 포함하도록 하고 있다.

무력하고 미성숙한 아동의 특성상 스스로 학대사실을 신고하지 못하므로 사회의 구성원이 함께 아동을 보호하는 책임을 가져야 한다는 것에 그 근거를 두고 있으며, 아동학대범죄의 처벌 등에 관한 특례법 제35조제1항과 아동복지법 제65조에 의거하여 직무상 알게 된 비밀을 누설하거나 직무상 목적 외에 이용하지 아니된다라고 명시하고 있다. 아동학대범죄의 처벌 등에 관한 특례법 제7조에 따라 신고의무자가 아동학대범죄를 범한 때에는 그 죄에 정한 형의 2분의 1까지 가중한다고 규정하고 있으며, 신고의무자의 범위는 다음과 같다.

- 교원
- 의료인
- 아동복지시설종사자
- 장애인복지시설종사자
- 보육시설종사자
- 유치원종사자
- 학원 및 교습소 종사자
- 소방구급대원
- 성매매피해상담소 및 지원시설종사자
- 한부모가족복지상담소 및 시설종사자
- 가정폭력관련상담소 및 피해자보호시설종사자
- 아동복지지도원 및 사회복지전담공무원

2) 신고의무자의 역할

아동학대 신고의무자들은 아동발달에 관한 풍부한 지식과 경험을 토대로 아동과 지속적으로 접촉하고 있으며 아동의 가정환경 등에 대하여 파악할 수 있는 기회가 많으므로 아동학대 사례를 발견하는 데 있어서 중요한 역할을 할 수 있다. 아동학대 징후를 보이는 아동이 있을 경우 다음과 같은 역할을 하여야 한다.

① 아동학대 징후가 보이는 아동이 있는지 관심 있게 살펴본다.

② 부모면담을 통하여 다음 사항을 파악하고 아동학대 가능성을 파악한다.

- 부모가 자신의 아동을 비난하거나 낮추어볼 때
- 다른 형제나 자매에 비하여 매우 비판적으로 볼 때
- 아동을 “나쁜 X, 악마, 사탄” 등으로 표현할 때
- 아동에 대하여 좋게 말하는 것이 없거나 좋아하지 않는 것 같을 때
- 아동에 대하여 무관심한 것 같이 보일 때
- 부모가 특별한 이유 없이 약속한 면담시간을 지키지 못하거나 아동의 문제에 대하여 이야기하기를 거부할 때
- 부모가 술을 자주 먹는 것처럼 보일 때
- 부모가 이상하고 비합리적인 행동을 보일 때

③ 아동학대라고 의심되는 경우 피해아동, 학대행위자, 신고자에 대하여 가능한 한 많은 정보를 파악하고 기록하며 즉시 112에 신고한다.

아동학대 신고 시 제공되어야 할 정보는 다음과 같다.

[그림 9-2] 신고 시 제공되어야 할 정보

④ 아동학대를 신고한 후 아동에 대하여 다음과 같은 태도를 유지한다.

- 신고 전과 후, 동일한 태도로 아동을 대한다.
- 아동의 욕구에 민감히 반응하고 존중과 이해로 대한다.
- 아동의 분위기 변화를 파악한다. 신고 후 아동은 학대받은 사건을 생각하며 자주 우울해하거나 불안해할 수 있다.
- 아동의 말을 경청하고 비언어적인 대화에 반응해 준다.

2020년 학대피해아동 보호 건수 통계에 따르면 정서적 학대(28.3%)가 가장 높게 나타났으며, 신체학대(12.3%), 방임(8.9%), 성적 학대(2.4%)가 그 다음 순인 것으로 나타났다. 특히 몇 가지 학대가 함께 일어나는 중복학대의 비율이 전체의 48.3%를 차지한 것으로 나타났다.

3) 아동학대신고전화설치 운영

2006년 보건복지콜센터 긴급지원전화(129)로 통합, 아동보호전문기관이 아동학대 신고 및 상담전화를 운영하였으나, 이후 2014년 9월부터 아동학대 신고전화는 범죄 신고전화로 통합되어 아동학대 발견 시 112로 신고하면 된다.

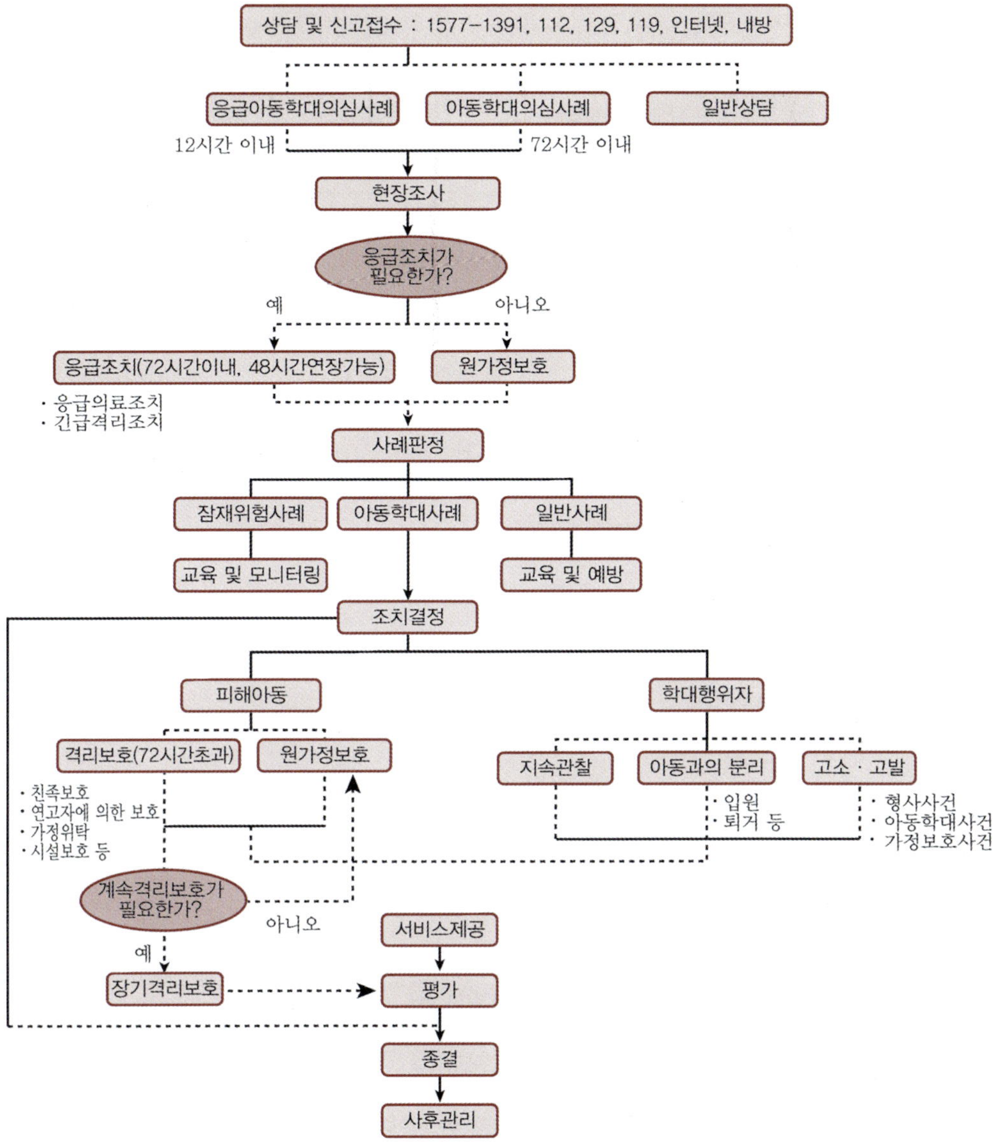

출처 : 중앙아동보호전문기관(www.korea1391.org)

[그림 9-3] 아동학대사례 업무진행도

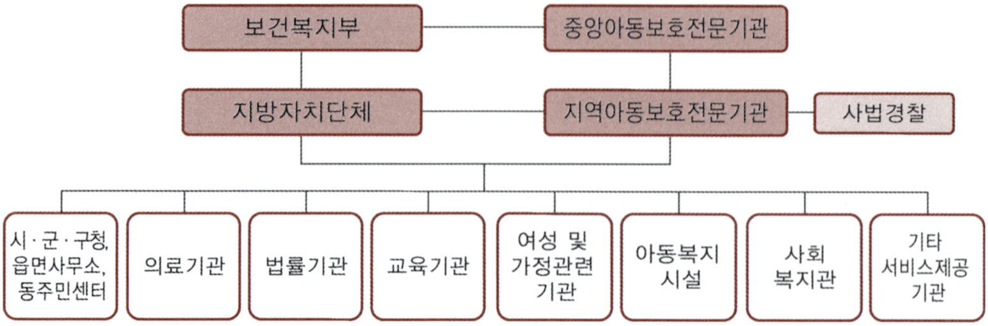

출처: 중앙아동보호전문기관(www.korea1391.org)

[그림 9-4] 학대아동보호체계

4) 아동학대예방 교육사업

아동학대예방 교육사업은 아동학대 신고의무자 및 일반인을 대상으로 아동학대 및 아동학대예방사업에 대한 인식을 제고하고 학대를 미연에 방지하며, 학대피해아동을 조기에 발견하여 치료·보호하고, 아동의 권익이 최우선되는 사회를 조성하기 위한 사업이다.

부산아동보호종합센터의 아동학대예방 교육사업을 살펴보면 아동, 부모, 사법경찰, 자원봉사자를 위한 일반인교육과 신고의무자에 대한 교육으로 나누어 이루어지고 있다.

만 18세 미만 아동에게 이루어지는 아동교육은 어린이집, 유치원, 초등학교 연령 아동에게 인형극을 통한 교육을 하고, 초등학생의 경우 「찾아가는 아동권리교육」 세이브더칠드런 전문강사를 초빙하여 이루어지며, 중·고등학교 연령아동은 아동학대예방교육 전문강사 교육, 방송교육 등 다양한 방법을 통해 이루어지고 있다. 부모의 경우 현재 자녀를 양육하는 부모 및 예비 부모에게 아동 권리 및 아동학대에 대한 이해, 아동학대예방사업 안내, 아동학대 신고방법, 부모의 역할과 올바른 양육방법 등을 교육하고, 민방위대원 교육과정, 학부형 학교모임, 출산·육아 박람회 등을 통한 교육방법을 통해 이루어지고 있다. 사법경찰의 경우 아동 권리 및 아동학대에 대한 이해, 아동보호전문기관 및 아동학대예방사업 소개, 아동학대 상황 시 대처 방법 및 경찰의 역할에 대해 교육하고, 각 지역 경찰서별 집합교육을 실시한다.

자원봉사자는 아동권리 및 아동학대에 대한 이해, 아동학대예방사업 안내, 아동학대 신고방법, 자원봉사자의 역할 등을 교육하며, 아동학대예방관련 자원봉사자 집합교육을 통해 실시한다.

<사례실습>

설경(가명, 13세)이와 미경(가명, 11세)이 엄마는 도박에 빠져 그동안 아버지가 벌어 둔 돈을 다 탕진하고도 모자라 전세보증금마저 다 날리고 7년 전 가출, 소식이 두절되자 법정이혼 후 아버지가 막일을 하며 두 아이를 돌보고 있다. 설경이 엄마는 도박을 하면서 돈이 없을 때면 남편의 주머니를 뒤져 돈을 훔쳐내어 판돈으로 쓰곤 하여 항상 도벽에 대해 매우 민감한 반응을 보여 왔다.

설경이 엄마가 가출한 후에도 아버지는 한때 사업을 하며 아이들을 잘 키워 보려고 무척 노력하였다고 한다. 그러나 IMF로 운영하던 사업이 부도가 나고 금전관계로 옥살이를 하기도 하였다. 뒤이어 아버지는 아내 없는 허전함을 달래기 위해 중국 조선족 여인과 동거를 하며 서로 의지하여 살아오던 중 중국에 이미 가정을 가진 사람이었기에 어느날 갑자기 본국으로 귀국하게 되어 심리적 안정을 찾지 못하고 방황하게 되었다. 그런데 설경이와 미경이마저 손버릇이 좋지 않아 교회에서 헌금을 훔치고 이웃집에 놀러가서도 돈을 훔치고 동네 가게에서도 ... 급기야 학교에서 교사 책상에 둔 돈을 훔치는 등 설경이의 도벽은 갈수록 심해지기만 하였다.

게다가 설경이를 닮아 미경이도 도벽성을 보이기 시작하였고 둘은 툭하면 집을 나와 전철이나 아파트 복도 등에서 잠을 자기도 하였다. 물론 아버지의 구타를 피해 집을 나온 적도 많았다. 그럴 때마다 이웃주민 중의 한사람이 설경이와 미경이를 데려다 재우고 밥먹여 학교에 보내기도 하였다. 이렇게 되자 아버지는 괴로움을 술로 달래기 시작하였고, 공사장에서 막일을 하고 돌아올 때면 언제나 술을 먹고 오거나 술을 사들고 와 집에서 마시고는 술에 취해 자곤 하였다. 설경이의 머리가 찢어져 다친 그날도 아버지는 술에 만취한 상태로 귀가, 원래 자신의 열등감(가난, 못 배움, 아내 없음)을 감추기 위해 유난히 깔끔을 떠는 편인 아버지가 집안이 형편없이 어질러 있는 것을 보자 분노를 참지 못하고 설경이를 사정없이 밀쳐 설경이가 책상 모서리에 부딪치면서 머리가 2센티 정도 찢어져 피를 흘리는데도, 인사불성이라 이후에 벌어진 상황을 전혀 기억하지 못하였다.

(1) 앞의 학대아동의 경우 어떤 학대 유형에 해당되는지 탐색해 보세요.

(2) 앞의 학대아동을 위한 개입계획을 수립해 보세요.

(3) 앞의 학대아동에 대한 사회복지사의 의견을 적어 보세요.

연습문제

01 다음 중 아동학대의 유형에 속하지 않는 것을 고르세요.

① 신체학대 ② 정서학대 ③ 성학대
④ 방임 및 유기 ⑤ 중복학대

02 우리나라에서 발생하는 아동학대 중 가장 많은 유형에 해당되는 것을 고르세요.

① 신체학대 ② 정서학대 ③ 성학대
④ 방임 및 유기 ⑤ 중복학대

03 아동학대 발생요인의 이론적 관점 중 정신병리적 관점의 관련요인에 해당되는 것을 모두 고르세요.

① 부부간 갈등 ② 분노조절문제 ③ 사회적 박탈감
④ 경제적 스트레스 ⑤ 우울증

04 학대부모의 심리적 성격적 특성에 대한 설명 중 틀린 것을 모두 고르세요.

① 세상에 대한 잠재적 혐오감과 공격성을 가지고 있다.
② 완고하고 충동적이다.
③ 합리적이고 융통적인 사고의 신념을 가지고 있다.
④ 비교적 독립적이다.
⑤ 지능이 높으나 신체적 무능력으로 가족부양을 못한다.

05 신체학대아동의 행동적 징후에 해당되지 않는 것을 고르세요.

① 어른과의 접촉회피
② 다른 아동이 울 때 공격성을 나타냄
③ 공격적이거나 위축된 극단적인 행동
④ 부모에 대한 두려움
⑤ 집에 가는 것을 두려워함

연습문제

06 아동복지법에 규정된 학대신고의무자가 아닌 것을 고르세요.

① 이웃주민
② 은행원
③ 아동복지지도원 및 사회복지전담공무원
④ 보육시설종사자
⑤ 학원 및 교습소 종사자

07 다음 중 아동학대라고 의심되는 경우 신고할 전화번호를 고르세요.

① 1577-1119
② 1577-0112
③ 1577-1366
④ 1577-1288
⑤ 1577-1391

08 아동학대라고 의심되어 신고할 경우 제공되어야 할 정보 중 신고자의 정보에 해당되는 것을 모두 적어 보세요.

09 학대받을 가능성이 높은 아동의 특성에 해당되는 것을 모두 고르세요.

① 만성 또는 급성 질환아
② 문제행동을 보이는 아동
③ 음식을 먹거나 잠을 자는 데 어려움이 있는 아동
④ 과다한 자신감을 가지는 아동
⑤ 활동이 과도한 아동

10 다음 아동사례를 읽고 학대유형과 대처방안을 적어 보세요.

> 부자는 10세인 여자아이이다. 부자는 정신적으로 매우 불안해하며 기관에 왔을 때 몸을 흔들고 손가락을 심하게 빨고 있었다. 뿐만 아니라 혼자서 손톱을 물어뜯다가 자신을 만지거나 말을 거는 아동들에게는 장난감을 던지는 등 극도의 공격적인 행동을 한다.

CHAPTER

10 다문화가족아동복지서비스

1. 다문화가족아동의 개념

우리나라에 거주하고 있는 외국인이 100만 명에 이르는 다문화사회에 접어들게 되면서 다문화가정에 대한 국가와 지역사회의 관심도 증가하고 있으며 다문화가족을 위한 지원서비스도 점차 확대되고 있다. 우리나라는 1990년대 이후 결혼이민자의 증가와 고용허가제의 도입에 따른 이주노동자의 증가로 이미 다문화사회에 접어들었다.

한국전쟁 이후 이루어진 대부분의 국제결혼은 미군과 한국여성 또는 경제적으로 여유가 있는 일본과 서구 남성이 한국인 여성과 결혼하는 것이 일반적이었지만 1980년대 말에 시작되어 1990년대 중반 이후 급증하고 있는 국제결혼은 우리나라 출신의 배우자와 우리나라에 비해 경제력이 낮은 국가 출신 배우자 간의 결혼이 주류를 이룬다. 특히 한국사회에서 결혼하는 데 어려움을 겪고 있는 농어촌이나 도시 저소득층 한국인 남성이 경제력이 약한 아시아권 국가 출신 여성과 결혼하는 비중이 증가하였다(한건수, 2006).

현재 다문화가정과 다문화가족이라는 용어는 혼용되고 있으나 다문화가정은 가족의 생활공동체로서 환경적 측면의 개념으로 정의되고 있는 반면, 다문화가족은 가정이라는 공동체에 속한 집단 혹은 구성원의 개념으로 정의되고 있다. 우리나라에서는 국제결혼가정, 이중문화가정, 혼혈인가정 등의 용어가 사용되다가 1980년 후반부터 이들 가족을 모두 포함한 다문화가족 혹은 다문화가정이라는 용어가 등장하기 시작하였다.

다문화가족이란 자국 내에 거주하는 모든 외국인가족을 포함하는 광의의 개념과 자국가족 중 한 명이 우리나라 국적을 취득하여 구성된 가족을 의미하는 협의의 개념을 의미한다. 2008년 다문화가족지원법이 제정되면서 우리나라에서는 다문화가족의 개념에 한국남성과 결혼한 이주여성가족, 한국여성과 결혼한 이주남성가족, 이주민가족(이주노동자, 유학생, 북한이탈주민 등)을 포함하고 있다. 즉, 다문화가족지원법에 의한 다문화가족이란 부부 중 한 사람이 외국 출신으로서 국제결혼에 의하여 가족관계가 형성된 가족 형태이며, 가족 내에 다양한 문화가 공존하고 있는 가족을 의미한다고 볼 수 있다.

2. 다문화가족아동의 유형과 현황

다문화가정아동이 두 가지 이상의 언어와 문화를 가진 가족 내에서 양육·성장하는 아동을 의미할 때 다문화가정아동은 국제결혼가정의 자녀, 외국인노동자가정의 자녀, 새터민 아동, 한민족아동, 중도입국자녀 등 5가지 유형으로 구분할 수 있다.

〈표 10-1〉 다문화가족아동 유형

유 형	다문화가족아동
국제결혼 가정	• 한국인 아버지와 외국인 어머니 사이에서 태어난 아동·청소년 • 한국인 어머니와 외국인 아버지 사이에서 태어난 아동·청소년
외국인근로자 가정	• 외국인 근로자가 한국에서 결혼하여 태어난 아동·청소년 • 본국에서 결혼하여 형성된 가족이 한국에 이주한 가정의 아동·청소년
중도입국 자녀	• 결혼이민자가 한국인 배우자와 재혼하여 본국의 자녀를 한국에 데려온 경우 • 국제결혼가정자녀 중 외국인 부모의 본국에서 성장하다 재입국한 아동·청소년 • 외국인 부모와 함께 동반입국한 자녀(외국인근로자자녀) • 근로 및 학업을 목적으로 청소년기에 입국한 외국인 무연고 아동·청소년 • 북한이탈민이 외국인과 제3국에서 출생한 자녀를 데려온 경우

2019년 기준 다문화가족아동의 규모는 총 264,626명이고 연령별로는 영유아가 117,045명, 초등학생 104,064명, 중학생 26,524명, 고등학생 16,993명으로 전체다문화가족아동 중 영유아가 가장 많은 것으로 나타났으며 다문화가족 자녀 연령별 현황은 〈표 10-2〉와 같다.

〈표 10-2〉 다문화가족 자녀 연령별 현황

(단위: 명, %)

연도 \ 구분	만 6세 이하	만 7세~ 만 12세 이하	만 13세~ 만 15세 이하	만 16세~ 만 18세 이하	계
2015	116,068	61,625	12,567	7,290	197,550
2016	113,506	56,768	17,453	13,606	201,333
2017	115,085	81,826	15,753	9,791	222,455
2018	114,125	92,368	19,164	11,849	237,506
2019	117,045	104,064	26,524	16,993	264,626

출처: 행정안전부(2019). 외국인주민현황조사.

1) 국제결혼가정 아동

국제결혼가정의 자녀는 한국인과 결혼한 외국인 사이에서 태어난 아동을 의미한다. 국제결혼의 증가로 국제결혼가정의 아동 수는 급격하게 증가하고 있으며 2015년 다문화가족 아동 수는 모두 197,550명인 것으로 나타났다. 이 중 영유아가 116,068명으로 가장 많았고, 초등생 61,625명, 중학생 12,567명, 고등학생 7,290명으로 나타났다.

여성가족부(2015)의 자료에 의하면 국제결혼가정자녀의 학교취학현황은 초등학생이 41,546명, 중학생 10,316명, 고등학생 5,562명으로 나타났다.

〈표 10-3〉 국제결혼가정 자녀의 연령별 현황

(단위: 명)

구분	초등학교	중학교	고등학교	계
인원	61,625	12,567	7,290	81,482

출처: 여성가족부(2015). 국민다문화수용성조사.

2021년 출입국 · 외국인정책 통계연보의 자료에 의하면 결혼이민자는 168,594명으로, 그중 81.8%가 여성인 것으로 나타났다.

국적별 결혼이민자 현황을 보면 중국 출신이 35.6%로 가장 많았고 다음은 베트남, 일본, 필리핀, 기타 순인 것으로 나타났다. 이와 같이 국제결혼가정의 아동은 어머니와 아버지의 서로 다른 문화에 영향을 받으며 이중문화성과 이중언어성 발달로 긍정적인 지적발달과 주관적 안녕감을 가질 수 있는 가능성이 있다. 그러나 2개의 문화적 갈등으로 인하여 언어적 혼란과 정체감의 혼란을 겪게 되고 그로 인한 문제가 발생될 수도 있다.

이와 같이 다문화가정 아동의 신체적·지적·심리 정서적·사회적 발달을 지원하기 위한 복지서비스와 가족지원체계가 마련될 필요가 있는 것이다. 그러나 많은 국제결혼가정 아동들은 일반아동과 다른 외모와 미숙한 한국어 구사능력으로 인하여 적응상의 어려움을 경험하고 있는 것으로 나타났다.

2) 이주노동자가정의 아동

이주노동자가정의 아동은 한국에 거주하고 있는 외국인노동자 가정의 아동을 의미한다. 우리나라에 이주해오는 외국노동자수가 급격하게 증가함으로써 종전의 개인단위의 이주에서 가족단위의 이주가 증가하고 있다.

또한 이들 외국인 근로자 중에는 결혼하여 국내에 정착하는 경우도 꾸준히 증가하고 있다. 2020년 교육부의 교육통계 자료에 의하면 등록된 외국인 중 취학연령대인 7세 이상 18세 이하의 아동·청소년은 24,453명으로 추정되지만 불법체류자에 해당되어 신분노출을 꺼리고 있는 이주노동자가정의 아동현황을 파악하지 못함에 따라 그 수는 더 많을 수도 있을 것으로 보인다.

3) 중도입국아동

중도입국자녀란 외국에서 출생하여 성장하다가 부모의 재혼이나 취업 등 신분상의 변화로 인하여 부모를 따라 동반 입국하는 아동·청소년을 의미한다. 동반입국자녀라는 용어는 사회적으로 인정된 용어이기보다는 최근 국제결혼 재혼가정자녀와 외국인근로자가정 자녀가 급증함에 따라 정책적으로 사용되는 용어라고 할 수 있다.

2020년 교육부의 교육 통계에 따르면 중도입국자녀 중 19세 이하 아동·청소년은 9,151명인 것으로 나타났다. 이들 중 초등학생이 55.4%(5,073명)인 것으로 나타났고, 그 다음으로 중학생은 26.8%(2,459명), 고등학생은 15.4%(1,415명)로 나타났다.

2020년 법무부에서 발표한 국가별 중도입국자녀는 총 3,587명으로 중국국적이 1,427명(39.8%)으로 가장 많았으며, 그 다음으로는 베트남(28.9%), 필리핀(9%), 기타(22.3%)를 차지하였다.

〈표 10-4〉 국적별 중도인국자녀 현황

(단위: 명)

계	중국	베트남	필리핀	기타 국가
3,587명	1,427명 (39.78%)	1,038명 (28.93%)	323명 (9%)	799명 (22.3%)

출처: 무지개청소년센터, 이주배경청소년지원재단 홈페이지(http://www.rainbowyouth.or.kr/)

중도입국자녀의 경우 청소년 후기에 입국하는 경우가 많기 때문에 청소년기 자아정체성 확립의 발달적 과업과 함께 새로운 문화에 적응해야 하는 이중적 어려움에 직면하게 되고, 부모가 재혼한 경우 새롭게 형성된 가정에 적응해야 하는 어려움까지 있어 이들의 안정적 정착을 위한 지원방안이 요구되고 있다. 그밖에 북한 출신의 탈북아동·청소년을 의미하는 새터민 아동·청소년 등이 있으며, 2021년 탈북청소년교육지원센터 자료에 의하면 6세에서 20세 이하의 탈북아동·청소년은 2,287명이며, 초등학교는 654명(28.6%), 중학교는 740명(32.4%), 고등학교는 739명(32.3%)을 차지하고 있다. 또한 통계청의 2021년 혼인·이혼통계 자료에 의하면 한국인–외국인 부부의 혼인 건수는 2011년 329,100건에서 점차 감소하여, 2020년 213,500건으로 2019년(239,200건) 대비 약 10% 정도 감소하였다.

이혼한 한국인–외국인 부부의 통계 또한 2019년 110,800건에서 2020년 106,500건으로 전년 대비 약 3.9% 감소하였다.

3. 다문화가족아동의 특성 및 주요문제

1) 다문화가족아동의 특성

다문화아동·청소년들은 부모가 모국의 문화와 한국의 문화를 적절하게 조화를 이루는 데 실패하게 되면 적응의 어려움을 경험하게 된다. 다시 말하면 문화부적응의 문제와 이로 인한 차별과 편견 등으로 인한 부정적 특성이 나타나게 된다. 다문화 아동·청소년의 부정적 특성을 보이게 되는 것이다. 다문화가정아동의 적응과 관련된 연구에서는 다문화가족 자녀 적응에 미치는 영향으로 다문화가족 자녀의 성별, 학년수준, 주변인, 학교, 교사의 지지가 높을수록 아동의 심리사회적 적응이 높은 것으로 보고하고 있다.

또한 다문화가족 어머니의 자녀에 대한 애착이 높을수록 자녀의 자아개념이 높고 사회적 지지가 높을수록, 아동의 연령, 한국거주기간이 길수록, 모가 지각한 사회적 지지 및 자아존중감이 높을수록 어머니의 한국 및 자녀교육지식이 많을수록 자녀의 심리적 적응에 긍정적인 영향을 미치는 것으로 나타났다. 박주희와 남지숙(2010) 연구에서는 다문화가족아동이 일반아동에 비하여 불안, 과잉행동, 우울수준이 유의미하게 높게 나타난 것으로 나타났지만 전경숙 외(2008)에서는 다문화가족아동과 일반아동의 자아존중감에 차이가 나타나지 않았으며 일반가족아동이 자아존중감의 정도가 다문화가정아동보다 낮게 나타나기도 하였다. 다문화가족의 주양육자인 외국인 어머니는 그들 자신도 한국생활에 적응하는 데 있어서 언어 및 문화적 스트레스 등으로 가족과의 갈등과 자녀와의 의사소통의 어려움으로 아동의 부적응문제를 초래하기 쉽다.

다문화가족아동의 심리사회적 발달과 적응수준은 가족생활, 학교생활, 문화적응을 위한 사회적 지지 정도에 따라 차이가 있으며 구체적 내용은 다음과 같다.

2) 다문화가정아동의 주요문제

(1) 가족생활문제

다문화가족아동들은 아버지와 어머니의 생활방식 및 가치관뿐만 아니라 외모 등이 서로 다른 이중문화 속에서 성장하면서 정체성 혼란과 다양한 갈등을 경험하게 된다. 특히 부모가 서로 다른 언어를 사용하면서 언어발달이 지체되고 외국인 부모에 대한 사회적 편견 등으로 인하여 심리·정서적으로 상처를 받기도 한다. Rumbaut(1997)는 이주아동의 성공적 적응의 보호요인이 가족응집성임을 주장하였다. 즉, 새롭고 낯선 환경으로의 이주는 아동에게 혼란과 두려움을 주는 반면 새로운 세계를 탐색하고 정착해야 하는 과제를 주게 된다. 이러한 선택의 상황에서 긴밀한 가족관계는 아동에게 심리적 지지 및 정서적 안정감을 주게 된다. 뿐만 아니라 아동의 학업적 성취에 대하여 높은 기준을 부여하는 부모의 가치는 긴밀한 가족관계를 통하여 아동에게 빠르게 내면화되어 학업적 성취에 대한 동기가 강화되고 위험한 행위에 빠지지 않고 적응할 수 있게 된다고 하였다(곽금주, 2008).

(2) 학교생활적응문제

일반적으로 학령기 이전의 아동들은 가족 내 어머니와의 관계를 기본으로 한 가족관계를 바탕으로 성격이 형성되고 적응하기 시작한다. 그러나 초등학교에 입학하면서 가족에서 학교로 생활중심이 변화하게 된다. 다문화아동이 학교생활에 성공적으로 적응할 수 있다면 건강하게 성장발달할 수 있을 것이다. 그러나 다문화가정아동들은 학교생활적응에 어려움을 겪고 있는 것으로 나타났다. 다문화가정아동이 학교생활에 경험하게 되는 문제는 정체성 혼란, 낮은 학업성취도, 집단 따돌림 등이며 학교생활적응에 영향을 미치는 요인으로는 개인적 특성, 가족적 특성(부모양육태도, 가족응집성, 부모-자녀관계), 사회적 지지(가족지지, 친구지지, 교사지지), 심리적 특성(자아존중감, 자아 정체성, 자기 효능감)으로 보고 있다.

당시 교육인적자원부(현 교육부)는 배타적인 한국사회의 특성과 외국인에 대한 지나친 편견으로 인해 일부 학교의 경우 외국인 자녀 입학을 기피하거나 통합교육을 거부하기도 하는 등 어려움을 겪고 있다고 밝혔다. 실제로 경상남도 초등학교에 재학 중인 다문화가정 자녀 357명 가운데 25명(0.7%)이 기초학력 미달 학생으로 조사됐다. 일반 초등학생의 기초학력 미달 비율이 1.4%임을 감안하면 일반학생보다 5배나 많은 수치다. 중학생의 경우 도내 중학교에 재학 중인 81명 중 6명(7.4%)이 기초학력 미달로 나타났다(경남일보, 2006.09.14).

대통령자문 빈부격차·차별시정위원회의 자료(2006)에 따르면 현재 동남아 등 외국에서 온 여성결혼 이민자의 자녀 가운데 학생은 6,695명으로 추산된다. 그러나 혼혈 어린이들은 부모의 낮은 경제력과 언어·문화 등의 차이 등으로 정규교육에 적응하는 데 큰 어려움을 겪고 있다. 6세 이하 미취학 혼혈 어린이들의 유치원이나 보육시설 이용률도 한국인 일반가정 이용률 56.8%에 절반도 안 되는 27.3%에 불과하며 더욱이 2,500여 명으로 추산되는 불법체류 노동자들의 자녀 중 5.9%만 학교에 다니고 있어 이들에 대한 교육도 필요한 상황이다. 한국형사정책연구원(2013)의 다문화가정청소년의 비행 피해 및 가해에 대한 연구보고서에 의하면 학교생활에 적응하지 못하고 가출과 무단결석, 흡연, 폭력, 물품파손 등 비행을 저지르는 다문화가정 학생비율이 일반가정 학생보다 크게 높은 것으로 나타났다. 주요항목에서 초등학교 때의 비행발생빈도는 일반가정학생보다 차이가 나지 않았지만 중·고등학교에 들어가면서 격차가 더 커지고 있다. 이와 같이 다문화가정 청소년의 비행비율이 높은 것은 외모나 언어 등의 차이뿐만 아니라 경제적, 가정 환경적 요소 등이 복합적으로 작용하기 때문이다. 예를 들어 일반가정의 부모가 이혼하면 조부모가 나서서 아이들을 돌보지만 다문화가정의 청소년은 이러한 보호요인이 적어 비행에 빠지게 될 수밖에 없다고 설명하고 있다.

〈표 10-5〉 다문화 및 일반가정의 청소년 비행

구 분	비행유형별(%)							
	흡연	무단 결석	무단 외박	가출	물품 파손	심한 폭행	폭행 위협	악성 댓글
다문화 중·고생	10.5	7.8	7.2	4.2	3.2	3.0	4.0	7.2
일반 중·고생	5.0	2.0	2.0	0.5	0.8	2.5	2.5	6.5

출처: 한국형사정책연구원(2013). 학교폭력위기에 대한 단기적 대응방안.

(3) 문화적응문제

가부장적 혈연 중심의 사회가치관과 인종 및 저개발국가에 대한 문화적 편견은 외국인 배우자의 국적이 선진국이냐 후진국이냐에 따라 사회적 시각을 달리하고 이들 외국인 배우자에 대한 한국 사회로의 문화적 흡수를 더디게 한다. 특히 외국인 배우자의 국적에 대한 편견은 외국인 배우자뿐 아니라 이들 부부의 자녀에게도 차별적으로 나타나는데 선진국의 경우는 부러움과 배려의 대상이 되지만 후진국이나 개발도상국인 경우는 이들에 대해 우월의식을 갖고 냉대하거나 차별하는 경향이 있다. 이러한 사회적 분위기 속에서 외국인 배우자는 가족형성 및 적응과정에서 많은 어려움을 겪고 있다(임혜경, 2004). 이러한 사회적 차별은 다문화가족의 2세에게도 더욱 심각하게 나타난다. 혼혈이라는 이유로 또래집단과 교육제도 등에서 소외되고 상처받을 가능성이 높으며 제도권 밖에 있는 외국인 근로자 자녀의 경우도 예외는 아니다(권진숙 외, 2006).

결혼이민자 여성들이 새로운 한국문화에 적응하는 과정은 그들 자녀의 성장발달 과정과 밀접한 관계가 있다. 그러나 이들이 적응해가는 과정에서 스트레스를 많이 경험하면 자녀에게 더 짜증을 내며 이는 다시 아동의 공격적인 반응을 증가시킨다

(Patterson, 1983; 이유진, 2006). 이와 같이 결혼이주여성은 문화적응에 있어서 어려움이 있지만 그와 더불어 자녀양육 및 교육에 있어서 어려움을 가지게 되며 이것은 아동발달에 영향을 미치게 된다.

즉, 결혼이주여성의 문화적응수준은 자녀의 발달과 적응에 영향을 미치는 요인인 것이다. 다문화가족아동은 빈곤, 불평등, 인종차별과 같은 문제에 직면하게 되므로 아동복지제도 안에서 아동의 문제를 파악하고 문화적인 요소를 고려한 지원이 매우 중요하다. 여성결혼이민자들의 대부분은 한국문화에 대한 체계적인 설명이나 교육을 전혀 받지 못한 상태에서 한국생활을 시작한다. 그러므로 이들은 처음에는 언어도 통하지 않는 상황에서 눈치와 관찰로 한국문화를 학습해 나갔으며, 남편이나 시부모가 필요에 따라 설명해 주는 즉흥적이고 단절된 문화 지식만을 학습해 왔다는 것이다(김오남, 2008 : 155-156). 여성결혼이민자들은 일상생활에서 스스로 터득해 나가는 힘든 문화 학습과 적응 과정을 거치는 반면, 한국인 남편과 시댁 식구들은 일방적으로 여성결혼이민자들이 한국문화에 빨리 동화되기를 바라기만 하는 편이다. 이들은 자신들의 관점에서 불편함이 없으면 언어나 문화 모두 적응하고 있다고 판단하는 경향이 있다. 실제 단편적이고 기계적인 요구를 알아들으면 이는 한국어 학습이 이루어진 증거이고, 문화 학습과 적응에 관한 부분은 한국 음식을 만들 줄 알고 가족이나 사람들 앞에서 특별한 거부감 없이 지내는 것만으로 판단한다는 것이다. 문화 적응의 정도는 문화적 지식의 습득과 한국문화를 수용하려는 태도 및 가치의 정도를 근거로 구분할 수 있다. 그렇지만 문화와 관련된 학습이나 적응은 어학능력과 같이 평가하여 명확한 등급으로 구분할 수는 없다. 다만 한국문화를 학습해 나가는 다양한 유형으로 설명하는 것이 바람직하다고 본다(김오남, 2008 : 153-154).

Berry(1990)에 의하면 이민자나 소수민족은 사회문화 적응과정에서 2가지 문제에 직면하게 된다고 하였다. 즉, 자신의 고유문화를 어느 정도 유지하는지와 지배문화에 얼마나 동화되고 있는지에 따라 4가지 문화적응유형으로 구분하였다.

- 동화(Assimilation) : 주류문화와 동일시
- 통합(Integration) : 양 문화 모두 수용

- 분리(Segregation) : 자신의 문화와 동일시
- 주변화(Marginalization) : 두 문화 모두 배척

보다 바람직한 문화의 학습은 상호신뢰를 바탕으로 상대방의 문화에 대한 깊은 관심과 노력에 의해 이루어진다는 사실을 이해하는 데서 출발해야 하는 것이다. 그러나 이러한 신뢰와 이해를 다수의 다문화가족에게 기대하기는 쉽지 않으므로 사회와 국가 차원에서 다양한 프로그램을 통하여 기초를 다져나가야 할 것이다.

〈표 10-6〉 다문화아동 집단프로그램 사례

단계	회 기	제 목	목표 및 내용	활 동	대인관계 요소
시작 단계	1회기	친구만나기	프로그램 소개	어떤 프로그램일까? 약속! 이것만은 지켜요	경청
			자기소개	나를 소개합니다 어떤 친구들일까?	첫만남
탐색 단계	2회기	나는 누구인가?	내가 찾은 장점	가장 기분 좋은 일/뿌듯했던 일 나도 멋진 사람이 될 수 있어요	정서인식
			타인이 보는 나	내가 자주 듣는 칭찬	경청
작업 단계	3회기	부모와 나	부모에 대한 이해	엄마와 아빠가 좋을 때 엄마와 아빠가 싫을 때	타인조망
			부모와의 의사소통	엄마랑 아빠께 이렇게 말해 봐요	나-메시지
	4회기	친구와 나	차별경험공유	사람들의 색안경	타인조망
			친구와의 의사소통	친구에게 하고 싶은 말 미운 친구랑 이렇게 말해 봐요	공감과 수용
	5회기	선생님과 나	선생님의 입장	선생님 말을 잘 들어요	타인조망
			선생님과의 의사소통	자신 있게 발표할 수 있어요	자기주장
종결 단계	6회기	달라진 나	집단에서의 나	선물주기	사회적 자아
			새로운 나	우리도 민간 외교관	자아존중감 문화정체성

4. 다문화가족아동을 위한 지원정책과 과제

1) 부처별 지원정책

2006년 4월 국정과제회의에서 범정부차원의 "여성결혼이민자 가족 사회통합지원 대책"이 수립되면서 범정부의 12개 관련부처가 총 7개 대과제, 27개 소과제를 분담 시행하고, 여성가족부(전 보건복지가족부)가 다문화가족지원사업을 총괄 수행하며 지역사회 내 다문화가족지원을 위한 전담기관으로 다문화가족지원센터를 설치 운영키로 하여 2006년 21개소, 2007년 38개소, 2008년에는 80개소를 설치하였으나, 2018년 건강가정지원센터와 통합서비스 사업을 추진함에 따라 건강가정다문화가족지원센터로 명칭을 변경하여 2021년 1월 기준 228개소가 운영 중이다. 정부의 7대 정책과제는 다음과 같다.

- 탈법적인 국제결혼방지 및 국제결혼 당사자 보호
- 가정폭력피해자 등에 대한 안정적인 체류지원 강화
- 한국사회 조기적응 및 정착 지원
- 아동의 학교생활 적응 지원
- 여성결혼이민자 가족의 안정적인 생활환경 조성
- 여성결혼이민자에 대한 사회적 인식 개선 및 업무책임자 교육
- 추진체계 구축

목 표	정책방향
1. 결혼이민자의 조기정책 및 자립역량 강화 2. 다문화가족의 안정적 생활 유지 3. 자녀의 건강한 성장 및 글로벌 인재 육성 4. 국민의 다문화 사회이해 증진	•가족전체 대상 포괄적 정책 추진 •가족생애주기별 맞춤형 서비스 제공 •민·관 협력의 효율적 추진

여성가족부는 다문화가족의 안정적 정착과 양육지원 강화를 위하여 수요자 위주

의 정보제공 및 찾아가는 서비스 활성화, 교육·상담확대, 다문화가족자녀 맞춤형 교육지원강화 사업을 수행하고 있다.

교육부는 2005년 다문화가정자녀교육지원계획에 의거, 외국인 근로자 자녀교육 지원정책을 수립하고 외국인근로자 자녀입학 상담센터 운영, 담당 장학사 지정, 한국어반 설치 운영, 학습자료 개발 및 보급, 국제이해교육실시계획을 마련하였고 2007년부터 매년 다문화가정자녀 재학현황을 조사하여 교육지원대책을 마련하고 있다. 또한 2012년 3월 12일 다문화학생 교육 선진화 방안을 마련하여 학교가 중심이 되어 다문화 친화적 교육환경을 조성하고 다문화가정 학생 개별적 특성을 고려한 맞춤형 교육을 실시하도록 하였다.

다문화학생 교육 선진화 방안은 다음과 같다.

① 공교육 진입 원스톱서비스를 위한 다문화학생 전담코디네이터 교육청배치 및 출입국관리소 입학절차 안내 강화

② 사전적응교육을 위한 예비학교 운영

③ 기본한국어 능력 강화를 위한 진단부터 수준별 교육까지 한국어 교육 강화

④ 직업교육 활성화 정책

〈표 10-7〉 중앙부처별 다문화가정 자녀 지원정책 현황

<table>
<tr><th>부처별</th><th>사업명</th><th>규 모</th><th>내 용</th></tr>
<tr><td rowspan="4">여성
가족부</td><td>방문학습지 제공</td><td>만 4세 이상
자녀 일부</td><td>• 만 4세 이상 한국어부진아동대상 씽크빅학습지 강사 주1회 가정방문</td></tr>
<tr><td>언어진단평가 및
언어교육 지원</td><td>만 12세 이하
자녀 일부</td><td>• 만 12세 이하 한국어부진아동대상 주1~2회 언어교육</td></tr>
<tr><td>이중언어 지원</td><td>다문화가정자녀
중 희망자</td><td>• 다문화가정자녀 모국어교육 지원
• 중국어, 베트남어, 러시아어, 일본어 교육을 통한 글로벌 인재 육성</td></tr>
<tr><td>무지개학교</td><td>전국 15개교
운영</td><td>• 한국어교육, 집단 활동, 현장학습, 학과지도 및 예체능수업
• 멘토링프로그램</td></tr>
<tr><td>보건
복지부</td><td>다문화가정자녀
보육료 지원</td><td>0~5세 자녀
전체</td><td>• 만 0~5세 자녀에게 매월 20~39.4만 원 보육료 지원</td></tr>
<tr><td rowspan="2">교육부</td><td>외국인특별학급</td><td></td><td>• 특별학급 편성운영
• 생활적응(도덕, 사회)/언어적응(국어, 영어)/교과적응(수학, 과학)과정 운영
• 협력학급 지정운영</td></tr>
<tr><td>예비학교</td><td></td><td>• 지정학교에 한국어강사, 영이중언어강사, 상담교사 배치
• 6개월 과정 후 원적학교 복귀</td></tr>
</table>

그 밖에 지방자치단체별로 지역특성을 감안한 다문화가정자녀를 위한 다양한 지원서비스와 프로그램이 지속적으로 개발·운영되고 있다. 대구학생 문화센터에서 개발·운영하는 "다문화가족동행체험학습" 프로그램은 이주 여성들이 가장 고민을 많이 하는 자녀 교육에 초점을 맞춘 것으로 '한국의 학부모되기 준비', '한국 어린이 이해', '컴퓨터 활용법', '즐거운 미술여행' 등 맞춤형 프로그램으로 한국문화 이해를 통한 한국사회 적응력 제고에 실질적인 도움을 줄 수 있도록 자치단체와 협약(MOU)을 체결하여 추진하고 있다. 특히 모국문화에 소양이 있는 다문화가정 주부를 강사로 활용한 "1일 세계문화여행체험학습" 프로그램을 개발해 3월부터 12월까지 초·중·고 학생들에게 다문화가정이해(국제이해교육)체험 학습을 실시하였다. 내용은 〈표 10-8〉과 같다.

〈표 10-8〉 문화센터 다문화가족 지원프로그램 사례

"다문화가족동행체험학습" 프로그램

제1기

순	일 시	활동 내용	장 소	비 고
1	4/16(금) 14:00~16:00	• 입교식 • 한국의 학부모되기 준비 – 한국 어린이들의 학교생활	다문화체험 학습실	
2	4/23(금) 14:00~16:00	• 한국 어린이 놀이 이해 (최근 유행하는 놀이 등)	다문화체험 학습실	
3	4/30(금) 14:00~16:00	• 컴퓨터 활용법(1) – 학교(학급) 홈페이지 검색하기	디지털자료실	
4	5/7(금) 14:00~16:00	• 손글씨(POP) 체험하기 – 손글씨로 문패 만들기	다문화체험 학습실	
5	5/14(금) 14:00~16:00	• 컴퓨터 활용법(2) – 컴퓨터를 이용해 학교 숙제하기	디지털자료실	
6	5/28(금) 14:00~16:00	• 즐거운 미술 여행 – 염색공예(가족사랑티셔츠) • 수료식	다문화체험 학습실, 미술실	

제2기

순	일 시	활동 내용	장 소	비 고
1	10/1(금) 14:00~16:00	• 입교식 • 한국의 학부모되기 준비 – 한국 어린이들의 학교생활	다문화체험 학습실	
2	10/8(금) 14:00~16:00	• 한국 어린이 놀이 이해 (최근 유행하는 놀이 등)	다문화체험 학습실	
3	10/15(금) 14:00~16:00	• 컴퓨터 활용법(1) – 학교(학급) 홈페이지 검색하기	디지털자료실	
4	10/22(금) 14:00~16:00	• 손글씨(POP) 체험하기 – 손글씨로 문패 만들기	다문화체험 학습실	
5	10/29(금) 14:00~16:00	• 컴퓨터 활용법(2) – 컴퓨터를 이용해 학교 숙제하기	디지털자료실	
6	11/5(금) 14:00~16:00	• 즐거운 미술 여행 – 염색공예(가족사랑티셔츠) • 수료식	다문화체험 학습실, 미술실	

출처 : 대구학생문화센터(www.dccs.go.kr)

2) 다문화가족아동을 위한 정책과제

한국보건사회연구원(2012)의 다문화가족아동의 사회적응실태와 정책과제연구보고서에서 다문화가족아동 사회적응력 향상을 위한 향후과제와 방안을 토대로 제시된 방안은 다음과 같다.

(1) 다문화가족아동의 가족생활 지원

다문화가족아동을 위하여는 무엇보다 가족생활 지원이 우선되어야 한다. 이들 다문화가족을 지원함에 있어 가족의 사회경제적 배경을 고려하여 취약한 가족을 판별하고 우선적으로 집중지원할 수 있어야 할 것이다.

경제적으로 어려운 다문화아동, 아버지의 사회적 지위가 낮은 아동, 다른 출신국에 비하여 소수만이 한국에 거주하고 있는 국가의 출신 어머니를 가진 아동을 대상으로 한 정서적 지원 등의 지원서비스를 제공할 수 있어야 하며 그동안 다문화가정아동을 위한 지원이 언어발달과 학업지원프로그램에 집중되어 있던 것에서 벗어나 자아존중감 향상 등 사회 심리적 적응력 및 개인역량을 향상시키는 프로그램을 지원할 필요가 있다. 또한 아동의 사회적 배경과 개인별특성 및 욕구에 따라 맞춤형 지원이 될 수 있는 대학생 1:1 멘토링서비스 등을 확대할 필요가 있다.

(2) 다문화가정아동 사회심리적 적응 지원

다문화가족아동의 사회심리적 적응을 위하여 무엇보다 올바른 의사소통 지원을 위한 맞춤형 언어교육서비스가 제공되어야 할 것이다. 특히 바람직한 부모-자녀관계 정립을 위한 전문적 프로그램 도입과 특히 다문화가정아동의 사회적응에 가족응집력의 수준이 중요한 요인이 됨을 감안하여 가족지지를 통한 가족응집력향상 서비스를 제공할 필요가 있으며, 특히 부모국가에 대한 이해증진과 자긍심 프로그램을 확대함으로서 다문화가정아동 정체감을 확립할 수 있도록 지원한다.

(3) 다문화가정아동 학교생활적응 지원

현재 부처별로 분산되어 있는 다문화가족아동지원서비스를 통합하고 효율적인 서비스전달체계를 마련할 수 있어야 한다. 다문화가족아동을 위한 지원서비스가 영·유아와 초등학생 자녀에게 집중되어 있으므로 다문화 중·고교생을 위한 정책 마련과 프로그램 개발이 필요하다. 또한 다문화기족아농이 학업지원과 숙제, 준비물 챙기는 것과 관련된 일상적인 지원과 교사 및 일반아동을 대상으로 다문화에 대한 수용과 인식교육을 제공함으로써 학교생활적응을 지원한다.

(4) 다문화가족아동문화적응 지원

다문화가족아동문화적응을 위하여 다문화가족아동을 위한 차별화된 정책보다는 일반아동과 같은 맥락의 지원이 무엇보다 중요하다. 특히 아동 개인특성을 고려한 개별화된 학습지원과 상담, 특기적성교육 등의 프로그램을 제공하고 발달주기별 연속적인 서비스가 제공될 수 있어야 한다. 특히 이중언어 습득을 위하여 결혼이주여성을 활용한 다양한 모국어 교육을 실시하고 무엇보다 다문화가족아동 및 일반아동 모두를 위한 지역사회복지서비스 및 복지제공기관 확충이 필요하다.

<사례실습>

다음 다문화가족아동 사례를 읽고 실습해 봅시다.

> ○○지역아동센터에서 의뢰한 3학년 남자어린이에 대한 상담을 하게 되었다. 남자아이는 필리핀 출신 어머니를 두었으며 친구들을 짓궂게 괴롭히면서 친구들이 자신을 놀리는 일은 못 참고 폭력적이고 과격한 행동을 하였다. 화가 나면 학습에 참여하지 않고 고집을 부리는 일이 잦아 지역아동센터 사회복지사가 상담을 의뢰하게 되었다. 아이의 아버지는 현재 작은 회사에 다니고 있으며 어머니는 주민센터의 영어학원 강사이고, 아래로 여동생 2명을 두고 있다.

이 아이는 키가 작고 마르고 왜소한 체형으로 까무잡잡한 피부에 짙은 쌍꺼풀을 지녔다. 특히 친구들이 자신의 외모에 대해 놀리거나 어머니에 대해 이야기하는 것을 참지 못했다. 주민센터에서 영어 강사를 하는 어머니와는 소통이 없고, 아버지는 늘 체벌만 하는 무서운 존재였다. 자신의 불편한 마음과 어려움을 나눌 대상이 없었으며, 학교에서도 친한 친구 없이 지내다가 억압된 감정이 충동적인 행동으로 자주 나타났다(문을 쾅 닫고, 책을 구기거나, 주먹을 쥐고 부르르 떨고 있거나, 또래와 싸우거나 했다).

상담 초반에는 질문에도 답하지 않고 단답형으로만 답변을 하는 등 상담에 대하여 거부적 반응을 보였다.

(1) 위 사례아동의 주요문제는 무엇일까요?

(2) 이러한 문제행동의 원인은 무엇일까요?

(3) 이러한 문제행동을 가진 다문화가족아동을 위한 지원방안은 무엇일까요?

(4) 이 사례에 대한 사회복지사의 의견을 적어 보세요.

01 다문화가정의 유형에 해당되지 않는 것을 고르세요.

① 국제결혼가정아동　② 외국인노동자가정아동
③ 외국거주 아동　④ 새터민가족아동
⑤ 한민족가정아동

02 다문화가정아동의 성공적 적응의 보호요인에 해당되는 것을 고르세요.

① 가족응집성　② 가족기능성　③ 가족유연성
④ 가족 간 의사소통　⑤ 가족문화

03 다문화가정아동의 학교생활적응에 영향을 미치는 요인이 아닌 것을 모두 고르세요.

① 개인적 특성　② 지역적 특성　③ 가족적 특성
④ 사회적 지지　⑤ 문화적 특성

04 결혼이주여성의 문화적응유형 중 자신의 문화와 동일시하는 단계에 해당되는 것을 고르세요.

① 주변화　② 동화　③ 통합
④ 분리　⑤ 신뢰

05 다문화가족지원사업을 총괄 수행하는 정부중앙부처를 고르세요.

① 보건복지부　② 교육부　③ 여성가족부
④ 법무부　⑤ 문화체육부

06 다음 중 여성가족부의 다문화가정자녀지원정책에 해당되지 않는 것을 고르세요.

① 다문화가정자녀 보육료 지원　② 이중언어 지원
③ 방문학습지 제공　④ 무지개학교
⑤ 외국인 특별학급

연습문제

07 외국에서 출생하여 성장하다가 부모의 재혼이나 취업 등 신분상의 변화로 인하여 부모를 따라 동반 입국한 아동·청소년을 의미하는 개념을 적어 보세요.

08 다음 중 우리나라 다문화가족지원법이 제정된 연도를 고르세요.

① 2004년 ② 2007년 ③ 2008년
④ 2010년 ⑤ 2011년

09 우리나라 다문화가정아동의 부모 출신국으로 가장 많이 나타난 나라를 고르세요.

① 중국 ② 베트남 ③ 미국
④ 일본 ⑤ 필리핀

10 다음 중 지역 내 다문화가족지원을 위한 대표적인 민간전달체계를 고르세요.

① 종합사회복지관 ② 건강가정지원센터
③ 다문화가족지원센터 ④ 다문화교육센터
⑤ 다문화전담지역아동센터

CHAPTER

11 조손가족아동복지서비스

1. 조손가족아동의 개념 및 현황

1) 조손가족아동의 개념

최근 이혼율의 급속한 증가와 더불어 농촌지역을 중심으로 부모와 동거하지 않고 조부모와 동거하는 아동 수가 빠르게 증가하고 있다. 이와 같이 부모와 동거하지 않고 조부모와 손자녀가 함께 살고 있는 가족의 형태를 조손가족이라고 하며 조부모와 함께 생활하고 있는 18세 미만의 손자녀를 조손가족아동이라고 한다. 이혜연 외(2009)는 자녀세대의 해체로 그들이 자신의 자녀를 양육할 수 없을 경우 조부모가 만 18세 미만의 손자녀와 생활하며 기본적인 의식주 및 생활 전반을 일차적으로 책임지고 있는 가족을 조손가족이라고 정의하였다. 이와 같이 아동이 조부모에게 양육되는 주된 이유는 친부모의 이혼과 재혼에 따른 가족해체가 가장 많으며 친부모의 사망, 친부모의 가출과 실종으로 인한 것으로 나타났다(여성가족부, 2007). 조손가족아동이란 조부모가 18세 이하의 손자녀와 동거하면서 손자녀의 발달적 욕구충족과 양육에 일차적 책임을 가진 가족을 의미한다. 조손가족은 이미 신체적·경제적으로 소진되어 부양을 받아야 할 조부모와 부모로부터 양육을 받지 못하는 손자녀로 이루어진 가족형태로 부양의 문제와 위기가정 아동양육문제가 복합적으로 나타나기 때문에 다른 가족 아동보다 성장발달의 어려움이 더 많다고 볼 수 있다. 일반적으로 조부모들은 그들의 성인자녀들이 어려운 일을 경험하거나 예기치 못한 사건에 직면했을 때 조용한 구원자, 이차적 방어선 등으로 표현되며 자녀들의 가족을 위한 안전망 혹은 충격완화장치 역할을 담당하였다. 조부모들은 손자녀들이 부모와의 분리로 인한 불안감을 최소화하고 가족정체성을 유지할 수 있도록 돕는 긍정적인 측면이 있다. 조손가족 증가와 함께 2007년 조손가족을 한부모가족지원법의 보호지원대상으로 포함하여 지원할 수 있는 법적 근거를 마련하였지만 한부모가족의 경우 자립의지와 능력을 함양하는 것을 목표로 하는 정책수행이 가능하나, 조손가족의 경우 주된 양육자인 조부모는 이미 노동능력을 상실하였고 자립능력의 가능성을 기대할 수 없는 노약자라는 점에서 조손가족지원은 보호를 전제로 한 지원이 우선시되어야 한다는 것이다(여성가족부, 2007). 즉, 조손가족을 위한 지원은 조부모와 손자녀의 특성을 반영하고 조손가족아동이 보다 더 안정적이고 건강한 가족기능을 토대로 성장발달할 수 있는 정책과 지원서비스가 요구되고 있는 것이다.

2) 조손가족아동의 현황

통계청의 인구총조사에 따르면 2018년 조손가족 구성현황은 52,951가구 151,588명으로 구성되어 있으며, 이 중 조부모와 미성년 손자녀가 28,997가구 95,739명, 조부 또는 조모와 미성년 손자녀가구는 23,954가구 55,849명으로 나타났다.

〈표 11-1〉 조손가족 및 조손가족아동 현황

(단위 : 명, %)

구 분	계		조부모+미성년손자녀		조부 혹은 조모 + 미성년손자녀	
	가구	가구원	가구	가구원	가구	가구원
2015	52,131	148,907	27,777	91,570	24,354	57,337
2016	51,155	146,317	27,662	91,104	23,493	55,213
2017	53,297	152,480	29,080	95,803	24,217	56,677
2018	52,951	151,588	28,997	95,739	23,954	55,849

출처: 통계청, 국회입법조사처 제출자료(2020.2.21.) (허민숙, 2020)

여성가족부(2007)의 조손가족실태조사 및 지원방안에 관한 연구에 의하면 손자녀의 성별이 손자가 54.8%, 손녀 45.2%로 나타났으며 연령별로는 미취학유아가 13.7%, 초등학생이 36.3%, 중학생이 25.7%, 고등학생이 23.0%로 초등학생이 가장 많은 것으로 나타났다. 또한 조부모가 양육하는 손자녀 가운데 친손자녀가 80.3%, 외손자녀가 19.7%인 것으로 나타났다. 손자녀가 조부모에 의하여 양육되는 이유가 가장 높게 나타난 것은 부모의 이혼과 재혼이 45%, 부모의 사망 20.2%, 부모의 가출이나 실종 18.3%인 것으로 나타났다. 또한 친부모의 존재여부 및 현재 상황으로는 부모 모두 행방불명인 경우 18.5%, 부모 모두 사망한 경우 3.7%, 고아나 다름없는 상태에서 조부모에 의하여 양육되는 경우 22.2%, 부모 각자 이혼 후 독신으로 사는 경우 13.7%, 기타 12.2%로 손자녀의 60%가 부모와 정기적으로 대면접촉이 어려운 상황인 것으로 나타났다.

2. 조손가족아동의 특성 및 주요문제

1) 조손가족아동의 특성

일반적으로 조손가족아동은 성장발달에 필요한 발달적 욕구를 충족시켜 줄 수 없는 환경 속에서 부모의 부재, 빈곤, 낮은 가족응집력, 가족의 해체 등을 경험하고 그것으로 인한 부정적 영향을 받기 쉽다. 다양한 이유로 가족해체와 부모와의 분리 후 선택의 여지없이 조부모와 함께 생활하는 아동들은 발달적 문제가 있을 가능성이 있다. 특히 부모와 함께 살지 않는 아동들은 학교나 지역사회에서 부모 없는 아이라는 편견과 차별에 민감하게 반응하는 것으로 나타났다. 조손가족청소년들에 대한 연구에 의하면(김진숙, 2009), 엄마아빠 없이 살아가는 것을 청소년들은 부끄럽게 생각하고 있으며 또래들처럼 소풍갈 때 김밥 싸줄 엄마가 없다는 사실을 수치스럽게 여겼다. 조손가족을 가족해체의 결과물로 간주하고 결손이라는 감정적 가치를 부여하기 때문에 조손가족의 청소년들은 심한 정서적 어려움을 경험한다고 하였다. 김혜영(2011)의 연구에 의하면, 조손가족아동청소년의 경우 한부모나 양부모가족 아동에 비하여 상위학교 비진입률이 높으며 비진입률이 높은 이유가 동일한 연령대의 다른 아동에 비하여 기회평등면에서 열악한 상황과 학업지도 등 교육지원에 있어서 제한적이기 때문이라고 하였다. 또한 조손가족 청소년의 우울, 불안 정도가 높으며 청소년위기요소에 해당되는 공격성, 충동성, 부주의 정도와 부모 및 조부모의 방임 정도가 조손가족에서 가장 높은 것으로 나타났다.

그러나 조손가족 아동들이 발달상의 어려움이나 가족기능 혹은 사회적응상 어려움을 가진다고 해서 모두 부적응의 문제를 가진다고 할 수는 없다.

조부모들이 부모들로부터 가족해체나 학대 및 방임을 경험한 손자녀들에게 개입함으로써 손자녀의 심리정서적 안정과 사회적응에 긍정적 영향을 미치는 것으로 나타나고 있다(Solomon & Max, 1996; 김혜선, 2004; 경기도, 2012 재인용). 즉, 조부모의 개입은 손자녀가 과거에 경험한 것으로 나타나는 부정적인 결과를 누그러뜨리는 경향이 있으며(Jones, 1993; Edward, 1998; 김혜선, 2004 ; 경기도, 2012 재인용). 손자녀들이 더 이상 부모들로부터 사랑, 보살핌, 관계형성을 받을 수 없는 상황에서 조부모들이 손자녀들에게 필요한 지지적 가족분위기와 훈육구조를 제공할 수 있다면 손자녀의 삶이 보다 풍요로워지고 보다 나은 생활을 할 수 있는 것으로 보고하고 있다(Briain, 2000; 김혜선, 2004; 경기도, 2012 재인용).

2) 조손가족아동의 주요문제

(1) 경제적 문제

우리나라 조손가구는 농촌에 집중 분포되어 있으며 대부분 경제적 형편이 어려워 손자녀의 양육비용을 부담하기가 매우 힘들다. 특히 나이 많은 조모들은 신체적으로 노쇠하여 스트레스를 받고 젊은 조모들은 손자녀 양육 때문에 일할 기회마저 잃

어버린다. 조모들은 부모역할에 대한 심리적 스트레스도 크게 느끼는데 양육환경이 매우 열악하여 손자녀의 성장욕구에 부응하기가 어렵다. 조손가족에게는 무엇보다 경제적 도움이 필요하지만 조손가족 대부분은 서류상 부모가 손자녀의 부양의무자로 되어 있어 사회의 보살핌을 받지 못하는 경우가 많다. 일반적으로 빈곤층자녀들은 중상류층자녀들에 비하여 청소년기가 짧은 것이 특징이다. 조손가족의 자녀들이 이른 나이에 결혼을 하거나 10대 미혼모가 되어 가출이나 이혼을 하는 등 극단적인 방법으로 가족해체가 이어지면서 손자녀양육은 조부모가 맡게 되고 자녀는 최소한의 안부전화도 하지 않고 연락이 두절되는 등 양육책임을 회피하고 있는 경우도 많다. 이 경우 조부모는 자녀의 결혼생활 실패를 자신이 부모역할을 제대로 못했기 때문이라고 생각하고 손자녀가 자녀세대와 동일한 인생을 살지 않도록 교육적 지원자의 역할에 전념하여 손자녀에 대한 교육적 기대수준은 매우 높지만 경제적 형편이 어렵고 주변에 도움을 받을 만한 지원망도 없기 때문에 경제적 어려움을 호소하고 있다.

(2) 부정적인 정서적 문제

조손가족아동들은 정서적으로 우울, 불안, 철회, 낮은 자존감 등의 문제를 가지고 있으며 적절한 교육과 자극의 부재로 낮은 인지능력의 문제를 보인다.

손자녀들은 조부모에게 양육되기 전에 이미 부모의 사망, 이혼, 실직, 불화, 알코올중독 등과 같은 불안한 환경에 노출되어 다양한 정서적 문제를 지니고 있을 가능성이 높다. 조부모에게 맡겨진 후에는 부모의 부재로 남겨진 허탈감, 두려움, 당혹감, 버림받았다는 배신감, 원망, 우울 등으로 부모에 대한 그리움을 왜곡되게 표현한다(문선화, 2001).

다시 말하자면 부모의 이혼 등으로 정서적 지지를 못 받거나 경제적 문제, 가족응집력이 낮거나 가족 간 의사소통문제가 있을 경우 불안과 우울을 경험하게 되고 불안과 우울은 비행 혹은 또래관계, 학교생활적응에 영향을 미친다는 것이다. 조손가족에 관한 국내외 연구에서는 조손가족조부모와 손자녀의 높은 우울감을 공통되게 보고하고 있다. 또한 조손가족아동은 자신이 처한 사회경제적 상황에 대한 긍정적 평가를 받을 기회를 제공받지 못하고 부모 없는 아이라는 주변과 스스로 형성한 사회적 낙인 등으로 인해 자아존중감수준이 낮은 것으로 나타났다. 사회적 낙인은 자아존중감을 예측하는 가장 강력한 요인이며 대인관계, 사회적응 등 생활 전반에 영향을 미치는 요인으로 지적되고 있다.

(3) 외현적 문제행동

비행, 공격성, 반항적 행동 등과 같이 사회적·법률적·도덕적·교육적 측면에서 수용하기 어려운 위반행동을 의미하는 외현적 문제행동이 조손가족과 같은 저소득층, 결손가정 청소년들에게 높게 나타나는 것으로 보고되고 있다. 이들은, 부모의 이혼 및 별거 등으로 인한 가족해체, 빈곤, 스트레스 등과 같은 가정환경, 학교생활에서의 부적응, 친구 관계 등 사회환경 등에서 경험하는 욕구불만을 공격적인 행동으로 해소하는 경향이 있고 일탈적인 또래의 압력에 넘어가기 쉬우며 폭력행동을 비롯한 비행에 관여할 가능성이 높다고 한다. 즉, 조손가족아동들은 자신이 선택하지 않은 부정적 경험들로 인하여 내면에 분노의 수준이 높으며 이러한 분노는 자신에 대한 무가치감으로 발달되고 이것이 문제행동의 원인으로 작용한다.

(4) 성인역할부담감

성인역할부담감이란 부모의 실질적, 역할부재상황에서 아동이 자신의 발달단계에 맞지 않는 과도한 성인역할을 수행함으로써 경험하는 정서적 과부하를 의미한다. 손자녀들은 실제 조부모의 양육지원을 받아야 하는 상황이지만, 원가족 해체와 조부모와의 재결합 과정에서 정서적 상처를 받으며 오히려 아동은 조부모를 부양하거나 가사를 하는 등 집단의 세대주로 조부모를 직·간접적으로 지원하는 역할을 하고 있다. 이러한 아동의 역할은 성인 보호자의 부재, 무능력 등으로 인해, 아동임에도 불구하고 성인 역할을 해야 하는 여건과 조기성숙의 압력을 받은 애어른의 역할로,

사회·문화적으로 긍정적으로 수용되지만 아동의 발달단계에 맞지 않는 역할이다(신혜섭, 2007). 이와 같은 과도한 성인역할부담감은 아동이 성인역할에 과도한 시간과 에너지를 사용하게 되면서 아동발달에 부정적 영향을 미친다. 그뿐만 아니라 그 시기에 필요한 친구관계 형성이나 학교생활적응에 어려움을 초래하기도 하며 고령의 제도권 교육을 제대로 받아본 적이 없는 조부모들에게 손자녀들에게 필요한 학업과 생활지도 등을 받기 어려운 상황이다.

2021년 8월, 10대 손자들이 자신을 키워준 할머니를 살해한 사건으로 전국이 떠들썩했다. 손자들은 고령의 할머니가 성인이 되면 자립할 준비를 해야 한다는 말을 듣고 할머니를 죽이기로 했다고 하였다. 흉기로 할머니를 찌른 형은 중증정신질환을 앓고 있었으며 정신병원에 강제 입원하여 치료받은 전력도 있었다고 한다.

18세(고3)인 형은 동생과 함께 할머니를 죽이기로 하고 늦은 저녁 집으로 귀가하는 할머니(77세)의 몸을 흉기로 61차례 찔러 할머니는 현장에서 사망하였다. 그 장면을 지켜보던 동생(16세, 고1)은 같이 사는 거동이 불편한 할아버지(92세)까지 죽일 것 같아 할아버지를 다른 곳에 피신시켰다고 한다. 이들 형제는 할아버지의 신고로 범행 30분 만에 체포되었다. 할머니를 살해한 형은 중증불안장애와 분노조절장애를 앓고 있었으며 친구들과 잘 어울리지 못하는 등 적응의 문제가 있었다고 한다. 또한 학교에서 특수학급반에 다니면서 정신병원치료를 받았지만 치료를 꾸준히 받지 않고 약 복용도 하지 않았다고 한다. 동생 역시 학교에서 의자로 교사를 위협하고 욕설을 하는 등 공격적인 행동으로 강제퇴학 처분을 받았다고 한다.

이들 형제문제는 2009년 부모가 이혼하면서(당시 나이 형: 7세, 동생: 5세)부터 시작되었으며 부모는 이혼한 후 조부모에게 형제를 맡긴 후 10년 넘게 연락을 하지 않고 있으며 기초생활수급대상자인 조부모는 힘들지만 손자들을 정성껏 키웠다고 한다. 그렇지만 손자들의 부적응 문제는 커졌고 치료조차 받지 못하는 상황이 되었다. 특히 청소년기에 접어들면서 이들 형제는 체격도 커지고 힘도 좋아 조부모들이 감당하기 어려워졌다고 한다.

지역 사회복지사는 이들 형제가 가정에서 건강하게 성장 발달해야 할 시기에 부모의 이혼으로 충격을 받았고 필요한 도움을 받지 못해 비극이 발생되었다고 하면서 이러한 문제를 예방할 수 있는 방안 마련이 시급하다고 하였다.

출처: 한국일보. 2021. 9 기사를 토대로 재구성.

3. 조손가족아동을 위한 지원정책 및 서비스

1) 조손가족 지원정책

우리나라는 아직 조손가족을 위한 정책이 마련되지 않고 있다. 조손가족을 위한 지원은 노인이나 아동을 대상으로 하는 정책이거나 부분적으로 조손가족이 지원받을 수 있는 정책들뿐이다. 조손가족 지원정책으로는 여성가족부의 한부모가족지원법에 의한 한부모가족지원대상자로 조손가족이 포함되어 있지만 이 경우 저소득조손가족을 대상으로 하고 있으며 지원규모도 손자녀양육지원만을 하고 있는 실정이다. 그러나 국민기초생활보장수급법상 지원대상이 되는 저소득조손가족은 의료보호나 주거급여를 지원받을 수 있으며 65세 이상 조부모는 기초노령연금을 받을 수 있다. 아동의 경우 가정위탁대리양육지원을 받을 수 있다.

(1) 국민기초생활보장제도

국민기초생활보장제도는 생활이 어려운 사람에게 필요한 급여를 실시하여 이들의 최저생활을 보장하고 자활을 돕는 것을 목적으로 1961년 시행된 생활보호제도를 대신하여 2000년 10월부터 국민기초생활보장법을 근거로 시행된 공공부조제도이다. 국민기초생활보장제도 수급자는 소득인정액이 최저생계비 이하인 동시에 부양의무자기준을 동시에 충족시켜야 하지만 조손가족의 경우 "가정해체방지를 위한 별도가구 인정특례" 적용을 받게 된다. 국민기초생활보장제도의 수급대상이 되는 조손가족은 차등적으로 생계비 및 의료서비스를 받을 수 있고 디딤씨앗통장(CDA) 등을 지원받을 수 있다.

(2) 한부모가족지원제도

2007년 10월 모·부자복지법이 한부모가족지원법으로 개정되면서 조손가족은 한

부모가족에 포함되어 지원받을 수 있는 법적 근거가 마련되었다. 조손가족은 한부모가족자녀 양육비지원, 저소득 한부모가족 건강보험료지원, 가족역량강화지원서비스(취약 한부모 역량강화서비스, 위기가족지원서비스, 가족보듬 서비스, 조손가족통합지원서비스)를 받을 수 있다. 소득인정액 기준 중위소득의 52% 이하이며, 긴급복지지원법에 의한 생계지원을 받거나, 아동복지법에 의한 가정위탁양육보조금을 지원 받는 경우를 제외하고는 한부모가족 자녀양육비를 지원받을 수 있다. 만 18세 미만 자녀에게 월 20만 원씩 아동양육비가 지급되며 청소년한부모가족의 경우 월 35만 원씩 아동양육비가 지급된다. 또한 조손가족 및 만 35세 이상 미혼 한부모가족은 만 5세 이하 자녀에게 추가아동양육비로 월 5만 원씩 더 지급되고, 만 25세 이상 34세 이하 청년한부모가족의 경우는 만 5세 이하 자녀 1인당 100,000원, 만 6세 이상~18세 미만 자녀 1인당 50,000원씩 추가로 지원한다. 또한 학용품비로 중·고생자녀에게 년 8.3만원이 지급된다. 그밖에 건강보험료 감면 등의 혜택이 있으며 조손가족 지원정책은 〈표 11-2〉와 같다.

〈표 11-2〉 조손가족 지원정책

구 분	내 용	부 처
손자녀	대리양육가정위탁에 대한 양육보조금지원제도	보건복지부
	아이돌보미지원사업	여성가족부
	드림스타트사업	보건복지부
	지역아동센터 등 아동복지서비스	지방자치단체
조부모	기초노령연금제도	보건복지부
	노인돌봄종합서비스사업	보건복지부
	노인복지관 등 기타노인복지서비스	지방자치단체
저소득 조손 가족	국민기초생활보장제도	보건복지부
	한부모가족지원제도	여성가족부
	건강가정지원센터조손가족희망사다리서비스	여성가족부

출처: 경기도가족여성연구원(2012). 경기도조손가족지원방안연구.

2) 조손가족아동대상 정책

(1) 가정위탁 대리양육

아동복지법 제2조에 의하면 요보호아동을 보호·양육하기를 희망하는 가정에 위탁양육함으로써 아동이 가정적인 분위기에서 건전한 사회인으로 성장할 수 있도록 하는 가정위탁보호제도를 실시하고 있다. 친조부모, 외조부모 등에 의하여 양육하는 경우 이를 대리가정 가정위탁으로 보고 있으며 조손가족의 경우 대리가정 가정위탁에 해당된다. 가정위탁 대리양육에 해당되는 조손가족아동에게 서울시 기준 1인당 월 20만 원의 양육보조금이 지급되며 국민기초생활수급자로 책정 지원할 수 있다. 특히 부양능력이 있는 부양의무자가 존재하더라도 실질적인 가족관계 단절로 인정될 경우 국민기초생활수급자로 책정될 수 있다. 또한 위탁아동 종결 시 아동복지시설 퇴소아동에 준하는 자립지원정착금, 대학진학자금 등이 지원될 수 있도록 권고하고 있으며 상해보험료, 대리양육 및 친인척위탁가정에는 전세자금지원금 등이 지원되고 있다.

(2) 아이돌보미지원사업

건강가정기본법 제22조에 의하면 부모의 다양한 자녀양육수요를 충족시킬 수 있는 가정 내 개별 돌봄서비스를 통하여 취업부모의 양육부담 경감 및 개별 양육을 희망하는 수요에 탄력적으로 대응하고 경력단절중장년여성의 고용 증진 및 취약계층의 육아역량 강화를 지원할 수 있도록 규정하고 있다. 이러한 목적을 달성하기 위하여 2006년부터 아이돌보미지원사업이 실시되고 있다. 아이돌보미지원사업은 생후 3개월~만 12세 이하 아동을 대상으로 직접 아이돌보미를 가정으로 파견하여 서비스를 제공하고 있으며 조손가족은 한부모 가족 및 맞벌이 가족과 함께 지원대상자 우선순위로 지원받을 수 있다.

(3) 드림스타트사업

드림스타트사업은 기초생활수급자 및 차상위계층 가정 중 위기도사정조사를 통하여 0세(임산부)~12세의 저소득아동 및 가족을 대상으로 시·군·구별 저소득가구 밀집지역에 맞춤형 통합사례관리 서비스를 제공하는 사업이다. 저소득아동을 둘러싼 환경(가족, 학교, 지역사회) 간 긴밀한 협조 및 연계체제를 구축하고 지역사회 특성을 고려한 건강서비스, 보육, 교육, 복지서비스를 포함한 통합서비스를 제공하며 특히 기초수급가정 및 차상위계층가정, 결손가정, 한부모가정아동에 대한 우선지원원칙으로 해당 지역 내 공동생활가정, 가정위탁, 대리양육, 성폭력피해아동을 우선대상으로 하고 있다.

조손가족아동을 위한 지원서비스로 지역아동센터, 청소년공부방, 방과 후 아카데미 등의 아동복지서비스가 있다.

4. 조손가족아동지원을 위한 향후과제 및 방안

우리나라의 조손가족은 가족해체과정에서 만들어진 일탈적 가족유형이기보다는 사회구조적 변화과정에서 만들어진 변형된 가족유형으로 보고 있다. 말하자면 일시적으로 조부모와 손자녀가 생활하는 것이 아니고 혈연적 유대와 양육에 대한 강한 책임, 적극적 의지를 가진 조부모가 손자녀가 독립할 때까지 함께 생활하는 정상적 가족이라고 볼 수 있다. 이런 의미에서 조손가족을 비정상 가족으로 규정하여 지원방안을 고려하는 것은 이들의 생활주권을 부정하고 정서적 안정을 깨뜨리게 되어 생활적응에 부정적 영향을 미치게 된다는 것이다(여성가족부, 2007). 이러한 측면에서 조손가족아동의 성장발달을 지원하기 위한 보다 체계적이고 통합적인 정책과 서비스가 마련되어야 할 것이다.

1) 조손가족에 대한 사회적 인식전환

여성의 사회참여 증가, 혈연적 가족주의의 퇴색과 이혼율의 증가는 다양한 가족형태의 증가를 만들고 있다. 이러한 다양한 가족형태를 가족해체과정이나 병리적 현상으로 보는 편견은 차별로 이어져 이들 가족이 생활하는 데 큰 장애요인이 되고 있다. 조손가족은 부모의 사망, 이혼 등으로 해체된 가정의 아동을 조부모가 보호양육하는 과정에서 새로운 가족으로 형성되는 점을 감안하여 일반가족과 다르지 않고 단지 특별한 도움이 필요한 가족이라는 관점의 변화가 필요한 것이다. 이를 위하여 지역사회 내에서 일반가족과 조손가족과의 교류, 자매결연 등 사회적 관심을 유도하는 프로그램을 마련하고 조손가족이 경제적 문제 등 다양한 문제로 인하여 재해체되지 않도록 사회적 관심과 공동 협력이 필요하다. 지금까지 조손가족은 경제적 취약성, 조부모의 신체적 문제, 교육의 열악함 등의 이유로 부정적인 측면과 문제 중심으로 인식되었다. 조손가족의 부정적인 측면과 문제는 조손가족지원의 필요성을 부각시키기 위한 특성이어야 하며 문제가족으로 사회적 낙인을 찍어서는 안 된다는 것이다. 조손가족은 우리사회의 다양한 유형의 가족 중 한 가족유형이다. 조손가족은 단순하게 정상가족의 범위를 벗어난 결손가족 혹은 취약가족의 유형으로 인식하지 않고 다양한 가족 중 한 유형으로 그들 가족만이 강점을 가지고 있음을 인식하여야 한다. 다시 말하자면 조손가족을 지원함에 있어 단순히 보호대상으로만 지원하는 것이 아니라 그들 가족의 강점을 강화하고 가족기능을 회복, 향상시킬 수 있는 지원서비스가 필요하다.

2) 종합적인 가족지원서비스 제공

우리나라 조손가족지원사업은 조부모와 손자녀만을 지원대상으로 하고 있다. 그러나 경기도 조손가족 중 아이들의 부모가 사망했거나 생사를 알 수 없는 경우를 제외하고 친부가 살아 있는 경우는 71.2%였고, 친모가 살아 있는 경우는 63.9%인 것으로 나타났다. 따라서 향후 조손가족지원사업은 아동의 부모가 생존해 있는 이상 조부모와 손자녀만을 대상으로 해서는 안 되며 향후 원가족과의 재결합을 유도할 수 있도록 부모세대를 포함한 단계별 종합적인 지원서비스가 마련되어야 할 것이다. 현재 건강가정지원센터에서 지원하고 있는 조손가족희망사다리서비스에 부모상담과 교육서비스가 포함되어 부모와 함께 가족캠프 및 체험활동을 통하여 가족기능 및 가족관계의 회복 및 향상을 도모할 수 있어야 할 것이다.

3) 개별화된 지원서비스 강화

김진숙(2009)은 조손가족 내에서 친부모에 대한 상실감을 표현할 기회조차 차단되기 때문에 조손가족아동들은 상흔이 치유되지 못했다고 지적하고 있다. 상실감을 해결할 수 있는 대처방법이 부재할 때 심리정서발달에 부정적 영향을 주고(Longosch, 2005; 김진숙, 2009; 경기도, 2012 재인용), 애도반응이 장기화된다고 보고하고 있다(Web, 2005; 김진숙, 2009; 경기도, 2012 재인용).

손자녀와 조부모의 심리적 상실감, 미래에 대한 불안과 공포 등 심리정서적 안정을 위한 전문적인 개입서비스가 필요하다. 또한 대부분의 조부모들은 손자녀들의 교육에 관심을 가지고 있으나 고령, 낮은 학력, 사회적 변화에 대한 이해 부족으로 손자녀 교육에 대한 어려움을 가지고 있다. 경제적인 어려움 때문에 손자녀들을 학원에 보내는 것이 힘들고 손자녀 양육을 위한 지식과 기술이 부족하여 손자녀의 성장발달에 필요한 적절한 양육 및 교육 환경을 제공하지 못하고 있는 실정이다. 이와 같이 적절한 환경을 제공받지 못한 손자녀들은 학습능력 저하로 인하여 학습부진아가 되는 경우가 많고 학교생활 부적응문제로 인하여 문제청소년이 될 가능성도 높기 때문에 조손가족 손자녀들의 학습에 대한 종합적인 진단과 처방으로 개별적인 특성에 따른 학습능력 향상을 지원할 수 있어야 할 것이다. 또한 부모 없이 자라는 손자녀들의 심리·정서적 측면을 위한 지원서비스와 더불어 손자녀의 적성과 능력, 진로지도, 성교육을 위한 프로그램이 필요하며 무엇보다 손자녀들에게 필요한 다양한 문화체험을 할 수 있는 기회를 제공하여 손자녀의 성장발달을 지원할 수 있어야 한다.

<사례실습>

다음 사례를 읽고 주요문제와 지원방안에 대하여 토론해 봅시다.

다영이는 ○○초등학교에서 ○○대학교 지역사회복지연구소에 의뢰한 초등학교 1학년 여자아이이다. 다영이는 현재 조부모와 함께 살고 있으며, 아버지의 심한 신체적·정서적인 학대로 지능, 신체, 정서적 발달이 또래에 비해 현저히 지연된 상태이다. 할머니 말에 따르면, 자다가도 깜짝 깜짝 놀라 불안해하며 아버지의 구타로 제대로 살 수가 없는 형편이라고 하였다.

학생 상담 자원봉사 선생님들의 의뢰 내용으로는 학습능력이 현저히 낮으며, 집중력이 떨어지고 정서적으로 불안을 느끼는 상태라고 한다. 이에 따라 하루에 한 가지씩 꼭 사고를 치고, 손을 빨거나, 소변을 잘 못 보는 퇴행적 행동을 보인다고 한다.

의뢰 초반에는 심하게 위축된 행동과 계속 울어서 상담을 진행하기가 어려웠다.

(1) 아동의 문제상황을 분석해 보세요.

(2) 아동의 문제 행동의 원인은 무엇일까요?

(3) 이러한 문제행동을 가진 조손가족아동을 위한 지원방안은 무엇일까요?

(4) 이 사례에 대한 사회복지사의 의견을 적어 보세요.

01 조손가족아동의 개념을 간략히 적어 보세요.

02 다음 중 조손가족아동의 주요문제가 아닌 것을 고르세요.

① 경제적 문제 ② 부정적인 정서적 문제
③ 외현적 문제행동 ④ 성인역할부담감
⑤ 학습부진

03 다음 내용에 해당하는 조손가족 지원정책을 적어 보세요.

> • 생활이 어려운 사람에게 필요한 급여를 실시하여 이들의 최저생활을 보장하고 자활을 돕는 것을 목적으로 시행된 공공부조제도이다.
> • 수급대상이 되는 조손가족은 차등적으로 생계비 및 의료서비스를 받을 수 있고 디딤씨앗통장(CDA) 등을 지원받을 수 있다.

04 조손가족 지원방안 중 손자녀를 위한 지원정책으로 옳은 것을 모두 고르세요.

① 대리양육가정위탁에 대한 양육보조금지원제도
② 아이돌보미 지원사업
③ 드림스타트사업
④ 지역아동센터 등 아동복지서비스

05 다음 내용에 해당하는 조손가족아동대상 정책을 적어 보세요.

> • 기초생활수급자 및 차상위계층 가정 중 위기도사정조사를 통하여 저소득아동 및 가족을 대상으로 저소득가구 밀집지역에 맞춤형 통합사례관리 서비스를 제공하는 사업이다.
> • 조손가족아동을 위한 지원서비스로 지역아동센터, 청소년공부방, 방과 후 아카데미 등의 아동복지서비스가 있다.

연습문제

06 다음 내용 중 옳은 것을 고르세요.

① 조손가족 중 조부모와 함께 생활하고 있는 15세 미만의 손자녀를 조손가족 아동이라고 한다.
② 아동이 조부모에게 양육되는 주된 이유는 친부모의 사망이 가장 큰 원인이다.
③ 조손가족아동청소년의 경우 한부모나 양부모가족아동에 비해 상위 학교 진입률이 높다.
④ 조손가족아동들은 정서적으로 우울, 불안, 철회, 낮은 자존감 등의 문제를 가지고 있다.
⑤ 조손가족아동들은 성인역할부담감을 가지고 있다.

07 조손가족통합지원서비스(조손가족희망사다리서비스)의 내용이 아닌 것을 고르세요.

① 학습·정서지원 ② 생활가사지원 ③ 주거공간제공·지원
④ 교육·문화지원 ⑤ 의료지원

08 조손가족아동지원을 위한 과제 및 방안이 아닌 것을 고르세요.

① 조손가족에 대한 사회적 인식전환
② 일원화된 지원서비스 강화
③ 종합적인 가족지원서비스 제공
④ 개별적 특성에 따른 지원서비스 제공
⑤ 조부모의 손자녀 양육비 지원

09 조손가족 아동문제 중 다음 내용에 해당하는 것이 무엇인지 적어 보세요.

부모의 실질적, 역할부재상황에서 아동이 자신의 발달단계에 맞지 않는 과도한 성인역할을 수행함으로써 경험하는 정서적 과부하를 의미한다.

10 다음 중 조손가족이 지원받을 수 있는 서비스를 모두 고르세요.

① 노인장기요양보험

② 저소득 한부모가족 건강보험료 지원

③ 가족역량강화지원서비스

④ 한부모가족자녀 양육비 지원

⑤ 조손가족 수당 지원

CHAPTER

12 국제아동복지서비스

1. 개 요

한국개발복지 NPO총람(2012)에 의하면 이들 소속 민간단체를 통하여 봉사하고 있는 국내자원봉사자는 1,253만 4,045명으로 집계되었으며 그중 1,050만 7,410명은 국내에, 나머지 1만 3,028명은 해외에서 활동하는 것으로 조사되었다. 이들 단체의 인력은 직원 1만 9,560명 가운데 정규직 1만 4,817명, 계약직 4,745명, 해외사업담당 직원 및 개발도상국 현지로 파견된 직원 940명으로 나타났다.

일대일 해외아동 결연사업은 해외사업소요예산의 32.5%(약 1,633억 원)를 차지하며 67만 명의 해외아동을 지원하는 것으로 나타났다. 한국전쟁 당시 우리나라 5만 명의 아동들이 해외원조단체로부터 수혜를 받은 것과 비교하면 무려 13배에 달하는 수치다.

이와 같이 민간단체를 중심으로 한 국제아동복지분야가 증가하고 있지만 UN 아동권리위원회에서는 2011년 9월 21일 개최된 회의에서 대한민국 3, 4차 정부보고서를 심의하고 그 결과를 통보하였는데, 아동복지를 위한 다양한 국가적 노력에 대한 평가와 더불어 새로운 권고사항을 추가하였다. 권고사항 중 2015년까지 국제적으로 합의된 국제협력목표 GNP 대비 0.7% 달성과 지역과 국제기구와의 협력을 권고하고 있다. 특히 아동을 위한 권고사항에 대한 보고서를 2017년까지 제출하도록 하여 국제아동복지에 대한 국가적 노력이 보다 더 확대될 것으로 예측하고 있다. UN이 정한 새천년 계발계획을 위하여 절대빈곤 및 기아퇴치, 보편적 초등교육 달성, 양성평등 및 여성교육 고양, 아동사망률 감소, 모성보건 증진, HIV/AIDS, 말라리아 및 기타 각종 질병퇴치, 지속 가능한 환경확보, 개발을 위한 환경확보 등 8가지 목표를 선정하였다. 그 세부내용은 〈표 12-1〉과 같다.

〈표 12-1〉 UN 새천년 계발계획

목 표	하위목표
1. 절대빈곤 및 기아퇴치	1-1. 1990~2015년간 1일 소득 1달러 미만 인구비율 반감
	1-2. 1990~2015년간 기아인구비율 반감
2. 보편적 초등교육 달성	2-1. 2015년까지 전 세계의 남녀어린이들이 똑같이 초등교육의 전 과정을 마칠 수 있도록 함
3. 양성평등 및 여성능력 고양	3-1. 교육에서의 성별 간 차이를 초등 및 중등교육에서는 2005년까지, 모든 교육수준에 있어서는 2015년까지 제거
4. 아동사망률 감소	4-1. 1990~2015년간 5세 이하 아동의 사망률을 2/3 감소
5. 모성보건 증진	5-1. 1990~2015년간 출산 시 산모 사망률을 3/4 감소
6. HIV/AIDS, 말라리아 및 각종질병 퇴치	6-1. 2015년까지 HIV/AIDS 확산 저지 및 감소
	6-2. 2015년까지 말라리아 및 기타 주요 질병 발생 저지 및 감소
7. 지속가능한 환경확보	7-1. 지속가능개발원칙을 각 개별국가의 정책과 프로그램에 통합시키고 환경자원 손실 보전
	7-2. 2015년까지 안전한 식수와 기본적인 위생환경에의 지속적인 접근이 불가능한 인구비율의 반감
	7-3. 2020년까지 최소 1억 명의 슬럼거주지들 생활여건의 상당한 개선
8. 개발을 위한 범지구적 파트너십 구축	8-1. 이전보다 더욱 개방적이며 원칙에 기초하여 운영되며 비차별적인 무역 및 금융시스템 발전, good governance, 개발 및 빈곤 감소에 대한 국가적 및 국제적 공약 포함
	8-2. 최빈국들의 특별한 수요 수용, 최빈수출품에 대한 관세 및 수량제한조치면제, 중채무국가들(HIPC)에 대한 부채경감 및 양자 간 국가채무면제, 그리고 빈곤 감소에 대한 확고한 의지를 보이는 개도국에 대한 보다 관대한 ODA지원 등을 포함
	8-3. 내륙국과 군소도서 국가들의 특별한 수요 수용, 군소도서개도국의 지속가능개발을 위한 행동프로그램과 제22차 UN특별총회의 결의사항을 통하여 추진

목 표	하위목표
8. 개발을 위한 범지구적 파트너십 구축	8-4. 장기적으로 지속 가능한 외채수준유지를 위한 개도국외채의 포괄적 해결
	8-5. 개도국과 협력하여 청년층을 위한 적정하고도 생산적인 일자리 창출전략의 개발 및 시행
	8-6. 제약회사와 협력하여 개도국 국민들이 적절한 가격에 필수의 약품을 구입할 수 있도록 함
	8-7. 민간부문과 협력하여 신기술의 혜택, 특히 정보통신 관련 신기술의 혜택을 이용할 수 있도록 함

출처 : 한국국제봉사기구(www.kvo.or.kr)

이러한 8가지 목표를 해결해나가는 데 있어서 가장 큰 문제는 재원을 마련하는 것이다. 2015년까지 공적개발원조(ODA)를 GNI 대비 0.7% 제공하는 선진국의 의무를 다하는 나라는 스칸디나비안 국가를 중심으로 단 5개국에 불과하다. 우리나라는 87년 이후 OECD국가의 일원으로 세계무역규모 12위의 경제력을 과시하는 등 아시아에서 일본과 함께 경제성장의 상징적 국가이나 ODA를 지원하고 있는 비율은 선진국의 의무인 GNI 대비 ODA 비율 0.7%의 10분의 1에도 미치지 못하는 0.06%에 불과한 실정이다.

위원회는 다음과 같은 조치를 환영한다고 제시하고 있다.

- 2011년 8월 입양특례법 제정
- 2011년 9월 민법 개정
- 2011년 3월 초중등교육법시행령 개정
- 2011년 자살예방과 생명존중문화조성을 위한 법률안 제정
- 2010년 3월 가사소송법 개정
- 2011년 장애아동복지지원법 제정
- 2011년 다문화가족지원법 개정
- 2008년 12월 장애인권리협약 비준
- 2006년 10월 여성차별철폐협약선택 의정서 비준

- 2010년 학교폭력예방 및 대책을 위한 제2차 5개년 기본계획 수립
- 2019년 보편적아동등록제 도입, 아동관련 예산의 증액, 모든 체벌의 명시적 금지, 학습경쟁 완화

또한, 2019년 7월 아동권리보장원을 설립·운영함으로써 아동정책에 대한 종합적인 수행과 아동복지관련 사업을 전담할 수 있도록 하면서 유엔아동권리협약 이행상황[1]과 관련된 업무를 모니터링 하는 등 전반적 업무를 수행할 수 있도록 하였다. 2019년 유엔아동권리위원회는 우리나라의 제5, 6차 국가보고서를 심의한 후 아동수당 도입, 아동권리보장원 설립, 입양허가제 도입 등 의미 있는 아동정책 성과에 대하여 긍정적인 평가를 하였다.

위원회의 주요문제 및 권고사항은 다음과 같다.

① 국제협력

- 위원회는 한국이 국제원조에 대한 기여를 늘려왔음을 인정하지만 국민총생산(GNP) 대비 국제원조는 약 0.13%에 머물러 있으며 이것은 국제적으로 합의된 목표인 2015년까지 0.7%보다 상당히 낮다는 점을 주목했다.
- 위원회는 2015년까지 국제적으로 합의된 목표인 GNP의 0.7%를 달성할 뿐만 아니라 가능하다면 목표를 초과할 것을 장려한다. 또한 아동권리의 실현이 한국과 개발도상국들이 맺은 국제협력협정의 최우선이 되도록 보장할 것을 장려한다. 그렇게 함에 있어서 위원회는 수혜국에 대한 위원회의 최종 견해를 한국이 고려할 것을 제안한다.

1) 2024년 유엔아동권리위원회에 협약이행과 관련된 제7차 국가보고서를 제출하여야 함. 이때 출생통보제도입, 아동수당확대, 민법상 징계권 폐지소를 출등 권고사항이 포함될 예정임(아동권리보장원자료집. 2019).

② 지역 및 국제기구와의 협력

위원회는 한국정부를 포함한 동남아시아 국가연합(ASEAN)회원국에서 본 협약과 여타 인권조약의 이행을 위해 한국정부가 아시아여성과 아동위원회와 협력할 것을 권고한다.

특히 해외봉사활동이 활성화되면서 이들 해외자원봉사활동을 지도할 수 있는 사회복지사의 역량을 강화할 필요가 있다.

아프리카 짐바브웨 데이케어센터 아동들(2012. 1)

2. 국제아동 주요문제

최근 다양한 사회복지 분야에 대한 관심이 증가하면서 국제사회복지 혹은 해외사업 등에도 많은 관심을 갖기 시작하였다. 국제사회복지는 특히 개발도상국의 빈곤층아동을 대상으로 하는 경우가 많기 때문에 해외봉사활동 혹은 국제사회복지의 주된 분야가 되고 있다.

우리나라는 1990년 초반부터 민간기관을 중심으로 해외원조 혹은 구호활동을 시작하였으며 요즘 다양한 형태로 참여하고 있다. 국제사회복지는 빈곤, 여성, 아동, 재난 및 난민문제 등 국제사회문제를 중심으로 이루어진다.

특히 전 세계에서 공감하고 있는 문제 중 하나는 빈곤문제라고 할 수 있다. 특히 절대빈곤선을 넘어 UN계발계획이 제시하는 빈곤지표의 구성요인들은

1. 60세까지 생존할 가능성이 없는 인구비율
2. 16~65세의 인구 중 기능적으로 문맹인 사람들의 비율
3. 개인소득이 중간소득의 50% 미만인 사람들의 비율
4. 전체 노동력비율 대비 장기간 실업자의 수로 측정되는 사회적 배제

UN아동기금(2005)은 아동빈곤을 영양, 위생, 의료, 주거, 교육 및 정보 중 한 가지 혹은 그 이상에서 심각한 박탈을 경험하는 것으로 규정하고 있다.

특히 5세 미만의 아동 가운데 16%는 심각한 불균형적 영양 상태를 경험하며 일부 국가에서는 전체 아동의 3분의 1까지 보통 혹은 그 이상을 심각한 저체중 아동으로 분류하고 있다. 뿐만 아니라 1억 4,000만 명의 아동들이 학교에 가본 적이 없고 상당수의 아동들이 TV, 라디오, 컴퓨터, 혹은 신문과 같은 매체를 접하지 못한 채 성장하고 있다고 한다. 특히 많은 아동들이 지나치게 학대적이고 착취적인 상황에서 일하고 있으며 광산, 농장, 벽돌공장, 생선공장, 강제구걸 등을 하기도 한다. 아동노동 중에서 가장 심각한 것은 매춘과 무력분쟁이라고 할 수 있다. 노동에 참여하는 아동들 가운데 상해 및 위험한 화학물질과 분진에의 노출, 심지어는 사망의 위협이 있는 위험한 작업환경, 장시간의 노동으로 인한 교육기회박탈, 그리고 감독자의 신체 및 성학대 등을 들 수 있다. 이들 아동은 자신들이 경험하는 고통에 비하여 매우 적은 임금을 받는다. 뿐만 아니라 빈곤과 함께 전 세계적인 경제상황 악화로 거리의 아동이 증가하고 있다. 빈곤이 거리의 아동을 양산하는 주원인이기는 하지만 가정폭력과 아동학대 또한 매우 중요하다. 라파엘리(1997)에 따르면 가족에게 돌아간 아동들에 비하여 거리에 있는 상당수의 아동들이 더 많은 학대를 경험한다. 아동문제에 대한 개입 가운데 가장 효과를 보는 것은 예방 가능한 질병에 대한 개입이다. 폐렴, 설사, 말라리아, 홍역, 에이즈 등은 아동의 생명을 위협하는 가장 심각한 질환이라고 할 수 있는데 이들 질병을 예방하기 위한 식수 및 위생문제(우물 파기, 화장실 개선 등), 보건문제(성교육, 손 씻기) 등에 대한 개입은 가장 실질적인 개입이면서 국제사회지원이 많은 영역이다.

1) 빈곤과 영양

UN아동권리협약 6조는 '모든 국가가 아동의 생존과 발달을 최대한 보장해야 한다.'라고 명시되어 있다. 또한 24조는 '모든 어린이들이 최상의 건강수준을 유지할 권리와 질병치료 및 건강회복을 위한 시설을 이용할 수 있는 권리를 인정하라'고 촉구한다.

2010년 한 해 동안 5세 미만 어린이 800만 명이 생명을 잃었고 이 중 많은 수가 폐렴이나 출생 시의 합병증으로 사망했다. 특히 빈곤은 의료서비스와 같은 기본적인 서비스의 결핍으로 어린이 사망률이 높아지고 있다. 적절한 영양을 섭취하는 것은 아동의 가장 기본적인 권리지만 전 세계적으로 1억 6천8백만 명이 영양실조로 고통 받고 있으며 나이에 비하여 체중이 미달되는 저체중아동이 1억 4천3백만 명에 이르는 것으로 추정하고 있다. 영양과 관련된 주요문제는 다음 〈표 12-2〉와 같다.

〈표 12-2〉 아동영양 관련 주요문제

주요문제	내 용
영양실조	• 개발도상국의 5세 미만 어린이 920만 명 중 절반 이상이 영양실조가 원인이 되어 사망 • 영양실조의 주된 원인은 가난, 낮은 교육수준, 열악한 보건서비스 등을 들 수 있으며 특히 2세 미만의 아동에게 특별한 관심이 필요함
저체중 출산	• 매년 1천8백만 명 이상의 아동이 저체중아로 태어나며 그중 95%가 개발도상국에서 출생 • 2.5kg 미만으로 태어나는 저체중아는 면역기능이 약하기 때문에 각종 질병에 걸릴 위험이 높고 정상 체중아에 비하여 어린 시절 사망률이 2~8배 높음 • 성장하면서 발육부진을 겪거나 성인이 된 후 당뇨병이나 심장병에 걸릴 확률이 높음 • 저체중아의 원인은 임신기간 중의 열악한 영양섭취, 모의 영양실조 및 약한 체중 등을 들 수 있으며 선진국에서는 임신기간 중 흡연이 가장 대표적인 저체중의 원인이 되고 있음
모유수유	• 출생 후 6개월 동안은 완전모유수유가 좋으며 이후에는 2년간 보충식과 함께 모유를 먹이는 것이 좋음 • 모유를 먹으면 설사와 급성호흡기질환 예방, 면역력강화, 예방접종효과 증가, 인지력향상의 효과가 있음 • 모유수유로 구하는 아동생명은 매년 130만 명에 이르나 매년 출생하는 1억 3천3백만 명의 아기 중 모유만 먹고 자라는 비율은 38%임

주요문제	내 용
요오드 결핍	• 요오드가 결핍되면 아동의 지능발달과 학습능력이 저하되고 심각한 정신지체인 크레틴병으로 발전할 수 있음 • 매년 태어나는 신생아 중 요오드결핍으로부터 보호받는 아동은 8천4백만 명이나 요오드소금 사용률이 낮은 나라의 신생아 3천 8백만 명은 요오드결핍 위협에 처해 있음 • 요오드결핍증은 요오드 함량이 부족한 식품을 먹는 산간지역이나 홍수다발지역에 거주하는 사람들로 현재 개발도상국의 요오드소금률은 63%(1998~2005)임
비타민 A 결핍	• 비타민 A는 면역체계의 필수적인 영양요소이며 결핍될 경우 시력을 상실하거나 홍역, 말라리아, 설사병과 같은 질병에 걸릴 경우 사망률이 23%나 증가함 • 전 세계 5세 미만 아동 중 1억~1억 4천 명의 아동이 비타민결핍으로 고통 받을 것으로 추정됨

출처: 대한사회복지회(www.childhealthnow.or.kr)

2) 보 건

(1) 질 병

개발도상국에서 매년 사망하는 5세 미만 아동 920만 명 중 70%는 폐렴, 설사병, 홍역, 말라리아, 영양실조 등으로 사망하고 있으며 전 세계 아동 4명 중 3명은 이 중 1가지 이상으로 고통 받고 있다고 한다. 새천년 개발목표에서는 아동의 보건상황 개선을 통한 아동의 사망과 관련된 다음과 같은 주요 질병을 퇴치하는 것을 목표로 하고 있다.

〈표 12-3〉 개발도상국의 아동사망관련 주요질병

주요 질병	내 용
홍역 (Measles)	• 홍역은 주로 5세 미만 아동이 잘 걸리며 매년 3~4천만 명의 아동이 감염되어 약 50만 명의 아동이 사망함 • 폐렴, 설사, 영양실조 등과 겹쳐 발생하기도 하며 실명, 귀먹음, 뇌손상 등의 후유증이 있음

주요 질병	내 용
말라리아 (Malaria)	• 매년 3억 5천~5억 명이 감염되며 1백만 명(5세 미만 아동 80만 명)이 사망함 • 생존할 경우 성장발달에 영향을 미치며 임산부가 감염될 경우 급성빈혈, 저체중출산, 조산, 사산의 위험이 있으며 에이즈감염자가 감염되면 진행속도가 더 높아짐 • 말라리아 예방이 가장 효과적인 방법은 살충처리된 모기장을 사용하는 것임
소아마비 (Polio)	• 매우 높은 전염성을 지닌 질병으로 백신이 발명된 이래 거의 퇴치단계임 • 최빈국과 인구가 과밀한 내전지역을 중심으로 발생하고 있으며 나이지리아, 인도, 파키스탄, 아프가니스탄 등이 소아마비 발병국임
파상풍 (Tetanus)	• 신생아 파상풍으로 인한 사망은 1990년대 초반 47만 명에서 2000년에는 21만 명으로 감소하였으나 최빈국, 개발도상국에서는 아직도 걸릴 확률이 높음
폐렴 (Pneumonia)	• 아동사망원인 중 가장 많은 비율을 차지하는 질병임 • 급성호흡기질환, 폐렴, 폐렴의심증상 등이 있으며 영양실조, 홍역에 걸린 아동이 폐렴에 걸릴 확률이 높음
설사병 (Diarrhoeal Disease)	• 오염된 식수와 비위생적인 화장실이 원인이 되어 발생하는 경우가 88%임 • 매년 220만 명의 아동이 사망하는 원인이 되며 음식과 그릇, 손의 청결, 파리를 매개로 한 박테리아, 바이러스, 기생충을 통하여 감염됨 • 홍역, 말라리아와 동시 발병하기도 하며 영양실조에 걸릴 위험이 높음
에이즈	• 에이즈는 보건부문에 있어서 가장 큰 문제이며, 2010년 에이즈 고아는 1,660만 명에 이르고 있으며 2007년 3,320만 명이 감염된 것으로 추정되며 15세 미만 아동감염자는 210만 명 정도로 추정됨

출처 : 한국국제봉사기구(www.kvo.or.kr)

(2) 식수 및 위생환경

새천년개발목표에 의하면 2015년까지 안전한 물과 화장실을 이용하지 못하는 인구를 절반으로 줄이는 것을 목표로 하고 있다. 식수와 위생시설에 1불을 투자하면 질병으로 인한 보건비용을 감소시켜 최소 3불에서 최대 34불의 경제효과가 있다고 하지만 아직도 개발도상국과 최빈국에서는 식수와 위생환경으로 인한 아동질병과 성장발달의 문제에 직면하고 있다.

아프리카의 농촌지역과 개발도상국 대도시의 무허가 빈민촌에는 안전한 물 없이 생활하는 인구가 많으며 안전한 식수를 이용하지 못하는 18세 미만의 아동 수는 4억

아프리카 잠비아 고아원에서(2012. 1)

2천5백만 명에 이르고 이 중 5세 미만의 아동은 1억 2천5백만 명으로 추정되고 있다. 또한 개발도상국인구의 절반인 26억 명은 위생적인 화장실을 이용하지 못하고 있으며 이들 중 15억 명이 중국과 인도, 남아시아, 아프리카다. 적절한 화장실을 이용하지 못하는 18세 미만 아동은 9억 8천 명에 이르며 5세 미만은 2억 8천만 명으로 추정된다. 이와 같이 오염된 물로 인하여 아동은 설사병에 걸리기 쉽고 이로 인하여 사망에 이르게 되며 비위생적인 환경은 장티푸스, 발진티푸스, 페스트 등 무서운 전염병을 퍼트리는 원인이 된다. 이와 같이 오염된 물과 비위생적인 환경으로 인하여 발생되는 주요 질병으로는 설사, 기생충, 결막염, 주혈흡충증, 콜레라, 메디나선충증 등을 들고 있다.

3) 교 육

아프리카 잠비아 고아원 아이들(2012. 1)

1990년 전 세계의 취학 연령아동 80%가 초등학교에 입학하였지만 초등학교에 다니지 못하는 아동의 수는 2010년 6천 600만 명에 이른 것으로 나타났다. 유니세프의 최빈국들을 대상으로 한 조사결과에 의하면 아프리카 대부분의 국가에서 집에 공부할 교과서를 가지고 있지 않은 학생이 70%이며 식수시설과 화장실을 갖추지 못한 학교가 많은 것으로 나타났다. 또한 개발도상국의 경우 학교에 다니지 않는 아동 중 75%는 어머니가 학교에 다닌 적이 없어 대를 잇는 저학력의 문제를 가지고 있기 때문에 아동의 교육받을 권리를 보장해 주는 일이 필요하다. 새천년개발목표에서는 전 세계 모든 아동이 초등교육을 받도록 하는 것을 목표로 이들 국가를 대상으로 한 교육 사업을 지원하고 있다.

4) 특별한 보호를 필요로 하는 아동

특별한 보호를 필요로 하는 아동은 전쟁이나 자연재해 등 긴급 상황에 처한 아동들, 인신매매에 희생된 아동을 포함하여 위험한 노동을 하고 있는 아동들, 장애를 지닌 아동들, 범법행위에 연루된 아동들을 보호하는 것을 의미한다.

- 내전이 계속되는 콩고민주공화국에서는 예방 가능한 영양실조와 질병 등으로 매달 38,000여 명이 사망하며, 수단 다르푸르의 경우 2백만 명이 이재민이 되었으며 이 중 절반은 18세 미만 아동이고, 무력분쟁으로 집을 잃은 아동은 882만 명임
- 1991년 소말리아정부 붕괴 이후 약 20만 명의 아동이 소년병에 가담하였으며 수단의 소년병 수는 약 1만 7천 명임

3. 국제아동복지실천의 단체 및 주요사업

1) 유니세프한국위원회

(1) 개 요

유니세프는 전 세계 어린이를 위하여 일하는 UN기구로 제2차 세계대전이 끝날 무렵 유럽과 중국에서 굶주림과 질병으로 고통 받는 아동을 돕기 위하여 1946년 12월 11일 창립되었다. 유니세프는 차별 없는 구호의 정신으로 전 세계 개발도상국 어린이를 지원하고 있다.

유니세프는 1948년부터 우리나라 어린이를 지원하였으며 1950년 3월 25일 대한민국 정부와 기본협정을 체결함으로써 한국에서의 공식 활동을 시작하였다. 한국에서의 유니세프 활동은 긴급구호단계(1950~1962), 아동생존발달단계(1963~1976), 조

기아동교육사업단계(1977~1986), 세계 어린이를 위한 새로운 동반자단계(1987~1993)로 이루어지고 있으며 1994년 1월 1월 유니세프 한국위원회가 출범하였고, 이를 계기로 한국은 유니세프의 도움을 받던 수혜국에서 도움을 주는 공여국의 입장이 되었으며 주된 임무도 한국의 빈민아동구호에서 개발도상국의 아동지원으로 전환되었다.

(2) 중점사업

유니세프의 중점사업은 영유아생존과 발달, 어린이보호, 어린이 권리를 위한 지지와 파트너십, 에이즈퇴치, 기초교육과 성평등의 사업을 내용으로 유니세프한국위원회에서는 유니세프가 전 세계적으로 전개하고 있는 아동구호활동을 지지하는 것이다. 뿐만 아니라 세계 어린이를 위하여 국내에서 세계 어린이 현황과 유니세프활동을 널리 홍보하는 역할을 하며 이를 통하여 어린이 돕기 기금을 조성하는 것이다. 또한, 아동의 권리홍보 및 모유수유권장, 세계교육 등의 사업을 통하여 아동권리를 신장하는 활동을 하고 있다.

〈표 12-4〉 유니세프한국위원회의 주요활동

구분	세부사업	주요 내용
모금 및 홍보 활동	후원자 참여활동	• 현장방문, 후원자 페스티벌, 온라인 모니터링단 등
	개인 후원활동	• 일시 및 정기후원, 구호물품지원 후원, 고액후원자 모임 • 기념후원 및 유산기부 활동 등
	단체 후원활동	• 기업·기관 사회공헌 후원 및 학교·병원 후원 • 지역 거주자 후원회 결성을 통한 단체후원
	어린이 참여활동	• 유니세프 체험관에 ON(비대면)을 통한 세계시민의식 함양 • 유니세프 아동의회 구성 및 활동
	기타	• 대학생 자원봉사활동(아동권리 서포터즈 '유챔프') • 다양한 이벤트, 캠페인을 통한 모금, 홍보활동
차별 없는 구호	생존과 발달	• 보건사업 – 어린이 발달, 장애, 희귀질병, 정신건강, 임산부 보호 등 • 예방접종 – 소아마비, 홍역, 파상풍 등 질병 예방을 위한 활동

구분	세부사업	주요 내용
		• 영양 – 모성 영양, 건강, 유아와 어린이의 적절한 수유 지원 등 • HIV/AIDS – 바이러스 교육, 키트 보급, 출산 환경 개선 지원 – 항레트로바이러스제 보급, 어린이용 치료제 개발·보급협력 • 영유아발달 – 영양, 보건, 교육, 사회보호, 부모교육 및 지원 사업
	교육	• 접근성 향상 – 모든 어린이가 교육 받을 수 있는 환경 제공 • 학업능력 향상 – 연령에 따른 적절한 교육을 받을 수 있도록 지원 – 관련 교육자료 개발, 교사훈련, 지역사회 참여교육 진행 • 기술능력 향상 – 문장 독해력 및 산술 능력을 배우는 기초기술 지원 – 직업 관련 기술, 디지털을 활용한 기술 교육 지원
차별 없는 구호	보호	• 폭력예방 및 대응 시스템 강화 – 아동 폭력 관련 제도, 사회복지, 교육, 보건 분야 등의 대응 및 예상 서비스 역량 강화, 사례관리, 모니터링 등 • 아동권리 침해 관습 철폐 – 조혼, 할례 등 아동의 기본권 침해하는 관습 철폐·개선 • 아동친화적 사법체계 구축 – 경찰, 판·검사, 변호사와 협력한 전문적인 법률지원 제공
	식수와 위생	• 커뮤니티 역량 강화 – 세계 손 씻기의 날 캠페인 등 기본 위생습관 홍보활동 • 학교지원 – 여아를 위한 위생 시설 설치, 월경 교육, 지원서비스 제공 • 지속가능성 고려 – 물 부족 문제를 위한 태양열 급수시스템 설치·보수 활동
	공평한 기회	• 어린이 빈곤 – 어린이 빈곤에 대한 국가정책 및 프로그램 적용 지원 • 어린이를 위한 재정 – 어린이를 위한 사업에 대한 재정 할당 계획 수립 협력 • 사회 보호 – 위기 대응 사회 보호시스템 및 사회 보호 체계 강화

구분	세부사업	주요 내용
		• 어린이와 시민 참여 – 어린이 관련 정책 결정 과정에 참여를 촉진, 제도화
어린이 삶 개선	기후위기 대응	• 어린이 중심 기후변화 전략과 대응 계획 수립 • 어린이를 변화의 주체로 인식 – 문제 해결 시, 어린이가 구성원으로 참여하는 기회 제공 • 기후변화와 환경파괴로부터 어린이 보호 – 수자원 관리 시스템 지원 – 학교·보건시설의 지속가능한 에너지사용 및 재난위험대응 • 온실 가스 배출 및 오염 감소 노력
	이노베이션	• 생명을 구하는 정보와 서비스 제공 • 전 세계 청년 참여 독려 • 어린이를 최우선으로 – 기술의 이점을 누리고, 기술의 위험으로부터 보호
	성 평등	• 평등한 보건·영양·식수와 위생관리 – 성별 관계없이 건강을 관리할 수 있도록 관습 개선·교육 • 평등한 교육과 교육 시스템 – 여자 어린이에게도 동등한 교육·학습기회를 제공 • 성별 기반 폭력 대응 – 조혼, 할례 등 문화에 대한 대응, 생리용품 지원, HIV/AIDS 치료 제공 등 구호품 및 심리·사회적 지원 • 올바른 성 인식 제고 – 디지털 매체를 통한 사회적 행동 변화 커뮤니케이션 • 모성 관리 – 산모와 아기를 건강하게 출산·관리할 수 있도록 지원
	장애 어린이	• 포괄적 프로그램 지원 – 아동보호시스템 강화, 장애아동 학대, 폭력 예방·대응 – 장애아동 학습 공간 제공, 교사훈련 및 부모교육 지원 – 커뮤니케이션 채널을 통한 장애인식개선 캠페인 • 장애 어린이 가족 지원 – 장애 어린이 가족의 기본적인 일상생활 생활 지원 • 장애 어린이에 대한 자료 조사 • 차별적 장애 인식 제고 • 협약 비준 및 이행 모니터링 – 장애 어린이 권리증진을 위한 협약 비준 및 이행 모니터링

구분	세부사업	주요 내용
	조사와 연구	• Data for Every Child – 전 세계 어린이, 여성에 대한 국가 간 비교 가능한 자료의 수집, 검증, 분석 및 활용 • Global Insight & Policy for every child – 7가지 정책 분야를 중심으로 어린이 관련 문제와 담론을 효과적으로 분석, 유니세프 프로그램으로 반영 준비 • Research for every child – 저소득·고소득 국가 내 어린이 상황과 정책을 조사·분석
긴급 구호	코로나19와 백신	• 백신 공동 구매 및 배분을 위한 기구 '코백스 퍼실리티'를 통해 전 세계로 백신을 전달 • 코로나19 전염과 사망률을 줄이기 위한 공중 보건 대응 • 어린이를 위한 지속적인 보건, 교육, 사회 서비스를 지원
	인도주의 지원	• 효과적이고 신속한 구호물품 지원 – 식수, 위생 키트, 예방접종 의약품 등 • 인도주의 상황에서 교육 – 분쟁, 질병 등의 긴급 상황에서도 배움을 유지하도록 지원 • 인도주의 상황에서 보건 – 간이 병원 구축, 의료진 교육 및 의약품·의료기구 보급 • 인도주의 상황에서 어린이 보호 – 어린이 보호 관련 법규 강화, 감시 시스템 구축, 심리치료 • 안전한 식수와 위생 – 수인성 질병 예방을 위한 물 트럭 배송, 정화 시스템 구축
	난민 어린이	• 난민캠프 설치 및 어린이 보호 – 생필품, 식수, 어린이 심리 사회 치료 및 교육 제공 • 난민어린이 관련 법제 제정 • 난민차별에 대응 • 무력 단체로부터 해방 – 무력 단체에 납치된 소녀, 소년병 해방 및 사회화 교육 • 폭발물 지뢰로부터 보호 – 무력 분쟁에 사용된 지뢰, 폭발물 제거 및 피해아동 치료
한국 아동 권리 증진	아동권리협약 이행 및 모니터링	• 아동권리협약 홍보, 이행지원, 아동권리협약 보고서 작성지원
	정책 개선 활동	• 아동 친화적이고 아동의 권리가 존중되는 사법체계 구축 • 모든 어린이가 법적 보호를 받으며 동등하게 시작하도록 아동 친화사법 및 출생등록 등의 관련 정책·제도개선 활동

구분	세부사업	주요 내용
	민관협력	• 아동친화도시 조성 • 아동친화학교 만들기 • 모유수유 캠페인 • 아동친화기업
	권리교육	• 권리에 관한 교육: 구조화된 환경에서 아동권리 교육 • 권리를 통한 교육: 평등하게 존중받으며, 폭력과 같은 위험요소로부터 보호, 언어·문화·종교를 존중하며 교육 • 권리를 위한 교육: 행동(활동)을 통한 권리 존중 및 실현

출처: 유니세프한국위원회(www.unicef.or.kr)

2) 세이브더칠드런

(1) 개 요

제1차 세계대전 직후인 1919년 애글렌타인 젭(Eglantyne Jebb) 여사가 모든 아동은 건강하고 행복하며 충만한 삶을 영위할 권리가 있다는 믿음으로 영국, 미국, 캐나다, 스웨덴 등의 해외아동구호재단으로 출발하게 되었다. 한국의 6.25전쟁 시 한국지부를 설립하여 한국에서의 아동구호사업을 시작으로 발족되었다. 2004년 어린이보호재단과 합병하여 세이브더칠드런코리아로 명칭을 개정하였고 이후 모든 아동의 생존, 보호, 발달 및 참여 권리를 누릴 수 있는 사회를 만들기 위하여 협력적 노력을 하고 있다. 다시 말하자면 세이브더칠드런은 30개 회원국이 전 세계 120여 국가에서 아동의 생존, 보호, 발달 및 참여의 권리를 실현하기 위하여 국적, 종교, 정치적 이념을 초월하여 활동하는 국제아동권리기관이다. 세이브더칠드런은 아동권리옹호, 아동보호, 보건의료, 아동교육 및 발달을 지원하며 해외개발사업, 긴급구호 및 대북지원사업을 통하여 세계 모든 아동을 지원하고 있다.

(2) 사업방향과 주요사업

세이브더칠드런은 일회성 단순지원보다는 지속 가능성을 추구하고 근본적인 변화를 이끌어낼 수 있는 사업과 아동을 위한 목소리, 아동의 목소리를 전달하는 아동권리정신의 사업, 정부와 타 NGO의 지원이 잘 미치지 않는 지역을 우선적으로 고려할 수 있는 사업을 하는 것을 특징으로 하고 있다. 세이브더칠드런코리아의 주요사업내용은 [그림 12-1]과 같다.

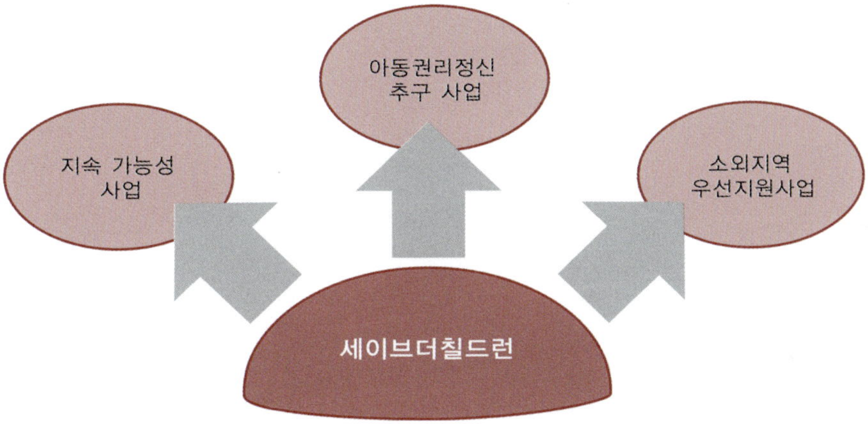

[그림 12-1] 세이브더칠드런의 사업방향

(3) 세이브더칠드런의 주요사업

세이브더칠드런의 주요사업은 국내사업과 해외사업, 권리옹호사업으로 구분하여 추진하고 있으며, 해외사업은 교육사업, 보건영양사업, 아동보호사업, 해외결연사업, 인도적 지원사업을 추진하고 있다. 주요사업별 세부내용은 〈표 12-5〉와 같다.

〈표 12-5〉 세이브더칠드런의 주요사업

<table>
<tr><th>분야별</th><th>주요사업</th><th>세부내용</th></tr>
<tr><td rowspan="4">국내사업</td><td>보건의료사업</td><td>• 한생명살리기(아동치료비지원사업)
– 협력병원 선정 및 협약 체결
– 협력병원 내 발생한 검사비, 외래비, 입원비, 수술비 지원
– 아동 치료지원 서비스 증진을 위한 사업 모니터링</td></tr>
<tr><td rowspan="2">발달참여사업</td><td>• 아동권리 인식개선 사업
– 아동권리교육
– 비차별 이해 교육
– 아동안전보호정책 교육
– 아동참여권 증진</td></tr>
<tr><td>• 놀 권리 증진 사업
– 놀이환경 진단
– 놀이환경 개선
• 장애아동 권리 증진
– 장애아동 복합놀이활동 공간조성 사업
– 발달장애아동 놀이교사 지원 사업</td></tr>
<tr><td>아동보호사업</td><td>• 폭력으로부터 아동보호 사업
– 학대피해아동 심리치료 지원
– 아동에게 안전한 기관 만들기 사업
– 긍정적으로 아이 키우기 사업
– 양육취약계층 부모 프로그램
– 학대피해 아동쉼터 운영지원
– 아동보호전문기관 운영
• 빈곤위기 아동지원 사업
– 위기아동 지원
– 저소득 조부모가정 지원 DREAM
– 코로나19 아동식사지원 사업
– 난민(이주)아동 지원
– 아동결연후원
– 복지관 및 지역아동센터 운영
• 아동 자립 역량강화 사업
– 양육 플래너 사업
– 보호아동 자립지원
– 가정위탁지원센터 운영</td></tr>
</table>

분야별	주요사업	세부내용
해외사업	교육사업	• 영유아교육지원 사업 – 영유아 교육환경 구축, 교사·부모교육, 아동 발달 학습 지원 • 기초교육지원 사업 – 학교 개보수, 교사교육, 인식개선, 도서·교육 기자재 지원 • 스쿨미 사업 – 교육시설 설치 및 개보수, 해당국가 여아 교육기회 제공, 성인지, 아동보호 및 아동권리 교육
		• 청소년 직업 훈련 – 청소년 기초직무교육, 직업기술 및 창업훈련 • 젠더인식개선 사업 – 보호자, 학교, 정부 관계자 성 평등 인식 개선 • Safe Back to School – 코로나 이후 아동의 지속적인 학습기회 보장 및 안전한 학교 복귀를 위한 교육통합사업 지원
	보건영양사업	• 모자보건 및 영양개선 – 보건 교육, 의료시설 개보수, 신생아 살리기 캠페인 등 • 소외 열대질환 관리 및 식수위생 – 보건인력 교육, 위생관리, 지역 및 학교 위생환경 개선 등 • 예방접종을 통한 면역강화 사업 – 보건교육, 의료장비 및 의약품 지원, 예방접종 권장 홍보 등 • 영양 및 생계지원 사업 – 식품 농업·영양교육, 텃밭 운영, 염소 배분·사육 교육 등
	아동보호사업	• 아동보호·생계·교육 통합지원 – 학대, 방임, 착취, 폭력으로부터 아동보호, 예방체계 구축 – 생계·교육 통합지원을 통한 아동의 자립 지원 • 홍등가 아동 통합지원 – 인신매매 위험 아동 구조 및 방과 후 교육 등 통합 지원 등 • 아동보호·보건영양 통합지원 – 지역아동보호위원회 운영, 산모교육, 부모대상 교육 진행 – 아동보호 및 보건영양 중요성 인식 증진 • 도로안전 – 아동 헬멧 착용 교육, 도로안전 인식개선 활동
	해외결연사업	• 모자보건과 영양 사업 – 임산부·영유아 대상 보건영양서비스, 보건소 운영 등

분야별	주요사업	세부내용
	해외결연사업	• 영유아 발달 – 영유아발달센터 설립 및 운영, 산수·읽기 프로그램 제공 • 기초교육 – 학교 개·보수, 방과 후 활동 지원, 출석·입학률 증대 활동 • 학교보건과 영양 – 교내 화장실 개선 및 학교 내 안전한 식수 공급 활동 – 구충제 제공 및 질병 검사 실시 지원 • 청소년기 발달 – 성교육 및 청소년모임 조직 운영 지원, 직업 및 기술교육 • 기타 프로그램 – 생계지원 및 아동권리 및 옹호 활동 등
	인도적 지원 사업	• 긴급구호: 재난으로 인한 구호물품 지원, 보호 프로그램 등 • 조기복구: 장기재건 복구, 재난 회복력 복구를 위한 활동 • 재건: 기초서비스 및 지역사회 기능 정상화를 위한 활동 • 예방·대비: 재난 위험요인 감소 및 재난대응역량 향상 활동 등
권리옹호	국내 옹호활동	• 정책·제도개선 • 인식개선 • 아동참여 • 연구조사
	국제 옹호활동	• 공적개발원조(ODA) 정책 개선과 인지 제고 • 연구조사

출처 : 세이브더칠드런(www.sc.or.kr)

3) 월드비전

(1) 개 요

월드비전은 1950년 한국전쟁당시 설립되어 현재 전 세계 100여 개국의 일하는 세계최대규모의 국제구호개발 NGO다. 한국전쟁의 현장에서 밥 피어스 목사가 거리에서 죽어가는 어린 생명을 위하여 전문구호기관을 만들고 모금을 시작하였으며 1950년부터 1960년대 말까지 식량과 교육, 건강관리, 직업훈련을 통하여 아동 개인을 직접 돕는 방식으로 활동하였으나 1970년대에 들어서면서 지역개발사업을 통하여 아동을 지원하였다. 지역사회개발사업은 식수, 위생/보건, 교육, 소득증대, 주민역량 강화 등의 통합적인 방향으로 이루어지며 위급한 재난 발생 시 국제적인 네트워크를 통하여 효과적인 구호활동을 하고 있다. 최근 월드비전은 아동의 생존권과 빈곤완화를 위한 옹호활동을 강화하고 있으며 아동노동, 소년병, 아동과 여성에 대한 성적 착취 등과 같은 문제를 정부 및 관련기관들과 연대하여 활동하고 있다.

(2) 중점사업

월드비전은 전 세계 100여 개국에서 4만여 명의 종사자를 둔 세계최대의 민간국제기구로 UN경제사회이사회로부터 NGO최상위지위인 포괄적 협의 지위를 부여받은 국제개발단체이다.

월드비전은 지역개발사업, 긴급구호사업, 옹호사업을 중심으로 하며 한국월드비전 1950년대 시설지원, 1960년대 무료 의료지원, 1970년대 복지관 설립, 1980년대 농어촌 개발, 1990년대 해외사업 시작, 2000년 아동옹호사업을 중점적으로 추진하며 주요사업내용은 [그림 12-2]와 같다.

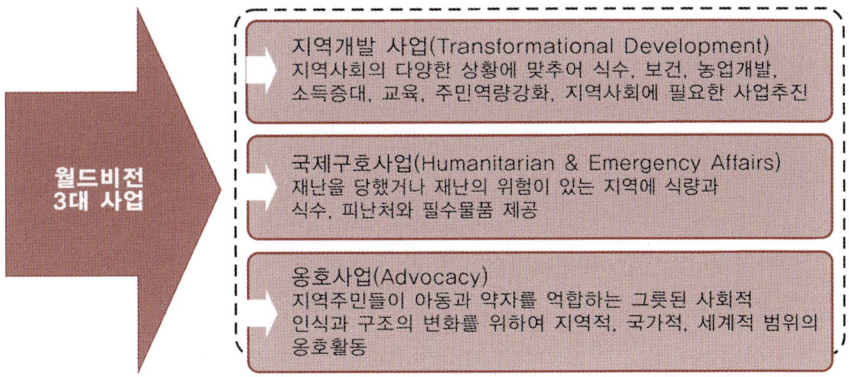

[그림 12-2] 월드비전 3대사업

(3) 세부사업내용

월드비전에서는 국제개발사업, 국제구호사업, 국내사업, 옹호사업, 북한사업분야로 구분하여 추진하고 있으며 주요사업별 세부내용은 〈표 12-6〉과 같다.

〈표 12-6〉 월드비전 주요사업

분야	주요사업	세부내용
국제개발사업	지역개발사업	아동의 생존과 성장, 보건위생, 기초교육과 영적·정서적 성장, 아동이 속한 가정의 생계유지, 지역사회의 학대와 착취로부터의 보호
	분야별 특별사업	아동친화적교육, 보건의료, 소득증대, 아동보호취약계층지원
	국제빈곤퇴치기여금	국제빈곤퇴치기여금 모금
국제구호사업	재난대응사업	재난경감, 긴급구호, 재난 및 대응선포, 재건 복구
	식량위기 대응사업	한국 월드비전-WFP협력 식량 지원 사업, 긴급구호식량지원사업, 긴급영양 지원사업, 식량을 활용한 교육지원사업
	취약지역 & 국가지원사업	취약국가사업, 지역재건사업
국내사업	사랑의 도시락사업	결식아동, 장애인, 독거 어르신 등 도시락 제공
	위기아동지원사업	의료비지원, 생계비지원, 주거비지원, 희망날개 장학금, 인성강화 프로그램, 꿈찾기 프로그램
	꽃대말 교육사업	꽃대말 공부방 및 방과 후 교실, 멘토링 프로그램, 도서관 프로그램
	꿈꾸는 아이들	아동 성장 단계별 꿈 탐색, 맞춤형 통합 프로그램을 지원, 꿈날개 클럽, 시니어프로그램 등
	아동옹호사업	아동권리위원회 조직 및 운영, 아동권리캠페인, 아동총회, 정책제안 등 아동의 기본권 보장을 위한 지원 사업
옹호사업	세계시민교육	세계시민교육관, 세계시민교육, 교원연수, 재능나눔 전문강사 양성
	캠페인/정책 활동	온·오프라인 캠페인, 지도 밖 행군단, 정책활동
북한사업	농업사업	식량난 문제해결 농업사업 진행
	일반구호사업	육아원·병원지원, 긴급식량지원, 협동농장지원, 긴급구호활동
	농업교육사업	농업기술전수, 현장실습, 채종연수강의
	꽃피는마을사업	시설복구사업, 교육사업, 채종연수강의

출처: 월드비전(www.worldvision.or.kr)

4) 굿네이버스

(1) 개 요

굿네이버스는 굶주림 없는 세상, 더불어 사는 세상을 만들기 위하여 1991년 한국에서 설립되어 전 세계 45개국에서 전문사회복지사업과 해외구호개발사업을 실시하는 한국국적의 국제구호개발 NGO 기관이다. 1996년 국내 최초로 UN경제사회이사회로부터 NGO최상위지위인 포괄적 협의 지위를 획득하였다. 굿네이버스는 아프리카 13개국, 아시아 15개국, 중남미 7개국 등 45개국 212개 사업장에서 지속 가능한 개발을 위해 적정기술을 보급하고, 소득증대사업, 사회적기업개발사업을 진행하고 있다. 해외구호개발사업은 총체적인 지역개발사업을 중심으로 각국마다 지원이 필요한 영역을 조사하고 이에 대한 지원계획을 수립하여 보다 조직적이고 체계적인 전문해외구호 개발 사업을 실시하고 있다.

(2) 주요사업

굿네이버스에서는 분야별로 국내전문복지사업, 사회개발교육사업, 국제구호개발사업, 인도적 지원사업, 대북지원사업으로 구분하여 사업을 추진하고 있다. 국제구호개발사업으로는 지역개발사업, 교육보호, 보건위생, 소득증대, 권리옹호, 지역파트너십 구축 등의 세부사업을 추진하고 있으며, 사업주요내용은 〈표 12-7〉과 같다.

〈표 12-7〉 굿네이버스 주요사업

분야별	세부사업	주요내용
국내전문복지사업	학대피해아동보호 및 예방	아동학대 신고접수 및 학대피해아동 상담·치료, 학대피해아동 일시보호
	심리정서지원	심리 검사 및 심리치료, 가족역량강화지원
	위기가정아동지원	위기가정아동 긴급지원, 희망나눔학교, 희망프로젝트, 지역아동센터, 아동복지센터 운영, 가정위탁지원

분야별	세부사업	주요내용
	지역사회복지지원	종합사회복지관 운영, 여성취업지원, 지역사회조직, 국내 긴급구호 및 물품지원
	시설아동지원	아동복지협력시설 지원
사회개발 교육사업	아동권리교육	아동권리교육, 아동권리옹호활동
	나눔인성교육	공감하는 인성스쿨, 세계시민교육, 학교폭력 예방교육, 지역사회 조직 및 네트워크
국제구호 개발사업	지역개발사업	지역개발사업(CDP), 아동, 가정, 지역사회를 지원하는 해외아동 1:1 결연
	교육보호	교육 접근성 확보, 양질 교육보장, 희망학교 지원사업
	보건위생	질병예방 및 관리 강화, 지역 보건시스템 강화, 양질의 모자보건 서비스 향상, 식수위생 관련 환경지원, 인식증진, 역량강화
	소득증대	사회적 기업 조합 설립 및 지원, 운영
	권리옹호	권리 및 역량강화 교육, 캠페인, 네트워크 및 연대, 정책 제안
	지역파트너십 구축	지역 조직과의 협력체계 구축, 정책 개선 및 권리 옹호활동, 국제기구 및 유관단체 네트워크 구축
인도적 지원사업	인도적 지원사업	자연재난 지원, 식량위기 지원, 난민 지원
대북 지원사업	대북지원사업	아동보호 지원사업, 보건의료 지원사업, 농축산개발사업

출처: 굿네이버스(www.goodneighbors.kr)

4. 국제아동복지실천을 위한 과제 및 방향

1) 국제아동복지실천을 위한 국가, 정부, 기관과의 협력체제 구축

국제아동복지실천에 있어 무엇보다 중요한 것은 국가와 정부기관의 역할이라고 할 수 있다.

각국 정부는 국제원조 등 아동복지실천에 있어 양자 혹은 다자 간의 협력적 관계를 위한 노력이 필요하며 자국의 정부와 민간기관과 공동노력을 통하여 국제프로그램을 수행할 수 있어야 한다. 또한 어떠한 국가와 지역을 대상으로 국제원조를 하느냐를 선정하는 것도 매우 중요하다. 국회입법조사처(2011)에 의하면 수혜대상국의 경제수준이 낮을수록 중점지원국 또는 중점협력국으로 선택될 가능성이 높다고 하였다. 또한 국제원조 및 개발에 있어 우리나라 정부부처 내의 협력관계를 구축하는 것이 매우 중요한데, 국제원조가 단순한 물품지원뿐만 아니라 외교적 협력관계, 국내 전문 인력의 활용, 관련부서(예 : 교육부, 국토해양부, 농림수산식품부, 보건복지부, 여성가족부 등)의 교류와 협력 등으로 통합적인 접근이 필요할 수 있도록 역할분담을 하며 해당국가에 파견된 기관들과의 정보공유, 안전한 활동보장 등을 위한 관련법과 지원체제를 마련하여야 한다.

2) 민간단체 및 기관의 역할 정립

현재 국제아동복지에 있어 민간단체 및 기관이 주도적 역할을 하고 있다. 우리나라의 민간단체 및 기관들이 해외원조 및 아동복지사업 참여에 적극적인 관심과 참여를 하고 있으며 다양한 형태의 활동이 증가하고 있다. 특히 종교단체나 민간단체들의 해외 원조사업은 수혜대상국가와 관련되어 국제문제 및 분쟁이 될 수 있기 때문에 민간단체 및 기관들의 자발적 해외원조활동의 역할 및 방향 정립이 필요하다. 이를테면 해외에 파견되어 있는 많은 종교단체역할을 고려해 볼 때 국내아동복지와 국제아동복지가 어떻게 협력할 것인지, 국제아동복지의 역할수행에 있어 민간단체들의 역할을 어떻게 정립할 것인지 각 민간단체와 기관과의 특성화된 역할 정립이 필요하다. 특히 최근에는 정부뿐만 아니라 광

잠비아데이케어센터
(경기도의 공적 지원으로
(사)아프리카미래재단에서 건립)

역 및 기초자치단체에서도 공적개발 원조사업으로서 해외원조사업에 대한 관심이 증가하고 있기 때문에 지역사회단체나 기관이 해외원조사업에 참여할 수 있는 지역사회차원의 방안 마련도 필요할 것이다.

경기도 성남시는 해외 저개발지역을 돕는 공적개발원조(Official Development Assistance, ODA)사업을 진행하기로 하고 1차로 3개국 지역에 자원봉사단을 파견하기로 하였다고 한다. 우즈베키스탄 나만간시, 중국 선양시, 베트남 하이퐁시를 첫사업 대상지로 하여 20~50명의 봉사단원을 파견하여 공적개발 원조사업에 1억 원을 투입하여 시설개선과 봉사활동을 지원한다고 하였다. 우즈베키스탄 나만간시 고려인 문화회관에는 신구대학교 대학생 20명을 파견해 컴퓨터교실운영, 시설보수, 한글교육, 태권도시범, 한식체험 등을 진행하며 중국 선양시 조선족학교에는 동북아평화연대 한우리독서지도사 6명을 파견하여 도서를 기증하고 독서문화캠프를 운영하기로 하였다.

베트남 하이퐁시 싸진미 초등학교에서는 베트남희망봉사심기봉사단 50여 명이 정수시설을 설치하고 학교환경개선과 의료봉사활동을 한다고 한다. 성남시와 같이 지역 내 자원봉사단체 및 전문자원봉사단을 구성하여 저개발국가를 대상으로 한 공적개발원조사업이 점차 확대될 것으로 예측된다. 이와 같이 지방자치단체의 공적개발원조사업을 진행함에 있어 무엇보다 국제적인 감각과 업무수행능력을 갖춘 전문사회복지사의 역할이 필요한 시점이라고 볼 수 있다.

특히 민간단체와 기관의 해외원조활동을 위하여는 위기상황대처 매뉴얼과 단기해외원조활동기획안, 부모동의서 및 인솔자평가서, 단기해외원조활동평가보고서 등 일련의 서식을 표준화할 필요가 있다. 최근 해외여행자수와 해외자원봉사자가 증가하고 있기 때문에 해외여행자들을 대상으로 하는 확장형 단기 해외봉사여행 프로그램개발을 통하여 일정 기간 여행하고 일정 기간은 봉사활동을 하는 단기해외봉사여행프로그램을 개발하고, 이러한 프로그램에 사회복지사가 참여할 수 있도록 함으로써 해외원조활동에 대한 관심과 참여를 유도할 수 있을 것이다. 특히 해외원조활동은 국내에서부터 어떻게 준비하느냐가 매우 중요하기 때문에 한 기관이나 단체가 매년 한 지역을 방문하는 단기해외봉사활동이 효과적일 수 있다. 즉, 지속적인 해외원조활동이 연속적인 활동을 할 수 있게 하고 다양한 프로그램을 개발하고 해외원조활동의 장이 확대될 수 있을 것이다.

특히 수혜국에 파견되어 있는 현지 전문가와 충분한 커뮤니케이션을 통하여 활동에 대한 의견을 조율해나가는 과정이 필요하며 의료 및 보건, 아동교육, 부모교육, IT 교육 등 전문적인 프로그램과 활동이 필요하다.

2007년 한국에서 출발한 20명과 아프간 현지에서 합류한 안내인 3명은 버스를 타고 남부 칸다하르에 있는 힐라병원과 은혜샘 유치원으로 향했다. 수도 카블에서 170km 거리의 가즈니 주 카라바그 지역을 통과하다 탈레반 무장 세력에 납치되었다.

탈레반은 아프간 주둔 한국군 철수를 요구하며 이를 들어주지 않으면 인질을 살해하겠다고 협박했다. 탈레반은 아프간 정부와 협상했지만 실패하자 한국정부와 직접대화를 요구하였고 탈레반 포로 8명과 한국인 인질 8명과 맞교환하자고 요구했다. 그리고 탈레반은 인질석방협상이 결렬되었다며 목사를 살해했다고 발표했다. (중략)

하지만 미국과 아프간정부는 테러세력에 양보할 수 없다는 입장을 천명했다. 한국이 가즈니에서 탈레반대표와 처음 대면협상을 시작하면서 인질석방과 사태해결의 물고가 트였으며 아픈 여성인질 2명이 석방되었고 한국은 아프간파병다산부대를 연내 철수하겠다는 계획을 발표했다. 이어 한국은 탈레반이 남은 인질 19명을 전원 석방키로 합의한 후 이어 인질 전원이 석방되었다.

탈레반납치사건으로 종교단체의 공격적인 선교활동에 대한 비판이 높아졌다. 정부는 국민안전을 위하여 분쟁지역에서의 선교·봉사활동을 금지해야 하는데도 사건이 터진 후에야 여행금지 조치를 취했다는 비판을 받아야 했다.

3) 국제아동복지 전문사회복지사 양성을 위한 전문교육

해외원조사업에 참여하는 민간단체 및 기관의 증가와 해외원조사업에 대한 국가적 관심은 증가하고 있지만 이를 위한 전문 인력은 매우 부족한 실정이다. 이러한 국제적 관심에 부응하기 위하여 무엇보다 국내의 국제아동복지 전문인력 양성이 필요하다고 볼 수 있다. 특히 현지국가에서 적절한 역할과 기능을 수행할 수 있도록 아동복지 전문 인력 양성과 전문능력배양을 위한 전문교육과정이 마련되어야 할 것이다. 이를 위하여 노충래(2012)는 국제사회복지과목개설 및 관련과목(예 : 사회개발 지역개발, 국제협력뿐만 아니라 현지 언어 및 영어, 국내 및 국제사회복지실천 및 정책의 이해, 실천경력의 활용, 지원기관과의 협력과 이해, 현지화에 대한 로드맵 및 현지인력 활용, 사업지 선정 및 프로그램 운영 전반에 대한 교육)이 필요하다고 하였다. 이를 위하여 국내 대학교에 설치 운영되고 있는 사회복지학과 혹은 아동복지학과에서 국제아동복지전공을 개설하여 해외원조사업에 필요한 전문 인력을 양성할 수 있어야 한다.

이를 위하여 아동복지전문직, 대학, 해외원조활동에 참여하고 있는 민간단체와 기관, 국가 간의 협력이 필요하며 국가에서는 무엇보다 장기적인 관점에서 전문 인력 양성을 배출할 수 있는 행·재정적인 지원이 요구된다.

세이브더칠드런의 아동보호를 위한 종사자 행동강령

1. 직원 및 기타 관련자들은 결코
   1) 아동을 때리거나 아동에게 신체적인 공격 혹은 학대를 가하지 않는다.
   2) 현지에서의 성년연령 또는 동의 여부를 불구하고 18세 이하의 아동과 성접촉 또는 성관계를 맺지 않을 것이며 아동의 나이를 잘못 알았다는 것으로 변명될 수 없다.
   3) 어떤 형태든 아동과 착취나 학대로 간주될 수 있는 관계를 맺지 않는다.
   4) 아동을 상대로 학대하거나 학대의 소지가 있는 행동을 하지 않는다.
   5) 아동에게 부적절하거나 공격적이고 학대적인 언어를 사용하거나 그러한 제안 또는 충고를 하지 않는다.
   6) 아동에게 부적절하거나 성적자극을 유발하는 신체적 행위를 하지 않는다.
   7) 보호자 없이 밤새 아동/아동들의 집에 머무르지 않는다.
   8) 아동과 같은 방이나 침대에서 잠을 자지 않는다.
   9) 아동 스스로 할 수 있는 일들을 대신하지 않는다.
   10) 아동이 하는 불법적이고 위험하거나 학대적인 행동을 묵과하거나 참여하지 않는다.
   11) 아동을 수치스럽게 하거나 창피를 주고 무시하는 행위를 하지 않으며 어떠한 형태의 정서적 학대도 행하지 않는다.
   12) 아동들을 차별하거나 특정 아동을 편애하지 않는다.

2. 아동과 접촉하는 모든 직원과 관련자들은
   1) 위험성 있는 상황에 대하여 숙지하고 그에 대처한다.
   2) 위험성을 최소화할 수 있도록 업무와 작업장을 계획하고 조직한다.
   3) 아동과 함께 있을 때는 가능한 개방된 장소를 이용한다.
   4) 어떠한 문제나 우려사항이라도 제기하고 논의할 수 있도록 개방적 문화를 조성하도록 한다.
   5) 바람직하지 않은 사례나 잠재적 학대행위가 문제시되지 않은 채 지나가지 않도록 직원들이 책임감을 가지도록 한다.
   6) 아동에게 직원이나 기타관련자의 연락정보를 알려주고 어떤 문제라도 논의할 수 있도록 격려한다.
   7) 아동의 역량을 강화한다. 아동의 권리, 허용되는 것과 허용되지 않은 것, 문제발생 시 취할 수 있는 행동에 대하여 논의한다.
   8) 업무에 있어 공과 사를 분명히 구별하도록 한다.
   9) 아동의 권리를 존중하고 공평하게 정직하게 그리고 신중하고 존중하는 마음으로 아동들을 대한다.
3. 일반적으로 적절하지 않은 사항
   1) 단독으로 아동과 지나치게 많은 시간을 보내는 것
   2) 특히 아동과 단둘이 있는 상황에서 아동을 자신의 집으로 데려가는 것
   3) 위법행위로 혐의받기 쉬운 상황에 놓이는 것

연습문제

01 다음 내용 중 UN 새천년 개발계획의 목표에 해당되는 것을 모두 고르세요.

① 절대빈곤 및 기아퇴치
② 아동사망률 감소
③ 보편적 고등교육 달성
④ 지속 가능한 환경 확보
⑤ 아동출생률 증진

02 다음 중 UN개발계획이 제시하는 빈곤지표의 구성요인이 아닌 것을 모두 고르세요.

① 50세까지 생존할 가능성이 없는 인구비율
② 16~65세의 인구 중 기능적으로 문맹인 사람들의 비율
③ 개인소득이 중간소득의 30% 미만인 사람들의 비율
④ 전체 노동력 비율 대비 장기간 실업자의 수로 측정되는 사회적 배제
⑤ 최저생계비에 미치지 못하는 사람들의 비율

03 국제아동 문제 중 아동빈곤이란 무엇인지 그 규정을 간략히 적어 보세요.

04 노동에 참여하고 있는 아동들에게 드러나고 있는 문제가 아닌 것을 고르세요.

① 신체 및 성학대
② 상해 및 위험한 작업환경에의 노출
③ 장시간의 노동으로 인한 교육기회 박탈
④ 영양실조
⑤ 질병에의 노출

05 다음 설명에 해당되는 아동영양관련 주요 문제가 무엇인지 적어 보세요.

- 개발도상국의 5세 미만 어린이 902만 명 중 절반 이상이 이 문제로 사망하였다.
- 주된 원인은 낮은 교육수준, 열악한 보건서비스, 가난 등을 들 수 있으며 특히 2세 미만의 아동에게 특별한 관심이 필요하다.

06 다음 중 아동영양관련 주요문제를 모두 고르세요.

① 모유수유 ② 소아마비 ③ 요오드 결핍
④ 설사병 ⑤ 저체중 출산

※ (7–8) 다음 설명에 해당되는 개발도상국의 아동사망관련 주요 질병이 무엇인지 해당하는 것을 고르세요.

07

• 아동사망원인 중 가장 많은 비율을 차지하는 질병이다. • 특히 영양실조, 홍역에 걸린 아동이 이 질병에 걸릴 확률이 높다.

① 에이즈 ② 파상풍 ③ 말라리아
④ 폐렴 ⑤ 소아마비

08

• 매년 3억 5천~5억 명이 감염되며 1백만 명이 사망한다. • 생존할 경우 성장발달에 영향을 미치며 임산부의 경우 급성빈혈, 저체중출산, 조산, 사산의 위험이 있다.

① 에이즈 ② 파상풍 ③ 말라리아
④ 폐렴 ⑤ 소아마비

09 다음 중 유니세프한국위원회에 대한 설명으로 옳은 것을 모두 고르세요.

① 유니세프는 1948년부터 한국의 어린이를 지원하였으며, 1950년 3월 기본협정을 체결함으로써 한국에서의 공식 활동을 시작하였다.
② 유니세프의 중점사업은 다문화가정아동 지원사업, 빈곤아동 지원사업, 북한사업 등이다.
③ 유니세프한국위원회의 현재 주된 임무는 한국의 빈민아동구호이다.
④ 유니세프한국위원회에서는 사랑의 동전모으기 사업을 통해 모금활동을 하고 있다.
⑤ 유니세프한국위원회는 1950년 3월 기본협정을 체결함으로써 공식활동을 시작하였다.

연습문제

※ (10-11) 유니세프와 같이 국제 아동복지를 위한 대표적인 민간단체를 적어 보세요.

10

11

12 다음 설명에 해당하는 국제개발단체는 무엇인지 적어 보세요.

- 전 세계 100여 개국에서 4만여 명의 종사자를 둔 세계최대의 민간국제기구로 UN경제사회이사회로부터 NGO 최상위지위인 포괄적 협의지위를 부여받은 단체이다.
- 지역개발사업, 긴급구호사업, 옹호사업을 중심으로 실시하고 있다.

13 다음 중 오염된 물과 비위생적인 환경으로 인하여 아동들에게 발생되는 주요 질병이 아닌 것을 고르세요.

① 결막염 ② 주혈흡충증 ③ 콜레라
④ 설사 ⑤ 요오드 결핍

14 다음 국제아동 주요문제에 대한 내용 중 틀린 것을 고르세요.

① 국제사회복지는 빈곤, 여성, 아동, 재난 및 난민문제 등 국제사회문제를 중심으로 이루어진다.
② UN아동권리협약 제24조는 '모든 국가가 아동의 생존과 발달을 최대한 보장해야 한다'라고 명시하고 있다.
③ 새천년개발목표에서는 전 세계 모든 아동이 초등교육을 받도록 하는 것을 목표로 교육사업을 지원하고 있다.
④ 특별한 보호를 필요로 하는 아동은 전쟁이나 자연재해 등 긴급상황에 처한 아동들, 인신매매에 희생된 아동을 포함하여 위험한 노동을 하고 있는 아동들을 보호하는 것을 의미한다.
⑤ 국제사회복지는 전문적인 사회복지사보다는 해외봉사자를 필요로 한다.

15 국제아동복지실천을 위한 과제 및 방향이 아닌 것을 고르세요.

① 국제아동복지실천을 위한 국가, 정부, 기관과의 협력체제 구축
② 민간단체와 기관의 해외원조활동을 위한 매뉴얼 자율화
③ 국제아동복지 전문사회복지사 양성을 위한 전문교육
④ 민간단체 및 기관의 역할 정립
⑤ 민간단체위주의 전문적 활동체제 구축

PART 부록

- 부록 1 대학생 해외봉사단 파견실무 매뉴얼 내용
- 부록 2 자폐스펙트럼 장애 진단 자가 테스트(초등학생용)
- 부록 3 아동 게임중독 진단척도
- 부록 4 자폐아동 치료교육 프로그램

<부록 1> 대학생 해외봉사단 파견실무 매뉴얼 내용

구 분	내 용	주요내용
운영기획	운영기획	운영기획순서, 담당직원역할
	타당성 조사	정보수집, 기초조사 진행, 세부프로그램설계 및 진행
홍보 및 모집	홍보	프로그램 전·후 홍보
	모집 및 선발	준비단계, 모집단계(서류, 면접)
준비 및 교육	사업담당자 준비사항	준비일정표작성, 물품준비, 현장점검, 예방접종, 환전, 비상상황관련 준비, 워크북제작
	봉사단원 사전교육	국내사적교육내용구성, 현지교육구성내용
	발대식	사전교육마무리, 팀 내부 활동계획 구체화
	팀 빌딩 및 프로그램 구성	팀 빌딩 기본원칙, 프로그램구성
	항공	항공, 안전여부확인, 여권발급, 비자발급, 탑승수속
출국 및 통관	보험관련	질병·사망 보상과 손해품 보상 점검
	물품탁송 및 관리	수하물보내기, 기내반입금지물품
재외공관	재외공관 연락처	재외공관 연락처 숙지 비상상황대처
	현지 사무소 연락처	현지 사무소 연락처 숙지
건강검진 및 예방접종	건강검진	건강진단서, 병력확인서
	예방접종	질병 예방접종
물품관리	물품관리	물품항목 체크리스트
현지 활동	활동관리	교육봉사, 노력봉사, 문화교류, 홈스테이, 문화탐방
	갈등관리	내·외부 갈등문제 사항 사전준비
	안전관리	여행 문제 상황 발생 시 대처·예방책 숙지
	평가관리	일일평가, 관계자평가, 수혜자평가, 단원평가
사후관리	결과관리	활동결과 보고서 작성
	활동인증	봉사활동 인증서
	해단식	해단식 및 결과보고회
예산관리	예산수립	예산서작성, 예산산출
	예산집행	예산집행방법, 주의사항

출처 : 한국대학생해외봉사단파견 실무매뉴얼(한국대학사회봉사협의회). 재구성.

<부록 2> 자폐스펙트럼 장애 진단 자가 테스트(초등학생용)

번호	내 용	수준별		
		아니다	어느 정도	그렇다
1	구식이거나(노인, 어른언행을 따라함) 조숙하다.			
2	다른 아이들이 별난 박사님 취급한다.			
3	또래에 비해 좁고 색다른 분야에 흥미를 갖고 자기만의 세계에서 사는 것 같다.			
4	지식을 알고는 있지만 의미를 이해하지 못한다.			
5	은유적인 말을 문자 그대로 해석한다.			
6	장단, 고저가 없는 로봇 같은 억양으로 의사소통한다.			
7	색다른 단어, 표현을 만들어낸다.			
8	목소리나 말하는 것이 다른 아이들과 다르다.			
9	킁킁거리거나 쩝쩝 입맛을 다시는 등 자신도 모르게 소리를 낸다.			
10	어떤 일은 놀라울 정도로 잘하면서 또 다른 일은 놀라울 정도로 못한다.			
11	언어를 자유롭게 사용하지만 맥락에 맞추지 못한다.			
12	공감이 결여되어 있다.			
13	고지식하고 황당한 말을 한다.			
14	바라보는 시선이 정상적으로 보이지 않는다.			
15	또래들과 관계를 잘 맺지 못한다.			
16	자기방식대로 못하면 다른 아이들과 같이 있지 못한다.			
17	단짝친구가 없다.			
18	상식이 결여되어 있다.			
19	팀에서 협력하는 것이 뭔지 몰라 게임을 못한다.			
20	어색하고 거북한 움직임, 자세를 취한다.			
21	얼굴, 몸을 자기도 모르게 움직인다.			
22	어떤 행동, 생각을 반복해 간단한 활동을 끝내기도 어렵다.			
23	일상의 특정과정을 반복하고 변화를 거부한다.			
24	사물에 대하여 색다른 애착을 보인다.			
25	다른 아이를 따돌린다.			
26	눈에 띄게 이상한 얼굴표정을 짓는다.			
27	눈에 띄게 이상한 자세를 취한다.			

★ 문항별로 아니다=0점, 어느 정도=1점, 그렇다=2점. 총점 14점 이상이면 자폐스펙트럼 장애 위험군으로 전문가진단이 필요함.

<부록 3> 아동 게임중독 진단척도

아동(만 9~12세) 자기보고용 혹은 아동 대상 관찰자용 검사로, 진단결과 고위험/잠재적위험/일반 사용자군으로 분류됩니다. 한국정보화진흥원 인터넷중독대응센터(http ://iapc.or.kr) 참조

이름 : 성별 : 나이 :

학교 : 학년 : 거주 지역 :

유형	일반 사용자군	잠재적 위험 사용자군	고위험 사용자군
분류	게임중독 점수 35점 이하	게임중독 점수 36~45점	게임중독 점수 46점 이상
특성	게임 습관을 스스로 조절할 수 있으며, 게임과 현실세계에 대한 구분이 명확하여 게임으로 인해 정서적인 영향을 받지 않는다. 하루 1시간 이하, 주 1~2회 이하 친구와 형제 등 주변 사람들과 함께 게임을 하는 등 인터넷 게임 사용을 적절하게 조절할 수 있다. 자신의 욕구를 조절하고 효율적으로 문제를 해결하는 경향을 보인다. 일시적인 충동에 의하거나 즉각적인 만족을 주는 문제행동을 회피하고 인내할 수 있는 능력이 높다. 자신에 대해 긍정적으로 생각하는 경향이 강하다.	고위험사용자에 비해 낮은 수준이나 가상세계에 대해 더 많은 관심을 두고 게임에 몰입하는 경향을 보이며 게임과 현실생활을 혼돈하거나 게임으로 인하여 현실세계의 대인관계, 일상생활에 문제를 나타내기도 한다. 하루 1시간 30분, 주 3~4회 정도, 혼자서 게임을 하는 경향이 있다. 공격적 성향을 보이며, 자기 통제력이 낮고 충동적이며 자기 위주로 생각하고 말보다는 행동이 앞서는 경향이 있다. 자신에 대해 부정적으로 생각하는 경향을 나타내기도 한다.	현실세계보다는 가상의 게임세계에 몰입하여 게임공간과 현실생활을 혼돈하거나 게임으로 인하여 현실세계의 대인관계나 일상생활에 부적응문제를 보이며, 부정적 정서를 나타낸다. 혼자서 하루 2시간, 주 5~6회 이상 게임을 하며 게임행동을 조절하는 데 어려움을 보인다. 일반적으로 자기 통제력이 낮아 일시적인 충동이나 즉각적인 만족을 추구하며 인내력과 효율적인 문제해결 능력이 부족한 경향을 보인다. 또한 공격적 성향이 높으며 자신에 대해 부정적으로 생각하는 경향이 강하다.
비고	지속적 자기점검 요망	게임중독 행동주의 및 예방 프로그램 요망	전문적 치료 지원 및 상담 요망

번호	문 항	전혀 그렇지 않다	때때로 그렇다	그렇다	매우 그렇다	요인별 분류
1	게임을 하는 것이 친한 친구들과 어울리는 것보다 더 좋다.	1	2	3	4	게임 지향적 생활 (__점)
2	게임공간에서의 생활이 실제생활보다 더 좋다.	1	2	3	4	
3	게임 속의 내가 실제의 나보다 더 좋다.	1	2	3	4	
4	게임에서 사귄 친구들이 실제친구들보다 나를 더 알아준다.	1	2	3	4	
5	게임에서 사람을 사귀는 것이 더 편하고 자신 있다.	1	2	3	4	
6	밤늦게까지 게임을 하느라 시간 가는 줄 모른다.	1	2	3	4	
7	게임을 하느라 해야 할 일을 못한다.	1	2	3	4	내성과 통제력 상실 (__점)
8	갈수록 게임을 하는 시간이 길어진다.	1	2	3	4	
9	점점 더 오랜 시간 게임을 해야 만족하게 된다.	1	2	3	4	
10	게임을 그만두어야 하는 경우에도 게임을 그만 두는 것이 어렵다.	1	2	3	4	
11	게임 하는 시간을 줄이려고 노력하지만 실패한다.	1	2	3	4	
12	게임을 안 하겠다고 마음먹고도 다시 게임을 하게 된다.	1	2	3	4	
13	게임 생각 때문에 공부에 집중하기 어렵다.	1	2	3	4	
14	게임을 못한다는 것은 견디기 힘든 일이다.	1	2	3	4	금단과 정서 경험 (__점)
15	게임을 하지 않을 때에도 게임 생각을 하게 된다.	1	2	3	4	
16	게임으로 인해 생활에 문제가 생기더라도 게임을 해야 한다.	1	2	3	4	
17	게임을 하지 못하면 불안하고 초조하다.	1	2	3	4	
18	다른 일 때문에 게임을 못하게 될까봐 걱정된다.	1	2	3	4	
19	누가 게임을 못하게 하면 신경질이 난다.	1	2	3	4	
20	게임을 못하게 되면 화가 난다.	1	2	3	4	
	총 점					

<부록 4> 자폐아동 치료교육 프로그램

자폐아동 치료교육 프로그램 1: 소리 듣고 눈길 돌리기

구 분	내 용
아동상태	자폐아동은 때로 소리에 민감하게 반응을 보이기는 하지만 반면에 소리에 대해 주의를 두지 않는다. 대체로 자폐아동은 소리의 '보존 능력'과 소리의 '변별 능력'이 낮은 편이다. 외부로부터 들어오는 소리 정보들은 의도에 따라서 또는 목적에 따라 선택되어야 하는데 아동의 경우는 이러한 청각 정보에 관해 선택적 주의가 결손되어 있기 때문에 모든 청각 정보들이 뒤섞이게 되어 특정한 소리를 찾거나 분류하고 보존하기가 어렵다. 초기에 아동은 소리에서도 둔감하며 어떠한 소리라도 그것을 새로운 흥미로 발전시키지 못한다. 반면에 특정한 소리에 극도로 민감하게 반응하거나 회피한다.
학습목적	여러 가지 소리 정보 중에 교사가 요구하는 소리를 지각하고 선택하여 구분한다.
학습과정	교사가 작은 종을 흔들고 책상 위에 놓는다. 그리고 교사가 아동에게 손을 내밀고 달라고 요구하면 아동이 책상 위에 있는 종을 집어 교사에게 준다. 학습이 성공하면 교사가 종을 흔들어 소리를 들려주고 책상에서 떨어진 테이블에 종을 놓고 교사가 아동에게 손을 내밀어 종을 달라고 요구한다. 아동이 자리에 일어나 종을 가지고 온다. 학습을 성공하면 교사가 아동의 등 뒤에서 왼쪽 귀에 대고 종을 흔든다. 아동이 고개를 왼쪽으로 돌린다. 성공하면 교사가 아동의 등 쪽에서 오른쪽으로 소리를 들려준다. 아동이 고개를 오른쪽으로 돌린다.
학습효과	자신이 관심 있는 소리 외에 학습과정에서 계획적이고 조작적인 소리에도 반응을 한다면 소리에 대한 변별이 확장되고 소리에 대한 주의가 발달할 것이다. 학습과정에서 아동이 소리 나는 쪽을 파악하고 교사가 제시하는 소리가 나는 곳에 따라 고개를 돌려 바라보면서 점차 아동은 소리에 주의를 두게 되고 소리의 변별 능력을 습득한다. 소리의 변별 능력 향상은 청각 정보에 선택하여 주의가 형성되고 있다는 의미이다. 때로 특정한 소리에 민감하게 반응하고 심리적으로 불안을 느끼거나 심하게 저항한다. 본 학습은 아동이 다양한 소리에 반응하고 적응하도록 함으로써 절차적으로 특정한 소리에 민감한 반응이 소거된다.
학습문제	난이도가 높은 학습과정 중 하나이다. 아동이 소리에 즉각적 반응을 유도하기 위해서는 본 학습에 적극적으로 참여하려는 태도가 형성되어 있어야 한다. 아동이 본 학습에 적극적으로 참여할 수 없다고 판단될 경우는 학습을 진행하지 않는다. 교사가 동기를 유발시키기 위해 강화 스케줄을 구체적으로 구성하여 적용해야 한다. 아동이 소리에 반응을 보일 때 즉시 보상을 준다. 아동이 친화제를 얻기 위해 소리에 적극적으로 주의를 두도록 유도한다.
학습단계	종소리 듣고 종을 집기 종소리 듣고 종을 가지고 오기 여러 소리 기구 중에 종소리를 듣고 가지고 오기

자폐아동 치료교육 프로그램 2: 역할-따르기

구 분	내 용
아동상태	또래 친구의 요구에 따르고 순응한다는 것은 언어 지시와 요구가 무엇인지를 알거나 혹은 대상의 마음을 느끼고 아는 것을 의미한다. 뿐만 아니라, 친구와의 관계를 더 깊이 개선하려는 내적 욕구가 있기 때문이다. 언어는 대상에게 행동을 요구한다. 아동의 언어와 행동이 동시성을 갖는 것을 대상에 대해 내적 요구가 있거나 대상과 교감을 하기 때문이다. 자폐아동은 대상과 교감하는 데 실패함으로써 또래 아동과 사회적 관계를 형성하는 데 어려움이 있다. 오랫동안 자폐아동이 유치원 생활을 한다고 하더라도 사회적 관계와 역할이 달라지지 않는다.
학습목적	교사와 친구의 요구와 지시에 따른다.
학습과정	두 아동이 3미터 떨어져 마주 보고 앉는다. 중간 왼쪽 작은 탁자 위에 간식이 나란히 놓여 있다. 교사가 아동 A에게 '○○에게 초콜릿 주세요!'라고 지시한다. 아동 A가 왼쪽 탁자에 놓여 있는 간식을 집어 아동 B에게 건네어 준다. 아동이 성공적으로 학습을 수행하면 역할을 바꿔 지시에 따라 간식을 친구에게 건네어 주도록 학습한다. 두 아동이 3미터 떨어져 보고 앉는다. 아동 A가 아동 B에게 '초콜릿 줘!'라고 요구한다. 아동 B가 왼쪽 탁자에 놓여 있는 간식을 집어 아동 A에게 건네어 준다. 아동이 성공적으로 수행하면 역할을 바꿔 요구에 따라 간식을 친구에게 건네어 주도록 학습한다. 학습을 진행하면서 '연필로 사과 그림을 그려 줘!', '크레파스로 색칠을 해봐!', '문을 닫아줘!' 등과 같이 아동이 상호 간에 다양한 요구를 하고 그에 따라 적절하게 행동을 수행하도록 학습내용을 구체적이고 다양하게 계획한다.
학습효과	'먹을 것을 건네어 주기' 학습은 상호 간에 호의적 관계를 형성할 뿐만 아니라, 먹을 것을 교환함으로써 아동의 내적 정서를 교환할 수 있다는 것이 가장 중요한 학습의 핵심이다. 이러한 내적 정서를 교환하는 데 다양한 요구와 따르기가 필요하다.
학습문제	학습을 시작하기 전에 교사는 반드시 아동이 어떤 언어 요구를 해야 할지에 관한 내용을 미리 계획하고 지도해야 한다. 아동은 자신이 친구에게 어떻게 말로 요구를 할지를 습득하지 못한 상태이기 때문에 아동 간에 주고 받아야 할 내용을 준비한다. 아동이 또래 친구의 요구에 따라 실행하지 않을 경우 교사는 손을 잡고 직접 도움을 주어 요구에 따라 어떤 행동을 해야 하는지를 돕는다.
학습단계	먹을 것 건네어 주기 친구 지시 따르기

참고문헌

강명순(2008). 찾아가는 사례관리. 학지사.

강영실 외(2005). 사회문제론. 대양사.

강진령(2012). 집단상담의 실제. 학지사.

경기도가족여성연구원(2012). 경기도 조손가족 지원방안 연구. (재)경기도가족여성연구원.

경기도가족여성연구원(2012). 경기도조손가족지원방안.

경기도가족여성연구원(2012). 다문화가정 중도입국자녀 초기적응 지원방안연구.

고홍월 외(2010). 다문화가정 아동의 대인관계능력 향상 프로그램. 청소년상담연구, 18(2), 71-84.

공계순 외(2013). 아동복지론. 학지사.

곽금주(2008). 다문화가정 아동의 발달과 적응: 다문화가정에서의 부모－자녀간의 상호작용 패턴과 그 효과를 중심으로. 2008 한국심리학회 연차학술발표대회 논문집.

곽노의 외(2007). 영유아발달. 양서원.

교육과학기술부(2010). 교육통계서비스 통계자료.

교육부(2019). 학교폭력대책 자치위원회 심의 및 피·가해 학생 조치현황

교육부(2019). 학생정서, 행동특성검사결과

국회입법조사처(2011). 다문화교육의 현황과 과제.

권진숙 외(2006). 가족복지론. 공동체.

김갑숙(1990). 자녀학대가 아동의 공격성에 미치는 영향. 한국재활심리학회.

김광웅 외(2002). 영유아발달심리치료. 범한.

김기환(1997). 한국아동정책의 당면과제. 제6회 어린이와 청소년의 생존·보호발달을 위한 전국대회자료집.

김득린(1995). 아동복지시설 운영의 현황과 과제. 한국아동복지시설연합회 제20회 아동복지세미나 자료집.

김미경 외(2004). 현대사회의 이해. 형설출판사.

김미숙 외(2011). 다문화가족아동의 사회적응실태 및 아동복지서비스 지원방안 연구. 한국보건사회연구원.

김미숙(2006). 지역사회 빈곤아동 지원정책 고찰: 지역아동센터 정책을 중심으로. 보건복지포럼, 114, 78-90. 서울한국보건사회연구원.

김배현(2000). 아동복지시설 내 청소년의 사회성 차이 연구: 대규모시설과 소규모(G.H)시설의 비교를 중심으로. 연세대학교 행정대학원 사회복지전공 석사학위논문.

김범수 외(2007). 다문화사회복지론. 양서원.

김성경 외(2009). 아동복지론. 양서원.
김성경 외(2011). 사회복지실천론. 공동체.
김영모(1984). 현대아동복지론. 한국복지정책연구소.
김영모(1995). 한국영유아보육정책의 과제와 방향. 한국영유악보육학, 2. 한국영유아보육학회.
김영화 외(2001). 정치경제학적 사회문제론. 서울대학교출판부.
김영화(2001). 사회변화에 따른 가족의 다양성과 가족복지를 위한 함의, 경북대학교 사회과학대학, 사회과학, Vol.13.
김오남 외(2000). 아동복지의 이해. 형설출판사.
김오남(2008). 결혼이민자 가족의 이해. 집문당.
김유경 외(2008). 다문화시대를 대비한 복지정책 방안 연구－다문화가족을 중심으로－. 한국보건사회연구보고서. 한국보건사회연구원.
김유경 외(2011). 해외입양 줄이기 종합대책 연구. 한국보건사회연구원.
김익균 외(2005). 아동복지론. 교문사.
김인숙 외(2002). 사회복지실천기술연습. 나남.
김주환(2012). 회복탄력성. 위즈덤하우스
김진숙(2009). 조손가정 청소년의 생활세계에 대한 현상학적 연구. 청소년학연구, 16(9), 223-248.
김춘경 외(2002). 아동학개론. 학지사.
김현용 외(1997). 현대사회와 아동. 소화.
김현용(1995). 아동의 시설보호와 가정보호. 나남.
김형모(2001). 입양 후 복지서비스의 현황과 활성화를 위한 정책 방향. 보건복지 포럼, 51.
김혜선(2004). 조손가족 조부모의 양육태도와 양육스트레스가 손자녀 적응에 미치는 영향연구. 한국아동복지학, 18, 85-117.
김혜영 외(2011). 조손가족지원방안연구. 한국여성정책연구원.
남세진 · 조흥식(1995). 한국사회복지론. 나남.
노병일(2012). 아동복지론. 학지사.
노안영(2013). 집단상담 이론과 실제. 학지사.
노충래(2012). 헤이그 입양협약과 관련된 아동복지의 과제. 아동과 권리, 16(2). 한국아동권리학회.
노혜련(2000). 국내입양활성화를 위한 사회적 인식의 개선방안. 국내입양활성화를 위한 국제세미나.
노혜련 · 장정순(1998). 육아시설아동의 심리사회적 문제에 관한 연구. 한국사회복지학, 34, 45-67.
대전광역시사회복지사협회(2012). 사례관리실천 매뉴얼.
대전광역시사회복지사협회(2013). 사례관리실천매뉴얼.
문선화 외(2006). 한국사회와 아동복지. 양서원.

문선화(2001). 소년소녀가장을 위한 후견인 제도의 정착 방안. 한국아동복지학.

민경화(2000). 빈곤가족 아동의 심리사회적 특성에 관한 연구: 영구임대 아파트 지역과 일반 빈곤 지역 아동과의 비교를 중심으로. 호남대학교 행정대학원: 사회복지학과 사회복지 전공 석사학위논문.

박정란 · 서홍란(2001). 아동복지론. 양서원.

박주희 · 남지숙(2010). 다문화아동의 언어발달과 심리사회적 적응. 한국청소년연구, 21(2), 129-152.

박현숙(1998). 갈등 가정과 이혼가정의 자녀의 인성에 미치는 영향. 성균관대학교 대학원 석사학위논문.

배기호 외(2013). 사회복지개론. 창지사.

배화옥(2010). 빈곤아동현황과 주요특성. 한국아동복지회 2010년 추계 학술대회 자료집.

백우정(1994). 아동권리의 발달과정 연구. 한국교원대학교 대학원 석사학위논문.

보건복지부(2009). 드림스타트 대상아동 위기도 판정도구 매뉴얼.

보건복지부(2011). 아동공동생활가정 운영매뉴얼.

보건복지부(2013). 2013 아동복지사업안내.

보건복지부(2016). 2016 보건복지통계연보.

보건복지부(2017). 2017 보건복지통계연보.

보건복지부(2018). 2018 보건복지통계연보.

보건복지부(2019). 2019 보건복지통계연보.

보건복지부(2020). 2020 보건복지통계연보.

보건복지부(2020). 2020 보호대상아동 현황보고 통계.

보건복지부(2020). 2020 장애인실태조사.

보건복지부(2020). 2020년 드림스타트센터 현황.

보건복지부(2020). 2020년 지역아동센터 현황.

보건복지부(2020). 장애인등록현황.

보건복지부(2021). 2021 장애인연금 사업 안내.

보건복지부 · 한국보건사회연구원(2020). 장애인실태조사.

빈부격차 · 차별시정위원회(2004). 빈곤대물림 차단을 위한 희망투자전략: 빈곤아동 · 청소년 종합대책. 제49회 국정과제회의자료.

빈부격차 · 차별시정위원회(2006). 다문화 개방사회를 위한 사회정책 연구.

서우경(2001). 국내 · 외 아동학대 연구동향의 비교분석. 숙명여자대학교대학원 석사학위논문.

설동훈 외(2005). 국제결혼 이주여성 실태조사 및 보건 · 복지 지원 정책방안. 보건복지부.

설동훈(2006). 다문화가족에 대한 사회적 인식. 국회도서관보, 43(5) 통권 제325호.

성민선(1993). 아동학대의 예방과 대책. 아산, 59, 아산사회복지재단.

성영혜 · 김연진(2002). 아동복지이론과 실제. 동문사.

세이브더칠드런(2021). 조손가족 실태조사 연구보고서.

송정애 외(2010). 가족복지론. 양서원.

신정숙(2005). 그룹홈 아동의 생활 적응에 관한 연구. 원광대학교 행정대학원 사회복지학과 석사학위논문.

신혜섭(2007). 저소득 조손가족의 특징과 실천현장의 프로그램. 학생생활연구, Vol.26.

안동현(1997). 아동의 권리 : 필요성, 역사성 및 과제. 아동권리연구, 창간호. 아동권리학회.

안영진 외(2005). 아동심리의 발달과 이해. 정일.

엄명용 외(2012). 사회복지실천기술의 이해. 학지사.

여문환(2005). 자폐아동 치료교육 프로그램. 양서원.

여성가족부(2007). 조손가족실태조사 및 지원방안에 관한 연구. 여성가족부.

여성가족부(2020). 국민다문화수용성조사.

오정수 외(2013). 아동복지론. 학지사.

오정수 · 장인협(1993). 아동 · 청소년복지론. 서울대학교출판사.

오정수 · 정익중(2008). 아동복지론. 학지사.

윤인진 외(2007). 북한이주민 가족의 사회적응과 가족관계의 변화. 한국가족복지학.

윤찬영(2005). 사회적 소수자의 인권과 복지, 비판과 대안을 위한 사회복지학회, Vol.2005, No.1

윤혜미 외(2010). 아동복지론. 청목출판사.

이 숙 외(2004). 아동상담. 양서원.

이동렬 · 박성희(2003). 공감 교육에 대한 개관 연구 : 1970년 이후 영어로 출판된 연구를 중심으로. 한국교육학회, 41(3).

이미선 외(2008). 사회복지실천기술론. 창지사.

이미선 외(2008). 사회복지실천기술론. 창지사.

이봉주 · 김세원(2005). 아동학대와 방임의 사회구조적 요인. 아동과 권리, 9(3).

이순형 외(2001). 가족해체에 따른 청소년보호시설 대응현황. 서울대학교 생활과학대학 생활과학연구소.

이순형 외(2013). 아동복지이론과 실천. 학지사.

이유진(2006). 어머니의 우울, 양육스트레스와 아동의 행동문제와의 관계, 서울여자대학교 특수치료전문대학원: 특수심리치료학과 석사학위논문.

이인정 · 최해경(2003). 인간행동과 사회환경. 나남.

이장호 · 김정희(1995). 집단상담의 원리와 실제. 법문사.

이재연 외(1990). 아동상담과 치료. 양서원.

이재연(1996). 아동의 권리보장과 보호. 정신건강연구, 15.

이지애(2007). 다문화가정 아동과 일반가정 아동의 학교적응에 관한 연구 – 자아존중감을 중심으로. 고려대학교 대학원 석사학위논문.

이향란(2012). 지역아동센터교사의 역할과 자질. 지역아동센터종사자 보수교육 자료집.

이혜연 외(2009). 위기가정 아동·청소년의 문제와 복지지원방안 연구-빈곤한 한부모가정, 조손가정의 아동·청소년을 중심으로-. 한국청소년정책연구원.

이혜원·윤혜미(2009). 아동권리 옹호의 유형과 제도방안. 한국학교사회복지학, 18.

이호균(1999). 아동학대의 실제. 한국아동학대예방·치료활동의 현황과 과제. 한국아동학대예방협회 창립 10주년 기념 학술 세미나 자료집.

임동호(2009). 아동복지론. 신광문화사.

임시아(2011). 아동복지론. 공동체.

임혜경(2004). 국제결혼 사례별로 나타난 가족문제에 따른 사회 복지적 대책에 관한 연구. 대구대학교 대학원 석사학위논문.

장병림(1982). 이상성격심리학. 박영사.

장영인 외(2006). 아동복지론. 나눔의 집.

장인협·오정수(2001). 아동·청소년 복지론. 서울대학교출판부.

장화정(2005). 아동보호정책의 현황과 과제. 한국의 아동복지정책 방향 탐색. 2005 대한아동복지학회 춘계학술대회 자료집.

전경숙(2008). 경기도 지역의 다문화가정과 일반가정 청소년의 생활실태 조사 : 학교생활과 가정생활을 중심으로. 청소년상담연구, 16, 167-185.

전혜옥(2004). 한국의 청소년 그룹홈 활성화에 관한 연구 : 들꽃피는 마을 사례를 중심으로. 상명대학교 정치경영대학원 사회복지학과 가족치료전공 석사학위논문.

정기원·김만지(1993). 우리나라 입양의 실태분석. 한국보건사회연구원.

정대영(2006). 의미구조 중심의 이야기구성도 작성 훈련이 읽기 학습장애아동의 독해력, 읽기인식 및 태도에 미치는 효과. 특수아동교육연구, 8(2). 한국특수아동학회.

정상우(2008). 이주아동의 기본권 보장에 관한 연구. 법제연구, 34.

정성란(2013). 집단상담. 학지사.

정옥분 외(2012). 아동복지론. 학지사.

정진영(1992). 아동학대의 실태 및 영향. 한국형사정책연구원.

정진영(1996). 사회복지시설 퇴소아동의 사회적응문제. 한국아동복지학 4호. 한국아동복지학회.

정하성 외(2007). 다문화청소년이해론. 양서원.

조영달 외(2006). 다문화가정의 자녀교육 실태조사. 교육인적자원부.

주정일·이소희(2001). 아동복지학. 교문사.

중앙건강가정지원센터(2013). 조손가족 희망사다리 배움지도사 양성 교육 교재.

채경선(2007). 아동정신건강. 창지사.

천은영(2010). 그림을 통한 아동미술치료. 동화기술.

초록우산 어린이재단아동복지연구소(2012). 아동빈곤가구복지사각지대 현황분석 보고서. 초록우산어린이재단 아동복지연구소.

최선희·김희수(2004). 빈곤아동·청소년 실태파악 및 정책방안 연구. 빈부격차차별시정위원회.

최순옥 외(2011). 아동복지의 이해. 태영출판사.

최영진(2017). 아동수당제도의 도입과 과제.

최현미 외(2006). 아동복지실천 현장의 다양화: 이주아동, 북한이주민 아동, 장애아동을 위한 전문인력 양성 방안. 한국아동복지학회 추계학술대회 자료집.

충남여성정책개발원(2011). 생애주기별 맞춤형 복지계획.

통계청(2015). 2015년 인구주택총조사. 통계청.

통계청(2019). 2019년 혼인이혼통계. 통계청.

통계청(2020). 2020 세계인구현황보고서.

통계청(2020). 2020년 장애인등록현황. 통계청.

통계청(2020). 가정위탁 국내입양소년소녀가정 현황, 보건복지부.

통계청(2021). 2020 국민 삶의 질.

표갑수(1993). 아동학대의 원인론과 대처방안. 한국아동복지학, 창간호, 158-159.

표갑수(1994). 아동청소년복지론. 청주대학교출판부.

한건수(2006). 농촌지역 결혼이민자 여성의 가족생활과 갈등 및 적응. 한국문화인류학, 39(1), 195-243.

한국가족학연구회(1990). 현대사회와 가족문제 세미나 자료.

한국건강가정진흥원(2012). 2012 가족역량강화 지원사업 운영 매뉴얼.

한국건강가정진흥원(2012). 2012 건강가정지원센터 운영가이드북.

한국건강가정진흥원(2013). 2013 가족역량강화지원사업 운영매뉴얼.

한국대학사회봉사협의회(2013). 한국대학생 해외봉사단 파견실무 매뉴얼.

한국보건사회연구원(2011). 2011년 장애인실태조사. 한국보건사회연구원.

한국보건사회연구원(2012). 다문화가족 아동의 사회적응실태와 정책과제연구보고서. 한국보건사회연구원.

한국심성교육개발원(2009). 미술치료상담과정. 한국심성교육개발원.

한국여성복지연구회(2005). 가족복지론. 청목출판사.

한국청소년정책연구원(2010). 취약가정·시설아동·청소년지원을 위한 종단연구.

한국형사정책연구원(2013). 학교폭력위기에 대한 단기적 대응방안.

한미현 외(2013). 아동복지. 창지사.

한미현(2006). 아동보호서비스의 실제. 집문당.

한상철(2008). 청소년학 : 청소년이해와 지도. 학지사.

한성실 외(2012). 아동복지론. 창지사.

한성심 · 송주미(2008). 한국 아동복지 정책의 유형분석을 통한 과제 연구. 아동복지연구, 6(2). 대한아동복지학회.

함철호 외(1997). 아동복지시설의 양육상태와 심리적 환경에 대한 비교. 한국사회복지학.

행정안전부(2011). 다문화가족관련통계.

행정안전부(2019). 외국인주민현황조사.

허남순 외(2005). 빈곤아동과 삶의질. 학지사.

홍강의(1999). 아동학대의 결과와 후유증. 한국아동학대예방· 치료활동의 현황과 과제. 한국아동학대예방협회 창립 10주년 기념 학술 세미나 자료집.

황미영(2001). 국내 입양사업의 문제점과 개선방안. 청주대학교 행정대학원 석사학위논문.

황성기(1997). 아동의 권리에 관한 제 문제. 한국아동권리학회.

UN인구기금(2012). 2012 세계인구현황보고서. 인구보건복지협회.

Anold, L. E.(1990). *Childhood Stress*. New York : Wiley.

Antler, S.(1985). The social policy context of child welfare. In J. Laird & A. Hartman (Eds.), *A Handbook of Child Welfare*. N.Y. : The Free Press.

Baily, W.(1988). *Defining emotional maltrement in child protective service. In National Association of Child Welfare Administrators.* Washington D.C. : American Public Welfare Association.

Barford, R. & Wattan, C.(1991). Children's Participation in Decision Making. *Practice, 5*(2), 93-101.

Berry, J. W.(1990). Psychology of acculturation. In R. W. Brislin(Eds.), *Applied Cross- cultural Psychology* (pp. 232-253). Newbury Park, CA : Sage.

Corning, P. A(2011). *The Fair Society*. University of Chicago Press.

Costin, Lela B. (1979). *Child Welfare : Policies and practice.* N.Y. : McGraw-Hill.

Ellen Key(1990). *The Century Of The Child.* Arno Press.

Erikson, E. H.(1963). *Childhood and Society.* New York : W. W. Norton.

Fontana, V. J.(1970). *The Maltreatment Syndrome in Children*(2nd ed). Springfield, Ⅲ. CharlesC, Thomas.

Fredericksen, H., & Mulligan, R. A.(1972). *The Child and His Welfare.* San Francisco, CA : W. H.. Freeman and Company.

Garbarino, J.(1977). The human ecology of child maltreatment : a conceptual model for research. *Journal of Marriage and the Family, 39*, 721-735.

Garbarino, J.(1987). Children's response to a sexual abuse prevention program : A study of the Spiderman comic. *Child Abuse & Neglect, 11*, 143-148.

Garbarino, J.(1992). The meaning of poverty in the world of children American. *Behavioral Scientist, 35*.

Gil, David (1970). *Violence Against Children Physical Child Abuse in the United*. Cambridge Mass : Harvard University.

Harding, L. F.(1991). *Perspectives in Child Care policy.* Longman.

Harvey(1978). *Social Justice and The City*.

Havighurst, R. L.(1972). *Developmental Tasks and Education*(3rd ed.). New York : David McKay.

Kadushin, A. & Martin, J.(1988). *Child Welfare Services*(4th ed.). Macmillan Publishing Company.

Kadushin, A.(1980). *Child Welfare Services.* Macmillan Publishing Co., Inc.

Kamerman, S. B. & Kahn, A. J.(1985). Child welfare and the welfare of families with children : a child and family policy agenda. In B. G. McGowan & W. Meezan (1983), *Child Welfare : Current Dilemmas and Future Directions.* Itasca : F.E. Peacock Publishers, Inc.

Kempe, C. H., Siverman, F., Steele, B., Droegmueller, W., & Silver, H.(1962). The battered child syndrome. *Journal of the American Medical Association, 181*, 17-24.

Maslow(1954). *Motivation and Personality*. NY : Harper & Row.

Mather, J. H. & Lager, P. B.(2000). *Child Welfare : a Unifying Model of Practice.* Brooks/Cole.

Newman, B. & Newman, P. R.(1987). *Development Through Life : a Psychosocial Approach.* IL : Dorsey Press.

Norton, R.(1981). Cecil Charity House. *Feminist, 29*.

Patterson, G. R. (1983). Stress: A Change agent for family process. In N. Garmezy, & M. Rutter, (Eds.) *Stress, coping, and development in children*(pp. 235-264). New York: McGraw-Hill.

Pecora, P. J., Whittaker, J. K., & Maluccio, A. N.(1992). *The Child Welfare Challenge : Policy, Practice, and Research.* N.Y. : Aldine de Gruyter.

Rumbaut, R. G.(1997). Ties that bind. In A. Booth, A. C. Crouter, & N.BLandale(Eds.), *Immigration and the Family : Research and Policy on U.S. Immigrants.* Mahwah, NJ : Lawrence Erlbaum Associates.

Schaefer, C. E.(1993). What is play and why is therapeutic? In C. E. Schaefer(Ed.), *The therapeutic powers of play* (pp.1-6). Northwale, NJ : Jason Aronson.

Sue Jennings(1993), *Playtherapy With Children: A Practitioner's Guide*, Blackwell Scientific

Publications.

Wald, M.(1979). Children's Rights : A Framework for Analysis. University of California at *Davis Law Review, 12*(2), 255-282.

Wringe, C.(1981). *Children's Right.* London.

Zuckerman, M., & Como, P. (1983). Sensation seeking and arousal systems. *Personality and Individual Differences, 4*(4), pp.381-386.

국가법령정보센터 홈페이지 www.law.go.kr

굿네이버스 홈페이지 www.goodneighbors.kr

노원1종합사회복지관 홈페이지 www.nowon.or.kr

대구학생문화센터 홈페이지 www.dccs.go.kr

대한사회복지회 홈페이지 www.sws.or.kr

무지개청소년센터, 이주배경청소년지원재단 홈페이지 www.rainbowyouth.or.kr

보건복지부 홈페이지 www.mohw.go.kr

서울시청 홈페이지 www.seoul.go.kr

서울시청 홈페이지 www.seoul.go.kr

아동권리보장원 다함께돌봄사업 홈페이지 www.dadoi.or.kr

아동권리보장원 홈페이지 www.ncrc.or.kr

아동발달지원계좌 디딤씨앗 통장 홈페이지 www.adongcda.or.kr

어린이재단 홈페이지 www.ggfoster.or.kr

여성가족부 홈페이지 www.mogef.go.kr

영실애육원 홈페이지 www.yeongsil.or.kr

월드비전 홈페이지 www.childhealthnow.or.kr

유니세프 한국위원회 홈페이지 www.unicef.or.kr

의정부시청 홈페이지 www.ui4u.net

중앙아동보호전문기관 홈페이지 www.korea1391.org

한국국제봉사기구 홈페이지 www.kvo.or.kr

한국지역아동센터연합회 홈페이지 www.hjy.kr

찾아보기

[인명]

[내용]

ㄱ

ㄴ

ㄷ

▸▸ ㅌ ◂◂

▸▸ ㅎ ◂◂

▸▸ 기타 ◂◂

저자약력

송정애

동국대학교 대학원 아동·가족학 전공(이학박사)
협성대학교 대학원 사회복지학 전공(사회복지학박사)
현, 신한대학교 사회복지학과 교수
신한대학교 로고스봉사단 단장
경기도사회복지협의회 이사, 한국심성교육개발원 이사
신흥사회복지법인 이사, 의정부사회보장협의체 위원
경기도제2사회복지정책위원회 위원

〈주요 저서〉

가족상담이론과 실제, 다문화아동사례관리, 가족복지론(공저), 사회복지개론(공저)
부모교육(공저) 외 다수

제2판

아동복지론

1판 1쇄 발행 2013년 8월 30일
1판 6쇄 발행 2020년 2월 10일
2판 1쇄 발행 2022년 1월 15일
2판 4쇄 발행 2026년 2월 20일

저　　자 | 송정애
발 행 인 | 박철용
발 행 처 | 양서원
주　　소 | 경기도 파주시 직지길 522 파주출판도시
전　　화 | 031-955-8000(代)
팩　　스 | 031-955-8005
홈페이지 | www.yswpub.co.kr
이 메 일 | yswpub@chol.com
출판등록 | 1987년 11월 24일 제 406-2003-037 호

ISBN 978-89-994-0134-3

정가 23,000원